Josef Römelt
Personales Gottesverständnis
in heutiger Moraltheologie

Innsbrucker theologische Studien

in Verbindung mit den Professoren der Theologischen Fakultät
herausgegeben von

Emerich Coreth · Walter Kern · Hans Rotter

Band 21

Josef Römelt

Personales Gottesverständnis in heutiger Moraltheologie

auf dem Hintergrund der Theologien von K. Rahner und H. U. v. Balthasar

1988

Tyrolia-Verlag · Innsbruck-Wien

Mitglied der Verlagsgruppe „engagement“

CIP-Titelaufnahme der Deutschen Bibliothek
Römelt, Josef:
Personales Gottesverständnis in heutiger Moraltheologie:
auf d. Hintergrund d. Theologie von K. Rahner u. H. U. v. Balthasar / Josef Römelt. –
Innsbruck; Wien: Tyrolia-Verlag, 1988.
(Innsbrucker theologische Studien; Bd. 21)
ISBN 3-7022-1645-6
NE : GT

Gedruckt mit Unterstützung von:
Bundesministerium für Wissenschaft und Forschung, Wien
Tiroler Landesregierung – Kulturreferat, Innsbruck
Norddeutsche Provinz CSSR, Köln
Fonds zur Förderung der wissenschaftlichen Forschung, Wien

Satz, Druck und Buchbinderarbeit
in der Verlagsanstalt Tyrolia, Gesellschaft m. b. H., Innsbruck

Vorwort

Die vorliegende Arbeit wurde im Sommersemester 1987 von der Katholisch-Theologischen Fakultät der Universität Innsbruck als Dissertation angenommen. Für die Begleitung der Arbeit habe ich vor allem Prof. Dr. Hans Rotter zu danken. Im Hinblick auf die grundlegende Anlage und Idee der Untersuchung habe ich viel Rat, Anteilnahme und immer neue Anregung bei ihm gefunden. Große Hilfe habe ich auch von Prof. DDr. Walter Kern bei der konkreten Anordnung des Stoffes und der formalen Ausführung der Arbeit erhalten. Danken möchte ich weiterhin Prof. Dr. Adolf Darlap, Frau Monika Eberharter und Frau Dr. Eva Schmetterer, die das Manuskript bzw. die Druckfahnen durchgesehen haben, den Herausgebern der „Innsbrucker theologischen Studien" und der Verlagsanstalt Tyrolia. Meinen Mitbrüdern im Redemptoristenorden, meinen Lehrern in der theologischen Ausbildung und ganz besonders Prof. Dr. Rolf Decot, von dem ich als mitbrüderlichem Studienbegleiter große menschliche Hilfe und manche fachliche Unterstützung erfahren habe, bin ich in Dankbarkeit verbunden.

Die Arbeit sei meinen Eltern, denen ich den größten Dank schulde, gewidmet.

Innsbruck, im März 1988

Josef Römelt CSSR

Inhaltsverzeichnis

Einleitung

Die Moraltheologie konnte bis in die erste Hälfte dieses Jahrhunderts sehr selbstverständlich auf Deutungshilfen zurückgreifen, die in den anderen theologischen Bereichen, vor allem in der Dogmatik, für ihre Grundlagen bereitstanden: z. B. für die Naturrechtslehre auf das scholastisch-ontologische Schöpfungsverständnis und für das Gottesverständnis hauptsächlich auf den damit verbundenen Seinsbegriff. Diese Selbstverständlichkeit ist aufgrund des heutigen Wandels der Theologie und der damit zusammenhängenden Pluralität des Denkens verlorengegangen. Die gegenwärtige Dogmatik greift auf die unterschiedlichsten philosophischen, geisteswissenschaftlichen und humanwissenschaftlichen Denkmodelle und Aussageweisen zurück, um ihre theologischen Gehalte zu reflektieren.[1] Und auch die Moraltheologie ist gezwungen, sich darüber Rechenschaft zu geben, was sie im heutigen geistesgeschichtlichen Umfeld als ihre Basis begreift.[2]

Innerhalb dieser Entwicklung stehen nicht nur Fragen wie die Besinnung auf die moraltheologische Normenfindung, auf die Geschichtlichkeit der Normen, die Legitimation und Motivation des christlichen Handelns usw. an, In dieselbe Reihe der grundsätzlichen Probleme der veränderten geistesgeschichtlichen Situation gehört für die Moraltheologie auch die Frage nach dem Gottesverständnis.[3]

1. Die Problemstellung

Stellt man heute die Frage nach dem Gottesverständnis in der Moraltheologie, so weckt man mit dieser Fragestellung häufig sofort die Erwartung der Kritik eines

---

[1] Vgl. W. Kasper, Die Methoden der Dogmatik. Einheit und Vielheit. München 1967.

[2] Schüller (4) 272 artikuliert die Problematik der fehlenden eigenen Grundlagenreflexion der traditionellen Moraltheologie zum Beispiel für die normative Ethik. Rotter (1) 5 spricht das Methodenproblem der Moraltheologie überhaupt an.

[3] „Die Aktualität eines derartigen Themas ist kaum zu übersehen. Ebensowenig ist zu übersehen, daß damit zusammenhängende moraltheologisch relevante Problemaspekte vielerorts behandelt werden. Man muß aber zugleich auch feststellen, daß im genuin moraltheologischen Bereich der aufgeworfenen Frage bislang nicht oder allenfalls nur sehr zurückhaltend nachgegangen wurde, wie die Moraltheologie sich ja überhaupt in bemerkenswerter Weise sehr lange eigener theologisch-kritischer Fragestellungen enthielt." „Wer Gott sei, wußte man aus einer moraltheologischen Standard-Dogmatik..." (Eid 117 mit Anm. 2). Diese Feststellung Eids hat ihre Relevanz auch heute noch nicht verloren. Die Problematik des Gottesverständnisses wird in der Moraltheologie nur selten direkt angesprochen: vgl. Eid; Fuchs; Furger. Unter einem mehr spirituellen Blickwinkel handeln darüber: Rotter (5); Mieth (2). Indirekt berühren das Problem natürlich auch die Auseinandersetzung um das Proprium der christlichen Ethik und die Autonomiediskussion. Ausdeutungen der letzteren auf das Gottesverständnis hin finden sich in: Auer (1); Styczen; Türk.

Gottesbildes, das Gott als sozusagen eifersüchtigen Herrscher über den Menschen und als Richter seiner Taten darstellt. Dieses Gottesbild wird der Moraltheologie vor allem (aber nicht nur) in ihrer traditionellen Gestalt zugeschrieben. „Die gläubigen Christen sehen sich persönlich und ihre Realisierung des Menschen und seiner Welt mit ‚göttlichem' Gebot, Gesetz, Recht, ‚göttlichem' Wirken und ‚göttlicher' Intervention konfrontiert. Gott wird – mehr oder weniger – als der zwar transzendent *über* (oder *in*) allem Seienden und doch als solcher *neben* uns in dieser kategorialen Welt Stehende erlebt. Ist das nicht eigentlich der Gott, den Nietzsche in der Vorstellung mancher Christen entdecken und eben darum als Konkurrenten des Menschen ablehnen zu müssen glaubte? Sicher ist es das Gottesbild, das auch heute vielfach Katechese, Predigt, frommes Schrifttum, manche Theologie und auch kirchenamtliche Intervention einimpft."[4]

Es scheint, daß diese Kritik in ihrer Tiefe weit mehr sein will als nur die Infragestellung einer bestimmten Seite des biblischen Gottesverständnisses, das nach ihrem Verständnis durch die Moraltheologie überbetont wäre. Man gewinnt den Eindruck, sie möchte letztlich eine Entfremdung artikulieren: die Entfremdung zwischen dem heutigen Selbst- und Wirklichkeitsverständnis und dem Denkansatz, der Denkform der Moraltheologie. Unter „Denkform" wäre dabei das gesamte Gefüge der theologischen und philosophischen Gedankengänge und Aussageweisen der Moraltheologie zu verstehen, in deren Horizont sie ihr Gottesverständnis vermittelt. Und von einer Entfremdung zwischen dieser und dem heutigen Wirklichkeitsverständnis zu sprechen ist berechtigt, insofern sie sich im Denkhorizont der Neuscholastik – dem Denkhorizont, der die Moraltheologie innerhalb der gesamten katholischen Theologie in der zweiten Hälfte des 19. und zu Beginn des 20. Jahrhunderts geprägt hat – weitgehend als eine rationalistisch[5] objektivistische Aktmoral[6] mit autoritären Zügen[7] zeigt. Die geistesgeschichtlichen Ursachen für ein solches Denken können hier nur angedeutet werden: Die überwiegend objektive Ausrichtung wurzelt in der langen, kosmozentrisch denkenden Tradition der katholischen Theologie. In ihrer rational objektivistischen Veren-

---

[4] Fuchs 380. Fuchs spricht über die Problematik des Gottesbildes vom Gebieter-Gott (364) und Herrscher-Gott (373). Sie entzündet sich vor allem an der Schwierigkeit, daß es der Moraltheologie sehr schwer fällt, die freie Selbstbestimmung des Menschen und den Ausdruck des göttlichen Willens in der sittlichen Verpflichtung in ein richtiges Verhältnis zu bringen. Vgl. Eid 119–125: „Irritierende Akzente in der üblichen moraltheologischen Rede von Gott."

[5] Diesen Rationalismus der neuscholastischen Moraltheologie erwähnt Juros 20 mehr nebenbei.

[6] Böckle (1) 431 schreibt der Moraltheologie der Vergangenheit mehr die „bloße Untersuchung eines abstrakt gefaßten sittlichen Aktes und seiner Objekte" zu, von der sich die gegenwärtige Moraltheologie „abgewandt" habe. Sie muß heute *„das Verhältnis von Person und Akt* näher... prüfen", um so „den Akt wieder personal voller zu sehen".

[7] Ziegler 318 stellt fest, daß um 1900 und danach unter dem Einfluß der Neuscholastik „in der Mehrzahl der moraltheologischen Handbücher das *Autoritätsprinzip zum Formalprinzip* erklärt wurde".

gung kommt sie vor allem von der Spätscholastik her.[8] Der rationalistische Zug wurde durch die Abspaltung der Moraltheologie von der Dogmatik seit Beginn des 17. Jahrhunderts durch die sich daraus ergebende Entwicklung zur Kasuistik und eine damit zusammenhängende Verrechtlichung verstärkt.[9] Das autoritätsbetonte Denken wurde besonders durch die scharfe Entgegensetzung von Vernunft und Glaube in der gesamten neuzeitlichen Apologetik ausgestaltet[10] und diente als Absicherung des objektiven Denkens gegenüber der neuzeitlich subjektiven Denkweise.[11] Die ganze Entwicklung fand in der Neuscholastik in einem gewissen Sinn ihren Abschluß und führte zum extrinsezistischen Objektivismus und Autoritätsdenken.[12] Es ist jedenfalls unmittelbar einsichtig, daß diese Form des moraltheologischen Denkens mit der heutigen Suche nach einem subjektiv vermittelten, autonom partnerschaftlichen, existentiellen und in einem umfassenden Sinn personalen Selbst- und Wirklichkeitsverständnis in Widerstreit geraten muß.[13] Die Vorstellung einer mehr oder weniger unmittelbar normierenden, objektiven Ord-

---

8 Vgl. die Charakterisierung der Spätscholastik als rationalisierende und objektivistische Verengung der Hochscholastik bei Siewerth (2) 119–154. Die Neuscholastik bleibt dieser Linie nach seiner Darstellung verhaftet (211–262). Die Konsequenzen des spätscholastischen Rationalismus für das ethische Denken katholischer Theologie zeigt Arntz (2) 87–120 am Wandel des Naturrechtsverständnisses von Thomas bis Vasquez.

9 Vgl. Rotter (1) 8; Häring 54–57.

10 Die rationalistisch-extrinsezistische Glaubwürdigkeitsargumentation sollte den an den als möglich und gelungen erachteten Beweis der Tatsache und formalen Glaubwürdigkeit der Offenbarung anschließenden Offenbarungspositivismus absichern. Zur Untersuchung dieser Struktur der neuscholastischen Denkform vgl. Eicher (4) 151–162.

11 Den Vorgang spricht Kaufmann 152 als einen umfassenden geistesgeschichtlich-politischen Prozeß in Hinblick auf die Mitte der neuscholastischen Moraltheologie, die Naturrechtslehre, an: Es scheint, „daß die Wiederaufnahme des scholastischen Naturrechtsdenkens nur aus kircheninterner Sicht als Renaissance, aus geistesgeschichtlicher Perspektive jedoch als bloße *Restauration* aufzufassen" ist. In diesem Sinne „erhielt die Naturrechtsdoktrin ihre Bedeutung als *defensive Position* gegen eine politische und kulturelle Übermacht, als Moment der Erhaltung von Identität angesichts einer tiefgreifenden Veränderung des Verhältnisses von ‚Kirche' und ‚Gesellschaft'. Die Naturrechtsdoktrin erwies sich als geeignetes Instrument zur *Stabilisierung der Grenzen zwischen Kirche und ihrer Umwelt*" (156).

12 Vgl. Ziegler 317f. Diese nur grob gezeichnete Entwicklung wird dabei immer wieder von Versuchen begleitet, den Einseitigkeiten entgegenzusteuern, z. B. in der Moraltheologie der Tübinger Schule, in der Kantrezeption und der Thomasrenaissance im 19. Jh. Dabei konnten sich diese Versuche aber innerhalb der traditionellen Moraltheologie nie durchsetzen. Vgl. Häring 63–69; Rotter (1) 8.

13 Dabei soll über die geistesgeschichtlichen Beweggründe und die Berechtigung dieses Denkens hier nicht geurteilt werden. Der Begriff der „Entfremdung" schließt auch die Schwierigkeit ein, der geistesgeschichtlichen Situation vergangener Epochen gerecht zu werden. Vgl. dazu z. B. das etwas positivere Urteil von Demmer (3) 86[22]: „Die Neuscholastik in der Vielfalt ihrer Schulen und Forschungsinteressen läßt sich nicht auf einen gemeinsamen Nenner bringen. Und sie war niemals selbstgenügsame Abkapselung, sie stand immer in denkerischer Auseinandersetzung mit den geistigen Strömungen der jeweiligen Zeit, auch wenn dies in den moraltheologischen Handbüchern nicht immer deutlich wurde."

nung und ihre autoritäre Absicherung muß das moderne, subjektiv gewendete Verständnis der menschlichen Freiheit tief befremden. Und die ungeschichtliche Ausrichtung dieses Denkens läßt den Wunsch nach Achtung der existentiellen Würde des einzelnen Lebensschicksals mit sich allein.[14]

Ist aber nicht die gegenwärtig meist kritische Beurteilung der moraltheologischen Vermittlung des christlichen Gottesverständnisses grundlegend in dieser Entfremdung der Verstehenshorizonte begründet, die geistesgeschichtlich bedingt ist? Denn: Muß nicht in der Fremdheit der Verstehenshorizonte der Eindruck einer Deutung des sittlichen Anspruchs durch die Moraltheologie entstehen, die *von der Subjektivität, Freiheit und personalen Würde des Menschen ganz unberührt* wirkt und an bloßen objektiven Ordnungen oder einer unvermittelten, willkürlich anmutenden Freiheit Gottes ihr Maß zu finden scheint?[15] Und muß nicht aufgrund dieser Entfremdung die befreiende Wirklichkeit Gottes durch die moraltheologische Vermittlung verstellt werden?[16]

Die gegenwärtige Moraltheologie bemüht sich innerhalb des derzeitigen Umbruchs der Theologie um die Bewältigung der Problemkreise, die mit diesen Fragen verbunden sind. Sie tut dies durch eine weitgehende subjektive, anthropologische und personale Vermittlung ihres Ansatzes auf dem Hintergrund ihrer Lösung aus dem neuscholastischen Denkhorizont.

Diese Entwicklung beginnt mit einer Reihe von christozentrischen Entwürfen im zweiten Drittel des 20. Jahrhunderts. Sie schließen an die Bibelbewegung und die liturgische Bewegung an und verankern die Interpretation christlicher Sittlich-

---

[14] Solche Befremdung drückt sich z. B. in den Formulierungen heutigen Wirklichkeitsverständnisses aus, welche den sittlichen Anspruch nicht als etwas bloß objektiv Vorgegebenes, sondern als etwas subjektiv Aufgegebenes verstehen, das dabei an der menschlichen Geschichte und ihrer Bewegung Anteil hat. Vgl. etwa Mieth (1) 17: „Gott hat dem Menschen keinen Kanon sittlicher Weisungen gegeben..., sondern die Fähigkeit, sich solche zu schaffen." „Nur eine statische und von der konkreten Welt abgewandte Sicht hält eine Evolution des sittlichen Bewußtseins von vorneherein für einen Verfall. ...Neue Orientierung kann aber nur gegeben werden, wenn die Geschichtlichkeit... ernst genommen wird."

[15] Es ist wohl ein Niederschlag der problematischen Beziehungslosigkeit des moraltheologischen Denkens zur subjektiven und geschichtlich differenzierten Gestalt der menschlichen Freiheit und zur personalen Würde des Menschen, der sich auf die moraltheologische Vermittlung des Gottesverständnisses ausdehnt. Fuchs 380f: Manche „moraltheologischen Formulierungen [zeugen] letztlich vom Bild eines Gottes, der recht starr äußerst globale ‚göttliche Gebote, Gesetze' vertritt und sich um die sachliche (menschliche) Verschiedenheit und Differenziertheit nicht kümmert, der auf ihm (Gott) vorgehaltenen Rechten innerhalb der kategorialen Welt besteht... Es handelt sich darum um das Bild eines Gottes, der in sittlicher Hinsicht im Grund nur eines fordert: Gehorsam; alle anderen sittlichen Werte und möglichen menschlichen Wertungen sind demgegenüber relativiert. Es ist weniger menschliche verantwortliche Mitwirkung mit ihm als transzendentem Schöpfer gefordert als vielmehr Gehorsam."

[16] Dagegen betont Eid 117 gerade: „Die Frage ist, ob das jeweils praktisch leitende Gottesbild sittlich *entfremdende* Wirkung ausübt oder ob es den Menschen *befreiend* zu sich selbst und über sich hinausführt und ihn so bei der Entwicklung realistisch-reifer Sittlichkeit fördert."

keit in der personalen und sakramental seinshaften Beziehung des Menschen zu Christus. Das bringt eine beachtliche personale Wende in die Denkform der Moraltheologie.[17] Aufgrund der biblischen Motivation bemühen sich diese Ansätze aber zu wenig, die personale Mitte ihres Denkens auf die rationale Interpretation des sittlichen Anspruchs hin durchsichtig zu machen. Die traditionelle Naturrechtslehre wird von außen her mehr oder weniger unvermittelt übernommen, und so bleibt das Denken zumindest teilweise dem objektivistischen Verstehenshorizont verhaftet.[18]

Nach dem Zweiten Weltkrieg ist die Entwicklung zunächst von der Rückbesinnung auf das Naturrechtsdenken geprägt.[19] Die Moraltheologie versucht aber seit dem Zweiten Vatikanischen Konzil[20], durch die Übernahme der anthropozentrischen Wende der katholischen Theologie die objektivistische Form des traditionellen Naturrechtsdenkens durch eine subjektiv vermittelte Denkweise zu überwinden. Es geht ihr darum, die Sittlichkeit von der Subjektivität und personalen Wirklichkeit des Menschen her grundlegend neu zu verstehen. Mit dieser Wende leistet sie die grundsätzliche Auseinandersetzung mit dem neuzeitlichen, subjektiv vermittelten Denken und der personal geschichtlichen, gegenwärtigen Wirklichkeitsdeutung im Sinne einer völligen Neubesinnung auf ihre philosophisch-rationalen Voraussetzungen und ihre theologische Denkweise. Diese Wende bedeutet zugleich die endgültige Überwindung des objektivistischen und autoritätsbetonten, extrinsezistischen Denkens der Neuscholastik. Und sie ist schließlich die Lösung der Moraltheologie *aus der schroffen Beziehungslosigkeit gegenüber der subjektiven und personalen Würde des Menschen.* In der Reflexion rückt dabei zunächst die Frage nach der

---

17 Vgl. Ziegler 329–343; Reiter.

18 Demmer (3) 88f spricht den Zwiespalt zwischen theologisch personaler Mitte und philosophisch rationaler Peripherie in dieser Denkform an: „Die Nachfolge Christi begrenzte sich auf die Motivierung sittlichen Handelns, auf die Einweisung in Charismen und Grundhaltungen, die innerweltliches Handeln zwar zu inspirieren, nicht aber in seiner Sachgerechtigkeit hinreichend zu begründen vermochten. Das wurde weiterhin der autonomen sittlichen Vernunft anvertraut. Ihr fiel die Aufgabe zu, das in seiner Geltung allen Menschen gemeinsame sittliche Naturgesetz festzustellen und in seiner universalen Kommunikationsfähigkeit abzusichern. ... Es gelang ebensowenig, den Radikalismus der Verkündigung Jesu mit der schuldgeschichtlich bedingten Befindlichkeit der Freiheit, mit den verobjektivierten Zwängen der gefallenen Welt, die der Sachgerechtigkeit des Handelns allenthalben Grenzen auferlegen, zu vermitteln. ... Somit fiel aber die denkerische Bewältigung christlicher Weltgestaltung auf eine Verstehensebene von Rationalität und Objektivität zurück, die der existentialen Dimension sittlicher Erkenntnis nicht voll Genüge tut." Demmer 88 faßt die Problematik zusammen: „Letztlich ist es... das Fehlen einer hermeneutisch verantworteten Vermittlung von theologischer und sittlicher Vernunft, das dem Christozentrismus sein Scheitern eintrug."

19 Vgl. ebd. 93.

20 „Das Zweite Vatikanische Konzil legitimierte und förderte die Konfrontation auch der Moraltheologie mit den ‚Zeichen der Zeit' (Pastoralkonstitution, Nr. 4,1). ... Gegenüber einer allzu konfliktlosen Theozentrik zeichnet sich innerhalb der Theologie eine Akzentverlagerung auf den Menschen ab." (Ziegler 344.)

grundlegenden (subjektiv bezogenen) rationalen Transparenz der menschlichen Sittlichkeit in den Vordergrund. Die Beherrschung der Sittlichkeit durch die menschliche Vernunft wird zum Mittelpunkt der Überlegungen, die sich um die anthropologische Wende der Moraltheologie und die Integration der sittlichen Autonomie des Menschen, die darin als Grundlage der menschlichen Personalität erscheint, bemühen. Zugleich gibt es Bestrebungen, die sittliche Rationalität durch geschichtlich-hermeneutische Überlegungen auf eine personale Tiefe des Menschen hin durchsichtig zu machen, die dem rationalen Selbstvollzug des Menschen vorausliegt im Zentrum menschlicher Sinnerfahrung und der sie bestimmenden Sinnhorizonte. Diese Mitte des Menschen wird im Zusammenhang der umgreifenden Sinnhorizonte – und darin besonders im Zusammenhang mit der biblischen Gotteserfahrung – als der Bestimmungsgrund der Erfahrung sittlichen Sollens verstanden.

Die treibende, innere Konsistenz der hier zuerst genannten Tendenz in der Moraltheologie nach dem Zweiten Vatikanischen Konzil könnte man in den Zusammenhängen skizziert sehen, wie sie etwa die folgenden Sätze formulieren: „Die Erfahrung der Autonomie ist... die Erfahrung der Anthropozentrik der Welt und der damit verbundenen Verantwortung des Menschen. ... Sittlichkeit ist ‚eine freie Schöpfung des menschlichen Geistes' (A. Auer). Sittlichkeit muß also voll einsichtig, rational begründbar sein; das Argument und seine Evidenz, nicht das Dokument und seine Autorität sind entscheidend."[21] Dagegen drückt sich ein Denken in der Richtung, wie sie als zweite Tendenz der nachkonziliaren Moraltheologie angedeutet wurde, etwa bei Klaus Demmer aus: „Nun zeichnet sich – unverkennbar für den Moraltheologen – eine erneute Wende zum Subjekt ab. ... In zunehmendem Maße wird bewußt..., daß es eine sittliche Rationalität... als solche nicht gibt. Daß es sich bei ihr um eine abstrakte Konstruktion handelt, deren Bedingungen im erkennenden, deutenden und urteilenden Subjekt noch zu prüfen bleiben."[22] In diesen zuletzt genannten Versuchen wird offenbar die in den christozentrischen Ansätzen offengebliebene Frage nach der Vermittlung der sittlichen Rationalität mit der personalen Mitte christlicher Wirklichkeitsdeutung (wie sie vor allem von der heilsgeschichtlichen Gotteserfahrung in Jesus Christus her verstanden werden muß) aufgenommen und zu lösen versucht. Nach der erfolgten „ersten subjektiven Wende" moraltheologischen Denkens, d. h. der Revision der objektivistischen Rationalität, sucht man in einer „zweiten subjektiven Wende" – besser: in einer zweiten, „personalen Wende" – mit Hilfe geschichtlich-hermeneutischer und dialogischer Denkweise über eine rationale Verengung grundsätzlich hinauszukommen.[23]

Hinter diesen Bestrebungen der gegenwärtigen Moraltheologie scheinen verschiedene Auffassungen über die personale Würde und Mitte des Menschen zu stehen, welche die Pluralität und verwirrende Widersprüchlichkeit der gegenwärtigen philosophischen und humanwissenschaftlichen Deutung der menschlichen

---

21 Mieth (1) 16f.

22 Demmer (3) 38f.

23 Nach Demmer (3) 89 sollen „die gültigen Anliegen des christozentrischen Aufbaus... keinesfalls der Vergessenheit anheimfallen. Schließlich ist die angemeldete Kritik ja keineswegs total. Der personalistische Grundzug verdient weiterhin volle Beachtung. Sittliche Einsichts- und Entscheidungsprozesse sind ja wesentlich an interpersonale Begegnung und Kommunikation gebunden. Transzendenzeröffnete Subjektivität entfaltet sich ursprünglich im Gegenüber zu Personen und nicht zu Dingen." (Vgl. 89–92.) Demmer schließt (92): „Diese gerafften Hinweise lassen schon zur Genüge erkennen, daß man tiefer ansetzen muß, will man die Verbindung zur christozentrischen Tradition wiederaufnehmen und ihre offenkundigen Schwächen ausmerzen."

Personalität widerspiegeln. Die heutige Moraltheologie bietet so jedenfalls ein vielschichtiges Bild der personalen Umorientierung. Im Anschluß daran stellt sich die Frage: Verändert sich innerhalb dieser Entwicklung nicht auch die moraltheologische Vermittlung des christlichen Gottesverständnisses in sehr differenzierter Weise? Ist eine solche Veränderung faßbar, und wie wirkt sie sich aus?

2. Die Aufgabe der Untersuchung

Wollte man die philosophischen, dogmatischen, exegetischen, soziologischen, psychologischen Probleme und dergleichen mehr, die mit der Frage nach dem Gottesverständnis in der gegenwärtigen Moraltheologie zusammenhängen, insgesamt verfolgen, so würde der Rahmen einer einzelnen Untersuchung bei weitem überschritten. Insofern die gegenwärtige Erneuerung der Moraltheologie[24] und der katholischen Theologie als ganze noch nicht abgeschlossen ist – soweit es einen solchen relativen Abschluß überhaupt gibt –, bleibt die Fragestellung außerdem notwendig offen und die Möglichkeit einer derzeitigen Untersuchung begrenzt.

Die vorliegende Arbeit stellt sich die Aufgabe, das Gottesverständnis, wie es in der gegenwärtigen Moraltheologie vermittelt wird, in Hinblick auf zwei grundlegende Problemkreise darzustellen.

Der erste Problemkreis wird dabei von dem bereits zitierten Aufsatz von Josef Fuchs[25] vorgegeben: „Theologisch gesehen ist die Weltgestaltung die dem Menschen durch seine Menschenwelt als Gabe aufgetragene Aufgabe. Es muß darum als theologisch verdächtig gelten, wenn Gott *neben* dem Menschen – also kategorial – irgendwie innerhalb der Frage nach der richtigen Weltgestaltung, das heißt dem richtigen Verhalten des Menschen in seiner Welt, auftaucht, zum Beispiel durch Auferlegung von Geboten, durch Einforderung partikulärer Rechte, durch gesondertes Eingreifen in das geschichtliche Werden und Gestaltetwerden dieser Welt."[26] In diesen Gedanken geht es um die Seite der Entfremdung zwischen heutigem Wirklichkeitsverständnis und moraltheologischer Denkform, die an der neuscholastischen Denkhaltung mit den Begriffen der „objektivistischen" und „autoritären" Verengung gekennzeichnet wurde. Und es wird deutlicher, welche Schwierigkeiten damit verbunden sind: Durch die moraltheologische Deutung des sittlichen Anspruchs scheint der Wille Gottes in eine kategoriale Konkurrenz zur menschlichen Freiheit zu geraten. Denn die Beziehungslosigkeit des Seins- oder Wesensdenkens und autoritären Extrinsezismus, in deren Horizont die traditionelle Moraltheologie den „Willen Gottes" auslegt, zur subjektiv-setzenden und geschichtlich verfaßten Freiheit des Menschen, muß den Anschein erwecken, die objektiven und autoritativen Ordnungen seien unmittelbar göttliche und unge-

---

24 Böckle (8) 11 bemerkt: „Die Renovationsarbeiten am Gebäude der Moraltheologie nehmen offensichtlich kein Ende." Und Demmer (3) 5 schreibt noch 1985: „Die Situation der katholischen Moraltheologie erscheint auf den ersten Blick verwirrend."

25 Fuchs 363–382.

26 Ebd. 363.

schichtliche Setzung. Durch ihr uneinholbares Voraus für die menschliche Freiheit müssen sie in unbedingte Konkurrenz zu deren subjektivem und geschichtlich sich selbst aufgegebenem Vollzug treten. In einer solchen Deutung des sittlichen Anspruchs muß die Wirklichkeit Gottes in einem eifersüchtig-konkurrierenden Neben zum menschlichen, freien Selbstvollzug gesehen werden.

Die folgende Untersuchung fragt deshalb danach, wie in der gegenwärtigen Entwicklung der Objektivismus in der moraltheologischen Interpretation des sittlichen Anspruchs überwunden wird. Sie beschreibt, wie die Moraltheologie im Horizont der anthropozentrischen Wende der katholischen Theologie eine anthropologisch vermittelte Auffassung des Sittlichen aufnimmt. Sie muß zeigen, daß in der subjektiven Vermittlung des moraltheologischen Denkens das extrinsezistische Autoritätsdenken der neuscholastischen Denkform zurückgelassen wird. In dieser Entwicklung übersteigt die Moraltheologie das objektivistische und autoritär voluntaristische[27] Gottesverständnis und bringt in ihrem Denken die Wirklichkeit Gottes in ein *inneres, positiv freisetzendes Verhältnis* zum Menschen als Person und freiem Subjekt.

Ein zweiter Problemkreis greift über den ersten noch hinaus und wird von Eugen Drewermann im Kontext seiner psychoanalytischen und psychotherapeutischen Fragestellungen so ausgedrückt: „Um des Menschen willen kommt... alles darauf an, daß Gott... *nicht* mit dem *Sittlich-Allgemeinen* verschmilzt, sondern dem Menschen als allein wesentlich ein Raum eröffnet wird, wo er Gott als seinem Schöpfer und nicht als Inbegriff des Sittlich-Allgemeinen gegenübersteht."[28] Damit ist über den Objektivismus und den autoritären Zug der traditionellen Moraltheologie hinaus auf das Problem ihrer rationalistischen Denkhaltung hingewiesen.[29] Hier scheint sehr viel von der Auffassung über die Mitte der menschlichen Sittlichkeit und in deren Gefolge vom konkreten Aufbau der Denkform abzuhängen, in der die Theologie das Verständnis Gottes vermittelt. Denn in einer Denkform, in der die Sittlichkeit, wie in der traditionell zentralen Stellung des scholastischen Naturrechtsdenkens, vorwiegend rational reflektiert wird, muß die Deutung vor allem auf das Sittlich-Allgemeine, auf die rational allgemeingültigen Strukturen im Gegenüber zum geschichtlich Existentiellen und unreduzierbar Individuellen gehen. Der Wille Gottes erscheint darin aber notwendigerweise vorwiegend als dieses allgemeingültige Gesetz, und es entsteht der Eindruck, Gott sei am Menschen nur insofern interessiert und für ihn zugänglich, als er in Einheit mit der allgemeingültigen rationalen Ordnung des Sittlichen steht. In diesem Sinn muß Gott mit dem Sittlich-Allgemeinen „verschmelzen". Das moraltheologische Denken und Gottesverständnis scheint damit aber nochmals in einer inneren Distanz zur menschlichen personalen Würde zu stehen, diesmal in bezug auf die geschichtlich

---

[27] So kennzeichnet Fuchs 374 das traditionelle Gottesverständnis: „Offensichtlich handelt es sich hier um ein äußerst anthropomorphes und gleichzeitig irgendwie voluntaristisches Gottesbild."

[28] Drewermann 99. Die zweite Hervorhebung ist hinzugefügt.

[29] Vgl. dazu auch das (allerdings mehr globale) Vorwort Drewermanns (9–17).

verfaßte Freiheit des Menschen, auf seine existentielle Tiefe und seine unreduzierbare Individualität.

Drewermann sucht gegenüber solchen rationalistischen Tendenzen die Lösung in einer „Suspension des Ethischen im Religiösen“[30]. Damit ist eine „theologische Suspension des Ethischen“[31] im Sinne der „Aufhebung der Moral zugunsten des Glaubens“[32] gemeint, wodurch dem Menschen die Erfahrung „eines vorgängigen Vertrauens“ erschlossen werden soll, „in sich selbst, in seinem *Sein,* nicht erst aufgrund seines *Tuns,* berechtigt und gewollt zu sein“[33]. Dabei tragen nach diesem Verständnis Moral und Sittlichkeit eine Teleologie auf das Allgemeine, die der existentiellen Selbsterfahrung und unreduzierbaren Individualität des Menschen nie gerecht werden kann, notwendig in sich.[34] Die menschliche Individualität und Identität, um die sich die Psychoanalyse um der persönlichen Selbstfindung des Menschen willen bemüht und die in ihrer Tiefe nur aus dem Glauben an das seinschenkende und seinlassende Ja der Liebe Gottes (das vor aller sittlichen Beanspruchung des Menschen steht) begründet werden können, werden in einem unüberbrückbaren Gegenüber zu dieser „moralischen Teleologie“[35] gesehen. Der Vorschlag Drewermanns muß allerdings den Eindruck vermitteln, daß nicht nur etwa die Psychoanalyse – wie Drewermann es ausdrückt – „amoralisch“ (= auf der Seite der existentiellen Individualität des Menschen gegenüber der Moral als dem Sittlich-Allgemeinen)[36] sei, sondern daß auch die Moral – als notwendig immer auf das Sittlich-Allgemeine abzielend – im tiefsten „areligiös“ ist, d. h. in einem letzten Sinne unfähig, die Erfahrung des gnädigen Gottes auch *innerhalb* der moralischen und moraltheologischen Problemkreise zu vermitteln. Denn wenn man die Moral in der bloßen Sphäre einer allgemeingültigen Sittlichkeit beläßt, so daß es nur *außerhalb* derselben einen echten Raum für die existentielle Selbsterfahrung und die unreduzierbare Individualität des Menschen gibt, so scheint in diesem Denken auch kein Platz für eine wirkliche Erfahrung der Gnade Gottes und seiner Liebe zu sein. Wird aber nicht die Moral (und mit ihr die Moraltheologie) dadurch unberechtigter- und unnötigerweise in eine Abstraktheit und ungeschichtliche, existentiell irrelevante Rationalität und Absolutheit eingesperrt?

In einer ähnlichen Weise wie Drewermann üben protestantische Mitchristen Kritik an der naturrechtlich orientierten katholischen Moraltheologie. Sie sehen in der zentralen, übergewichtigen Stellung des Naturrechts innerhalb der Moraltheologie die Gefahr gegeben, daß Gott reduziert erscheint auf den Grund der allgemeinverbindlichen Sittlichkeit. Und sie befürchten, daß der Eindruck erweckt wird, der Mensch könne sich im Horizont dieser gesetzlichen Rationalität mit Hilfe seiner Vernunft rein selbstmächtig vor Gott rechtfertigen und das Heil „errechnen“.[37] Die protestantische Ethik der Gegenwart sucht demgegenüber nach einer Denkform, in der der sittliche Anspruch nicht primär rational gedeutet ist, sondern

---

30 Ebd. 79. Vgl. 79–104, bes. 95–98.

31 Ebd. 95.

32 Ebd. 98. Drewermann spricht auch von einer „Suspension des Ethischen durch das Religiöse“ (ebd.) und beruft sich dabei auf S. Kierkegaard.

33 Ebd. 95.

34 Vgl. ebd. 88–92.

35 Ebd. 91.

36 Vgl. ebd. 87–88. Wenn das Sittliche, wie Drewermann Hegel interpretiert, „das Allgemeine“ *„ist“* (90) oder zumindest eine „moralische Teleologie“ schließlich doch immer auf eine Unterordnung des Individuellen unter das Allgemeine drängt (91f), dann muß das für die Psychoanalyse in ihrem unbedingten Dienst an der Selbstfindung des einzelnen zum Problem werden, weil die „Erfahrungswirklichkeit“ nicht in eine solche „Logik“ hineingepreßt werden kann, weil man deshalb die „Phase der Selbstfindung nicht als eine bloße teleologische Zwischenphase zur Vertiefung der an sich bestehenden Moralität auffassen kann“ (92).

37 Böckle (3) 9.

von einer unmittelbaren existentiell-personalen Gottesbeziehung her, in der die Erfahrung des persönlich rufenden und rechtfertigenden Gottes vor aller allgemeingültigen Forderung steht.[38] In dieser existentiell offenen Auffassung des Sittlichen scheint eine ungezwungene *Verbindung* von liebender Zusage und liebender Forderung Gottes an den Menschen eingeschlossen zu sein. Nicht die „Aufhebung der Moral zugunsten des Glaubens", sondern die Begründung der Sittlichkeit aus dem Glauben als existentielle Ethik (bis hin zur Situationsethik) ist hier das Ziel. In ihr soll der Mensch mit seiner geschichtlich verfaßten und existentiell erfahrenen Freiheit einen Platz haben und in seiner personalen Würde als einmalige Individualität, die Gott selbst bejaht und schenkt, ernst genommen sein.

Auch in der gegenwärtigen katholischen Moraltheologie scheint man die Problematik der eigenen rationalistischen Tendenz zu spüren[39], und die Suche nach der personalen Wende des Denkansatzes scheint dem Rechnung tragen zu wollen[40]. Allerdings zeigt sich die Entwicklung sehr gespalten. Auf der einen Seite wird in der Absetzung vom Objektivismus und autoritären Extrinsezismus des traditionellen Denkens eher ein Mehr an Rationalität gefordert als ein Weniger, denn man versteht in diesem Zusammenhang die rationale Durchschaubarkeit des sittlichen Phänomens gerade als Ausdruck der subjektiven und anthropozentrischen Gebundenheit der Sittlichkeit.[41] In diesem Sinne spricht man sich auch für eine bewußte Fortschreibung der Tradition naturrechtlich orientierter Moraltheologie aus und versteht ihre rationale Zentrierung als rechtmäßigen Teil der Analogie von Natur und Gnade.[42] Auf der anderen Seite läßt sich die Relativierung der rationalen Deutung im Hinblick auf die personale Tiefe menschlichen Gewissens feststellen, die der streng rationalen

---

[38] Vgl. ebd. 62f.

[39] Fuchs 381 z. B. äußert Kritik am traditionellen Denken im Anschluß an Auer: Im Verständniskontext bestimmter katholisch moraltheologischer Aussagen könne der Mensch „als ferngesteuerter Agent eines lebensfern und abstrakt gemachten ‚göttlichen Gesetzes'" erscheinen (A. Auer, Die Unverfügbarkeit des Lebens und das Recht auf einen natürlichen Tod, in: A. Auer – H. Menzel – A. Eser, Zwischen Heilauftrag und Sterbehilfe. Zum Behandlungsabbruch aus ethischer, medizinischer und rechtlicher Sicht. Köln 1977, 1–51, 32).

[40] Vgl. Böckle (3) 34.

[41] Gerade der Rationalität des Sittlichen und der damit verbundenen unbedingten Gebundenheit des sittlichen Sollens an die menschliche Einsicht und setzende, selbstbewußte Subjektivität wird die Rolle zugeschrieben, das sittliche Phänomen gegenüber der objektivistischen und autoritären Auslegung personal und menschlich verstehbar zu machen; vgl. Mieth (1) 16f.

[42] So Schüller (5) VIIIf: „Doch wenn sich heute nicht wenige Theologen für eine Moral verwenden, die sie ‚autonom' nennen, so scheint es mir schon von einigem Belang, festzustellen, daß sie sich dadurch nicht von ihrer eigenen Tradition lossagen, sondern im Gegenteil diese Tradition aufgreifen und ihr in einer zeitgemäßen Form erneut Geltung verschaffen wollen. … … für eine autonome Moral [ist] ein Zweifaches kennzeichnend: (1) sie denkt die sittliche Forderung in der Weise des φύσει δίκαιον, wodurch sie sich von jeder Spielart eines Moralpositivismus absetzt; (2) sie schreibt die logisch ursprüngliche Einsicht in die sittliche Forderung der Vernunft (ratio) zu, insofern diese im Sinne des heiligen Augustinus gnoseologisch vom Glauben (fides) als einer bestimmten Erkenntnisweise abgehoben wird. Sie behauptet damit, welche Bewandtnis es mit Gut und Böse habe, das könne sich dem Menschen ursprünglich nur erschließen, indem er es selbst begreift, und nicht etwa dadurch, daß er sich (glaubend) auf die autoritative Versicherung eines anderen stütze. Wie leicht erkennbar, wird durch diese beiden Auffassungen genau das inhaltlich bestimmt, was in unserer Tradition ‚natürliches Sittengesetz' (‚lex naturalis' = ‚ius naturale') heißt. Insofern sind die Ausdrücke ‚autonome Moral' und ‚naturrechtliche Moral' (= ‚Moral des natürlichen Sittengesetzes') Synonyma."

Bewältigung des Sittlichen – ohne die Bezogenheit auf die Vernunft zu verlieren – vorausliegt.[43] Es stellt sich die Frage, ob im Horizont des heutigen Bewußtseins um die Geschichtlichkeit des Verstehens mit Hilfe des existential-hermeneutischen und dialogischen Ansatzes die existentielle Tiefe des Menschen, die liebende Bejahung Gottes und seine persönliche Beanspruchung des Menschen, aber auch die rationalen Strukturen der menschlichen Sittlichkeit, ihre Sachbezogenheit und Allgemeingültigkeit in ungekünstelter Einheit gedacht werden können.

Die vorliegende Untersuchung versucht der Frage nachzugehen, inwieweit es der katholischen Moraltheologie gelingt, ihre Denkform vom Verdacht des Rationalismus zu befreien und ihre Deutung über jede rationale Gesetzlichkeit hinaus auf eine personale Tiefe hin zu öffnen, in der die nicht rationalisierbare Individualität des Menschen ernst genommen ist, um so den „Willen Gottes" in ein positives Verhältnis zur Geschichtlichkeit und existentiellen Ganzheit des Menschen zu bringen.

Die beiden Problemkreise des Gottesverständnisses in der Moraltheologie stehen nicht einfach für sich. Sie verweisen auf einen gegenwärtigen geistesgeschichtlich-hermeneutischen Prozeß, mit dem sich grundlegend die Dogmatik auseinandersetzt.

Die „anthropozentrische Wende" hat die „religiöse Situation" des Menschen verändert.[44] Der Verlust des kosmozentrischen Wirklichkeitsverständnisses[45] schenkt dem Menschen auf der einen Seite eine neue Freiheit und Verantwortung für die Welt.[46] Er stellt ihn aber auch in einer neuen Weise vor Gott. Er läßt die Wirklichkeit Gottes nicht mehr im kategorialen *„Neben"* erfahren, sondern als transzendenten Grund der Freiheit des Menschen.[47] Indem die dogmatische Interpretation des Gottesverständnisses diesen Wandel des umfassenden Wirklichkeitsverständnisses aufzunehmen versucht, findet sie zur „transzendentalen" Deutung der Wirklichkeit Gottes, in der Gott als der ermöglichende Horizont des menschlichen Subjekt- und Freiheitsvollzugs erscheint.

Innerhalb dieser Entwicklung dogmatischen Denkens ergibt sich aber die

---

[43] So ist der Hinweis von Demmer (3) 84 zu verstehen: „Natürlich gibt es eine rationale Struktur des Wirklichen. Aber was mit ihr gemeint ist, das liegt nicht von vornherein fest, sondern wird von der Freiheit mitbestimmt."

[44] Vgl. Rahner (14) 15–22.22–24.

[45] Vgl. ebd. 23.

[46] Vgl. ebd. 17–20.

[47] Ebd. 27 spricht Rahner diese Erfahrung als Ausgesetztsein in die Unentrinnbarkeit der Verantwortung an, die dem Menschen mit seiner Freiheit als Subjekt aufgeladen ist: „... wo Freiheit als Verantwortung erlebt ist..., wo solche Verantwortung wirklich angenommen wird, wo diese angenommene Verantwortung als eine absolute erfahren wird..., als unentrinnbar und ewig gültig, da ist, wenn auch vielleicht ganz anonym und verhalten, ein echtes Gottesverhältnis realisiert. Denn der letzte, absolute Grund aller Verantwortlichkeit der Freiheit und der Macht, jenes unsagbaren schweigenden Hörens darauf, wie wir uns verantworten, wird Gott genannt, und wenn wir von Gott sprechen, meinen wir eben diesen, dem wir, selbst wenn wir ihm keinen Namen geben..., dann begegnen, wenn wir die Macht und Weite unserer realen Freiheit wie eine ungeheure Last auf uns stürzend erkennen und dieser Wahrheit unseres Daseins nicht feig ausweichen."

Schwierigkeit, daß es gerade die „anthropozentrische Wende" ist, die den Menschen erneut vor eine Gefährdung seiner selbst stellt. „...die Welt des Menschen [ist] *nüchtern, sachlich,* gewissermaßen entpersonalisiert worden (fast möchte man sagen: gerade weil der Mensch, die Person, sie sich unterworfen hat). Die Welt, die der Mensch sich selbst gebaut hat, ist hart, schematisch, sie ist karg, weil sie von einem doch sehr endlichen Wesen gebaut ist, das sparen muß, weil es nur zu kurz lebt."[48] Auch hier, wie von der rationalistischen Tendenz des moraltheologischen Denkens her, wird also die personale Wirklichkeit des Menschen durch Rationalismus bedroht gesehen – nicht mehr durch die objektivistische Rationalität des traditionellen Seinsdenkens, sondern durch die Rationalität der vom Menschen selbst gestalteten Welt, die als vom subjektiven Selbstvollzug und der Selbstverwirklichung des Menschen beherrscht verstanden ist.[49] Innerhalb der Dogmatik wird deshalb eine Relativierung der anthropozentrischen Wende spürbar[50], in der die personale Wende der dogmatischen Denkform auf ein Wirklichkeitsverständnis abzielt, das gegenüber der Rationalität der universal setzenden Subjektivität die unreduzierbare Geschichtlichkeit der Wirklichkeit betont[51]. Die dogmatische Theologie versucht darin den Menschen über die transzendentale Subjektivität hinaus als geschichtlich verfaßte Freiheit und dialogisch begründete Personalität zu verstehen. Der Mensch wird nicht nur als derjenige gedeutet, der der Wirklichkeit Gottes als dem ermöglichenden Grund seines Selbstvollzugs in „transzendentaler Erfahrung" gegenübersteht, sondern als der, der sich in der geschichtlich dialogischen Unmittelbarkeit der Begegnung mit Gott selbst geschenkt wird.

Wird somit deutlich, „daß die lebendigste Forschung in der Fundamentaltheologie bemüht ist, sowohl den Objektivismus der neuscholastischen Theologie, wie den Anthropozentrismus...zu überwinden"[52], so scheint das Gottesverständnis im gegenwärtigen dogmatischen Denken von einem spannungsreichen Zueinander geprägt zu sein: Der transzendentalen Auffassung der Wirklichkeit Gottes als des ermöglichenden unnennbaren „Horizonts" des menschlichen Subjekt- und Freiheitsvollzugs[53] steht die Deutung Gottes von der heilsgeschichtlichen, konkreten

---

48 Ebd. 28.

49 Vgl. ebd. 17–20.

50 Vgl. die Bemerkung bei Geffré 41: „Wer... die jüngsten und bedeutendsten Arbeiten auf dem Gebiet der Fundamentaltheologie zu interpretieren versucht, wird sehr deutlich feststellen, daß man bereits die Grenzen und Gefahren dieser anthropologischen Inflation bemerkt..."

51 „...man [macht] der ‚transzendentalen Problematik' den Vorwurf, sie gebe der transzendentalen Subjektivität den Vorrang zum Schaden des Menschen als historischer und politischer Wirklichkeit, und ihr Sieg über den Idealismus sei nur ein Scheinsieg" (ebd.).

52 Ebd. 48.

53 Nach der transzendentalen Analyse von Rahner (7) 68 ist „der Mensch erkennend und wollend das Wesen absoluter, unbegrenzter Transzendenz..., ...alle seine geistigen Vollzüge [sind], mag ihre Gegenständlichkeit sein wie immer, in dieser erkennend und wollend vorgreifenden Transzendenz begründet..." In dieser „Transzendenzerfahrung" des Menschen ist aber „das ursprünglichste, unableitbare und alles andere Wissen um Gott begründende Wissen von Gott...gegeben, insofern darin eben immer unge-

Erfahrung der göttlichen personalen Selbstmitteilung[54] her gegenüber.[55] Und gerade diese Spannung zwischen den gegenwärtigen Versuchen, das christliche Gottesverständnis im heutigen geistesgeschichtlichen Verstehenskontext zu deuten, ist für die moraltheologische Problemstellung paradigmatisch. So soll die Entwicklung des dogmatischen Denkens in die Arbeit mit einbezogen werden. Das Ringen der Moraltheologie um die Überwindung der objektivistischen und autoritären Züge ihrer Denkform wird in einen Zusammenhang mit der dogmatischen Entwicklung gebracht, in der die Wirklichkeit Gottes gegenüber dem traditionellen kosmozentrischen und objektivistischen Wirklichkeitsverständnis transzendental, d. h. als kategorial nicht objektivierbare Freiheit, gedeutet wird, die den menschlichen Freiheitsvollzug selbst ermöglicht. Und die Suche nach einem Gottesverständnis, das für die Geschichtlichkeit und existentielle Tiefe des Menschen offen ist und um das sich die Moraltheologie in der Bewältigung der rationalistischen Tendenzen des traditionellen Denkens bemüht, muß in Entsprechung zu den Überlegungen der gegenwärtigen Dogmatik gesetzt werden, in denen gegenüber dem anthropozentrischen Wirklichkeitsverständnis Gott als geschichtlich-kategorial sich mitteilende Freiheit verstanden wird, von der her der Mensch in dialogischer Unmittelbarkeit zu sich selbst als unreduzierbare und liebend bejahte Person zu finden vermag.[56]

Unberücksichtigt muß in dieser Untersuchung die ausdrückliche Behandlung der biblischen Fundierung des moraltheologischen Gottesverständnisses bleiben. Diese gehörte zwar zur Selbstbesinnung der Moraltheologie auf die Vermittlung des christlichen Gottesverständnisses dazu. Sie wäre die eigentliche Auffüllung der hier

---

genständlich, unausdrücklich, aber auch unweigerlich und unentfliehbar das Woraufhin der Transzendenz gegeben ist, das wir Gott nennen" (69). „Der unendliche Horizont, das Woraufhin der Transzendenz läßt sich so nicht benennen" (70).

54 Balthasar (13) 31 fragt angesichts der transzendentalen Bestimmung der Wirklichkeit Gottes als „unnennbaren Horizonts", ob „man dann nicht... lieber auf alles Sprechen und Denken über Gott verzichten [soll], wenn er immer, gerade auch als Enthüllter, der ganz und erst recht Unbekannte bleibt". Aber aufgrund der heilsgeschichtlichen Selbstmitteilung Gottes, in der Gott sich als Du offenbart, den Menschen anspricht und seine Antwort erwartet, „sind wir [dazu] nicht mehr ermächtigt". Denn Gott selbst „kam im Geschehnis – das seinen Höhepunkt in Jesus Christus fand – mit solch schenkender, wehrloser, anfordernder Macht (oder Ohnmacht) auf uns zu, daß wir soviel verstehen: er will *für uns* sein, uns in den Abgrund seiner eigenen innergöttlichen Liebe einbergen. ...daß sie... mich und uns als ein Du anspricht, erfahren wir; daß Jesus uns lehrt, sie wieder mit Du anzusprechen, ist unabweisbar..."

55 Diese Spannung auszuhalten ist für Balthasar (13) 31f die entscheidende Aufgabe: „Die Christen von heute müssen imstande sein, die Spannung... auszuhalten: ... Weder dürfen sie... Gott in unzugängliche, letztlich für den Menschen gleichgültige Transzendenz wegschieben noch ihn... so in das Geschichtliche der Welt einbeziehen, daß er seine Freiheit über ihr einbüßt und der menschlichen Gnosis zum Opfer fällt."

56 Diese Arbeit kann nicht die dogmatische und moraltheologische Denkform der Neuscholastik ausführlich darstellen, obwohl diese immer wieder der Bezugspunkt ist, von dem sich die gegenwärtigen theologischen Ansätze abheben oder auf den sie sich im Sinne ihrer Verwurzelung zurückbeziehen. Dort, wo das Bemühen der gegenwärtigen Theologie reflektiert wird, diese Denkform in der Auseinandersetzung mit dem heutigen Verstehenskontext zu überwinden, kommen ihre Dimensionen teilweise zur Sprache.

eher formal bleibenden Gedanken. Sie würde aber eine eigene detaillierte Auseinandersetzung mit der exegetischen Literatur erfordern.[57]

Ebenfalls unberücksichtigt bleibt die Auseinandersetzung mit den Vertretern der protestantischen Ethik, obwohl ihr zum Teil radikal personalistischer Ansatz in unserem Jahrhundert in Anlehnung und Abgrenzung eine hilfreiche Orientierung für ein personales Gottesverständnis der Moraltheologie sein könnte.

Schließlich kann sich die Arbeit auch nicht der psychologischen und psychoanalytischen Seite des Problems stellen, wie sie hinter der Position Eugen Drewermanns steht, obwohl diese Seite für die gegenwärtige Kritik an der Moraltheologie durchaus bedeutsam ist.[58]

3. Zu Anlage und Methodik

Um die beiden Problemkreise des Gottesverständnisses in der Moraltheologie zu erörtern, untersucht die Arbeit die Ansätze einiger deutschsprachiger katholischer Moraltheologen der Gegenwart. Sie beschränkt sich dabei auf die Darstellung von Ansätzen aus der Periode der moraltheologischen Entwicklung nach dem Zweiten Vatikanischen Konzil. Denn mit der „anthropozentrischen Wende" des Denkens und in der mehr philosophisch ausgerichteten Auseinandersetzung dieser Zeit wird die geistesgeschichtliche Problematik umfassend aufgegriffen.

Die Ansätze der vier Theologen – Franz Böckle, Bruno Schüller, Klaus Demmer und Hans Rotter –, die für die Untersuchung herangezogen werden, sind um eines systematischen Anliegens willen ausgewählt worden. Sie bieten einen gewissen Spiegel der Vielfalt der gegenwärtigen moraltheologischen Reflexion deutscher Sprache. In ihrem Denken zeigen sich jeweils deutlich und charakteristisch vier wesentliche Züge der heutigen moraltheologischen Entwicklung: 1. Das Ringen um die allgemeine subjektive Wende des Denkens soll am Denkweg Franz Böckles aufgezeigt werden. 2. Die damit eng zusammenhängende Aufnahme subjektiv vermittelter Rationalität in die moraltheologische Denkform kennzeichnet den Ansatz Bruno Schüllers. 3. Einem neuen Verständnis menschlicher Sittlichkeit im Horizont der Geschichtlichkeit des Menschen geht die Reflexion Klaus Demmers besonders nach. Und 4. bemüht sich Hans Rotter um eine personal dialogische

---

[57] Es kann aber an dieser Arbeit wohl deutlich werden, daß mit der personalen Umorientierung der Denkform der Moraltheologie die Möglichkeit gegeben ist, ihrem Denken eine tiefere Rückbindung an die Heilige Schrift zu geben, als dies in der Tradition gegeben war. Die subjektive und personal geschichtliche Wende des Denkens eröffnet eine hermeneutische Sicht des Sittlichen, in der die Selbstmitteilung Gottes als deren Mitte deutlich wird.

[58] Es müßte vor allem Rechenschaft darüber gegeben werden, in welchem Verhältnis die christliche Erfahrung der Annahme des Menschen durch Gott (im Sinne der Rechtfertigung, ohne Vorbehalt und Forderung als Bedingung) zur Erfahrung der sittlichen Anforderung gerade aus dieser Mitte des personalen Verständnisgrundes steht, ohne daß ein psychologischer Selbstwiderspruch entsteht. Vgl. dazu Drewermann 95–98. Zur allgemeinen Problematik: P. Schellenbaum, Stichwort: Gottesbild (Glaube und Psyche 2). Stuttgart 1981.

Interpretation der geschichtlich gedeuteten Sittlichkeit. Die Darstellung dieser Entwicklungen soll deutlich machen, daß die Moraltheologie auf dem Weg zur Überwindung der objektivistischen Deutung des sittlichen Anspruchs und des damit verbundenen Autoritätsdenkens ist und auf dem Weg zu der am Freiheitsvollzug des Menschen selbst ausgerichteten Auslegung des sittlichen Sollens, in der sie den Rationalismus ihrer Denkform um der unreduzierbaren Geschichtlichkeit des Menschen und der existentiellen und dialogisch begründeten Mitte der menschlichen Personalität willen übersteigt.

Die Ansätze der Autoren werden dabei vor allem auf ihren Beitrag zum Wandel der Vermittlung des christlichen Gottesverständnisses hin gelesen, der in der Umformung des moraltheologischen Denkens verankert ist. So soll das Bild einer vielschichtigen und mit gegenläufigen Tendenzen durchzogenen geistesgeschichtlichen Entwicklung der personalen Wende in der Darstellung der Wirklichkeit Gottes innerhalb der gegenwärtigen Moraltheologie entstehen.[59]

Die Untersuchung beginnt mit der Besinnung auf den hermeneutischen Prozeß innerhalb der dogmatischen Theologie. Denn bevor es der Moraltheologie nach dem Zweiten Vatikanum gelang, die geistesgeschichtliche Problematik im eigentlichen Sinne aufzunehmen, hatte die Dogmatik diese Aufgabe schon in Angriff genommen.[60] Am Übergang von der Neuscholastik zur gegenwärtigen Theologie stehen im deutschen Sprachraum zwei bedeutende dogmatische Theologen. Karl Rahner und Hans Urs von Balthasar begründen eine christozentrische und personal orientierte Struktur der dogmatischen Denkform, die sich in der Lösung aus dem neuscholastischen Denkhorizont und im Versuch der Bewältigung der gegenwärtigen geistigen Situation ergibt. Ihr in einem gewissen Sinne gegensätzliches Werk spiegelt dabei die Spannung der gegenwärtigen dogmatischen Entwicklung: Der „anthropologischen Wende" Karl Rahners[61] steht die Entwicklung des dogmatischen Denkens zur „theologischen Ästhetik" und „theologischen Dramatik" bei Hans Urs von Balthasar[62] gegenüber. Und gerade die unterschiedliche Mitte des personalen Verständnisgrundes, auf welche die Interpretation des christlichen Got-

---

59 Die moraltheologische Erneuerung soll so in den vier grundlegenden Merkmalen gesammelt werden, wobei jeweils eines der Merkmale am Ansatz eines der Autoren stellvertretend für breiter wirksame Strömungen innerhalb der gegenwärtigen Moraltheologie entfaltet und in seiner Bedeutung für das Gottesverständnis untersucht wird. Diese stark systematisierende Darstellungsweise ist deshalb gerechtfertigt, weil sehr markante Ausprägungen des jeweiligen Grundmerkmals der gegenwärtigen moraltheologischen Entwicklung bei den einzelnen Autoren gegeben sind.

60 Dieser zeitliche Unterschied der Entwicklung schließt auch eine teilweise direkte Beeinflussung der moraltheologischen Autoren durch die Dogmatik ein. Diese Beeinflussung soll hier aber nicht im einzelnen nachgezeichnet werden. Sie kommt an entscheidenden Stellen zur Sprache.

61 Vgl. den Titel des Buches von Eicher zu Rahners philosophischem Ansatz „Die anthropologische Wende" (= Eicher [2]).

62 Geffré 41 stellt den Gegensatz Balthasars zur „anthropologischen Wende" heraus: „Das Werk von Hans Urs von Balthasar... stellt eine ernste Warnung dar vor den Gefahren der anthropozentrischen Ausrichtung in der Theologie."

tesverständnisses in diesen beiden Werken zielt, macht den *unterschiedlichen Zielpunkt* des dogmatischen Denkens deutlich, der auch das vielschichtige Bild der Erneuerung der gegenwärtigen Moraltheologie tiefer verstehen läßt: Das Verständnis Gottes bei Karl Rahner als Geheimnis[63], das als transzendental ermöglichender Grund durch keinen kategorial begrenzenden Erkenntnisakt erfaßt werden kann[64], zeigt an, daß die „anthropozentrische Wende" der Theologie überhaupt auf eine Deutung der innersten, personalen Mitte Gottes hindrängt, die Gott als das Geheimnis einer – selbst und gerade in der kategorialen Selbstmitteilung – *unbestimmbaren Freiheit* zu verstehen sucht, an deren kategorialer Ungreifbarkeit sich der Mensch als radikal in das Eigensein entlassen, als *subjektiven Selbstand* erfährt (transzendentales Gottesverständnis). Demgegenüber steht bei Hans Urs von Balthasar die Deutung Gottes als Liebe, als „herrlicher", unfaßbarer Raum trinitarischer Fülle, in die der Mensch im heilsgeschichtlichen Handeln mit seiner ganzen begrenzten und schuldhaften Existenz hineingenommen ist[65] und in der er das Du Gottes als die Quelle und Ermöglichung seines eigenen Personseins erfährt.[66] Diese

---

63 Vgl. vor allem die Ausführung dieser Deutung der Wirklichkeit Gottes bei Rahner (7).

64 In der transzendentalen Analyse ist das Woraufhin der menschlichen Transzendenzverwiesenheit die nicht-objektivierbare Bedingung der Möglichkeit des menschlichen Erkennens: „Das Woraufhin der transzendentalen Erfahrung ist immer als das Namenlose, Unabgrenzbare und Unverfügbare anwesend, denn jeder Name grenzt ab, unterscheidet, kennzeichnet etwas, indem er ihm einen Namen, auswählend unter vielen anderen Namen, gibt. Der unendliche Horizont, das Woraufhin der Transzendenz läßt sich so nicht benennen. Zwar können wir auf es reflektieren, es vergegenständlichen, gewissermaßen als einen Gegenstand unter anderen auffassen, begrifflich abgrenzen, aber alle diese Begrifflichkeit bleibt doch nur wahr und in dem, was eigentlich gemeint ist, richtig und verständlich, insofern in diesem abgrenzenden und aussagenden Akt als seine Bedingung der Möglichkeit wiederum ein Akt der Transzendenz auf das unendliche Woraufhin dieser Transzendenz geschieht." (Rahner [7] 70.)

65 Balthasar (13) 31 versteht die heilsgeschichtliche Selbstmitteilung als die Hineinnahme des Menschen in die trinitarische Liebe Gottes: Gott „will *für uns* sein, uns in den Abgrund seiner eigenen innergöttlichen Liebe einbergen". Das geschieht im heilsgeschichtlichen, dreifaltigen Ereignis: „Aus Liebe gibt Gott der Vater sein Kostbarstes, seinen Sohn für uns dahin. Aus Liebe geht der Sohn in die äußerste Finsternis der Welt, des Todes und der Hölle, um die Schuld all seiner menschlichen Brüder zu tragen. Und diese Liebe wird uns als Frucht in die Herzen geschenkt: der heilige Liebesgeist Gottes." Und indem Gott so den Menschen trotz des äußersten Widerspruchs der menschlichen Sünde in das trinitarische Geschehen der dreifaltigen Liebe miteinbezieht, durchbricht er die stumme Namenlosigkeit seiner unfaßbaren Transzendenz in das noch größere Geheimnis der Liebe hinein: „Jesus, der gehorsam wird bis zum Tod am Kreuz", hat „in diesem Gehorsam an den Andern, den Vater, ... endlich, endlich ans Licht gebracht, daß Gottes verborgener, immer verheimlichter Name die Liebe ist" (37).

66 Aus der bedingungslosen Aufnahme des Menschen in die trinitarische Liebe, die sich in der heilsgeschichtlichen Selbstmitteilung bis zum Kreuz vollzieht, begründet sich nach Balthasar (13) 38f die tiefste Erfahrung Gottes als Du und die menschliche Selbsterfahrung in personaler Würde und Einmaligkeit gleicherweise: „Nur wo Gott Person ist, wird der Mensch als Person ernst genommen. Jeder Mensch wird von Gott persönlich als Du angeredet und erfährt hier seinen unersetzlichen Wert. ... Aber nochmals: er [Gott] wird als Person nur dort glaubhaft, wo er dem Leid der Welt gegenüber nicht

Interpretation weist über sich hinaus auf ein Verständnis der innersten Wirklichkeit Gottes als das Geheimnis einer *sich selbst* für den Menschen ganz *bestimmenden Freiheit* hin, an deren liebender Bejahung und geschichtlicher Selbsteröffnung sich der Mensch als ins „Seindürfen" zugelassen und als im unendlichen Du unbedingt *geborgenes Selbst* begreifen darf (dialogisches Gottesverständnis).

In Hinblick auf den angedeuteten zweifachen Fluchtpunkt der gegenwärtigen theologischen Entwicklung wird für die Untersuchung eine hermeneutisch-vergleichende Methodik angestrebt: Auf dem Hintergrund der Überlegungen zum hermeneutischen Prozeß innerhalb der Dogmatik soll im vergleichenden Nachzeichnen der dogmatischen und moraltheologischen Entwicklung Rechenschaft über die moraltheologische Vermittlung des christlichen Gottesverständnisses innerhalb des heutigen Wirklichkeits- und Selbstverständnisses des Menschen gegeben werden. Die Zielpunkte der dogmatischen Entwicklung markieren dabei die Leitlinien für das Verständnis der moraltheologischen Erneuerung.

Die Untersuchung bewegt sich auf drei Ebenen: Im eigentlichen Untersuchungsgang der Kapitel werden die Gedanken der einzelnen Autoren dargestellt. Es wird die in ihren Ansätzen sich ausdrückende Wende der theologischen Denkform und der Interpretation des Gottesverständnisses verfolgt. In den Abschnitten der Untersuchung, die als „Reflexionen" von dieser Analyse abgesetzt sind, soll daran anschließend ein kritisches Resümee versucht werden. Zusammenfassungen beschließen die jeweiligen Kapitel und Teile der Arbeit.

---

redend belehrt und beschwichtigt, sondern handelt, indem er ans Kreuz geht. Personsein Gottes, Kreuz Christi, Menschenwürde und Menschenliebe hängen unlösbar zusammen."

Erster Teil

Zum personalen Gottesverständnis im gegenwärtigen katholisch-dogmatischen Denken

Als wesentliche Merkmale innerhalb der sehr schwierigen Vorgänge und Verschiebungen, die die dogmatische Entwicklung gegenwärtig prägen, werden die subjektive Vermittlung der Denkweise[1], der Pluralismus aufgrund der unterschiedlichen Ansatzpunkte der Auseinandersetzung mit der neuzeitlichen Philosophie und der geistesgeschichtlichen Gegenwart[2], im Sinne einer umfassenden Bestimmung aber die personale Wende (vor allem im Zusammenhang mit der Lösung vom Seinsdenken)[3] genannt.

Der Begriff „personal" läßt sich dabei allerdings mit sehr unterschiedlichen Inhalten füllen.[4] Besonders die neuzeitliche Philosophie, aber auch viele der übrigen modernen Wissenschaften bemühen sich in unterschiedlicher Fragestellung und Sichtweise um das Verständnis des Menschen. Innerhalb der vielfältigen Ansätze, Erkenntnisse und Denkmodelle wird der Mensch einmal vor allem von sich selbst her als erkenntnistheoretische Subjektivität oder empirisches Individuum, ein anderes Mal von seiner Seinsoffenheit, dann wieder von der Begegnung mit dem Du oder vom Kollektiv der Menschheit her interpretiert; er wird physisch, psychisch, soziologisch, phänomenologisch oder transzendental verstanden. Schon über den Grundansatz herrscht dabei oft Uneinigkeit und unüberbrückbare Verschiedenheit. Die Beziehung zwischen Materie und Geist, zwischen Physiologie und Psychologie, zwischen Subjekt und Objekt, Subjekt und Subjekt, Subjekt und Sein erweist sich als so komplex, daß die Bedingtheit und die Unbedingtheit der menschlichen Personalität, die reduzierbare und rationalisierbare Eingebundenheit ihrer Strukturen und Wirkungen in ihre Umwelt und die unreduzierbare Ungebundenheit ihres subjektiven Selbstandes und ihrer innersten existentiellen und personalen Mitte sich verwirrend durchdringen.[5]

Im Blick auf dieses geistesgeschichtliche Umfeld stellen sich die Ansätze der beiden Theologen Karl Rahner und Hans Urs von Balthasar als Versuch dar, in Auseinandersetzung mit dem gegenwärtigen Verstehenskontext den Menschen auf einen personalen Verständnisgrund hin auszulegen, der im letzten von der Bezie-

---

1 Die markanteste Prägung des Denkens in diesem Sinne hat die katholische Theologie vom Entwurf der Transzendentaltheologie Karl Rahners erhalten. Vgl. zur „anthropologischen Wende" Rahners: Eicher (2) 4–6.

2 Vgl. Geffré 16.54f. Auch K. Rahner hat dieses Problem häufig angesprochen; vgl. z. B. Der Pluralismus in der Theologie und die Einheit des Bekenntnisses in der Kirche, in: Schriften zur Theologie. Bd. 9. Einsiedeln ^{2}1972, 11–33.

3 Vgl. die sehr pointiert ausgedrückte Sicht von Mühlen 31–33.

4 Vgl. Lotz (2) 286.

5 Vgl. Lotz (1) 19–21.

hung zu Gott getragen ist, die in Jesus Christus ihre Mitte hat.[6] Sie schließen dabei an die thomanische Sicht des Menschen als seinserschlossener Geistigkeit an. Das aus heutiger Sicht anfanghafte Verständnis für personale Wirklichkeit, das sich bei Thomas mit seiner Beschreibung des seinsoffenen menschlichen Geistes, der den menschlichen Selbstvollzug in Geistigkeit ermöglichenden Wirklichkeit des Seins und dem mit dieser Deutung zusammenhängenden Verständnis der Sinnbildlichkeit des Seins für die personale Wirklichkeit Gottes verbindet[7], wird von den beiden Autoren aufgegriffen und im Horizont der neuzeitlichen Philosophie über das scholastische Seinsdenken weit hinaus entfaltet[8]. In diesem Denken wird dabei der Ansatzpunkt für ein heutiges Gottesverständnis erschlossen: *Gott erscheint nicht mehr primär als Seinsgrund und Transzendenz ‚hinter' Objektivität, sondern in einem vorgängigen, inneren Verhältnis zur menschlichen Personalität mit ihrem subjektiven, freien Selbstand und ihrer existentiellen Tiefe.*

Im Sinne dieser Entwicklung soll im folgenden von der personalen Wende der dogmatischen Denkform die Rede sein und der Wandel in der Interpretation des christlichen Gottesverständnisses untersucht werden. Die personale Wende des Denkens vollzieht sich bei Karl Rahner und Hans Urs von Balthasar in sehr unterschiedlicher Weise. In der differenzierten Vermittlung des Denkens mit der neuzeitlichen Subjektphilosophie, in der Divergenz ihrer daran anschließenden Deutung der menschlichen Personalität und der personalen Wirklichkeit Gottes wird die unterschiedliche Stellung der beiden Autoren im gegenwärtigen hermeneutischen Prozeß der Dogmatik deutlich, mit der sich auch der unterschiedliche Zielpunkt ihres Denkens verbindet. Für Karl Rahner ist es die Würde des Menschen als Subjektivität, die die Wirklichkeit Gottes als das Woraufhin der transzendentalen, d. h. der nicht objektivierbaren Transzendenz des menschlichen Geistes erscheinen läßt. Der Mensch erfährt sich selbst in dieser „transzendentalen Gotteserfahrung" als ins Eigensein Entlassenen und findet so in einer letzten Unbedingtheit als Subjekt zu sich selbst. Für Hans Urs von Balthasar ist die personale Würde des Menschen der schöpferischen und trinitarisch erlösenden Liebe Gottes verdankt, die dem Menschen die eigene personale Mitte aufgrund der Geborgenheit in Gott schenkt.

---

[6] Rahner (6) 150 faßt diese Eingründung vom geschichtlichen Faktum der Menschwerdung Gottes her als konkrete, heilsgeschichtlich geprägte metaphysische Struktur des Menschen: „Wenn Gott Nicht-gott sein will, entsteht der Mensch..." Balthasar (13) 39 blickt mehr auf die im heilsgeschichtlichen Handeln (mit seiner Mitte in der Selbstentäußerung Gottes in Jesus Christus bis zum Kreuz und Höllenabstieg Jesu) sich zeigende Vollzugsgestalt dieser Eingründung: „Personsein Gottes, Kreuz Christi, Menschenwürde und Menschenliebe hängen unlösbar zusammen."

[7] Vgl. Siewerth (1) 68–70: „Das personierende Sein"; 43–49: „Das Sein des Seienden als vermittelnde Mitte"; Metz (1).

[8] Eicher (2) spricht diese Entwicklung im Untertitel an: „Karl Rahners philosophischer Weg vom Wesen des Menschen zur personalen Existenz"; vgl. dazu den Duktus der ganzen Arbeit: 5f. Lochbrunner 7 hat am Werk Hans Urs von Balthasars „erkannt, wie die Seinsanalogie zu einer Analogie der Liebe hin transponiert werden kann. Verharrend in der Grundstellung der Analogia entis schwingt das Denken Balthasars im Rhythmus der Liebe."

1. Kapitel
Karl Rahner: Gott als Geheimnis

Es ist nicht leicht, im Zusammenhang mit der Frage nach dem personalen Gottesverständnis den vielfältigen Schichten der Theologie Karl Rahners gerecht zu werden: seiner scholastisch-transzendentalen Denkweise, seiner impliziten Verarbeitung Heideggers[1], seiner Auseinandersetzung mit den theologischen Problemen der katholischen Tradition, seiner persönlichen spirituellen Erfahrung[2] und dem pastoral hermeneutischen Anliegen seiner Theologie[3]. In der Entwicklung Rahners verschieben sich die Akzente immer wieder[4], und die bei ihm verwendeten Begriffe machen einen Bedeutungswandel durch[5].

Rahners Aufnahme der thomanischen Metaphysik ist geprägt durch die transzendentale Vermittlung der scholastischen Denkweise in der erkenntnismetaphysischen Schule Joseph Maréchals.[6] Die Verbindung des scholastischen und transzendentalen Denkens wird für Rahner zum Ansatzpunkt einer Umdeutung des traditionellen Seinsdenkens, die dessen Aussagekraft für die anthropologischen und theologischen Gehalte personal vertieft und übersteigt.[7] Rahner begründet eine transzendentaltheologische Denkform[8], in der das Seinsverständnis anthropologisch-transzendental[9], das Verständnis des Menschen transzendental-ontologisch[10], die Wirklichkeit Gottes und des Menschen aber im Horizont einer personal-ontologischen Geschichtlichkeit gedeutet wird[11]. Und er nutzt die pola-

---

1 Vgl. Eicher (2) 9.13–22.

2 Vgl. Fischer 7f.

3 „Wo Rahner von der ‚Anthropozentrik' der Theologie spricht, könnte man ebensogut von ihrem hermeneutischen Anspruch reden, jedoch in dem recht allgemeinen Sinn, daß es in der Theologie keine Aussage über Gott gibt, die nicht eine Aussage über den Menschen impliziert, d. h., es geht um eine theologische Erkenntnis, die nicht ausschließlich darauf gerichtet ist, die objektive Wahrheit der dogmatischen Aussagen zu erforschen, sondern auch ihren Sinn für das Hier und Heute herauszuarbeiten" (Geffré 38). Vgl. Rahner (25) 540f.

4 Vgl. zu den einzelnen Verlagerungen des Ansatzpunktes im Denken Rahners: Eicher (4) 347–421.

5 Vgl. Heijden 95.

6 Vgl. Eicher (1) 42.

7 „Maréchals Anliegen, die Metaphysik aus der Subjektivität neu zu begründen und Heideggers Forderung nach der Neubegründung der traditionellen Metaphysik in einer Fundamentalontologie schien ihm [Rahner] durchführbar in einer transzendentalphilosophischen Wiederholung der thomasischen Erkenntnismetaphysik und von da aus in einer eigenen onto-logischen Anthropologie" (Eicher [2] 9).

8 Vgl. von Rahner: Art. Transzendentaltheologie, in: SM 4,986–992 (= HTTL 7,324–329); Überlegungen zur Methode der Theologie, in: Schriften zur Theologie. Bd. 9. Einsiedeln ²1972, 79–126.

9 Vgl. Eicher (2) 52–54.

10 Vgl. ebd. 4.78.

11 „... nach *Rahner* [muß die Geschichte des Seins] primär als die Geschichte des metaphysisch-übersinnlichen Absoluten mit dem Menschen aufgefaßt werden. Das Absolutum ist

ren Beziehungen dieser Deutung, um die personale Würde des Menschen als Subjekt gerade von der transzendental ermöglichenden Transzendenz Gottes her, die personale Mitte des Gott-Geheimnisses aber gerade von der nicht objektivierbaren Entzogenheit der menschlichen Transzendenzerfahrung her zu verstehen.

Im folgenden soll dieser Interpretation an Rahners Ansatz in „Hörer des Wortes“ und entlang der theologischen Entfaltung dieses Ansatzes nachgegangen werden.

1. Der Ansatz in „Hörer des Wortes“

Rahners Ansatz in „Hörer des Wortes“ nimmt die Problematik des heutigen Gottesverständnisses als Frage nach den Bedingungen der Möglichkeit für die Erfahrung der Offenbarung Gottes in Jesus Christus auf.[12] Rahner fragt so als Christ zurück in den Raum der Religionsphilosophie (15–30), verstanden als Besinnung auf die umfassende Struktur der Wirklichkeit, in die hinein die christliche Offenbarung ergeht. Von dieser Wirklichkeit selbst her versucht er, einen ersten Zugang zur Wirklichkeit des sich offenbarenden Gottes für den Menschen zu erschließen.[13]

In der Tradition der Scholastik versteht Rahner diese Besinnung auf die umfassende Struktur der Wirklichkeit als Metaphysik, als Ontologie (20f). Aufgrund der erkenntnismetaphysischen Ausrichtung seines Denkens wird aber der Mensch als ‚Ort‘ des Seinsverständnisses mit seiner universalen Seinsfrage in die Reflexion zentral mit einbezogen.[14]

Im Anschluß an Thomas beschreibt Rahner so den Menschen als Geistwesen in Seinsoffenheit (55).[15] War die menschliche Geistigkeit im scholastischen Denken vorwiegend als passiv hinnehmend und objektiv gebunden verstanden worden, so daß die Subjektivität im erkenntniskritischen Sinn der Neuzeit nicht ausdrücklich in den Blick kam, so wird in der erkenntnismetaphysischen Schule diese Sicht durch

---

nach Rahner schon immer als der absolute Wert erschlossen und kann also in seiner Geschichte zum Sinnmittelpunkt des Lebens werden“ (ebd. 395).

[12] „Wir gehen ... den Weg: von dem natürlich erkennenden Menschen ... zu einer Analytik der Möglichkeit, die Offenbarung Gottes zu vernehmen...“ (HdW 24f). – Im Haupttext S. 29–44. Seitenzahlen aus HdW!

[13] Vgl. Eicher (2) 140f. E. Simons überzeichnet dieses Anliegen Rahners in seiner transzendentalen Reichweite, indem er Rahner nach seinem eigenen, streng transzendentalphilosophischen Ansatz (vgl. Simons 12) interpretiert und kritisiert (15f). Zur Kritik an Simons vgl. Eicher (1) 42–52, bes. 43f; (2) 99f.285f; Gruber.

[14] Nach HdW 53 gilt: *„Die Frage nach dem Sein und nach dem fragenden Menschen selbst bilden eine ursprüngliche und ständig ganze Einheit.“* Vgl. Eicher (2) 55.

[15] Sicher steht im Hintergrund dieses Aufgreifens der thomanischen Metaphysik die Auseinandersetzung mit Martin Heidegger: „Von Martin Heidegger ist seine Methodik in ihrem Ausgangspunkt, der Seinsfrage ..., und in ihrem fundamentalontologischen Anliegen überhaupt bestimmt...; dieser fundamentalontologischen Absicht sucht er durch den transzendentalen Regreß gerecht zu werden, welche transzendentale Methodik ihm von Maréchal her schon sehr ausgearbeitet vorlag ... In dieser transzendentalen Sicht glaubt er schließlich auch, die Schriften des Thomas von Aquin genuin auslegen zu können...“ (Eicher [2] 49).

die universal setzende Rolle transzendental verstandener Subjektivität ergänzt.[16] Subjektivität erscheint so im Raum des Seins gegründet, aber zugleich ist das Sein grundsätzlich von der Subjektivität des Menschen her eröffnet und darauf bezogen. Das Sein erweist sich selbst als Subjektivität.

a) Die Offenheit von Sein und Mensch[17]

In einer (an Heidegger erinnernden) Analyse des menschlichen Daseins als ‚Ort‘ universaler Seinsfrage erschließt Rahner den Menschen in „Hörer des Wortes“ in einem ersten Schritt als Transzendenz in Seinsoffenheit. „Die Frage nach dem Sein geschieht... im Dasein des Menschen notwendig“ (53). „Das Wesen des Menschen aber ist absolute Offenheit für Sein überhaupt...“ (55). Diese Offenheit ist keine absolute Offenbarkeit, denn die nicht zur Ruhe kommende Fraglichkeit des Seins zeigt die Grenze menschlicher Erkenntnis. „Was Sein sei, ist wohl immer schon offenbar und *be*kannt, aber nicht *er*kannt. Es wird trotz seiner Bekanntheit nicht bloß in einer rhetorischen Frage nach Sein gefragt, sondern die Frage ist gestellt, weil wir noch nicht schlechthin wissend im Besitz dessen sind, was wir erfragen“ (54). Dennoch weist die Universalität der Seinsfrage die menschliche Geistigkeit in den Raum der ursprünglichen Gelichtetheit von Sein, und Rahner entwirft von dieser Offenheit der menschlichen Geistigkeit her das Seinsverständnis aus einer ursprünglichen (transzendentalontologisch-apriorischen) Einheit von Erkennen und Sein. Sein erscheint als Bei-sich-sein. „Das Wesen des Seins ist Erkennen und Erkanntsein in einer ursprünglichen Einheit, die wir das Bei-sich-sein oder die Gelichtetheit (‚Subjektivität‘, ‚Seinsverständnis‘) des Seins der Seienden nennen wollen“ (55). In der menschlichen Seinsoffenheit, im menschlichen Vorgriff auf das Sein ist dabei die Wirklichkeit Gottes miterfahren und in einem ersten, grundlegenden Sinn eröffnet. „Der Vorgriff zielt auf – Gott. Nicht als ob er unmittelbar so auf Gott ginge, daß er das absolute Sein in seinem eigenen Selbst unmittelbar gegenständlich vorstellte, es in seinem eigenen Selbst zur unmittelbaren Gegebenheit brächte; der Vorgriff geht auf das absolute Sein Gottes in dem Sinn, daß das esse absolutum durch die grundsätzlich unbegrenzte Weite des Vorgriffs immer und grundsätzlich mitbejaht ist“ (83f).

Das erkenntnismetaphysische Apriori der Vollzugseinheit von Erkennen und Sein ist der ‚Fluchtpunkt‘ der philosophischen Reflexion Rahners.[18] Von ihm aus läßt sich die subjektive Wende der dogmatischen Denkform – wenn auch in dieser Arbeit notwendig in einer gewissen Vereinfachung – aufzeigen. Rahner hat das Verständnis personaler Wirklichkeit im Sinne des neuzeitlichen Subjektbewußtseins in diese Denkform aufgenommen. Er birgt aber auch entsprechend der ontologischen Dimension dieses philosophischen Apriori das transzendentale Verständnis

---

[16] Wie auch das transzendentale Denken in dieser Synthese ontologisch vermittelt wird. Siehe dazu den Ansatz Josef Maréchals: Eicher (2) 22–33; Verweyen 45–54.

[17] Vgl. HdW 45–88; Eicher (2) 144–152; Simons 22f; Gruber 182–184.

[18] Eicher (2) 172f bezeichnet es als „spekulatives Prinzip“. Demmer (1) 9 versteht es in seiner Untersuchung der Bedeutung des erkenntnismetaphysischen Ansatzes für die Moraltheologie als „die Grundlage“ des transzendentalontologischen Denkens.

menschlicher Personalität im Anschluß an Thomas (und im Sinne Heideggers) in den Grund einer umfassenden Seinserschlossenheit ein. Die Seinserschlossenheit begründet die setzende Subjektivität des Menschen. Und sie stellt sie in eine auch die transzendental-subjektive Analytik noch einmal übersteigende, nicht-objektivierbare existentiale Seinskommunikation.

b) Der Mensch als transzendentaler Selbstvollzug in Seinserschlossenheit

Die Kosmozentrik, der das scholastische Denken in seinen Grundstrukturen verpflichtet ist, verstand die Wirklichkeit Gottes und des Menschen aus dem hierarchisch gedeuteten Gefüge des Kosmos. Der Mensch kam in dieser Sicht nur als Teil dieses Ganzen in den Blick. Insofern die besondere Stellung des Menschen im Kosmos als erkennende und gestaltende Subjektivität und Personalität kaum oder nur sehr eingeschränkt zum Ausdruck kam, der Mensch vielmehr hinnehmend in die Objektivität eingebunden blieb, muß dieses Wirklichkeitsverständnis als „objektivistisch" bezeichnet werden.

J. B. Metz gibt in seiner Darstellung der Denkform des Thomas von Aquin eine Beschreibung der kosmozentrischen Denkform: „Das Leitbild für das Verständnis der Seinsbestimmungen ist die welthafte Objektivität, die dinghaft-naturhafte, primär räumliche Vorhandenheit bzw. Zuständlichkeit; alle anderen Seinsweisen, wie etwa die Sich-selbst-Gegebenheit des Menschen, sind in ihrem Verständnis abgeleitet von diesem Modell der Seinsvorstellung. Die ursprünglich unableitbare Seinsweise der Subjektivität und die mit ihr gegebene Problematik wird nicht gesehen und nicht gewürdigt; das Seinsverständnis ist gleichsam ‚objektsverloren'."[19]

Gegenüber solchem Denken spricht Metz allerdings Thomas von Aquin – nicht unberechtigterweise – eine anthropozentrische Denkform und in diesem Sinne eine anfänglich personal ausgerichtete Denkform zu: „Das thomanische Denken... ist inhaltlich, das heißt ontisch, im Blick auf den Rang der Seienden, theozentrisch (= materiale Theozentrik), formal jedoch, d. h. ontologisch, im Blick auf das waltende Seinsverständnis, ist es anthropozentrisch, also am eigentümlichen Seinsmodus des Menschen, d. h. an der ‚Subjektivität' orientiert (= formale Anthropozentrik)."[20] Insofern ist die Vielschichtigkeit scholastischen Denkens zu beachten. Aber auch das thomanische Denken bleibt in einem letzten Sinn einem „objektiv-hinnehmenden" Verstehenshorizont verpflichtet: „Bei Thomas von Aquin wird der Mensch wesentlich von... [seiner] Offenheit her bestimmt, denn das zentrale Moment seiner Geistigkeit ist nicht der intellectus agens, sondern der intellectus possibilis, der als die Rezeptivität in der Ordnung des Geistigen bestimmt wird. Der aufnehmende, nicht der konstituierende Verstand *erkennt,* weil letzterem bloß die Funktion zukommt, jene Bedingungen zu schaffen, daß sich das Seiende als Seiendes von sich her zeigen kann. Hier liegt das fundamentale ontologische Konstitutiv für seine Bestimmung des Menschen als eines primär nicht konstituierenden, sondern schauenden, kontemplativen Wesens."[21]

In der transzendentalen Wendung der scholastischen Denkweise wird die Rolle

---

[19] Metz (1) 48.

[20] Ebd. 47.

[21] Eicher (2) 332. Zur näheren Auseinandersetzung mit dieser Problematik der bleibenden Differenz des thomanischen Seinsverständnisses zu einem (im Sinne transzendentalphilosophischen Subjektverständnisses) vollgültig „subjektorientierten" und anthropologisch vermittelten Seinsverständnis vgl. auch die Gegenüberstellung des thomanischen (partizipativen) Seinsdenkens und des transzendentalontologischen Denkens von Rahner ebd. 72–78.

der menschlichen Subjektivität als Ort der Wirklichkeitserkenntnis entschiedener aufgenommen, als es im (thomanisch-)scholastischen Denkhorizont der Fall ist. Der neuzeitliche Gedanke der setzenden Subjektivität als des transzendentalen Bodens von Erkenntnis wird in dieser Form scholastischen Denkens in einem gewissen Sinne integriert.[22] Denn der erkenntnismetaphysische Ansatz stellt die transzendentale Subjektivität in den objektiven Raum des Seins.[23] Diese Stellung legt sich dabei aber weder als reine subjektive Setzung noch als bloße objektivistische Hinnahme von Sein aus; sie wird nur verständlich aus der Akteinheit von Erkennen und Sein, an der die menschliche Subjektivität partizipiert: die geistige Erkenntnis des Menschen wird durch das Sein ermöglicht, insofern der Seinshorizont, auf den sie ausgreift, die Möglichkeitsbedingung ist für alles kategoriale Erkennen (74–86)[24]; sie wird zugleich verstehbar als Nachvollzug der setzenden Aktivität des sich in der erkenntnismetaphysischen Einheit von Erkennen und Sein selbst vollziehenden Seins[25]. Rahner deutet den Menschen so als transzendentalen

---

22 Maréchal versucht als Begründer des transzendentalontologischen Denkens „im Ausgang von der Subjektivität und in transzendentalem Regreß ... die thomasische Erkenntnismetaphysik im Lichte von Kants Vernunftkritik zu wiederholen“ (ebd. 33).

23 Entscheidend ist hier der sogenannte Erkenntnisdynamismus bei Josef Maréchal, mit dem er über die bloße Betrachtung der theoretischen Vernunft hinaus in der praktischen Vernunft eine immer schon gegebene subjekttranszendente Bezogenheit des menschlichen Geistes aufweist und in dem er die idealistische Problematik der in sich geschlossenen Subjektivität als universal setzende Immanenz zu durchbrechen versucht: „Ohne die Eigenständigkeit des Verstandes aufheben zu wollen, betont Maréchal doch eine enge Verbundenheit von Verstand und Wille, von theoretischer und praktischer Vernunft, wobei er die praktische Vernunft gleichsam in die theoretische hineinnimmt. ... Was aber strebend gewollt wird, was bonum ist und also Endpunkt einer Strebetätigkeit, das kann nicht bloß subjektbezogene Immanenz sein, sondern ist subjekttranszendentes Ansich.“ (Ebd. 27f.)

24 Vgl. GK 44–46; Eicher (2) 266–273.

25 „Die möglichen Fehlinterpretationen im Sinne eines vordergründigen Dezisionismus oder Voluntarismus sind dabei auf der Ebene des transzendentalen Vorgriffs [auf das Sein] keinesfalls gegeben. Erkennen geschieht zwar im Innenraum der Subjektivität des Erkennenden; insofern es aber zugleich transzendentalen Entscheidungscharakter an sich trägt, tritt es aus diesem Innenraum schon wieder heraus und setzt, in der Form des Nach-Setzens, objektiv wahre Wirklichkeit. In der ungeschiedenen Einheit von Empfang wie Setzung ist also letztlich Objektivität der Wahrheit gesichert.“ (Demmer [1] 30; vgl. 14.) Eicher (2) gibt eine differenzierte Analyse der Sicht Rahners von der Wirklichkeit des Menschen, die sich gerade um diese „ungeschiedene Einheit“ bemüht, die der Mensch als hinnehmende Sinnlichkeit und im transzendentalen Vorgriff auf das Sein ermöglichter setzender Selbstvollzug ist. Er sieht Rahners besondere Leistung vor allem darin, die Sinnlichkeit und die Geistigkeit als einander bedingende Konstitutiva der einen menschlichen Wirklichkeit als „Geist in Welt“ gedacht zu haben. Vgl. zum Problem „eines zugleich hinnehmenden und zugleich bei-sich-seienden Erkennens“ z. B. Eicher (2) 210. Zusammenfassend: 327–332. Die vielfältigen Spannungen und zahlreichen Bezüge, die in der Analyse Eichers deutlich werden (besonders die Bedeutung der Stellung der Sinnlichkeit für die ontologische Vermittlung der Anthropologie), sind in der vorliegenden Arbeit gleichsam gesammelt in der Spannung von Seinsgegründetheit und transzendentalem Selbstvollzug der menschlichen Geistigkeit.

Selbstvollzug in Seinsoffenheit. Die ermöglichende Seinsgegründetheit des Geistes und der setzende Nachvollzug der Einheit von Erkennen und Sein gehen in das Verständnis des Menschen als aus der Seinserschlossenheit begründeten subjektiv-setzenden Selbstands ein.

Für Rahner steht dabei zunächst die Offenheit des menschlichen Geistes für das unthematische Sein als tragende Tiefe der Personalität des Menschen im Vordergrund. „Der Mensch ist die absolute Offenheit für Sein überhaupt, oder, um dieses in einem Wort zu sagen, der Mensch ist Geist. Die Transzendenz auf Sein überhaupt ist die Grundverfassung des Menschen" (71). Er schließt hierbei unmittelbar an die Sicht von Thomas an (72f), der die Würde des menschlichen Geistes nicht als transzendentale Subjektivität, sondern in dessen universaler Offenheit und Seinskommunikation in den Blick nahm, in der der menschliche Geist zur reditio completa ad seipsum gelangt.[26] Auch im Denken Rahners wird menschliche Subjektivität in einer Kommunikation gesehen, deren universale Seinsgelichtetheit die personale Würde des Menschen so begründet, daß sie dem Verständnis des Menschen als (transzendentaler) Subjektivität vorausliegt. „Was mit der Subjekthaftigkeit, die der Mensch erfährt, genauer gemeint ist, wird deutlicher, wenn wir sagen, daß der Mensch das Wesen der Transzendenz ist" (GK 42). „Insofern der Mensch das Wesen dieser Transzendenz ist, ist er auch sich selbst konfrontiert, sich überantwortet und so Person und Subjekt. Denn nur dort, wo die Unendlichkeit des Seins – sich entbergend und entziehend – waltet, hat ein Seiendes den Ort und Standpunkt, von dem aus es sich übernehmen und verantworten kann" (GK 45).[27] Mit Hilfe des transzendentalontologischen Ansatzes denkt Rahner auf einen existentialen Verständnisgrund menschlicher Personalität hin, der in der Offenheit des Menschen in die „Lichtung des Seins" jeder rationalistischen Objektivierung, sei es durch objektivistische Wesensreduktion, sei es durch empiristisch wissenschaftliche Induktion oder durch transzendentale oder formale Analytik, entzogen sein soll.[28]

---

[26] Nach der in positiver Auseinandersetzung mit dem Denken Heideggers stehenden Thomasinterpretation von Siewerth (1) 70: „Erst aus diesem Verhalt aber erscheint das Wesen der Person als geistige Subsistenz. Sie ist in gröblicher Weise mißverstanden, wenn sie als intellektuelle Natur oder gar als Selbstbewußtsein gedeutet wird. Nur wenn spekulativ die Subsistenz aus dem Wesen des unendlichen Seins und ihre Vollendung als Rückkehr zu sich selbst, wenn der endliche Geist als der Ort des personierenden In-sich-seins des Seins als Gleichnis Gottes und als erkennende und strebende Transzendenz in der Teilhabe am Sein selbst begriffen wird, kommt das volle Wesen der Person in den Blick."

[27] Vgl. auch GK 42–46.

[28] „Dies war der Vorwurf Martin Heideggers an alle mögliche Anthropologie überhaupt, daß sie alles am Menschen bedenke, nur nicht das einzig denk-würdige: daß er zum Sein in einem offenen Verhältnis stehe. Die Antwort der ontologischen Anthropologie von Karl Rahner war dazu nicht weniger radikal: nicht nur in einem wie auch immer gedachten Verhältnis steht der Mensch zum Sein, sondern dieses Verhältnis, die Transzendenz auf das Sein, *ist* selbst die eigentliche Wirklichkeit des leibhaften Menschen ..." (Eicher [2] 325).

Zugleich aber erreicht Rahner im unreduzierbaren Selbstand der menschlichen Subjektivität, der durch die Seinsoffenheit konstituiert wird, die Grunderfahrung des neuzeitlichen Wirklichkeitsverständnisses: das Selbstverständnis des Menschen, der sich gegenüber dem kognitiven Objektivismus und jeglicher autoritärer Heteronomie seiner selbst als transzendental setzende Subjektivität bewußt geworden ist. Denn der subjektive Selbstand gegenüber der Sachwelt, aber auch gegenüber der menschlichen Mitwelt, der eigentümliche Raum der Freiheit, die dem Menschen mit diesem Selbstand geschenkt ist und kraft deren er die Sachwelt beherrscht und sich in der menschlichen Mitwelt individuiert, ist durch die unter dem Seinshorizont ermöglichte In-sich-Ständigkeit[29] und setzende Spontaneität[30] der menschlichen Geistigkeit in die Denkform integriert. „Der Vorgriff [auf Sein] ist die Bedingung der Möglichkeit des allgemeinen Begriffs, der Abstraktion, die hinwiederum die Ermöglichung der Objektivierung des sinnlich Gegebenen und so der wissenden In-sich-selber-Ständigkeit ist“ (78). „Diese In-sich-selber-Ständigkeit des Menschen bezeugt sich in allen menschlichen Vorkommnissen, insofern sie menschliche sind“ (73). „Der Mensch ist nicht bloß in einer ‚Umwelt‘, in der er sich als deren Stück und getriebenes Objekt findet, sondern der Mensch hat eine Welt, der er sich gegenüberstellt, von der er sich selbst denkend und handelnd abhebt. ... Er ist Subjekt einem Objekt gegenüber“ (72).

Die universale Offenheit und der subjektive Selbstand zeigen nach dem Verständnis Karl Rahners den Menschen somit in einer unreduzierbaren Selbstwirklichkeit als freien subjektiven Vollzugsgrund aus der vermittelt unmittelbaren Seinskommunikation, die aus keiner vereinzelten Perspektive seiner Bezüge – so sehr Rahner deren Bedeutsamkeit gerade nicht leugnet – adäquat verstanden werden kann.[31]

Mit dieser transzendentalontologischen Deutung des Menschen[32] und der anthropologischen Vermittlung des Seinsverständnisses hebt nun auch ein grundlegender Wandel des Gottesverständnisses an.[33] Rahner deutet – wiederum im Anschluß an Thomas und in einer weitergehenden Vertiefung – das Gegründetsein des menschlichen Geistes in das Sein als erstes Sinnbild für die Beziehung des Menschen zur transsubjektiven, in personalem Gegenüberstand ‚objektiven‘ Wirklichkeit Gottes.

---

29 Vgl. HdW 72–74; GK 37–42.

30 Vgl. Eicher (2) 287: „Die reine Spontaneität“.

31 Vgl. GK 39–42; Eicher (2) 325–327. Eicher faßt das Verständnis der menschlichen Personalität bei Rahner in dem *Ineinander* von Empfangen (als ontologisch bestimmte Geistigkeit) und Setzen (als freier Selbstvollzug) zusammen: „... für Rahners Charakterisierung der Personalität ist weder das Moment der sittlichen Individualität entscheidend, noch die ontologische Bestimmung der Geistigkeit, noch gewisse konstante Eigenschaften des Menschen ... Die Person ist ... das grundlegende Existential, aus dem heraus der Mensch in seinem Dasein handelt. Ontologisch begründet ist diese Ganzheit in der radikalen Offenheit des Menschen auf die unendliche Wirklichkeit, über welche er reflex noch einmal selbst verfügen kann ...“ (357f).

32 Eicher (2) 78 spricht von einer ontologischen Anthropologie.

33 Vgl. ebd. 273.

c) Die Verborgenheit von Sein[34]

Karl Rahner stellt die Offenheit auf das Sein, die sich innerhalb der universalen Seinsfrage des Menschen von der Fragbarkeit des Seins her zeigt, als Wesensvollzug des Menschen dar: „Insofern das Sein fragbar ist und der Mensch nach dem Sein im ganzen fragen kann und muß, weiß er immer schon auch vom Sein im ganzen, ist er immer schon vorgreifend beim Sein im ganzen" (105). Und als Wesensvollzug eignet der Offenheit des Menschen auf das Sein eine Notwendigkeit, die der Mensch unbedingt bejahen muß, will er sein eigenes Dasein verstehen und übernehmen. „Die Evidenz der Metaphysik gründet... in der Notwendigkeit, die sich im Dasein des Menschen offenbart. Die letzte metaphysische Evidenz, die dem Menschen möglich ist, ist nicht eine materiale im Sinne der Einsicht in Sein überhaupt..., sondern eine formale, die gründet auf der Notwendigkeit des Menschen, zu sein, was er ist: ein in allem Handeln und Denken nach Sein Fragender, der in der Frage und trotz der Fraglichkeit von Sein für den Menschen dessen Fragbarkeit und Gelichtetheit schon immer bejaht. Er kann diese nur bejahen, insofern er sein Dasein bejaht und weil er sein Dasein in dessen menschlicher Eigentümlichkeit bejahen muß. Die Eröffnung von Sein überhaupt für den Menschen geschieht wesentlich in der im letzten Verstand unausweichlichen Übernahme des menschlichen Daseins durch sich selbst" (107).

Auf der anderen Seite scheint in der *Fraglichkeit,* dem zweiten Aspekt der universalen Seinsfrage des Menschen, die Verborgenheit von Sein auf, weil „in der Frage nach Sein wirklich *gefragt* werden muß. Zum ersten Aspekt der Fragbarkeit fügt sich der zweite: die Fraglichkeit desselben Seins . . ." (96). Von dieser „Verborgenheit" des Seins für den Menschen her erweist sich aber das menschliche Dasein selbst, in dessen Vollzug die Notwendigkeit der Bejahung der Fragbarkeit und Gelichtetheit des Seins, die unausweichliche Übernahme durch sich selbst aufscheint, zugleich als kontingent und nicht notwendig. In der Verborgenheit des Seins wird deutlich, daß es in bleibender Differenz zur Fülle des Seins steht. „Das Dasein des Menschen, das so in die innerste Mitte der Einsicht einer letzten *Notwendigkeit* hineingezogen ist, ist ein bloß faktisches, ist *Kontingenz*. Die Bestreitung dieser Tatsache würde eine Bestreitung seiner Endlichkeit sein, welche sich darin zeigt, daß sich dem Menschen in seiner transzendentalen Grenzerfahrung Sein als von sich her und für ihn unverfügbares zustellt, würde versuchen, den Menschen in die Mitte der in der menschlichen Transzendenz sich öffnenden Unendlichkeit von Sein einzurücken, und so dessen Fraglichkeit für den Menschen aufheben" (107f).

So zeigt sich eine „eigentümliche Struktur des menschlichen Daseins". Der Mensch „bejaht die Gelichtetheit von Sein und seine eigene Transzendenz auf Sein überhaupt... Insofern er *fragen* muß, bejaht er seine eigene kontingente Endlichkeit; insofern er fragen *muß,* bejaht er diese seine Kontingenz notwendig. Und indem er

[34] Vgl. HdW 89–134; Fischer 152–170; Simons 23f; Gruber 184–195.

sie notwendig bejaht, bejaht er sein Dasein in und trotz seiner Kontingenz als unbedingt, als absolut“ (108).

Rahner erschließt an dieser Struktur des menschlichen Daseins, in der die Offenheit und die Verborgenheit des fragbaren und fraglichen Seins die Unbedingtheit und die Kontingenz des menschlichen Wesensvollzuges aufscheinen lassen, das Sein als Freiheit. Er geht von einer Beschreibung der inneren Struktur einer Willenssetzung aus, die sich für ihn „in der Absolutsetzung eines Zufälligen“ zeigt: „Ein Zufälliges hat... als solches in seinem *washeitlichen* Wesen keinen Grund, es absolut zu bejahen. ... Die Setzung des Zufälligen nimmt also den Grund ihrer selbst nicht eindeutig aus dem Gesetzten als solchem. Der Grund ist also zunächst Grund der Setzung und dann erst des Gesetzten als eines solchen. Ein solcher Grund aber heißt Wille“ (109). Von dieser Struktur der Willenssetzung her klärt sich aber auch die eigentümliche Gestalt des menschlichen Daseins auf. Der Mensch erfährt sich als ein absolut gesetztes Zufälliges. Denn in der unausweichlichen Übernahme seiner selbst und Bejahung des eigenen, notwendigen Wesensvollzugs durch den Menschen zeigt sich eine unbedingte Setzung. Der Mensch, in dem sich diese unausweichliche Selbstübernahme vollzieht, durch die er selbst ist, erfährt sich selbst aber zugleich als kontingent und bedingt, denn in der Fraglichkeit des Seins bleibt das Absolute selbst, das Sein verborgen. Weil so auch der Mensch den Grund für die Setzung, die sich in seiner unausweichlichen Selbstübernahme ereignet, als kontingentes und damit bedingtes Sein doch nicht in sich trägt, muß diese Setzung Ausdruck eines fremden Willens sein. In seiner unausweichlichen Bejahung der Gelichtetheit des Seins und der unbedingten Selbstübernahme, durch die der Mensch ist, was er ist, vollzieht der Mensch als bedingter in Selbstsetzung die vorausliegende unbedingte Setzung seiner selbst durch einen unbedingten Willen nach. Und am Wesensvollzug des Menschen, der aufgrund seiner Seinsgelichtetheit in sich selbst grundsätzlich gelichtet erscheint, zeigt sich dieser Wille als ein freier Wille an. Denn wäre die Setzung des Menschen durch den fremden Willen eine unfrei-notwendige, so „wäre das Gesetzte entweder so notwendig wie die Setzung selbst, oder der Grund der Setzung wäre derart, daß seine Erhellung in einer ‚logischen‘ Verknüpfung zwischen ihm, der Setzung und dem Gesetzten im Hinblick auf Zufälligkeit und Notwendigkeit durch das eigene Wesen des Grundes ausgeschlossen wäre“ (110). Beides aber läßt sich mit der dargestellten Struktur des menschlichen Daseins nicht vereinbaren. Denn das Gesetzte, das menschliche Dasein, ist zufällig, kontingent und nicht notwendig. Und der Grund der dennoch unbedingten Setzung kann nur das Sein selbst als das ermöglichende „Woraufhin“ des menschlich-geistigen Ausgriffs sein, der das Wesen des Menschen ausmacht. Dieses Sein zeigt sich aber gerade im Ausgriff des Menschen als gelichtet. Seine Gelichtetheit läßt sich nicht mit dem Ausschluß der „Erhellung des Grundes in einer ‚logischen‘ Verknüpfung zwischen ihm, der Setzung und dem Gesetzten“, welcher die Folge eines unfreien und unter zwingender Notwendigkeit stehenden, setzenden Grundes und Willens wäre, in eins bringen. „Im Grunde des menschlichen Daseins vollzieht sich immer eine notwendige und absolute Bejahung des Zufälligen, das der Mensch selber ist, also Wille. In eins damit wird aber die

Gelichtetheit des Seins überhaupt bejaht. Das heißt aber: Diese notwendige willentliche Bejahung läßt das so Bejahte (weil von uns als fremd vorgefunden und uns vorgegeben) als in seiner Kontingenz fremdwillentlich gesetztes erscheinen und kann so nur aufgefaßt werden als der Nachvollzug einer *freien* Absolutsetzung des Nichtnotwendigen. Denn würde diese Absolutsetzung des zufälligen menschlichen Daseins nicht ursprünglich einem *freien* Willen entspringen, wäre die grundsätzliche Gelichtetheit des Seins als solchen aufgehoben" (110).

Indem Rahner so das „Woraufhin" der Transzendenz des menschlichen Geistes in einem zweiten Schritt an der Erfahrung der Kontingenz des Menschen als Freiheit erfaßt, öffnet sich das Seinsverständnis zur Objektivität des personalen Gegenüberstandes Gottes: Dem Menschen begegnet, kraft der Unbedingtheit seiner Transzendenz, an der Begrenztheit seiner Kontingenz der doppelt unfaßbare ‚Gegenüberstand Gottes' als Seinsfülle und als Freiheit, weil „der Mensch in seinem notwendigen, die Gelichtetheit des Seins bejahenden, absoluten Verhalten zu seiner Kontingenz sich bejaht als die freie willentliche Setzung Gottes. ... Damit ist aber gegeben, daß er dem absoluten Sein Gottes als dem letzten Horizont seines Vorgriffs nicht gegenübersteht als einem unbeweglichen Ideal..., sondern als einem freien Selbstmächtigen" (111).

Die Verborgenheit von Sein läßt also an der Kontingenz des Menschen und in der Seinsoffenheit ein freies und damit personales Gegenüber ansichtig werden. Für Rahner wird diese Deutung der Seinserschlossenheit des Menschen, in der das (thomanische) Gottesverständnis aus dem Seinsverständnis anthropologisch vermittelt erscheint, der Zugang zur personalen Beziehung des Menschen zu Gott.

Im Anschluß an den ersten Teil von „Hörer des Wortes" (Die Offenheit von Sein und Mensch) stellt Rahner für das Verständnis der Wirklichkeit Gottes, das ja grundsätzlich schon in der Analyse der Offenheit von Sein und Mensch greifbar wird, noch ein Ungenügen fest: „Was sich bisher herausgestellt hat, ist demnach bloß dies: Der Mensch steht vor Gott als dem wenigstens vorläufig Unbekannten. Denn er ist der Unendliche, der in seiner Unendlichkeit vom Menschen nur erkannt wird in dem verneinenden Verweis auf das Jenseits aller Endlichkeit, welcher Verweis die Bedingung der gegenständlichen Erfassung eines endlichen Seienden ist. Bei solcher Weise der Gotteserkenntnis bleibt aber Gott in dem positiven Inhalt seiner Unendlichkeit verhüllt. Doch ist damit noch nicht eigentlich deutlich geworden, daß diese Verhülltheit mehr ist als das Noch-nicht-Wissen des Menschen selber, der als endlicher Geist noch nicht zum Ende seiner geistigen Bewegung gelangt ist. Die Verhülltheit Gottes ist bisher bloß *vom Menschen her* begründet worden, und zwar aus der in gewissem Sinn doch bloß faktischen Struktur seines geistigen Wesens . . ." (103f). Im zweiten Teil sucht Rahner die Begründung des Gottesverständnisses deshalb von dem an der Verborgenheit des Seins dargelegten Aufweis der Freiheit des Absoluten her zu vertiefen.

Dem Grundansatz des Gottesverständnisses bei Rahner eignet aber entsprechend den Stufen dieser Vertiefung eine gewisse Doppelschichtigkeit. Ein erster grundlegender Anknüpfungspunkt des Gottesverständnisses stützt sich auf die Deutung der Wirklichkeit Gottes aus dem Verständnis des Seins als des „transzendentalen Horizonts" der menschlichen Geistigkeit. Gott ist demnach im Woraufhin des transzendentalen Vorgriffs des menschlichen Geistes auf das Sein miterfahren.[35] Mit diesem Anknüpfungspunkt, der bei der allgemeinen Struktur des menschlichen Geistes als *erkennenden* ansetzt, ist die hermeneutische Leistung der (endgültigen) Überwindung des objektivistischen Mißverständnisses, dem die Wirklichkeit Gottes im kos-

---

[35] Vgl. Eicher (2) 273–278.

mozentrischen Verstehenskontext ausgesetzt ist, verbunden. Ein zweiter, ***voluntativ-praktisch*** ansetzender Anknüpfungspunkt vertieft im Horizont der erkenntnismetaphysischen Einheit der transzendentalen Geistigkeit als erkennenden und als liebenden Vorgriffs dieses anthropologisch vermittelte Gottesverständnis auf die Freiheit und das personale Gegenüber Gottes hin.[36] Hier liegt auch die Brücke zum eigentlich theologischen Gottesverständnis. Im folgenden soll die Bedeutung dieser beiden ‚Schichten' des Gottesverständnisses bei Rahner herausgearbeitet werden.

d) Gott als personal-ontologischer Horizont

Im kosmozentrischen Verstehenshorizont war die Totalität des Kosmos als eine analogische Hierarchie verstanden, an deren Spitze das Sein als alles umfassende Fülle und in dieser umfassenden Stellung in unterschiedlichen Deutungsweisen als Repräsentation der Wirklichkeit Gottes stand. Thomas differenzierte in der Reflexion auf die Unterscheidung der Transzendenz Gottes von der Wirklichkeit des Seins diese Sicht im Sinne einer Interpretation des Seins als erstes Urbild für die noch einmal transzendente Wirklichkeit des personalen Geheimnisses Gott.[37]

Der transzendentale Ansatz überträgt diese Sicht des Gottesverständnisses aus dem Seinsverständnis durch dessen subjektive Vermittlung zunächst in den Zusammenhang anthropologischer Strukturen. Denn die erkenntnismetaphysische Perspektive vertieft durch die transzendentale Vermittlung die „Lichtung" des Seins im Subjekt zu einer existentialen Seinskommunikation: Die kosmozentrische Wirklichkeitsinterpretation wird verlassen. In der transzendentalen Vermittlung des scholastischen Denkens erscheint die Wirklichkeit des Seins in bezug auf den Menschen nicht mehr primär als Spitze einer objektiven Hierarchie des Kosmos, nicht mehr als Transzendenz ‚hinter' Objektivität, sondern als *Horizont* der sich im transzendentalen Vorgriff und im Ausgriff auf die kategoriale Objektivität vollziehenden Subjektivität des Menschen (78f).[38] Auf das Gottesverständnis aus dem Seinsverständnis übertragen bedeutet das: „Der transzendentale Gottesbeweis schreitet nicht von der realen Seinskonstitution des endlichen Seienden in einem Kausalschluß zum nicht-endlichen Gott, sondern er setzt im Urteil, in der Bejahung des Seienden als eines endlichen Wesens an, um als die Bedingung der Möglichkeit solcher Bejahung den Vorgriff auf das ansichseiende Unendliche zu erweisen."[39] Das heißt: Der Mensch vollzieht sich so als Geist zwar im objektivierenden Ausgang in Kategorialität. Das unthematische Sein ist dabei aber als ermöglichender Horizont und apriorischer Sinn- und Zielgrund der Geistigkeit in einer – wenn auch immer vermittelten – Unmittelbarkeit erschlossen.[40] Sein erschließt sich als Bei-

---

36 Vgl. ebd. 278–280; Fischer 158–162.

37 Vgl. Siewerth (1) 37–43: „Die Ablösung des Seins vom Seienden und der Widerspruch von gründender Aktualität und Nicht-Subsistenz"; 43–49: „Das Sein des Seienden als vermittelnde Mitte"; H 3/1, 360–366.

38 Vgl. Eicher (2) 275–278.

39 Ebd. 281.

40 Zum Begriff der „vermittelten Unmittelbarkeit" bei Rahner vgl. GK 90–92.

sich-sein, und in dieser transzendentalen, unthematischen Seinserfahrung ist auch die Wirklichkeit Gottes *miterfahren* (79–85).[41]

Rahner verwendet für das Gottesverständnis aus diesem transzendentalontologischen Personalgrund später zunehmend den Begriff des Woraufhin der transzendentalen Seinstranszendenz der menschlichen Geistigkeit, welchen er von der menschlichen Seinstranszendenz selbst absetzt, in der aber zugleich diese Wirklichkeit Gottes eröffnet wird: „Schon in der Transzendenz als solcher ist das absolute Sein das innerste Tragende und Konstituierende dieser transzendentalen Bewegung auf es hin und nicht nur ein äußerlich bleibendes Woraufhin und äußerliches Ziel einer Bewegung." Aber: „Dieses Woraufhin ist... kein solches Moment der transzendentalen Bewegung, daß es nur in ihr seinen Bestand und seinen Sinn hätte, sondern es bleibt als das Innerste auch das absolut Erhabene und Unberührbare über dieser transzendentalen Bewegung" (GK 128; vgl. 67–76). P. Eicher faßt dieses Transzendenzverständnis bei Rahner zusammen: „Das Woraufhin dieser anthropologischen Transzendenz muß in seinem Verhältnis zum Vorgriff, worin es erscheint, auf dreifache Weise charakterisiert werden: – es ist nicht ein der menschlichen Subjektivität völlig äußeres Moment, sondern *als Möglichkeitsbedingung des Vorgriffs* dem geistigen Vollzuge selbst innerlich; – es wird im Vorgriff als von ihm selbst *unabhängiges,* aber durch ihn ergriffenes Absolutes erfaßt... Weil das Woraufhin die Bedingung dafür ist, daß die Endlichkeit auch der eigenen Subjektivität eingesehen wird, kann es nie als bloße Projektion des eigenen Bewußtseins verstanden werden; der Mensch kann das Woraufhin nicht kraft einer *eigenen* dynamischen Bewegung erreichen, sondern es ist das Absolute selbst, welches die erkennende Bewegung von sich her anzieht..."[42] Damit erscheint die Wirklichkeit Gottes aus dem ontologisch ausgerichteten Verständnisumfeld des Seins als kosmischer Allheit endgültig übertragen in die anthropologische Relationalität des existentialen Personalgrundes menschlichen Daseins als Seinsoffenheit.

Rahner stellt sich in „Hörer des Wortes" bewußt gegen ein idealistisches Mißverständnis seiner transzendental-existentialen, anthropologischen Vermittlung des Gottesverständnisses, indem er die Wirklichkeit des Seins in dem vertiefenden Schritt des zweiten Teils von „Hörer des Wortes" (Die Verborgenheit von Sein) von der Kontingenz des Menschen her als Freiheit faßt.[43] Erst in dem Gegenüberstand des Menschen in seiner Geistigkeit vor dem *freien* Gott wird der Mensch zu einem Geheimnis, das nicht nur in der ontologischen Notwendigkeit seines Selbstvollzuges in Seinserschlossenheit und sinnlicher Vermittlung aufgeht; es wird vielmehr deutlich: „... *der unausweichliche Selbstvollzug des Menschen ist ein notwendiger Nachvollzug der absoluten Selbstbejahung Gottes* durch ein endliches Dasein hindurch,

---

41 Vgl. Eicher (2) 281.

42 Ebd. 282.

43 Vgl. Balthasar (1). Balthasar kennt zu dieser Zeit (1939) „Hörer des Wortes" erst in der Form der „Hochschulvorträge über ‚Religionsphilosophie und Theologie'" (377). Er erwähnt aber ausdrücklich ihre gegen die Auslegung von „Geist in Welt" in „einer betont apriorisch-idealistischen Richtung" (ebd.) steuernde theologische Tendenz (377f).

von der dieses endliche Dasein umfangen bleibt.“[44] Und die Wirklichkeit Gottes erscheint in ihrer letzten Tiefe über die bloße anthropologische Vermittlung hinaus nicht nur als Wirklichkeit des Seins, dessen Verhülltheit im erkennenden Menschen bloß anthropologisch bedingt ist („bloß *vom Menschen her* ..., und zwar aus der in gewissem Sinn doch bloß faktischen Struktur seines geistigen Wesens“ [104]), sondern als Freiheit und Liebe.[45] Die „Allheit“ der unthematischen Seinstiefe stellt sich so als „konkrete Fülle“[46] dar, die dem menschlichen Dasein nicht als ‚sachhafte‘ Anonymität, sondern als eigener transzendentaler Existenzgrund und *existential personaler* Seinsgrund der Wirklichkeit erschlossen ist und sich gibt.[47]

Vom philosophischen Standpunkt aus mag der Vorwurf bei Eicher an Karl Rahner berechtigt sein: „Rahners Lehre von der Objekt konstituierenden Vernunft steht noch ganz im Banne von Martin Heideggers frühem Ansatz: Der Mensch entwirft sich den Horizont des Seins, worin alles Seiende erscheinen kann; es ist der das Seinsverständnis ausbildende Mensch, welcher dem Sein einen Ort gibt, wo es erscheinen kann. Diesen Ansatz hat Martin Heidegger inzwischen als von der neuzeitlichen Metaphysik der Subjektivität vorbelastet durchschaut und radikal aufgegeben: mit dem Humanismusbrief vollzieht er endgültig den Absprung in ein Denken, das nicht mehr vom konstituierenden Subjekt aus denkt, sondern vom Sein und der Geschichte seiner Offenbarung her dem Menschen und seiner Welt nachdenkt. Der Mensch steht jetzt im Verhältnis zum Sein so, daß sich dieses ihm von sich selbst her auf-gibt, sich ihm er-eignet, zuschickt oder entzieht: die Existenz wird zur Ek-sistenz, zum Ort, in welchem das Sein sich er-eignet. Diese Kehre, welche eine grundsätzliche Aufgabe des interioristischen und – vom Problem der Konstituierung her gesehen – subjektivistischen Standpunktes verlangt, hat Rahner bis heute nicht nachvollzogen ...“[48] In seiner differenzierten Analyse des zweiten Teiles von „Hörer des Wortes“ gibt aber K. P. Fischer eine Deutung der umfassenden Wirklichkeitsinterpretation Rahners aus der *Freiheit* Gottes.[49] Während Eicher Rahner ein Seinsverständnis zuspricht, das sich ganz vom *Verständnis* des Menschen her entwirft[50], sieht Fischer in Rahners Verständnis eines freien, unbedingten Grundes der Wirklichkeit eine „Unerreichbarkeit oder Unzugänglichkeit der letzten, durchschauenden Verstehbarkeit des Seins“[51] gegeben. Dem Menschen ist „nur das *Daß* der Verstehbarkeit (als Forderung nach totalem Selbstverständnis), nicht jedoch als *Was* – der Inhalt – gegeben (weil ihm der absolute Grund nur als Fluchtpunkt seiner transzendierenden Existenz und als hell-dunkler Grund seines Begreifens gegeben ist)“[52]. Ist darin aber nicht eine Kehre Rahners impliziert: vom Seinsverständnis aus dem anthropologisch vermittelten Horizont zum Gottesverständnis aus einem freien Grund von Wirklichkeit, der in seiner Freiheit jedes vom Menschen aus entworfene Verständnis des letzten Grundes durchbricht und sich letztlich eben dem Menschen *von sich aus* „er-eignen“, offenbaren und zuschicken muß?[53] Natürlich steht man mit dieser Frage vor dem Problem, wieweit der Ansatz von „Hörer des Wortes“ rein philosophisch oder bereits theologisch zu interpretieren ist. Rahner

---

44 Fischer 166.

45 Vgl. HdW 111.123f.

46 Vgl. Demmer (1) 14f.

47 Vgl. ebd. 18.

48 Eicher (2) 330f.

49 Vgl. die thesenartigen Sätze bei Fischer 165f.

50 Vgl. Eicher (2) 197–199.

51 Fischer 159.

52 Ebd.

53 Vgl. zur Problematik einer solchen Kehre: Fischer 300–302. Unter dem theologischen Blickwinkel seiner Untersuchungen zum Offenbarungsverständnis spricht Eicher (4) 363–368 auch selbst von einer Nähe Rahners zur Heideggerischen Kehre.

selbst scheint in der Entwicklung seines eigenen Denkens in dieser Frage zu schwanken.[54] Der ‚voluntative' Zug des Verständnisses des letzten Grundes von Wirklichkeit, wie ihn Fischer bei Rahner gegeben sieht, entspräche dem Ineinander von Vernunft und Wille innerhalb des Maréchalschen Ansatzes der Metaphysik.[55] Dabei scheint die „Ambiguität" der „Verwendung des Wortes ‚Gott'" „in diesem Zusammenhang"[56] deutlich zu machen, daß sich theologische und philosophische Ebene hier durchdringen. Die Problematik dieser Spannung, die in der Metaphysik Maréchals schon angelegt ist[57], prägt das ganze Werk Rahners: Die freie, geschichtliche Selbstmitteilung Gottes in Jesus Christus und die transzendentale Seinserschlossenheit in kategorialer Vermittlung werden, im Sinne des Ineinander von Freiheit und Intellekt, „Mystik und Metaphysik"[58] nach der Metaphysik Josef Maréchals, *aneinander gedeutet und interpretiert* (am deutlichsten wird dies bei Rahner am ganzen Problem des „übernatürlichen Existentials"[59]).

Kommt in diesem zweiten Teil von „Hörer des Wortes" an der Einheit der Maréchalschen „dynamischen Seinsbegierde" „als erkennenden und als liebenden Vorgriffs" das voluntative Element zum Durchbruch und zeigt es sich einerseits als Moment am Intellektualen, anderseits als *„Bedingung* und *Grund*"[60] der Erkenntnis, so schafft sich Rahner in dieser Entfaltung der anthropologisch-transzendentalen Wendung des Gottesverständnisses den Ansatzpunkt eines theologischen Gottesverständnisses, das aus der freien Offenbarung den liebenden Gott in der Radikalität der Selbstmitteilung an den Menschen endgültig erschließt. Rahner stellt den Menschen so im Horizont der unreduzierbaren Freiheit des Seinsgrundes in eine unmittelbare und mit seiner Existenz unbedingt verbundene, ursprüngliche Beziehung zu Gott.[61] Vor der Freiheit Gottes aber wird der Mensch zum „Hörer des Wortes", der die letzte Erfüllung der personalen Tiefe seiner eigenen Existenz und die endgültige Erschließung Gottes aus der heilsgeschichtlichen Offenbarung erwarten muß.[62]

e) Die Geschichtlichkeit der Seinserschlossenheit[63]

Rahner führt die zweifache Schwebe der menschlichen Transzendenz in das Sein als

---

[54] Vgl. Fischer 159f.209–235; Eicher (4) 356f.
[55] Vgl. Eicher (2) 27; Fischer 156f.
[56] Fischer 159.
[57] Vgl. Balthasar (2) 303–306.
[58] Ebd. 305.
[59] Vgl. Fischer 235–268.
[60] Ebd. 166.
[61] Vgl. HdW 85–88.111.116; Fischer 176–178.
[62] „Die Transposition der un-bedingten ... *Freiheit* Gottes in subjekthafte Bedingungen der Möglichkeit religiöser Erfahrung erscheint Rahner ... gegeben in der Dialektik von Unbedingtheit (Notwendigkeit) und Kontingenz (Zufälligkeit) *innerhalb* der Selbstsetzung menschlicher Existenz. In dieser Dialektik, die den innersten Grund der geistigen Existenz des Menschen bildet, erblickt Rahner die ‚offene Stelle' (Lehmann), in deren Helle ein sich gebendes Wort Gottes erfahren werden kann, weil eben jede weiter bohrende (‚intelligible') Analyse dieser Dialektik unweigerlich über sich selbst hinausweist, d. h. sich selber ‚transzendieren' muß in das Geheimnis eines verfügenden, absoluten Willens ..." (Fischer 91f).
[63] Vgl. HdW 135–202; Simons 24f; Eicher (2) 399–402; Gruber 195–206.

Fülle und Freiheit weiter zu einer geschichtlich gefaßten potentia oboedientialis (143.200).

Die an der eigenen Kontingenz erfahrene Freiheit des Seins nimmt für den Menschen die sich seinem Geist gebende Offenheit des Seins in eine freie Verborgenheit zurück. In der Geschichte als umfassendem Raum des Selbstvollzugs des Menschen in transzendentalem Ausgriff und kategorialer Vermittlung (143–145 und die ganze Analyse Kap. 10–12) kann sich Gott, der im Raum des Seins miterfahren wird, aber aufgrund dieser Freiheit in einer tieferen Offenbarkeit dem Menschen schenken. „Was... Mensch ist, erscheint selbst nur in der entfalteten Wirklichkeit des möglichen Menschseins, in der Geschichte des Menschen überhaupt, in der Geschichte der Menschheit. Somit ist der Mensch, um Geist zu sein, wesentlich kraft seiner geistigen Natur ausgerichtet auf die Geschichte“ (199). Und zugleich steht „Gott... dem Menschen... immer auch als der frei Handelnde gegenüber, der die Möglichkeiten seiner Freiheit dem endlichen Menschen gegenüber durch die freie Setzung dieses Endlichen noch nicht erschöpft hat. Freies Handeln ist aber schon in einem wesentlichen Sinn geschichtliches Handeln“ (143). So kann in der Geschichte deutlich werden, wer Gott für den Menschen eigentlich sein will. Und der Mensch wird als das Seiende verstehbar, das in seiner Seinsoffenheit letztlich in die Geschichte verwiesen ist, soll die letzte Schwebe der Offenheit und Verborgenheit von Sein, das Geheimnis auf dem Grunde seiner Existenz, eine tiefere, freie Erfüllung durch Gott finden (200).

Rahners Gedanken in „Hörer des Wortes“ gelangen hier an ihr Ziel (217). Das Verständnis der transzendentalen Seinsoffenheit des Menschen und des Woraufhin dieser Transzendenz selbst erhalten in Jesus Christus ihre letzte Bestimmung. Rahner bedenkt diese Bestimmung in „Hörer des Wortes“ nur als Möglichkeit. Doch in der Geschichtlichkeit von Sein und Mensch, verstanden als die Selbstmitteilung der immer neu sich gebenden Seinsfülle und als die Bewegung des Menschen auf das kategoriale Einholen dieser Sinnfülle des unthematischen Seinsgrundes hin[64], liegt eine so tiefe Offenheit von Sein und Mensch für eine geschichtliche Erfüllung, daß das traditionelle Seins- und Analogiedenken überholt ist in eine Form christozentrischer Hermeneutik menschlich personaler Wirklichkeit und des Seinsgeheimnisses Gottes. In diesem Zielpunkt von „Hörer des Wortes“ liegt für

---

64 Rahners Verständnis der Geschichtlichkeit ist nicht einheitlich. Von einer mehr ‚materialen‘ Geschichtsauffassung in HdW denkt Rahner im Horizont der transzendentalontologischen Deutung immer mehr auf eine umfassende metaphysische Geschichtsinterpretation hin, wie sie sich etwa in den Problemzusammenhängen der Geschichtlichkeit der Wahrheit und der personalen Freiheitsgeschichte erschließt. Diese umfassend metaphysische Implikation der transzendentalontologischen Denkweise (vgl. dazu die Analyse des transzendentalontologischen Wirklichkeitsverständnisses mit seiner immanenten geschichtlichen Dynamik in Demmer [1] 8–30: „1. Metaphysik der Erkenntnis; 2. Überfragung auf die letzten Seinsgründe; 3. Vorgriff als Vorentwurf; 4. Wahrheit und Geschichte“) ist aber schon in HdW auch bei Rahner grundgelegt. Vgl. die Kritik an der Geschichtsauffassung von HdW von Simons 134–137. Dagegen Eicher (2) 399–402; zum umfassenden Geschichtsverständnis bei Rahner ebd. 388–411.

Rahner auch der Ansatz zu einer theologischen Entfaltung, welche ihre Mitte in einer transzendentaltheologischen Hermeneutik des Christusereignisses findet.

f) Christozentrische Ausrichtung

Auch das traditionelle katholische Seinsdenken war in dem Sinn christozentrisch, daß die Theologie immer von der Vorstellung ausging, in der Heilsgeschichte der Fülle der Offenbarung Gottes und damit auch der wahren Wirklichkeit von Welt und Mensch zu begegnen.[65] Die traditionelle Form des Analogiedenkens ließ aber faktisch die heilsgeschichtliche Wirklichkeit Gottes vor allem im Schnittpunkt der ‚von unten', von der Schöpfungswirklichkeit aufsteigenden Linien der Deutung aufscheinen.[66] Die umgekehrte Richtung der christlichen Sinnerfahrung, die Erfüllung der in kosmozentrischem Zusammenhang stehenden potentia oboedientialis durch die geschichtliche Selbstmitteilung Gottes, war für diese Denkform vor allem dann schwer darstellbar, wenn innerhalb des ungeschichtlichen, statischen Seinsdenkens die geschichtliche Offenbarung Gottes eher als eine Durchbrechung der Sinnstruktur erschien.[67]

Karl Rahner sieht diese Rückgewinnung der Sinnstiftung aus der Heilsgeschichte für die geschöpfliche potentia oboedientialis durch die geschichtliche Dynamik der Offenheit von Sein und Mensch in einem formalen Sinn ermöglicht. Denn die Deutung des Menschen als Seinsoffenheit in geschichtlichem Selbstvollzug und die Eröffnung des Seins als Horizont dieses Selbstvollzuges schließen den Gedanken einer möglichen letzten Erfüllung dieser Offenheit in bzw. als Eschatologie der Geschichte in sich ein.[68] Wird dem Menschen diese Erfüllung geschenkt,

---

65 „Die alte Theologie pflegte die Frage nach Christus als dem Grund der Schöpfung abhängig zu machen von der Frage, ob der Grund der Menschwerdung Christi die Sünde ist (Thomisten) oder ob Gott auch Mensch geworden wäre, wenn Adam nicht gefallen wäre (Skotisten)" (Balthasar [2] 336). Vgl. die Darstellung über die Rolle der Christozentrik in der Entwicklung der katholischen Theologie (vor allem in jüngerer Zeit) ebd. 336–344.

66 Vgl. Balthasar (9) 9f.

67 Vgl. ebd. 8. Einfacher haben es die dynamischen Ansätze des kosmozentrischen Denkens (ebd.).

68 Eicher weist dabei auf die Spannung zwischen ungeschuldeter Erfüllung und innerer Vollendung des Menschen (seiner inneren Wesensstruktur) hin. Die Begriffe „Immanenz" und „Transzendenz" gehen dabei ineinander über, insofern das Sein als das Woraufhin der Transzendenz des menschlichen Geistes einerseits der Wesensstruktur des Menschen unmittelbar „innerlich" ist, aber in diesem Bezug zum Menschen nicht aufgeht und insofern damit die Vollendung des Menschen als transzendentalen Selbstvollzugs in Seinserschlossenheit einerseits die wirkliche Vollendung seines „immanenten" seinsgegründeten Selbstvollzugs und anderseits „ungeschuldete Erfüllung" durch die freie, endgültige Selbstmitteilung des Woraufhin, das über alle Seinstranszendenz des Menschen hinausgeht, ist: „Die innere Wesensstruktur des menschlichen Seins, das immanente Wesen der geistigen Person ist also seine Transzendenz auf das absolute Sein, von welcher her allein er seine (ungeschuldete) Erfüllung finden kann. Die endgültige Erfüllung all dessen, worauf der Mensch angelegt war, seine immanente Vollendung ist nicht von ihm selbst her machbar, er hat sie vom Absoluten selbst zu erwarten. In diesem Sinne meint Rahner, daß die Ausdrücke ‚Immanenz' und ‚Transzendenz' in Hinblick auf

so erscheint sie unmittelbar als Sinnmitte des sich gebenden Seins und des menschlichen (geschichtlichen) Selbstvollzuges. Von seinem Verständnis des Menschen als transzendentalen Selbstvollzugs in Seinsoffenheit, dem Verständnis Gottes als personal-ontologischen Horizonts und dem damit eingeschlossenen Geschichtsverständnis her formuliert Rahner: „Der Mensch ist das Seiende von hinnehmender, je für Geschichte eröffneter Geistigkeit, das in und als Freiheit vor dem freien Gott einer möglichen Offenbarung steht, die, wenn sie kommt, in seiner Geschichte (und als deren höchste Aktualisierung) ‚im Wort‘ sich ereignet“ (200).

Die Frage nach dem Sinn der Wirklichkeit des Menschen als Personalität in Freiheit und Seinsoffenheit wird von Rahner deshalb schließlich christozentrisch beantwortet: Der Freiheitsvollzug des Menschen, verstanden als transzendentalontologischer Selbstvollzug in Seinsoffenheit, kommt prinzipiell in der heilsgeschichtlichen, kategorialen Erfüllung seiner unthematischen Seinsoffenheit, in Jesus Christus als dem Anfang und der bleibenden Mitte[69] der eschatologischen Vollendung der Geschichte, in sein Eigentliches.[70] Rahner versteht so den Menschen in einem letzten Sinn aus seiner konkreten geschichtlichen Beziehung mit Gott, die ihre Mitte in Jesus Christus, dem Anfang der eschatologischen Begegnung von Gott und Mensch in absoluter Nähe, hat.[71]

Aber nicht nur das Verständnis des Menschen, auch das Verständnis der Wirklichkeit Gottes, das sich nach Rahner in der Seinsoffenheit menschlicher Geistigkeit zu erschließen beginnt, erlangt – denkt man in der Konsequenz von „Hörer des Wortes“ – durch das Ereignis, das Jesus Christus ist, seine letzte Bestimmung und seine Fülle. Durch die Geschichtlichkeit von Sein und Mensch wird das Gottesverständnis, das aus dem Seinsverständnis erwuchs, ausgerichtet auf eine heilsgeschichtliche und eschatologische Erfüllung seiner dialektischen Schwebe von Erschlossenheit und Verborgenheit. Der unthematische Seinsgrund soll in seiner letzten Sinntiefe offenbar werden. In Christus ist der unüberholbare Anfang dieser eschatologischen, endgültigen Selbstmitteilung Gottes gegeben: „Erst im vollen und unüberholbaren Ereignis der geschichtlichen Selbstobjektivation der göttlichen Selbstmitteilung an die Welt in Jesus Christus ist ein Ereignis gegeben, das als eschatologisches einer geschichtlichen Depravation... entzogen ist. ... Von Jesus Christus her, dem Gekreuzigten und Auferstandenen, ist daher ein Kriterium für die Unterscheidung in der konkreten Religionsgeschichte gegeben zwischen dem, was menschliches Mißverständnis der transzendentalen Gotteserfahrung ist, und dem, was deren legitime Auslegung ist“ (GK 161). Das personale Geheimnis

die Vollendung des Menschen nicht Verschiedenes bezeichnen, da die Erfüllung der Immanenz durch die Transzendenz ja die Vollendung dieser besagt.“ (Eicher [2] 411)

69 Vgl. Rahner (5).

70 Diesen letzten Zielpunkt des Verständnisses des Menschen gibt HdW 25 schon im Aufriß seiner Fragestellung an: Es geht um die „Analytik der Möglichkeit, die Offenbarung Gottes zu vernehmen, als der Seinsmöglichkeit, die eigentlich erst den Menschen grundsätzlich in seinem vollen entfalteten Wesen konstituiert“.

71 Vgl. Fischer 268–337: „Das Geheimnis Christi als Geheimnis des Menschen“.

Gottes, das sich in der Seinsoffenheit des Menschen ankündigt[72], wird so mit Jesus Christus dem Menschen in einer unüberholbaren Nähe konkret geschichtlich als Erfüllung seiner Geschichte zugänglich.

Mit diesen Gedanken ist aber schon über „Hörer des Wortes" ausgegriffen auf die theologische Entfaltung des Grundansatzes.

Reflexion 1: Transzendentales Gottesverständnis

Die transzendentale Vermittlung der scholastischen Denkweise, wie sie hier gerafft an „Hörer des Wortes" nachgezeichnet wurde, ist ein erster Schritt der personalen Wende der katholischen Dogmatik. In dieser Umformung des traditionellen Seinsdenkens wird das Verständnis des Menschen vom seinsoffenen Geistwesen zur Deutung seiner Wirklichkeit als transzendentalen Selbstvollzugs in Seinsoffenheit vertieft. Rahner gelingt es damit, in die Denkform der dogmatischen Theologie ein Verständnis der menschlichen Personalität zu integrieren, das in seiner differenzierten Form zwei Ebenen der neuzeitlichen Interpretation des Menschen aufzunehmen vermag: den subjektiven Selbstand des Menschen, aber auch die Seinsoffenheit seiner Existenz.

Aber nicht nur das Verständnis des Menschen wird in dieser Umdeutung des traditionellen Seinsdenkens personal vertieft. Auch das Gottesverständnis, das in der scholastischen Denkweise vom Seinsverständnis her entworfen wird, bekommt in der transzendentalen Vermittlung dieses Denkens einen neuen Sinn. Das Seinsverständnis wird selbst in anthropologische Bezüge vermittelt, und das Sein erscheint als transzendentalontologisch-existentialer Personalgrund des Menschen. Gott kommt aber innerhalb dieses ermöglichenden Horizontes des Selbstvollzuges der menschlichen Subjektivität in Seinserschlossenheit, als das „Woraufhin" der menschlichen Seinstranszendenz, in den Blick. Das Gottesverständnis, vom anthropologisch gewendeten Seinsverständnis her entworfen, wird damit nicht mehr in kosmozentrischen Bezügen, sondern in einem wesenhaft personalen Kontext gedeutet. Und in diesem Sinn kann man von einer anthropologisch-transzendentalen Wendung des Gottesverständnisses in der Theologie Rahners sprechen.

Die Transposition der Deutung der Wirklichkeit Gottes aus dem Kontext des kosmischen Transzendenzverständnisses in die anthropologischen Bezüge des transzendental-existentialen Personalgrundes des menschlichen Daseins vertieft das Verständnis der Transzendenz Gottes gerade um die unbedingte Nicht-Objektivierbarkeit der transzendentalen Apriorität. Als Bedingung der Möglichkeit des transzendentalen Selbstvollzugs des Menschen und der menschlichen Erkenntnis kann der Horizont des Seins und darin die Wirklichkeit Gottes nicht selbst zum Gegen-

[72] Rahner sieht das „innere Verständnis" und „eine ontologische Legitimierung" für den Begriff der Selbstmitteilung Gottes überhaupt „in der transzendentalen Erfahrung der Verwiesenheit jedes endlichen Seienden auf das absolute Sein und Geheimnis Gottes gegeben" (GK 128).

stand des von ihr ermöglichten objektivierenden Begreifens des Menschen werden.[73]

Mit dieser Deutung Gottes vom ermöglichenden Seinshorizont des menschlichen Selbstvollzugs und der damit verbundenen Nicht-Objektivierbarkeit dieses Horizonts her gibt das transzendentale Gottesverständnis der moraltheologischen Suche nach der angemessenen Vermittlung des christlichen Gottesverständnisses aber einen wichtigen Impuls: Gegenüber dem traditionellen objektivistischen Denken, in dem die Wirklichkeit Gottes zur menschlichen Subjektivität und Freiheit in kategorialer Konkurrenz zu stehen und der Wille Gottes kategorial objektivierbar schien, erweist sich Transzendenz in der subjektiven Wende des dogmatischen Denkens *eindeutig nicht als neben der Subjektivität des Menschen, sondern als in einem inneren Verhältnis zu ihr stehend.*[74]

J. B. Metz über Thomas von Aquin: „Thomas denkt die Transzendenz ursprünglich nicht gegenständlich-bereichhaft und unterlegt ihr nicht heimlich eine statisch-dingliche Vorstellung – eine Vorstellung, die das griechische Transzendenzverständnis zutiefst beherrscht. Gott ist für Thomas nicht anfänglich verstanden als ein ‚Befund‘, als ein dinglich vorhandenes Seiendes ‚neben‘ oder genauer ‚über‘ allen anderen (vorhandenen) Seienden, die zu ihm in kausaler Abhängigkeit stehen. In solcher Denkungsart bleibt schließlich alles von einem objektivistischen Seinsverständnis umfaßt, das Gott am Ende als einen beliebigen (wenn auch ontisch höchsten) Gegenstand ansetzt. Gerade dies aber lehnt Thomas ausdrücklich ab: Gott (und sein transzendentes Sein) kann nicht einfach objektivistisch verrechnet werden; er ist nicht subjectum einer gegenständlichen Vorstellung, sondern principium dieser Vorstellung überhaupt. Er kann also nicht in gegenständlicher Vorstellung, sondern nur in transzendentaler Reflexion auf die Bedingungen gegenständlichen Vorstellens überhaupt vergewissert werden. Die Erhellung der Transzendenz geschieht nicht nach Art einer objektivistischen Erhellung der Seienden, sondern nach Art einer (transzendentalen) Selbsterhellung des *Verständnisses* der Seienden.“[75] Diese Deutung der Wirklichkeit Gottes, wie sie Metz Thomas zuschreibt, vollendet Rahner in seinen *transzendentalontologischen* Kategorien ganz ausdrücklich, im Sinne der nicht-objektivierbaren, transzendentalen Apriorität seines Transzendenzverständnisses. Dabei scheint Metz Thomas in einem gewissen Sinn schon in dieser Interpretation Karl Rahners zu lesen und selbst in Rahnerscher oder Maréchalscher (transzendentalontologischer) Denkweise zu deuten[76]: „Dasjenige Seiende aber, das als Verständnis der Seienden existiert, ist der Mensch. Transzendenzerhellung geschieht demnach für Thomas ursprünglich als (transzendentale) Selbsterhellung des Menschen.“[77] Und: „Der Mensch ist in seinem Bereich je schon über sich hinaus, d. h. von der Transzendenz betroffen und unausweichlich in Anspruch genommen. Sie ist ihm in seiner Subjektivität jeweils miteröffnet. Thomas sagt das so: in jeder erkennenden Selbsterschließung des Menschen ist Gott miterschlossen, in jedem willentlichen Selbstvollzug ist Gott mitbejaht.“[78] Steht hinter solchen Sätzen nicht schon die Deutung der Wirklichkeit Gottes aus dem transzendentalontologischen, anthropologisch gewendeten Seinsverständnis?

Wenn also „eine transzendentale Wiederholung der metaphysischen Anthropologie des Thomas... in den Grenzen transzendentalen Denkens an sich ohne Zweifel berechtigt ist“:

---

[73] Vgl. GK 61–64; Eicher (2) 281–283.

[74] Vgl. Eicher (2) 282.

[75] Metz (1) 73f.

[76] Vgl. dazu die Bemerkung Rahners selbst zur Auffassung einer heutigen, zeitgemäßen Interpretation des thomanischen Denkens in seinem einführenden Essay ebd. 20.

[77] Ebd. 74.

[78] Ebd. 75.

„Der Anspruch der geschichtstreuen Thomasinterpretation muß dabei jedoch abgewiesen werden“[79]. Und so würde wohl auch für die Interpretation von Metz zutreffen, was Eicher für Rahner feststellt: „Insofern Rahners Philosophie streng transzendental vorgeht und auf die apriorischen Möglichkeitsbedingungen der Existenz als eines seinsverstehenden Wesens zielt, vermag sie von ihrem methodischen Ansatz her das partizipative Seinsdenken der onto-theologischen Metaphysik des Thomas von Aquin nicht voll einzufangen.“[80] Für das Gottesverständnis bedeutet das: „Gott ist für Rahner die Bedingung der Möglichkeit der Urteilsbejahung, für Thomas die bedingungsfreie Unbedingtheit.“[81]

Man mag über eine zeitgemäße Thomasinterpretation denken wie auch immer! Auch wenn man nicht mit der unbedingten Schärfe, wie Eicher es tut[82], an der Unvergleichbarkeit von partizipativem, thomanischem Seinsdenken und transzendentalem Denkansatz festhalten möchte, muß man von Rahner wohl sagen, daß er in seiner subjektiven und anthropologischen Vermittlung des Transzendenzverständnisses einen eigenen Weg geht, der als „drittes, *selbstverantwortetes Denken*... einen *eigenen philosophischen Anspruch* erheben kann“[83]. Zumindest wird aber für den Zusammenhang der vorliegenden Untersuchung deutlich, daß Rahner in seiner anthropologischen Vermittlung des Gottesverständnisses über Thomas hinaus die Gefahr einer kategorial objektivierenden Auslegung der Wirklichkeit Gottes *im eigentlichen Sinn und endgültig* überwindet.[84]

Im Grundansatz Karl Rahners und in dem darin gegebenen ersten Schritt der personalen Wende dogmatischer Denkform verbinden sich so die Integration der der Neuzeit eigenen Erfahrung der menschlichen Subjektivität und Freiheit und die damit zusammenhängende Anthropozentrik des Wirklichkeitsverständnisses mit einem anthropologisch vermittelten Gottesverständnis, das die Gefahr einer kategorial-objektivierenden Deutung göttlicher Transzendenz überwindet.[85]

Die Christozentrik des Grundansatzes von „Hörer des Wortes“ wird in diesem Zusammenhang zum Beginn eines Weges, den Karl Rahner selbst in einer neuen Deutung der Vermittlung der Wirklichkeit Gottes im Kontext transzendental-subjektiver Vermittlung der dogmatischen Denkform einschlägt. Rahner stellt den Menschen aufgrund der notwendigen Dialektik von transzendentalem Vorgriff und kategorialem Selbstvollzug in die Geschichtlichkeit seiner Seinsoffenheit. Die Wirklichkeit Gottes als existentialer Personalgrund des menschlichen Daseins erfährt nach seiner Deutung in dieser Geschichtlichkeit der Seinsoffenheit des Menschen selbst, das heißt in deren Spitze als Religionsgeschichte und Heilsgeschichte, eine Vermittlung, welche in Jesus Christus ihre Mitte findet. Für Rahner werden in dieser theologischen Entfaltung die Strukturen des Grundansatzes von „Hörer des Wortes“ zum Ausgangspunkt einer umfassenden Hermeneutik des christlichen

---

79 Eicher (2) 77f. Vgl. zum Problem der Auslegung des Thomas die einleitenden Überlegungen von Metz (1) 25–39.

80 Eicher (2) 73.

81 Ebd. 76.

82 Eicher betont ebd.: „Zwischen der Einheit des Seins, wie sie in der thomasischen Partizipationslehre gesucht wird, und der idealen Einheit der kantischen Kritik gibt es kein drittes, das versöhnende Vermittlung oder Aufhebung wäre.“

83 Ebd. 78.

84 Vgl. zum Verhältnis der philosophischen Ansätze von Thomas und von Rahner: ebd. 72–78.

85 Vgl. Rahner (14) 15–20.

Gottesverständnisses im Kontext der gegenwärtigen geistesgeschichtlichen Situation: Die im Zugleich von transzendentalontologischer Eröffnung und Entzogenheit unbedingt bleibende Unbegreifbarkeit der Seinstranszendenz und ihres Woraufhin wird zum Ansatzpunkt einer grundlegenden Deutung der Wirklichkeit Gottes als Geheimnis, in der Rahner die Unbegreifbarkeit Gottes selbst dialektisch als tiefste Vermittlung seiner innersten personalen Mitte zu verstehen sucht. Die nicht objektivierbare Transzendenz Gottes in der „transzendentalen Gotteserfahrung" macht ihm das bleibende Geheimnis der personalen Tiefe Gottes selbst in der heilsgeschichtlichen Kategorialisierung verstehbar; so kann er diese personale Tiefe als gerade in der tiefsten geschichtlichen Selbstmitteilung eröffnetes Geheimnis bleibender Geheimnishaftigkeit, bleibender unbestimmbarer Freiheit bestimmen. Und an dieser Unbegreifbarkeit Gottes und der damit verbundenen Entnuminisierung der Welt deutet Rahner zugleich die transzendentale Subjekthaftigkeit des Menschen und die Anthropozentrik der Wirklichkeit theologisch als Mitte, Ziel und Vollendung der in radikales Eigensein und unbedingten Selbstand entlassenen Schöpfung.

2. *Theologische Entfaltung*

„Hörer des Wortes" führt nur bis an die Schwelle der heilsgeschichtlichen Offenbarung heran. Es zeichnet diese Mitte seiner eigenen Wirklichkeitsdeutung selbst nicht nach, entwirft im voraus nur vorsichtig umgrenzend das Bild ihrer Möglichkeit als geschichtliche Offenbarung im Wort (d. h. in einem weiter gefaßten Sinn als personale Begegnung und Offenbarung[86]) – aber ohne den Anspruch zu erheben, diese Mitte selbst zu beschreiben (HdW 21–25).

Es liegt nahe, diesen weiteren Schritt in einer theologischen Entfaltung des religionsphilosophischen Grundansatzes zu tun (HdW 221). Den mehr philosophisch geprägten Ansatz von „Hörer des Wortes" begleiten in Rahners Denkentwicklung theologische Fragestellungen, die die Kritik der neuscholastischen Auffassung von Gnade, der Beziehung von Natur und Gnade, der statischen Auffassung der Christologie und Trinitätslehre usw. betreffen.[87] Rahner entfaltet an der Reflexion dieser Problemkreise seinen Grundansatz zu einer evolutiven Gesamtschau der Wirklichkeit und einer universalen Zuordnung von Geschichte und Heilsgeschichte.[88] Innerhalb dieser Entfaltung stellt sich das Woraufhin der transzendentalen Seinsoffenheit, die grundlegende, unthematische Gegebenheit Gottes, immer mehr als umfassende geschichtlich-heilsgeschichtliche Selbstmitteilung Gottes dar.[89] Rahner versucht ein umgreifendes Verständnis der geschichtli-

---

86 Vgl. Mannermaa.

87 Vgl. Rahner (1); (2); (3); (5).

88 Als weitere Stationen dieser Entwicklung vgl. Rahner (6)–(10); (23); (11)–(13).

89 Vgl. GK 31–34. Zum Begriff der Selbstmitteilung vgl. 122–139. Eicher (4) 358 spricht in der Entwicklung Rahners nach „Hörer des Wortes" von einer theologischen Wende (greifbar in den Schriften ungefähr seit 1950); sie münde schließlich in eine „Kehre" zu

chen Vermittlung der Wirklichkeit Gottes im Kontext der subjektiven Wende des dogmatischen Denkens zu erschließen, indem er die transzendentale Gegebenheit Gottes im Sinne einer ursprünglichen transzendentalen Erfahrung Gottes deutet[90], die sich konkret, kategorial-geschichtlich immer schon als allgemeine Religionsgeschichte und als heilsgeschichtliche Gotteserfahrung auslegt[91]. Das anthropologisch-transzendentale Verständnis der Wirklichkeit Gottes aus dem unthematischen Seinshorizont wird so verallgemeinert, und Rahner interpretiert in seinem Horizont die Religionsgeschichte bis hin zur Offenbarung Gottes in Jesus Christus.

a) Gott als transzendenter Urgrund der Geschichte

Rahner entwirft eine Gesamtschau der Wirklichkeit, in der Natur und Gnade, immanente und transzendente Ursächlichkeit, Schöpfung und Bund, Geschichte und Heilsgeschichte miteinander verknüpft sind. Gott ist als das Woraufhin der transzendentalen Seinsoffenheit der menschlichen Geistigkeit der ermöglichende Grund der Wirklichkeit des Menschen und seiner Welt. Die Welt steht in der Geistigkeit des Menschen ihrem transzendenten Urgrund in echtem, von Gott selbst transzendental ermöglichtem Selbstand gegenüber[92], und Gott teilt sich der Welt und dem Menschen in der transzendentalen Offenheit des Menschen unmittelbar und seinshaft mit[93].

Rahner legt diese Grundbeziehung von Gott, Mensch und Welt in bezug auf die geschöpfliche Wirklichkeit als evolutive Wirklichkeit im Begriff der Selbsttranszendenz[94] aus. Ausgehend von der transzendentalontologischen Selbsttranszendenz der menschlichen Geistigkeit im Horizont des Seins[95], sieht er die Welt als kategoriale Wirklichkeit von der sie ermöglichenden Transzendenz Gottes so durchdrungen, daß sie trotz der bloßen Endlichkeit ihrer kategorialen Ursachen an sich selbst und in Identität mit sich selbst ein echtes „Mehr" ihrer evolutiven Sprünge zu erwirken vermag. „Eine Wesenstranszendenz... ist ebensowenig wie

---

einem „Gott-Denken" hin, ähnlich der Kehre Heideggers zum „Andenken des Seins" (361–368).

[90] Vgl. GK 61f.

[91] Vgl. ebd. 143–165.

[92] Vgl. ebd. 83–88.

[93] Bert van der Heijden sieht im Begriff der Selbstmitteilung Gottes einen Schlüsselbegriff Rahners (vgl. Heijden 3–19). Den Ansatz zu einem transzendentalontologischen Verständnis der göttlichen Selbstmitteilung findet Rahner in seinem Aufsatz „Zur scholastischen Begrifflichkeit der ungeschaffenen Gnade" (= Rahner [1]).

[94] Vgl. Rahner (23) 55–78; (13) 190–194; Heijden 107–112; Eicher (2) 286–293.374–386.

[95] Vgl. Rahner (23) 70–74; Eicher (2) 286–293. In der menschlichen Seinsoffenheit ist „das absolute Sein das innerste Tragende und Konstituierende" der „transzendentalen Bewegung auf es hin"; aber „es bleibt als das Innerste auch das absolut Erhabene und Unberührbare über dieser transzendentalen Bewegung" (GK 128). Von dieser Immanenz und Transzendenz des Absoluten in der Selbsttranszendenz des menschlichen Daseins in Seinsoffenheit her entwirft Rahner das Zugleich der immanenten und transzendenten Kausalität in der evolutiven Wesensselbsttranszendenz der Schöpfung als ganzer.

die (einfache) Selbsttranszendenz ein innerer Widerspruch, sobald man sie geschehen läßt in der Dynamik der inneren und doch nicht eigenwesentlichen Kraft des absoluten Seins, in dem, was man theologisch Erhaltung und Mitwirkung Gottes mit dem Geschöpf nennt, in der inneren und bleibenden Getragenheit aller endlichen Wirklichkeit in Sein und Wirken, in Werdesein, in Selbstwerdesein, kurz in Selbsttranszendenz, die zum Wesen alles endlich Seienden gehört"[96]. So sind in der Evolution die Entwicklungsstufen bis zur Hominisation zugleich transzendent und kategorial erwirkt. „... ist die Welt eine, hat sie aber als die eine eine Geschichte, ist in dieser einen, aber nicht immer schon alles aktuell in sich begreifenden Welt nicht immer alles schon vom Anfang an da, dann ist kein Grund vorhanden, warum man leugnen müßte, daß sich die Materie auf das Leben und auf den Menschen hin entwickelt haben sollte in jener Selbsttranszendenz, die wir eben in ihrem begrifflichen Inhalt zu entwickeln versuchten. Es handelt sich natürlich dabei um eine *Wesens*selbsttranszendenz, denn es soll ja in keiner Weise geleugnet oder verdunkelt werden, daß Materie, Leben, Bewußtsein, Geist nicht dasselbe sind."[97]

Durch die Hominisation vollzieht sich die Selbsttranszendenz der endlichen Wirklichkeit weiter als Geschichte der Menschheit. „Wenn ... der Mensch die Selbsttranszendenz der lebendigen Materie ist, dann bilden Natur- und Geistesgeschichte eine innere gestufte Einheit, in der die Naturgeschichte sich auf den Menschen hin entwickelt, in ihm als *seine* Geschichte weitergeht, in ihm bewahrt und überboten ist und darum mit und in der Geistesgeschichte des Menschen zu ihrem eigenen Ziel kommt."[98] Das von der Kausalität Gottes erwirkte Ziel ist die kategoriale Aufgipfelung der freien Geschichte der Menschen im Ereignis Jesus Christus.[99] Jesus, als das in bleibender Identität frei gesetzte und geeinte Andere des Logos[100], nimmt die sich in seiner menschlichen, seinsoffenen Geistigkeit anbietende Offenheit Gottes radikal und frei an[101] als Gottes Liebe und offenbart so Gott in seiner unwiderruflichen Selbstmitteilung als liebenden Vater. „Der Logos Gottes selbst setzt wirklich diese Leiblichkeit als Stück der Welt schöpferisch und annehmend in einem *als seine* eigene Wirklichkeit, er setzt sie also als das andere von sich so, daß eben diese Materialität *ihn,* den Logos selbst, ausdrückt und gegenwärtig sein läßt in seiner Welt. Sein Ergreifen dieses Stückes der einen materiell-geistigen Weltwirklichkeit darf durchaus gedacht werden als der Höhepunkt jener Dynamik, in der Gottes Wort, das alles trägt, die Selbsttranszendenz der Welt als ganzer trägt. Denn wir dürfen ruhig das, was wir Schöpfung nennen, als

---

96 Rahner (13) 192.

97 Ebd. 192f. Vgl. Rahner (23) 74–78; (13) 190–195; GK 183–188. Zur Kritik dieser Konzeption: Eicher (2) 386[1]. Heijden 109–112 sucht die philosophische Problematik in den Kontext theologischer Bedeutungszusammenhänge zu stellen.

98 Rahner (13) 194f; vgl. GK 191–193.

99 Rahner (13) 201–212; GK 193–202.

100 Vgl. Rahner (6) 145–149.

101 Vgl. ebd. 142–144.

Weltwerdung Gottes auffassen, in der faktisch, wenn auch frei, Gott sich selbst aussagt in seinem welt- und materiegewordenen Logos..."[102]

Karl Rahner gewinnt mit Hilfe dieser Überlegungen und in transzendentaltheologischer Hermeneutik das Verständnis einer umfassenden geschichtlichen Vermittlung der Wirklichkeit Gottes[103] aus seiner sich selbst eröffnenden, freien Selbstmitteilung, für deren Verständnis die transzendentale Seinserschlossenheit des menschlichen Geistes das grundlegende ‚Paradigma' ist.[104] Denn insofern die Geistigkeit des Menschen Ziel der Evolution ist[105], wird ihr bewußter, freier Vollzug durch den Menschen, als kategoriale Thematisierung der unthematischen Seinsoffenheit, zum Vollzug der ganzheitlichen Bewegung und Sinnrichtung der geschichtlichen Entwicklung der Schöpfung[106]. Rahner kann aufgrund dieser Beziehung der geschöpflichen Selbsttranszendenz zur Seinsoffenheit des Menschen die menschliche Geschichtlichkeit, die im Wesen des Menschen, in seinem kategorialen Selbstvollzug in Seinsoffenheit gründet, als Spitze der Evolution[107], darin als Sinngeschichte und in letzter Ausprägung als Religionsgeschichte deuten[108]. In der Heilsgeschichte erreicht dabei die Selbsttranszendenz der Schöpfung ihren Höhepunkt in der tiefsten kategorialen Auslegung der menschlichen, transzendentalen Seinserfahrung im freien geistigen Selbstvollzug der heilsgeschichtlich bedeutsamen Menschen. Die menschliche Seinsoffenheit erfährt in der Annahme des Menschen Jesus durch den Logos[110] und im freien, menschlichen Selbstvollzug Jesu ihr letztes Ziel. Die Gestalt Jesu macht darin den Mitmenschen die Wirklichkeit Gottes unwiderruflich kategorial zugänglich.[111]

Die ganze Geschichte der Schöpfung, die Evolution in Selbsttranszendenz, die Geschichte des Menschen in Seinsoffenheit, näherhin die Religionsgeschichte und Heilsgeschichte ist aber so letztlich als *Geschichte der Auslegung transzendentaler Erfahrung Gottes aus der Seinstranszendenz* verstanden. „... wahre Geschichtlichkeit... [hat]

---

102 Rahner (13) 205; vgl. 206–212; GK 198–202.

103 Vgl. GK 145–147.

104 „Ein inneres Verständnis und eine ontologische Legitimierung eines so verstandenen Begriffes der Selbstmitteilung ist in der transzendentalen Erfahrung der Verwiesenheit jedes endlichen Seienden auf das absolute Sein und Geheimnis Gottes gegeben. Schon in der Transzendenz als solcher ist das absolute Sein das innerste Tragende und Konstituierende dieser transzendentalen Bewegung auf es hin und nicht nur ein äußerlich bleibendes Woraufhin und äußerliches Ziel der Bewegung." (GK 128)

105 Rahner (13) 194; (23) 78.

106 Rahner (13) 195–201.

107 Ebd.

108 Ebd.; GK 188–193.

109 GK 162–164.

110 Man darf Rahners Christologie nicht als bloße Christologie von unten mißverstehen. Seine Symboltheorie, seine Deutung der Gnade als Selbstmitteilung und Seinsmitteilung drücken die ‚absteigende' Linie der sich selbst eröffnenden Wirklichkeit Gottes aus. Aber innerhalb dieser umfassenden Hermeneutik des Christusereignisses steht das Verständnis der Gottesbeziehung Jesu als Vollendung des menschlichen Selbstvollzuges in Seinsoffenheit als inhaltliche Mitte im Vordergrund: s. unten S. 56f.

111 GK 193–202; Rahner (13) 206–212.

in der Transzendentalität des Menschen selber ihren Grund und die Bedingung ihrer Möglichkeit..." Das heißt: „...die Geschichte [ist] immer selber das Ereignis dieser Transzendenz"[112], die sich in der Transzendentalität des Menschen, in seiner Seinsoffenheit anzeigt. Die Wirklichkeit Gottes erscheint darin über ihre Deutung als personalontologischer Horizont menschlich transzendentalen Selbstvollzugs des Menschen hinaus als transzendentalontologischer Horizont und transzendenter Urgrund von Geschichte und Heilsgeschichte[113], der sich in Jesus als Ziel und Erfüllung der Evolution der Schöpfung und der Geschichte des Menschen gibt. In der Heilsgeschichte ereignet sich die neue, absolute Nähe Gottes als die Vollendungsstufe seiner Selbsterschließung, die sich in den vielen geschichtlichen Kategorialisierungen des Seinsgrundes des menschlichen Daseins immer schon und je tiefer begibt.[114]

b) Gott als „heiliges Geheimnis"

Wird in der transzendentaltheologischen Hermeneutik Rahners die geschichtliche Vermittlung der Wirklichkeit Gottes bis hin zur neuen heilsgeschichtlich-kategorialen Nähe Gottes aus dem Seinsverständnis interpretiert[115], so wird das transzendentalontologische Seinsverständnis zu einem universalen Interpretament der Transzendenzerfahrung. Es kehrt sich dabei die hermeneutische Spannung von „Hörer des Wortes" in einem gewissen Sinn um: Die geschichtliche Kategorialität der Heilsgeschichte deutet nicht als Ausdruck der höchsten Selbstmitteilung Gottes das Seinsverständnis aus, sondern das transzendentalontologisch gedeutete Seinsverständnis wird als Ansatzpunkt einer universalen Interpretation der menschlichen Transzendenzerfahrung und der göttlichen Selbstmitteilung selbst zum Interpretament der in heilsgeschichtlicher Kategorialität sich vollendenden Selbstmitteilung Gottes.

Diese Wende des Denkweges bei Rahner ist dabei nicht als eine platte philosophische Überformung von Theologie zu verstehen, sondern vielmehr im Sinne Eichers als Entwicklungsgang einer „philosophischen Theologie", deren „ursprüngliche Sache... [sich] durch das transzendentale Denken selbst wesentlich gewandelt und vertieft hat". Bei Rahner gibt es „eine deutliche Entwicklung im Ausgang von der philosophischen Vermittlung von Theologie zur theologischen Vermittlung von Philosophie, welche letztlich zur Ausbildung eines wesentlichen Offenbarungsdenkens unter Absehung der üblichen klassifikatorischen Schemen der Einteilung in Wissenschaften, Philosophien und Theologien führte". Dabei steht das Gottesverständnis Rahners aus dem transzendentalontologischen Seinsverständnis und als universale, heilsgeschichtliche Selbstmitteilung ganz in der Spannung dieser Entwicklung, in der die „ursprünglich bedachte *Transzendenz* des Wortes Gottes... auf dem Höhepunkt von Rahners transzendentaler Theologie verschlungen zu werden [drohte] durch seine Konzentration auf die *Immanenz* der Gnade..., welche Rahner jedoch in einer zunehmend ***christologischen***

---

112 GK 145.

113 Vgl. den Titel der Untersuchung Rahners (24) zur Trinitätslehre: „Der dreifaltige Gott als transzendenter Urgrund der Heilsgeschichte".

114 Vgl. zu dieser Konzeption des Verständnisses von Heilsgeschichte und Offenbarungsgeschichte Heijden 153–245.247–364, bes. 304–356.

115 Vgl. zur Problematik, was diese neue Nähe eigentlich genauer meint, Heijden 351–356, bes. 353–356, und hier S. 59–61.

Akzentuierung seines Denkens noch einmal neu zu vermitteln sucht mit der Transzendenz des Offenbarwerdens Gottes im inkarnatorischen Ereignis"[116]. Während „Hörer des Wortes" sich als streng metaphysische Reflexion verstand[117], erhebt Rahner später für das transzendentale Gottesverständnis den Anspruch der verweisenden Andeutung einer noch aller Metaphysik und jeglicher Thematisierung vorausliegenden Gegebenheit der Wirklichkeit Gottes[118], von der her alle geschichtliche und heilsgeschichtliche Selbstmitteilung Gottes interpretiert werden kann und muß.[119]

In den Mittelpunkt dieser theologischen Ausdeutung des transzendentalen Gottesverständnisses als Hintergrund jeder Erfahrung und Deutung der Wirklichkeit Gottes rückt der Begriff des Geheimnisses.[120] Denn das transzendentalontologische Denken drückt in der unthematischen Gegebenheit, in der kategorial zwar adäquat, letztlich aber nie total objektivierbaren Entzogenheit des Seins die (geschichtliche und heilsgeschichtliche) Erfahrung der Wirklichkeit Gottes in ihrer Dialektik von kategorialer Entbergung und bleibender transzendenter freier Verborgenheit aus. Und Rahner deutet im Sinne dieser Dialektik die Erfahrung Gottes in ihrer Tiefe vor allem als Erfahrung seiner Geheimnishaftigkeit. „Ist so der Mensch selber als das Wesen des heiligen Geheimnisses verstanden[121], so ist damit auch schon gegeben, daß *Gott* wesentlich *als* heiliges Geheimnis dem Menschen gegeben ist. Diese Bestimmung ‚Heiliges Geheimnis' kommt Gott nicht zufällig zu wie eine Bestimmung, die ebensogut einer anderen Wirklichkeit zukommen könnte, sondern, was mit Gott gemeint ist, ist überhaupt nur verstanden, wenn das, was mit heiligem Geheimnis gemeint ist, als die Gott und ihm primär und allein zukommende Bestimmung begriffen ist, so wie er als das Woraufhin der Transzendenz gegeben ist. Gott wäre nicht Er, würde er aufhören, dieses heilige Geheimnis zu sein."[122]

Es entspricht dabei den beiden ‚Schichten' des Gottesverständnisses bei Rahner, wie es im Anschluß an „Hörer des Wortes" in dieser Arbeit dargelegt wurde[123], daß Rahner differenziert zwischen der Geheimnishaftigkeit der Transzendenz im Sinne der uneinholbaren Fülle des unthematischen Vorgriffs auf das Sein und der Transzendenz als „heiliges Geheimnis", weil „wir in unserer Rede von Transzendenz nicht nur und allein die Transzendenz meinen, die die Bedingung der

---

116 Eicher (4) 369.

117 Rahner nennt seine Aufgabe „die Begründung einer... metaphysischen Anthropologie wenigstens in ihren äußersten Umrissen" (HdW 30). Darin ist – wie gezeigt – eine Neubegründung des Gottesverständnisses in anthropologischer Vermittlung eingeschlossen, an welche Eicher (2) 280f sogar die Frage nach einem transzendentalen Gottesbeweis anknüpfen kann.

118 Vgl. GK 61–79!

119 Zum Problem des damit unternommenen Versuches, über die „üblichen klassifikatorischen Ebenen" von Theologie und Philosophie hinauszukommen, zur „Vorwissenschaftlichkeit" dieses Gottesverständnisses vgl. Eicher (4) 352–368; Fischer 232–235.

120 Rahner (7); GK 67–75.

121 Hinter dieser Bestimmung steht die ganze transzendentalontologische Anthropologie Rahners.

122 Rahner (7) 75.

123 Vgl. S. 37–41 dieser Arbeit.

Möglichkeit einer kategorialen Erkenntnis als solcher ist, sondern ebenso die *Transzendenz der Freiheit, des Willens, der Liebe*"[124].

K. P. Fischer setzt in seiner Darlegung den Begriff des Geheimnisses bei Rahner vor allem dort an, wo „eben der Charakter des unbegreiflichen Geheimnisses, vor welches der Erkenntnistrieb sich gestellt findet, diesen zwingt, entweder zu verzweifeln oder sich als Diener jenes Vermögens zum Geheimnis zu verstehen, das Hingabe oder Liebe heißt"[125]. Sicherlich ist es unbedingt richtig, daß in dieser Sinnspitze das Ziel des Transzendenzverständnisses bei Rahner gelegen ist: „Im Blick auf die Überschreitung des Erkenntnistriebes durch die Hingabe an das erfragte und zugleich fraglich, d. h. Geheimnis bleibende Woraufhin bestimmt Rahner den ursprünglichen Begriff des *Heiligen*. Das Heilige ist jenes geheimnisvoll-unverfügbar Verfügende, das über der menschlichen Transzendenz als liebender Freiheit waltet..."[126] Aber es ist auf der anderen Seite nicht zu übersehen, daß bei Rahner gerade die durch die *erkenntnisstrukturale* Dialektik gegebene Schwebe von Eröffnetheit und Entzogenheit der Transzendenz zum *Interpretament* der Geheimnishaftigkeit Gottes wird. Rahner geht z. B. in der grundlegenden Schrift zum Verständnis des theologischen Begriffs „Geheimnis" nicht mehr ausdrücklich den ‚Umweg' über die Spannung von sich selbst notwendig bejahendem Selbstvollzug und gleichzeitiger Kontingenz und Nichtnotwendigkeit des Menschen, um den Menschen als unter die *freie* Verborgenheit Gottes gestellt zu verstehen. Es genügt ihm der zusammenfassende Ansatz bei der Namenlosigkeit des unthematischen Woraufhin menschlicher Seinstranszendenz als Bedingung der Möglichkeit menschlichen Erkennens. „Das Woraufhin der Transzendenz läßt nicht über sich verfügen, sondern ist die unendliche, stumme Verfügung über uns in dem Augenblick und immer, wenn wir beginnen, über etwas zu verfügen, indem wir, über es urteilend, es den Gesetzen unserer apriorischen Vernunft untertan machen. Dieses Woraufhin unserer Transzendenz west darum an in einem nur ihm eigenen Modus des Abweisens und der Abwesenheit."[127] So sehr es stimmt, daß Rahner immer schon von einer ganzheitlichen „Transzendenzerfahrung" spricht, „also sowohl erkennender wie liebender Art"[128], so wird diese Transzendenz als Geheimnis gleichsam inhaltlich zunächst immer an der Namenlosigkeit des Woraufhin der transzendentalen Erfahrung erschlossen und beschrieben[129]. Bei Rahner wird deshalb gerade die durch die erkenntnisstrukturale Schwebe von Offenheit und Verborgenheit des Seins gegebene Dialektik von sich gebender und sich entziehender Transzendenz zum Interpretament der *personalen Mitte und Freiheit Gottes*.

Diese Geheimnishaftigkeit wird für Rahner schließlich zum Ausdruck der Unbedingtheit und Reinheit der Erfahrung Gottes[130]: Gerade das transzendental-

[124] GK 74.

[125] Fischer 191.

[126] Ebd. 192.

[127] Rahner (7) 72.

[128] Ebd. 69.

[129] Vgl. ebd. 70–73; GK 70–73.

[130] Die transzendentale Geheimnishaftigkeit wird für Rahner die Basis einer transzendentalen Wendung des theologischen Analogiedenkens (vgl. GK 79–81). Selbst der Begriff der Person muß an diesem Prüfstein der Analogie gemessen werden. „Selbstverständlich ist der Satz ‚Gott ist Person' nur dann von Gott aussagbar und wahr, wenn wir diesen Satz, indem wir ihn sagen und verstehen, entlassen in das unsagbare Dunkel des heiligen Geheimnisses" (82). Insofern aber für Rahner die Geheimnishaftigkeit Gottes auch zur Mitte der heilsgeschichtlichen *Selbst*mitteilung wird (vgl. 125f: „Gottes Selbstmitteilung und bleibende Geheimnishaftigkeit"), erscheint in der transzendentaltheologischen Hermeneutik das *Selbst* Gottes gerade durch diese Geheimnishaftigkeit selbst, die innerste Mitte der Wirklichkeit Gottes und in diesem Sinne seine Personalität und Freiheit verstanden und gedeutet.

ontologische Denken scheint dieses Geheimnis Gottes in der letzten heilsgeschichtlichen Nähe als radikalisierter Ausdruck der wirklich personalen, mit keiner mythologischen Vergegenständlichung mehr verwechselbaren Selbsteröffnung Gottes am tiefsten wiedergeben zu können. Und der Mensch könnte darin seine durch die Seinstranszendenz ermöglichte In-sich-Ständigkeit begreifen als von der geheimnisvollen innersten Freiheit Gottes selbst gewollte und im heilsgeschichtlichen Ereignis, das Jesus Christus ist, endgültig freigesetzte geschöpfliche Integrität und Würde des Selbstseins. Dieser innere Zielpunkt der personalen Wende im Denken Karl Rahners soll in einem letzten Schritt herausgearbeitet werden, der sich mit seinem Verständnis der Heilsgeschichte in ihrem Höhepunkt, mit seinem Verständnis der Person Jesu Christi, beschäftigt.

c) Die Radikalisierung der Geheimnishaftigkeit Gottes in der Heilsgeschichte

Aus dem Grundansatz von „Hörer des Wortes" entfaltet sich im Werk Karl Rahners eine transzendentaltheologische Hermeneutik des Christusereignisses.[131] Auch dieses differenzierte und umfassende Gefüge theologischer Überlegungen soll hier auf die in den weitreichenden Problemzusammenhängen sich mehr implizit ausdrückende leitende Sinnrichtung der personalen Wende des Denkens hin bedacht werden.

In der Gestalt Jesu Christi laufen alle Fäden zusammen, die das Netz der theologischen und philosophischen Reflexionen Rahners über die Wirklichkeit des Menschen und seiner Welt und die Wirklichkeit Gottes ausgespannt hat. Jesus Christus erscheint als die Vollendung der geschöpflichen Wirklichkeit in freier Eigenständigkeit vor Gott (im Sinne der evolutiven Gesamtschau)[132], als die reinste kategoriale Selbstauslegung Gottes (*die* geschichtliche Kategorialisierung der unthematischen Offenbarung Gottes in der Seinsoffenheit des Menschen)[133]

---

131 Rahner hat diese Hermeneutik später noch phänomenologisch ergänzt. Aber ihre Grundzüge bleiben transzendentalontologisch bestimmt. Vgl. Eicher (4) 369.412–421.

132 „Die Menschwerdung Gottes ist daher der einmalig *höchste* Fall des Wesensvollzugs der menschlichen Wirklichkeit, der darin besteht, daß der Mensch – ist, indem er sich weggibt" (Rahner [6] 142; GK 216). „Das Verhältnis der Logos-Person zu ihrer menschlichen Natur ist gerade so zu denken, daß hier Eigenstand *und* radikale Nähe in gleicher Weise auf ihren einmaligen, qualitativ mit anderen Fällen inkommensurablen Höhepunkt kommen, der aber doch eben der einmalige Höhepunkt eines Schöpfer-Geschöpf-Verhältnisses ist" (Rahner [3] 183; vgl. [6] 151f).

133 Nach GK 157f ist die „kategoriale Geschichte des Menschen als eines geistigen Subjektes ... immer und überall die notwendige, aber geschichtliche, objektivierende Selbstauslegung der transzendentalen Erfahrung, die den Wesensvollzug des Menschen ausmacht. ... Gibt es also so Geschichte als notwendige objektivierende Selbstauslegung der transzendentalen Erfahrung, dann gibt es offenbarende Geschichte der transzendentalen Offenbarung als notwendige geschichtliche Selbstauslegung derjenigen ursprünglichen transzendentalen Erfahrung, die durch die Selbstmitteilung Gottes konstituiert wird." Die reinste kategoriale Auslegung der transzendentalen Erfahrung, die durch die Selbstmitteilung Gottes konstituiert wird, begegnet aber in Jesus Christus: „Erst im vollen und unüberholbaren Ereignis der geschichtlichen Selbstobjektivation der göttlichen Selbstmitteilung an die Welt in Jesus Christus ist ein Ereignis gegeben, das als eschatolo-

und damit als die geschichtliche Antwort Gottes in einem Menschen auf die potentia oboedientialis aller Menschen („Hörer des Wortes")[134], als das freie, geeinte Andere des Logos (Realsymbol)[135], als Selbstmitteilung Gottes[136] (im Verständnis der Gnade als Seinsmitteilung Gottes[137]).

Innerhalb der sehr komplexen und vielseitigen Bestimmung der Wirklichkeit Jesu Christi rückt aber die Vollendung der heilsgeschichtlichen Nähe Gottes in der unbedingten Weggabe Jesu an das transzendentale Geheimnis, den Urgrund menschlicher Existenz (im Sinne der Seinstranszendenz als ursprüngliche, unthematische Eröffnetheit Gottes!), in die konkrete, inhaltliche Mitte der Deutung: „Diese undefinierbare Natur [des Menschen], deren Grenze – die ‚Definition' – die grenzenlose Verwiesenheit auf das unendliche Geheimnis der Fülle ist, ist, wenn von Gott als *seine* Wirklichkeit angenommen, dort schlechthin angekommen, wohin sie kraft ihres Wesens immer unterwegs ist. Es ist ihr *Sinn*, nicht eine zufällige, nebenbei betriebene Beschäftigung, die sie auch lassen könnte, die weggegebene, die ausgelieferte zu sein, dasjenige, was dadurch sich vollzieht und bei sich ankommt, daß es für sich selbst dauernd in die Unbegreiflichkeit hinein verschwindet. Eben dies aber geschieht und gelingt in unüberbietbarem Maß, in radikalster Strenge, wenn diese Natur, so sich weggebend an das Geheimnis der Fülle, sich so enteignet ist, daß sie Gottes selbst wird."[138] Dabei vollendet sich nach dem Verständnis transzendentaltheologischer Hermeneutik die christliche Gotteserfahrung in einer letzten Radikalisierung der transzendentalontologisch beschriebenen Erfahrung der personalen Tiefe Gottes als Geheimnis. Denn die radikale Annahme der transzendentalen Offenheit aller Menschen auf das Sein durch Jesus Christus ist das Ziel der geschöpflichen Evolution und der menschlichen Geschichte überhaupt[139], die Vollendung

---

gisches einer geschichtlichen Depravation, einer verderbenden Auslegung in der weiteren Geschichte der kategorialen Offenbarung und des Unwesens der Religion grundsätzlich und schlechthin entzogen ist" (ebd. 161).

[134] Vgl. Rahner (13) 211f; GK 201f. Deutlich wird diese Rolle Jesu Christi als Antwort Gottes auf die potentia oboedientialis am Unterschied zwischen der Begnadung Jesu (als Mensch) in der unio hypostatica mit dem Logos und der Begnadung aller Menschen: „Die unio hypostatica unterscheidet sich also, wenn man einmal so formulieren darf, nicht von unserer Gnade durch das in ihr Zugesagte, das ja eben beidesmal die Gnade (auch bei Jesus) ist, sondern dadurch, daß Jesus die Zusage für uns ist und wir nicht selber wieder die Zusage, sondern die Empfänger der Zusage Gottes an uns sind" (Rahner [13] 212; GK 202).

[135] Vgl. Rahner (6) 145–152; (8) 293–296. Rahner (6) 149 (vgl. GK 221f) beschreibt die Einigung des Logos mit der menschlichen Natur Jesu als Schöpfungsakt des sich entäußernden Logos: „... wenn der Logos Mensch wird, dann ist diese seine Menschheit nicht das Vorgegebene, sondern das, was wird und im Wesen und Dasein entsteht, wenn und insofern der Logos sich entäußert."

[136] Vgl. Rahner (24) 329–336.370–384; (8) 291–293; GK 122–142.

[137] Vgl. Rahner (1) 362–365; GK 122–128.

[138] Rahner (6) 141f; GK 216.

[139] „... man könnte sagen: ‚Jesus ist der Mensch, der die einmalige ***absolute*** Selbsthingabe an Gott lebt' (als Wesensaussage über Jesus Christus)..." (Rahner–Vorgrimler 177).

der Erfahrung des personalen Geheimnisses Gottes selbst[140]: „Eben in diesem Ereignis der absoluten Selbstmitteilung Gottes wird diese Göttlichkeit Gottes als des heiligen Geheimnisses radikale, unverdrängbare Wirklichkeit für den Menschen. Diese Unmittelbarkeit Gottes in seiner Selbstmitteilung ist gerade die Entbergung Gottes *als* des bleibenden absoluten Geheimnisses.“[141]

Rahner stellt die These auf, daß Jesus sich in der unthematischen Tiefe seines Geistes aufgrund der radikalen Annahme der Seinserschlossenheit als Sohn Gottes weiß[142]. Er deutet Jesu Gehorsam als vertrauensvolle Weggabe an das Geheimnis dieses seines eigenen Existenzgrundes.[143] In dieser Weggabe Jesu, in diesem Vertrauen erschließt sich für Jesus selbst und die Mitmenschen das Geheimnis Gottes als neue vertrauensvolle Nähe und Geborgenheit, als erfahrbare Liebe; in dieser Vollendung der Annahme und des Vollzuges menschlicher Seinsoffenheit ist Jesus das geeinte und freie Andere des Logos.[144] Wird dabei der vollendete menschliche Selbstvollzug in Seinsoffenheit und die Vollendung der Selbstmitteilung Gottes in einem gewissen Sinne in eins gesetzt[145], so erscheint die konkrete Redeweise Jesu, in der Jesus sich selbst als Sohn versteht und Gott als Vater, als ein gegenüberstehendes Du anspricht, als ein kategorialisierender Ausdruck für Jesu radikalen Selbstvollzug in Weggegebenheit an die Seinstranszendenz selbst.[146] In diesem Selbstvollzug in Weggegebenheit wird der personale Existenzgrund des Seins in seiner liebenden Nähe gleichsam durch das Vertrauen Jesu hindurch sichtbar.[147] Wie aber ist diese Erfahrung der neuen Nähe des personalen

---

140 Vgl. Rahner (13) 209–212; GK 200–202.

141 GK 126.

142 Rahner (11) 233–239.

143 Rahner (3) 178; (6) 141f; (11) 234f; GK 216. – Die unthematische Gegebenheit dieses personalen Existenzgrundes scheint dabei mit der exegetischen Problematik einer bloß impliziten Christologie im Bewußtsein Jesu selbst besonders zu harmonieren (vgl. Rahner [11] 239–245).

144 Rahner (6) 142; GK 216. – Die transzendentalontologische Denkweise verbindet dabei entsprechend ihrer transzendentalen und ontologischen Dimension die ontologische und die bewußtseinsmäßige Ebene auf eigentümliche Weise in der tiefsten Schicht der menschlichen Personalität (vgl. Rahner [11] 236–239; [6] 144f; GK 216f).

145 Rahner (6) 139–144.145–152.

146 Rahner (11) 240 spricht Jesus eine „gottunmittelbare Grundbefindlichkeit“ zu, im Hinblick auf die unthematische Seinsgegründetheit des menschlichen Wesensvollzugs und der radikalsten Übernahme dieser Transzendenzverwiesenheit bei Jesus. Im Sinne der notwendigen kategorialen Entfaltung der unthematischen Seinsoffenheit kann er aber gleichzeitig „eine Entwicklung dieses ursprünglichen Selbstbewußtseins absoluter Weggegebenheit der kreatürlichen Geistigkeit an den Logos“ annehmen. „Denn diese Entwicklung bezieht sich nicht auf die Begründung der gottunmittelbaren Grundbefindlichkeit, sondern auf die gegenständliche, in menschlichen Begriffen geschehende Thematisierung und Objektivierung dieser Grundbefindlichkeit, und diese Grundbefindlichkeit ist kein ausgemünztes, plural satzhaftes Wissen und keine *gegenständliche* Schau“ (ebd.), wie auch die unthematische Seinsoffenheit sich zwar in kategorialer Objektivierung im geschichtlichen Nacheinander auslegt, aber dadurch in ihrer unthematischen Tiefe uneinholbar und letztgründend bleibt. Die Namen, die Jesus im Laufe seines Lebens Gott gibt (Vater, Du) sind somit Ausdruck seiner satzhaft und worthaft nicht faßbaren Grundbefindlichkeit als des radikalsten menschlichen Selbstvollzugs in Transzendenzverwiesenheit.

147 Heijden 410 erläutert diese Auffassung Rahners so: „Wenn Jesus sich selbst aussagt, sagt er sein beisichseiendes Sein aus, das heißt: dasselbe Menschsein, das auch wir haben. Darin wird auch Gott selbst ausgesagt, weil Gott sich durch seine Quasiformalursächlichkeit zur *forma* unseres menschlichen Beisichseins gemacht hat. Warum ist dennoch in Christus

Existenzgrundes zu verstehen? Ist darin die Erfahrung eines vertrauenden Selbstvollzuges ausgedrückt oder die Erfahrung eines liebenden Gegenüber? Konnte Jesus vertrauen, weil diesem Vertrauen eine ihm begegnende Liebe entsprach?

Mit dieser Frage hängt die ganze tiefgreifende Problematik zusammen, wie Rahner die Person Jesu selbst versteht, welches Verhältnis die menschliche Natur in Jesus zum Logos hat, welches Verhältnis der Logos selbst zum Vater hat, wie Christus als gottmenschliche Einheit vor Gott steht. Bert van der Heijden markiert Rahners Auffassung: „Die Sorge, die wahre Menschheit Jesu unverkürzt zu bewahren, ist grundlegend. Sie führt zur These, daß man in Christus ein ‚menschliches Aktzentrum' annehmen muß" (Heijden 400). „Rahners Überzeugung ist...: Der Logos unterscheidet sich nicht vom Vater durch ein persönliches Ich-Du-Verhältnis. Zwar ist er eine gegenläufig relative Subsistenzweise, die die Vollkommenheit des Beisichseins hat. ‚Person' und ‚persönliches Verhältnis' aber beziehen sich auf das Wesen Gottes, das das absolute Sein und Beisichsein ist" (405). „In Christus sind zwei Subjekte (beisichseiende Selbst) gegeben, nämlich das menschliche Selbst und das göttliche Selbst, das ist: nicht das Selbst des Logos, sondern das Selbst des göttlichen Wesens. ... Denn der Logos kann nicht als ‚Subjekt' verstanden werden, und da in Christus ein Subjekt redet und dies offensichtlich nicht die göttliche Natur ist (denn Christus betet zu Gott), ist das Subjekt, das Selbst Jesu menschlich. Der Kernpunkt der Konzeption Rahners ist die Überzeugung, daß es keine innertrinitarischen Beziehungen geben kann, welche ‚persönlich' sind im heute normalen Sinne. Das scheint ihm evident. Ein persönliches Verhältnis Gottes kann nur ein *essentiale* sein. Das impliziert notwendig, daß das Verhältnis eines Menschen zu Gott, sofern es persönlich ist, notwendig ein Verhältnis zur göttlichen Natur ist" (408f). Rahner scheut also auf dem Hintergrund seiner transzendentalen Bestimmung des Geheimnisses Gott vor einer ausdrücklich personalen Beschreibung Gottes als dialogisch-konkretes Du zurück; zunächst, weil er innertrinitarisch nicht von einer personalen Opposition ausgehen will; dann aber auch in der christologischen Opposition Jesu zum Vater, die er in die transzendentalontologische, realsymbolische Einheit mit dem Logos und essentielle Relation zu Gott (zur göttlichen Natur) verwandelt. (Die Einwände gegen Rahners Konzeption setzen genau an diesem Punkt an: Die innerste Person Jesu ist nur verständlich aus der *duhaften Opposition zum Vater,* nicht aus der bloßen realsymbolischen Einheit mit dem Logos und dem essentiellen Verhältnis zu Gott als dem [transzendentalontologisch gedeuteten] absoluten Beisichsein, zur göttlichen Natur. Und diese Opposition ist möglich aus der trinitarisch-immanenten, dialogischen Opposition von Vater und Logos [406f].) Rahner versteht die Personalität Gottes als den essentiellen Vollzug des Bei-sich-seins in der trinitarischen Struktur der Selbstmitteilung. Rahner meint, damit eine wirklich personale Mitte Gottes und ein wirkliches persönliches Verhältnis Gottes zum Menschen als heilshafte Selbstmitteilung zu beschreiben, ohne den Rahmen der transzendentalen Interpretation des Analogiedenkens, den unbedingten Horizont der bleibenden, nicht kategorialisierbaren und nicht vom Menschen verwaltbaren Geheimnishaftigkeit Gottes zu verlassen.

Für Bert van der Heijden liegt aber in dieser Deutung bei Rahner, die Gottes Selbstmitteilung immer schon als *Seins*mitteilung, als essentielle Mitteilung, versteht, eine Grundproble-

---

Gott mehr geoffenbart als in uns? In der Zeit des Aufsatzes zum Wissen Christi hat Rahner sich das wohl so gedacht: Weil in ihm die *visio* schon da ist, nämlich die unmittelbare Gotteserkenntnis in der rein transzendentalen Erfahrung. ... Später neigt Rahner eher zur folgenden Konzeption: Die eigentliche Offenbarung Gottes kann nur die Unmittelbarkeit zur Seinsfülle sein *(visio essentiae divinae)* und diese ist uns offensichtlich in diesem Leben nicht gegeben, auch nicht, wenn wir an Christus glauben. Was Christus offenbart, ist, daß wir in Zukunft die Offenbarung haben werden (die Heilszusage). Anderseits ist das sich selbst aussagende Beisichsein Christi ein menschliches Beisichsein, das somit (in seinem irdischen Leben) transzendental-kategorial strukturiert war. Christus ist somit der Offenbarer, weil er der Auferstandene ist. In seiner Auferstehung wissen wir, daß er das Ziel, die vollendete Selbstmitteilung *(visio)* erreicht hat."

matik transzendentaltheologischen Denkens, vor allem seiner Offenbarungstheologie (12). Ist die Kategorialisierung der transzendentalen Seinserschlossenheit, die sich notwendig in der Geschichte jedes Menschen und in der Geschichte der Menschheit vollzieht, in ihrem Höhepunkt, in Christus wirklich als personal-geschichtliche Selbstmitteilung Gottes verstehbar? (322–328). Van der Heijden sieht bei Rahner eine „Zweideutigkeit des Selbstmitteilungsbegriffs und das Übersehen der Differenz zwischen Selbst/Person und Sein/Wesen Gottes" (363) gegeben, das sich bis in die Lehre von der Heilsgeschichte (315), von der Inkarnation (384f) und in die Trinitätslehre (438–442) hinein auswirkt. Rahner sucht mit seinem transzendentalen Entwurf der Christologie die ontologischen *Voraussetzungen*[148] der Selbstmitteilung Gottes zu reflektieren. Aber „daß nach Rahner die Selbstmitteilung nicht als Seinsmitteilung, sondern als persönliches Verhältnis zu denken ist" (419), daß „das eigentlich von Rahner Gemeinte" tatsächlich die Aussage ist: „Das Christentum ist das offenbarende Ereignis des neuen persönlichen Verhältnisses Gottes zu uns" (442), kann nicht darüber hinwegtäuschen, daß in der Perspektive der transzendentalontologischen Kategorien „die Thematisierung der *letzten Möglichkeitsbedingungen* der übernatürlichen heilsgeschichtlichen Offenbarung, welche *die göttliche Person Jesu und die Dreifaltigkeit* sind" (452; Hervorhebungen J. R.), letztlich zu kurz kommt. „Denn Christus soll letztlich nicht gekannt und geliebt werden, damit wir (besser) zu dem von ihm verschiedenen Gott [als das Woraufhin der transzendentalen Seinsoffenheit] hinfinden, sondern weil er die Erkennbarkeit und persönliche Gegebenheit Gottes ist" (ebd.).

So scheint hinter der Konzeption Rahners als treibendes Moment vor allem die Sorge vor der mythologischen Einebnung der Transzendenz Gottes in eine kategoriale Du-Beziehung zu stehen. Und Rahner versucht demgegenüber, jeglichen Eindruck von Mythologie aus dem Verständnis christlicher Heilsgeschichte, Inkarnation und dreifaltiger Gotteserfahrung auszuscheiden (308.410f.432).[149] „Mythologisch" erscheint Rahner dabei offensichtlich vor allem das, was seinem transzendentalen Verständnis der Wirklichkeit Gottes als Geheimnis und der transzendentaltheologischen Auslegung des Analogiedenkens[150] nicht entspricht. „Gott darf nicht ‚mythologisch' gedacht werden, das heißt: in einer solchen vermenschlichenden Weise, daß seine Transzendenz aufgehoben wird" (Heijden 410f). Was ist es dann aber, was bei Rahner in den Mittelpunkt der personalen Tiefe Gottes, seines Selbst als das der menschlichen, ‚duhaften' Personerfahrung noch einmal unendlich überlegene Geheimnis rückt?

Rahner versteht die radikale Weggabe Jesu an die Tiefe der transzendentalen Offenheit seines Geistes nicht als bloßen menschlichen Selbstvollzug, sondern als Begegnung mit einer Freiheit.[151] In der transzendentalontologischen Interpretation dieser Begegnung als Selbstmitteilung des bleibenden göttlichen Geheimnisses scheint aber das personale Selbst Gottes und damit diese Freiheit als unreduzierbare Unbestimmbarkeit verstanden zu sein. Das Innerste Gottes scheint in dem Geheimnis der Entbergung seiner bleibenden Verborgenheit und der je größeren Entzogenheit, in das der Mensch zuinnerst hineingenommen wird, auf. Heilsgeschichte[152]

---

148 Vgl. Rahner (22) 956.

149 Vgl. auch Fischer 268–278.

150 GK 79–81.

151 Auch für die Seinsoffenheit der menschlichen Natur Jesu und seiner (einmaligen und unüberholbaren) Vollendung menschlichen Wesensvollzuges in der Weggabe an das in dieser transzendentalen Seinsoffenheit ursprünglich eröffnete Geheimnis Gottes gilt, was in dieser Arbeit über das Sich-Absetzen Rahners von einem idealistischen Mißverständnis dieser anthropologischen Vermittlung des Gottesverständnisses gesagt worden ist: vgl. hier S. 39–41; dazu HdW 108–111; GK 74.

152 Rahner (12) 121–125; GK 145–147.

und Gnade als Selbstmitteilung[153] bedeuten immer die Mitteilung Gottes in seinem Sein, das am Wesensvollzug des Menschen als unbedingtes Geheimnis erschlossen wurde[154]. Die Selbstmitteilung Gottes in der Heilsgeschichte, in ihrem Höhepunkt in Jesus Christus als Beginn der eschatologischen Begegnung von Gott und Menschen, wird dabei im letzten gerade die tiefste Mitteilung dieses Geheimnisses, weil sich der Mensch in der Liebe dieser freien Selbsteröffnung Gottes in das Innerste Gottes, in die Mitte seiner bleibenden Unbegreiflichkeit hineingenommen erfährt.[155] Das ist das Ziel der Selbstmitteilung Gottes, das in Jesus als hypostatische Union, in allen Menschen aber als visio beata die in der transzendentalen Seinsoffenheit anhebende Gnade der Selbstmitteilung Gottes vollendet hat bzw. vollenden wird.[156] Weil aber die Selbstmitteilung Gottes gerade die tiefste Mitteilung seiner Unbegreiflichkeit ist, weil der Mensch in dieser freien Selbsteröffnung Gottes in das Innerste Gottes als bleibende Unbegreiflichkeit selbst hineingenommen wird, muß dem Menschen in dieser Mitteilung Gottes alle Überschaubarkeit und kategoriale Beherrschbarkeit zerbrechen.[157]

Die personale Erfahrung Gottes in der Heilsgeschichte als Anfang der eschatologischen Gotteserfahrung wird dem Menschen so noch einmal gerade zur Erfahrung der Geheimnishaftigkeit Gottes. Das Geheimnis der unreduzierbaren Selbstwirklichkeit Gottes steht damit in der Mitte der transzendentaltheologischen Hermeneutik, die Unbegreifbarkeit als Ausweis der Unreduzierbarkeit des göttlichen Selbst, der letzten Tiefe seines personalen Geheimnisses. „Ist die Unbegreiflichkeit Gottes eine selige Endgültigkeit, ein erstes und letztes Datum, hinter dem nichts liegt und vor dem gerade für *den* nichts liegen kann, der diesen unbegreiflichen Gott unmittelbar vor sich hat, dann ist die Gnade eigentlich auch die Gnade, sich nicht mehr über die Unbegreiflichkeit Gottes täuschen zu können, sie nicht mehr für vorläufig zu erachten, ist die Gnade der unbedingten Liebe zur göttlichen Finsternis, der gottgewirkte Mut, in diese Seligkeit, die die einzige und allein wahre ist, einzutreten..."[158] Die Dialektik der transzendentalontologischen Denkweise in der Offenheit und Verborgenheit von Sein gibt nach dem Verständnis Rahners – so wurde bisher deutlich – die Dialektik der Selbstmitteilung Gottes als Mitteilung des unbegreifbaren Geheimnisses seiner personalen Tiefe in einem anfanghaften Sinne wieder: „Wir haben ja bei der Bestimmung der Gegebenheit des heiligen Geheimnisses, so wie es in unserer Transzendenz vorhanden ist, gesagt, daß diese Anwesen-

---

153 GK 127f.

154 Rahner (7) 68–75; GK 67–76.

155 Rahner (7) 78.92–94; GK 125f.

156 GK 128f.

157 Rahner (7) 74–81. – Auch das Anliegen Rahners, jede mythologische Depravation aus der Mitte christlichen Gottesverständnisses herauszuhalten, findet in dieser eschatologischen Gotteserkenntnis ihr Ziel: Die Erfahrung der innersten Mitte Gottes bedeutet zugleich das Zerbrechen aller mythologisierenden Kategorialisierungen. In Christus ist der Anbruch dieser eschatologischen „Reinigung" der menschlichen Erfahrung Gottes gegeben (vgl. GK 161).

158 Rahner (7) 78.

heit des Geheimnisses insofern im Modus der abweisenden Ferne west, als das heilige Geheimnis nur in der Erfahrung der subjektiven Transzendenz und auch nur insofern gegeben ist, als diese Transzendenz waltet als Bedingung der Ermöglichung einer kategorialen Erkenntnis gegenständlicher Art."[159] Rahner versteht aber – so muß nun darüber hinaus gesagt werden – die dem Menschen in der transzendentalen Seinserschlossenheit seines Geistes ursprünglich eröffnete Erfahrung Gottes als Beginn der Selbstmitteilung *des* göttlichen Geheimnisses, das *in seinem Innersten* in der Heilsgeschichte als Vollendung der transzendentalontologischen Dialektik verstanden werden kann, als radikalisierte Dialektik selbst, *als das eröffnete Geheimnis einer unbestimmbaren Freiheit:* „Wenn ... das Woraufhin unserer Transzendenz nicht *an* der subjektiven Transzendenz *mit*gewußt, sondern an ihm selber erfahren wird und so natürlich auch diese Erfahrung nicht mehr bloß als die Bedingung einer kategorialen Erkenntnis gegenständlicher Art geschieht, und wenn eine solche Erfahrung möglich ist, was wir nicht apriorisch beweisen, sondern als durch die Offenbarung Gottes verbürgt voraussetzen, dann ist das heilige Geheimnis zwar nicht mehr im Modus der abweisenden Ferne gegeben, aber deswegen in keiner Weise aufgehoben, sondern als es selbst in seiner Radikalität der Namenlosigkeit, Unabgrenzbarkeit und Unverfügbarkeit anwesend. Die Gnade also ist die Gnade der *Nähe* des *bleibenden* Geheimnisses, die Gnade, die Gott als das heilige Geheimnis erfahrbar und in diesem Charakter unübersehbar macht."[160] Das heißt: Gerade in der tiefsten Nähe und Aufgeschlossenheit Gottes ist seine unfaßbarste Freiheit und geheimnishafte Tiefe erkannt; und umgekehrt in der tiefsten Unfaßbarkeit und Erfahrung der Geheimnishaftigkeit seine gültigste (heilsgeschichtlich kategoriale und schließlich eschatologische[161]) Erfassung und Begegnung ermöglicht.[162]

---

[159] Ebd. 77.

[160] Ebd.

[161] „Kategorial" meint hier die Vollendung der Gnade in der Heilsgeschichte (in Jesus Christus), in welcher als Beginn und bleibende Mitte (vgl. Rahner [5]) der eschatologischen Begegnung von Gott und Mensch die unio hypostatica Jesu Christi, seine darin gegebene Erfahrung der Gnade Gottes und die visio beata als gnadenhafte Zielbestimmung aller Menschen als (differenzierte) Einheit zu denken sind (vgl. Rahner [13] 209–212; GK 200–202). In der visio beata wird die Erkenntnisstruktur des Menschen als Gebundenheit an Transzendentalität und Kategorialität in ihrer das Geheimnis Gottes verbergenden Weise überwunden, das Geheimnis Gottes ohne jede Depravation dem Menschen erfahrbar (vgl. Rahner [7] 77f).

[162] Auch wenn im Sinne des ‚späten Rahner' Jesus Christus als Heils*zusage* zu verstehen ist, da wir durch die Auferstehung wissen, daß er die visio erreicht hat und daß diese das Ziel für uns alle sein *wird* (vgl. Heijden 410), so ist *mit der Kategorialität* Jesu doch der Beginn der eschatologischen Einführung in die Unbegreiflichkeit Gottes als „selige Endgültigkeit" gegeben. Denn: „Von Jesus Christus her, dem Gekreuzigten und Auferstandenen, ist ... ein Kriterium für die Unterscheidung in der konkreten Religionsgeschichte gegeben zwischen dem, was menschliches Mißverständnis der transzendentalen Gotteserfahrung ist, und dem, was deren legitime Auslegung ist. Erst von ihm aus ist eine solche Unterscheidung der Geister in einem letzten Sinne möglich" (GK 161).

d) Die unbestimmbare Freiheit Gottes und die zu sich selbst befreite Freiheit des Menschen

Mit der Radikalisierung der Geheimnishaftigkeit Gottes in der Mitte der christlichen Gotteserfahrung erschließt Karl Rahner schließlich eine Dialektik der christlichen Erfahrung der Selbstmitteilung Gottes, in der der Mensch im wachsenden Hineingenommensein in das personale Geheimnis Gottes die unbedingte Unbegreifbarkeit als das Innerste Gottes und in eins damit die Vollendung seines von diesem Geheimnis geschenkten Selbstandes erfährt. Rahner vertieft so noch einmal theologisch die Deutung des Menschen als subjektiven Selbstvollzugs aus der Seinsoffenheit und die Integration der neuzeitlichen Subjekterfahrung in das dogmatische Denken durch die damit verbundene Interpretation der personalen Tiefe Gottes als Unbegreifbarkeit des Woraufhin der Transzendenz des Menschen, welche seinen Selbstvollzug ermöglicht.

Rahner versteht die unmittelbare Gotteserfahrung Jesu als Vollendung der Weggabe des Menschen an das in der menschlichen Natur durch die Seinstranszendenz eröffnete Geheimnis Gottes.[163] Diese Weggabe, die zugleich Annahme der in der seinserschlossenen menschlichen Natur gegebenen Transzendenz ist, bedeutet auch die Vollendung des Freiheitsvollzuges, der dem Menschen in der transzendentalen Seinserschlossenheit ermöglicht ist.[164] Indem somit nach diesem Verständnis die Vollendung des menschlichen Freiheitsvollzuges in Jesu unmittelbarer Gotteserfahrung auch die Vollendung der Selbstmitteilung Gottes ist, die im menschlichen Geist- und Freiheitsvollzug transzendentaler Seinserschlossenheit anfanghaft eröffnet ist[165], kommt der Selbstvollzug des Menschen gerade in der Selbstmitteilung Gottes als Geheimnis in die Mitte seiner selbst, aufgrund der letzten Hineinnahme des Menschen in die innerste personale Tiefe dieses Geheimnisses durch die heilsgeschichtliche Selbsteröffnung Gottes. Inmitten dieser Begegnung mit dem Geheimnis Gottes bricht auch die Freiheit des Menschen in letzte Endgültigkeit auf.[166]

Hier findet der Versuch Rahners, den Menschen auf einen personalen Verständnisgrund hin auszulegen, der in seiner Beziehung zu Gott seine Mitte hat,

---

163 Vgl. Rahner (6) 142; GK 216; Rahner–Vorgrimler 177.

164 Nach Rahner (6) 143 gelangt die menschliche Natur Jesu „darin gerade zur Vollendung ihres eigenen unbegreiflichen Sinnes“, daß Gott sie angenommen hat; und „Gott hat eine menschliche Natur angenommen, weil diese wesensmäßig die offene und annehmbare ist, weil sie allein (im Unterschied zum transzendenzlosen Definierten) in der vollen Übereignetheit existieren kann“.

165 Im Sinne dieser inneren Verbundenheit der Vollendung der Selbstmitteilung Gottes und der Vollendung des menschlichen Wesens in Jesus Christus kann Rahner (6) 151 sagen: „Christologie ist Ende und Anfang der Anthropologie, und diese Anthropologie in ihrer radikalsten Verwirklichung, nämlich der Christologie, ist in Ewigkeit Theologie; die Theologie zunächst, die Gott selbst gesagt hat, indem er sein Wort als unser Fleisch in die Leere des Nichtgöttlichen und Sündigen hineinsagt...“ (vgl. GK 223).

166 „Darum ist Christus am radikalsten Mensch und seine Menschheit die selbstmächtigste, freieste, nicht obwohl, sondern weil sie die angenommene, die als Selbstäußerung Gottes gesetzte ist“ (Rahner [6] 151; vgl. GK 224).

seinen Höhepunkt. Denn er deutet diese Dialektik als Vollendung der mit der Schöpfung des Menschen durch Gott gesetzten Beziehung von Gott und Mensch.

Rahner hat an dem Verständnis Gottes als Woraufhin der Seinstranszendenz des menschlichen Selbstvollzuges und dem damit zusammenhängenden Verständnis der Unbegreifbarkeit der personalen Tiefe Gottes die Selbstmitteilung Gottes als Eröffnung der innersten unfaßbaren Freiheit Gottes erschlossen. Umgekehrt erschien der transzendentale Selbstvollzug des Menschen in Seinserschlossenheit als eine anfanghaft eröffnete Beziehung zu diesem Geheimnis selbst. Rahner deutet nun diese Erfahrung Gottes aus der transzendentalontologischen Seinsoffenheit des Menschen als von Anfang an gegebene Offenheit der Schöpfung auf ihren Schöpfer, dessen innerstes Geheimnis, wie es in der Heilsgeschichte schließlich offenbar wird, ihr im Menschen als Geist schon ahnend erschlossen ist. Die Schöpfung zeigt sich darin zu einem Eigenstand berufen[167], der im subjektiven Selbstand des Menschen seinen tiefsten Ausdruck und seine letzte Verwirklichung findet. „Was es eigentlich heißt, etwas anderes als Gott und trotzdem radikal bis ins allerletzte herkünftig von ihm zu sein, was es heißt, daß diese radikale Herkünftigkeit gerade die Eigenständigkeit begründet, das läßt sich nur dort erfahren, wo eine geistige, kreatürliche Person ihre eigene Freiheit noch einmal auf Gott hin und von ihm her als Wirklichkeit erfährt. Erst dort, wo man sich als freies Subjekt vor Gott verantwortlich erfährt und diese Verantwortung übernimmt, begreift man, was Eigenständigkeit ist und daß sie im selben Maße wächst und nicht abnimmt mit der Herkünftigkeit von Gott.“[168]

Dabei sind aber Schöpfung und Heilsgeschichte unmittelbar miteinander verbunden. In der heilsgeschichtlichen Selbstmitteilung, dem Offenbarwerden des innersten Geheimnisses Gottes und der Hineinnahme des Menschen in dieses Geheimnis, kommt diese ‚Schöpfungserfahrung‘ in ihre eigentliche Tiefe: Die Annahme der transzendentalen Offenheit durch Jesus Christus steht als Vollendung des geschöpflichen Eigenseins im in seine Endgültigkeit gekommenen Freiheitsvollzug des Menschen, als Ausdruck der unter der Gnade zu sich selbst kommenden Natur der Schöpfung. „Weil in der Menschwerdung der Logos schafft, indem er annimmt, und annimmt, indem er *selbst sich* entäußert, darum obwaltet auch hier, und zwar in radikalster, spezifisch einmaliger Weise, das Axiom für alles Verhältnis zwischen Gott und Geschöpf, daß nämlich die Nähe und die Ferne, die Verfügtheit und die Selbstmacht der Kreatur nicht im umgekehrten, sondern im selben Maß wachsen. Darum ist Christus am radikalsten Mensch und seine Menschheit die selbstmächtigste, freieste...“[169] Die transzendental erfahrene Subjektivität und Freiheit des Menschen werden so aus der Gnade Gottes selbst begründet. Sie werden in ihrer Vollendung auf diese Gnade ausgerichtet[170] und erscheinen zugleich als das Ziel der göttlichen Gnade für Schöpfung und Mensch.

---

[167] GK 83–88.

[168] GK 87.

[169] Rahner (6) 151; vgl. (3) 183.

[170] Vgl. die Deutung der Anthropologie Rahners durch Fischer in dessen Buch „Der

Reflexion 2: Zu Bedeutung und Problematik des transzendentalen Gottesverständnisses

Der Gang der Untersuchung in die innerste Mitte der transzendentaltheologischen Hermeneutik erschloß die Wirklichkeit Gottes im Christusereignis als das unbedingte Geheimnis einer unbestimmbaren Freiheit. Dieses transzendentale Gottesverständnis macht deutlich, daß sich im Grundansatz Rahners nicht nur die Aufnahme der neuzeitlichen Erfahrung menschlicher Subjektivität mit der anthropologischen Vermittlung des Gottesverständnisses und der Überwindung der objektivistischen Deutung göttlicher Transzendenz verbindet. Die Überwindung jeder unangemessenen kategorial-objektivierenden Vermittlung der Wirklichkeit Gottes vertieft sich vielmehr zur Interpretation der innersten personalen Mitte der Wirklichkeit Gottes selbst als unfaßbares, nicht objektivierbares Geheimnis. Und die transzendentale Subjekthaftigkeit des Menschen wird dabei über die Seinstranszendenz ihrer Geistigkeit aus dieser radikalen Geheimnishaftigkeit der innersten Mitte Gottes gedeutet: Ihre Freiheit und Eigenständigkeit zeigen sich als Entlassung ins Eigensein, die in Jesus Christus ihre Vollendung findet und als Ziel der Gnade Gottes für Schöpfung und Mensch erscheint.

Das transzendentaltheologische Denken Karl Rahners nimmt somit nicht nur eine subjektive Vermittlung des Denkens in die Denkform der dogmatischen Theologie auf. Es macht grundlegende Strukturen dieser Vermittlung – die Nichtobjektivierbarkeit der Transzendenz innerhalb der Dialektik von bleibender Verborgenheit in (kategorialer) Entbergung, die In-sich-Ständigkeit des menschlichen Subjekts kraft seiner Seinstranszendenz – zu theologischen Interpretamenten der innersten Dimension personaler Würde der Wirklichkeit Gottes und des Menschen. Subjektiver Selbstand des Menschen und „transzendentale" (= ermöglichende und nicht-objektivierbare) Transzendenz Gottes erscheinen in diesem Sinne als ‚Zielpunkt' der personalen Wende bei Rahner.

Die notwendige Interpretation der Wirklichkeit Gottes und des Menschen im gegenwärtigen geistesgeschichtlichen Kontext mit seinem subjektiv vermittelten, anthropologischen Wirklichkeitsverständnis und die dabei geforderte Überwindung jedes objektivistischen Mißverständnisses der Wirklichkeit Gottes bilden den Hintergrund dieser theologischen Deutungen Karl Rahners. Sie geben ihnen eine tiefe und bleibend gültige Legitimation. Das Ineinander von anthropozentrischer Wirklichkeitsdeutung und transzendentalem Gottesverständnis, wie es gerade im Höhepunkt der Theologie Rahners zum Ausdruck kommt, sucht dabei einer besonderen Not gegenwärtiger Wirklichkeitserfahrung zu begegnen. Denn mit der „realen und nicht nur theoretischen Subjektwerdung" des Menschen sind „ganz neue

---

Mensch als Geheimnis", bes. 268–337. In der letzten Begründung des Innersten des Menschen als Subjekt aus der transzendentalen Gottesbeziehung heraus (vgl. GK 83–88) liegt auch der Grund, weshalb Rahner die mit der neuzeitlichen Wende zum Subjekt verbundenen und einander bedingenden Erfahrungen der Anthropozentrik aller Wirklichkeit, der Entnuminisierung und der Hominisierung der Welt als in einem gewissen Sinn genuin christliche Entwicklungen verstehen und deuten kann (vgl. Rahner [14] 20–22.31–33; GK 88; auch die Stellungnahmen von Metz [2] 50–56; [3] 16f).

Erfahrungen der *Last* der Verantwortung, des *Ernstes* des Daseins"[171] gegeben. Der Mensch verliert seine Geborgenheit im Kosmos, seinen Halt an der objektiven Ordnung der Natur als Ausdruck einer transzendenten Sinnstiftung.[172] In der Offenheit und Geschichtlichkeit seiner eigenen Freiheit scheint der Mensch kein unmittelbares Maß mehr zu haben, an dem er sich und seine Welt verstehen könnte. Er erfährt sich „als den bloßen Entwurf, als die Aufgabe, die um so mehr sich in ein Geheimnis ... entzieht, je weiter er diese Tat seines Lebens vollbringt"[173]. Das transzendentale Gottesverständnis versucht demgegenüber, die neue Erfahrung der Freiheit des Menschen aus ihrer Ungeborgenheit heraus in das Geheimnis Gottes zu stellen. Gott als Grund menschlicher Freiheit soll gerade als das heilsgeschichtlich sich vertiefende Geheimnis erfahren werden, das in „unendlicher, unsagbarer, bergender Fülle" die „unverwaltbare Vielfalt" menschlicher, sich selbst aufgegebener Freiheit „zusammenhält und in ihrer Einheit garantiert" und damit „die dem Menschen selbst entschwindende Vollendung seines Daseins aufnimmt"[174].

Rahners Deutungen sind dabei für die moraltheologische Problematik und Frage nach einer Vermittlung des christlichen Gottesverständnisses, das den Eindruck einer kategorialen Konkurrenz Gottes zum Menschen vermeidet und hinter sich läßt, ein erster leitender Horizont. Denn als bergendes Geheimnis menschlicher Freiheit ist Gott nicht mehr als eine Wirklichkeit verstanden, die „*neben* dem Menschen – also kategorial – irgendwie innerhalb der Frage nach der richtigen Weltgestaltung ... durch gesondertes Eingreifen in das geschichtliche Werden und Gestaltetwerden dieser Welt" „auftaucht"[175]. Transzendentale und kategoriale Ebene sind ja durch das transzendentale Ermöglichungsverhältnis, in dem die Bedingung der Möglichkeit nicht selbst zum unmittelbaren Gegenstand des von ihm Ermöglichten werden kann, voneinander geschieden. Und die transzendentale Ermöglichung menschlicher Freiheit aus der Seinserschlossenheit, die Rahner als Ausdruck des bergenden Geheimnisses Gottes deutet, macht das Mißverständnis Gottes als Konkurrent der in kategorialem Selbstvollzug sich selbst aufgegebenen Freiheit des Menschen unmöglich.

Vom Blickwinkel der wirkungsgeschichtlichen Entwicklung der neuzeitlichen subjektiven Wende[176] aus gesehen scheint aber mit diesem transzendentalen Gottesverständnis auch eine Gefahr gegeben zu sein: die Gefahr, daß die transzenden-

---

171 Rahner (14) 27.

172 Vgl. Balthasar (3).

173 Rahner (14) 33.

174 Ebd.

175 Fuchs 363.

176 Betrachtet man die Wirkungsgeschichte der transzendentalen Interpretation der kategorialen Wirklichkeit als des Vollzugsraums der transzendentalen Geistigkeit, so drängt die Entwicklung in den verschiedenen Spielarten idealistischer und nachidealistischer Philosophie immer mehr auf den Monismus umfassend geschlossener rationaler Wirklichkeitsdeutungen hin, in deren Sinnstrukturen die Wirklichkeit Gottes nicht nur im Sinne der Entnuminisierung des Kosmos, sondern auch im Sinne einer universalen Rationalisierung und schließlich völligen Säkularisierung der Geschichte aus der kategorialen Wirklichkeit verdrängt wird (vgl. Metz [2] 45–50).

taltheologische Hermeneutik gerade in der Dialektik ihres Höhepunktes mißverstanden wird.

Die Geschichte erscheint in der transzendentalontologischen Denkweise zunächst als ‚Herrschaftsbereich' der sich selbst vollziehenden Subjektivität des Menschen. Denn seine transzendental beschriebene Freiheit gilt als Spitze der evolutiven Selbsttranszendenz im ‚Selbstvollzug' der ganzen geschöpflichen Wirklichkeit bis hin zur Vollendung im freien Selbstvollzug des Menschen Jesus. Zwar ist in der transzendentaltheologischen Hermeneutik, aufgrund der Dialektik von freiem Selbstvollzug des Menschen und kategorialisierendem Nachvollzug der unthematischen Fülle des Seinsgrundes, welcher den Ermöglichungsgrund des menschlichen Selbstvollzuges bildet, die *Kategorialität* in einem notwendigen Zugleich der Ausdrucksraum des menschlichen Freiheitsvollzuges und des sich in allem Selbstvollzug des Menschen immer auch selbst auslegenden Seins. Und Rahner bringt in diesem Zugleich die Einheit von menschlicher Geschichte und göttlicher Selbstmitteilung, die in jeder Begegnung von Gott und Mensch gegeben ist, zum Ausdruck. Aber in dieser Dialektik bleiben Natur und Geschichte doch zunächst Korrelat der sich selbst vollziehenden und transzendierenden Geschöpflichkeit. Der geschichtliche Selbstausdruck Gottes bleibt immer hinter diesem Selbstvollzug verborgen, und die Erfahrung und der Ausdruck Gottes wird in diesem Sinne aus der Kategorialität verdrängt.[177] Überläßt Rahner nicht damit, daß er gerade die heilsgeschichtliche Radikalisierung der transzendentalen Struktur als den Ausdruck der bleibenden *Geheimnishaftigkeit* Gottes zu deuten versucht, die kategoriale Wirklichkeit doch letztlich der undialogischen Bindung an den geschöpflichen Selbstvollzug?[178] Ist damit nicht die gleiche Gefahr gegeben, die in der Wirkungsgeschichte der transzendentalen Interpretation der phänomenalen Welt als bloßes Korrelat spontaner Subjektivität durchschlug: daß nämlich diese monistische Beziehung als eine umfassend geschlossene Sinnstruktur gedeutet wird, in der die Struktur der die Kategorialität beherrschenden Spontaneität zu universalen Rationalismen neigt, mit denen sich ganz von selbst ein verschieden deutbarer, aber unbedingter, immanenter Sinnanspruch verbindet? Bleibt nicht so der Mensch letztlich in seiner kategorialen Wirklichkeit doch allein? Denn die Wirklichkeit Gottes bleibt in Rahners Darstellung der Heilsgeschichte als eine dialektische Einheit menschlicher Geschichte und göttlicher Selbstmitteilung aufgrund der transzendentalontologisch beschriebenen Geheimnishaftigkeit letztlich so ungreifbar, daß selbst *in der heilsgeschichtlich-kategorialen, persönlichen Nähe Gottes* ihre – wenn auch anthropologisch-existential vermittel-

---

177 Rahner fordert den Menschen auf, sich in liebender Überlassung nach dem Beispiel Jesu im Verzicht auf jede letzte kategoriale Objektivierung Gottes an das Geheimnis Gottes wegzugeben (vgl. Rahner [14] 33). Rückt dabei aber nicht Rahners transzendentalontologisch interpretierte, subjektiv anthropologische Wendung des Gottesverständnisses die Wirklichkeit Gottes nicht nur im Sinne der Kategorialität als Natur, sondern auch im Sinne der Kategorialität als Geschichte in eine letzte Ungreifbarkeit? (Vgl. die Kritik am Offenbarungsbegriff Rahners bei Gerken 12–28.)

178 Vgl. Balthasar (11) 84–96. Zur Auseinandersetzung mit der Kritik Balthasars: Fischer 325–328; Eicher (1) 38–42.

te – transzendentale ‚Leere' den Menschen schließlich faktisch im konkreten geschichtlichen Selbst- und Lebensvollzug an sich selbst zurückverweist. Dort wird die umfassende Rationalität menschlicher Freiheit und transzendentaler Subjektivität, die bei Rahner aufgrund der subjektiven Vermittlung des Denkens das Wirklichkeitsverständnis von Geschichte und Kategorialität weitgehend beherrscht, auch vor der nicht rationalisierbaren Wirklichkeit des Menschen selbst nicht halt machen, sondern ihn im Fadenkreuz seiner rationalen und empirischen immanenten Bezüge definieren und damit seine freiheitliche, personale Würde wieder aufs Spiel setzen.

Mit diesen Überlegungen soll die Bedeutung des transzendentalen Gottesverständnisses für ein allgemeines Verständnis der Transzendenz Gottes innerhalb heutigen, anthropozentrischen Wirklichkeitsverständnisses, wie es oben beschrieben wurde, nicht bestritten werden. Das Problem aber ist die transzendentaltheologische Auslegung der heilsgeschichtlichen Offenbarung in ihrem Höhepunkt. Denn die Antwort, welche Rahner von dieser Auslegung der christlichen Gotteserfahrung her auf die „entpersonalisierenden Tendenzen"[179] der neuzeitlichen Entwicklung zu geben versucht, ist zumindest – gemessen an der existentiellen und personalen Problematik, die sich mit diesen Entwicklungen *auch* verbindet – einseitig. Indem er den neuzeitlichen Entwicklungsprozeß der Subjektwerdung des Menschen *vorrangig und ausführlich* in dem Sinne aufgreift und interpretiert, daß von ihm aus die theologische Aussage der zur Freiheit berufenen Schöpfung verdeutlicht wird bzw. indem umgekehrt die moderne Entwicklung von seinem Verständnis der *innersten* Selbstmitteilung Gottes her gerade in ihrer Entnuminisierung (Entkategorialisierung Gottes) und Versachlichung als Eintritt *in das tiefere Geheimnis Gottes* verstanden wird[180], läßt er den Menschen in seiner existentiellen Schwierigkeit mit dieser Entwicklung letztlich doch allein[181]. Ist in der wachsenden Geheimnishaftigkeit – wenn sie im *Mittelpunkt* der heilsgeschichtlichen Erfahrung Gottes steht – menschliche Freiheit mit ihrer „Haltung der Sachlichkeit,... die gewissermaßen das menschliche Gegenbild... [ist] zu der stillen, genauen Sachlichkeit eines automatisierten Betriebes"[182], wirklich in eine bergende Fülle gestellt?

Alexander Gerken schreibt in streng theologischer Perspektive: „Wenn Rahners im ganzen positive Interpretation der technischen Entwicklung zu Recht bestehen soll, so muß es doch überraschen, daß, ‚gerade weil der Mensch, die Person, sich die Welt unterworfen hat', diese ‚gewissermaßen entpersonalisiert worden ist'. In einer anderen Interpretation, welche die technische Entwicklung weniger von der Entscheidung des Menschen trennt, sie weniger als einen naturhaften Prozeß sieht, ist die Entpersonalisierung der Welt eher zu verstehen. Denn man kann die technische Entwicklung zunächst als wertindifferent bezeichnen; sie erweist sich aber konkret geschichtlich als gefährdet, insofern sie dahin tendiert, ein Werkzeug der Selbstherrlichkeit des Menschen zu werden, indem der Mensch im Rausch der Entdeckung der Welt den Anruf Gottes nicht mehr hört. Die Welt wird nicht deswegen entpersonalisiert, *weil*

---

179 Rahner (14) 28 sieht durchaus auch solche bedrohenden Tendenzen von einer einseitigen neuzeitlichen Entwicklung her für die personale Würde des Menschen gegeben.

180 Rahner (14) 33.

181 Vgl. Gerken 62–72: „Technische Bewältigung der Welt, Ferne Gottes, Atheismus".

182 Rahner (14) 27.

die Person sie sich unterworfen hat. Dies wäre doch ein eigenartiges Ergebnis eines personalen Verhaltens. Vielmehr ist die Entpersonalisierung der Welt durch die Technik schon das Resultat einer ‚Entpersonalisierung' des Menschen selbst, der *nur in der Antwort auf den geschichtlichen Anruf Gottes* sein Personsein zu wahren vermag. Nicht die Unterwerfung der Welt als solche entpersonalisiert die Welt, sondern der selbstherrliche, vom Wort Gottes losgelöste Vollzug dieser Unterwerfung entpersonalisiert zunächst den Menschen selbst und dann seine Welt."[183]

Die Erfahrung heutiger Sachlichkeit der Welt ist allerdings zunächst tatsächlich verstehbar als ungewollte Rückwirkung einer geistigen Haltung: Als Rückwirkung der strengen Rationalität der Naturwissenschaften und der Technik, welche zuerst einmal wirklich nur rational-sachliche Betrachtung der Wirklichkeit (und noch nicht unbedingt weltanschaulich ausgedehnte Form dieser wissenschaftlichen Haltung ins ‚Prometheische') ist. Diese Rückwirkung ist auch ein philosophisches Problem des menschlichen Selbstverständnisses (vgl. die Kritik der Technik und des neuzeitlichen Subjektivitätsbewußtseins bei Karl Jaspers und Martin Heidegger). Rahner versucht in seiner Darstellung der transzendentalen Verwiesenheit des Menschen in das Geheimnis Gottes diese Kritik gerade durch ein wirkliches Aufbrechen positivistisch-rationalistischen Verständnisses des Menschen aufzunehmen.[184] In der Aufforderung, auf dem Grunde heutiger Sachlichkeit das Geheimnis Gottes zu suchen und in der Selbstweggabe an diese Nüchternheit aus der unbegreifbaren, schweigenden Tiefe dieses Geheimnisses die Ermöglichung und Verankerung der menschlichen Freiheit selbst zu empfangen[185], will Rahner eine gültige spirituelle und theologische Bewältigung der im Zirkel menschlicher Verleiblichung möglichen Selbstentfremdung eröffnen.

So sehr die Dialektik dieses Versuches der Aufgabe des Menschen, seine ihm von Gott zugemutete Freiheit und ‚mitschöpferische' Macht zu übernehmen, und dem dazu gehörenden Mut zur Nüchternheit und Sachlichkeit entspricht, scheint sie den Menschen doch gerade dort allein zu lassen und in die „Finsternis" einer letzten Ungreifbarkeit Gottes hineinzustoßen, wo aus der *Fülle* der christlichen Gotteserfahrung auch eine Antwort auf die Bedrohung des Menschen durch die gerade mit dieser Nüchternheit und Sachlichkeit zusammenhängenden entpersonalisierenden Tendenzen neuzeitlicher Entwicklung möglich wäre. Wird nicht in der Heilsgeschichte Gott als das Geheimnis eines Du erfahren, das die unreduzierbare Würde des Menschen als individueller Person und geschichtlich verfaßter Freiheit gegenüber jeder technischen und menschlich rationalen Sachlichkeit, wie sie die neuzeitliche Geistesgeschichte heraufgeführt hat, festhält?

Der transzendentaltheologischen Hermeneutik wird aufgrund dieser Mißverständlichkeit die Gefahr einer Reduktion der christlichen Gotteserfahrung auf einen subjektiv rationalen oder existentialen Selbstvollzug des Menschen vorgeworfen.[186] Die damit angezielte Problematik betrifft auch eine Zweideutigkeit der transzendentaltheologischen Auslegung des Gottesverständnisses selbst: In der transzendentaltheologischen Hermeneutik erscheint die personale Du-Erfahrung Gottes als kategorialisierender Ausdruck für die adäquate Annahme der in der menschlichen Geistigkeit eröffneten Seinstranszendenz. Ist damit aber nicht das Gottesverständnis selbst in dem Sinne ‚rationalisiert', als nicht die freie, nur von

---

183 Gerken 71.

184 Die Eingründung des Menschen als eines transzendenzverwiesenen und geschichtlichen Wesens in das Geheimnis Gottes geht über jeden empirischen Positivismus und analytischen Rationalismus hinaus (vgl. HdW 29f).

185 Rahner (14) 22–33.

186 Vgl. Gerken 13–15.26–28.30–37; Balthasar (11) 88f; dagegen: Fischer 325–328; vgl. dazu auch Heijden 322–328.

Gott her (heilsgeschichtlich) erfahrbare Entschiedenheit Gottes zur Liebe die tiefste Bestimmung der Freiheit Gottes wird, sondern die als noch dahinter liegend erscheinende, von der menschlichen Seinserschlossenheit vorausentworfene Geheimnishaftigkeit unbestimmbarer Unbegreifbarkeit?

Mit diesen Fragen soll dem Entwurf Rahners aber *nicht* eine unkritische Gleichsetzung von Philosophie und Theologie oder eine nackte anthropologische Reduktion unterstellt werden. Innerhalb des transzendentalontologischen Denkens sind die voluntative und intellektuale Dimension gleichermaßen ursprünglich[187]; es herrscht in ihm eine Konvergenz von „Mystik und Metaphysik“[188]; Transzendenz und Immanenz sind *differenziert und aufeinander bezogen*[189]. Nimmt man diese Spannungen und ihre *theologische* Ausdeutung durch Rahner, in der der Versuch unternommen wird, die „klassifikatorischen Einteilungen“ von Theologie und Philosophie zurückzulassen[190], ernst, dann scheinen die Streitigkeiten über einen Intellektualismus oder Voluntarismus Rahners[191], über seinen anthropologischen Ansatz und dessen theologische Reichweite[192] schon im Rücken des Reflexionsganges zu liegen. Das Problem, das hier angedeutet werden soll, liegt darin, daß Rahner *innerhalb* dieser Spannungen und *in* der philosophischen und theologischen Differenziertheit seines Denkens bei der Beschreibung der heilsgeschichtlichen Selbstmitteilung Gottes gleichsam *eine Seite* seiner transzendentaltheologischen Hermeneutik überbetont. Er folgt der Bewegung der hermeneutischen Spannung vom transzendentalen Vorwissen zur nicht-reduzierbaren geschichtlichen Erfüllung, von unthematischer Erschlossenheit zur unreduzierbaren geschichtlichen Selbsterschlie-

---

187 Vgl. Eicher (2) 27.

188 Vgl. Balthasar (2) 305.

189 Vgl. die abschließende Beurteilung der Spannung dieser Dimensionen im Denken Rahners in Eicher (1) 58–61.

190 Vgl. Eicher (4) 369.

191 Vgl. Rahners eigene Reflexion des Verhältnisses seiner Gedanken zu einem „sich selbst richtig verstehenden thomistischen Intellektualismus“: Rahner (7) 59–62. In diesen Kontext gehört wohl auch die Kontroverse über die Bedeutung mystischer Erfahrung für das Werk Rahners zwischen Eicher und Fischer: P. Eicher, Wovon spricht die transzendentale Theologie? Zur gegenwärtigen Auseinandersetzung um das Denken von Karl Rahner, in: ThQ 156 (1976) 284–295; K. P. Fischer, Wovon erzählt die transzendentale Theologie? Eine Entgegnung an Peter Eicher, in: ThQ 157 (1977) 140–142; P. Eicher, Erfahren und Denken. Ein nota bene zur Flucht in meditative Unschuld, in: ThQ 157 (1977) 142f. Vgl. ebenso den Beitrag von Paul Weß, der gegenüber Rahners Konzeption des transzendentalen Vorgriffs die Analogie, in der der menschliche Geist in der Unendlichkeit des Seins die Wirklichkeit Gottes gegenüber der eigenen Endlichkeit ‚ertastet‘, vorsichtiger gestalten will. Es geht ihm um einen deutlicheren Raum für die Freiheit Gottes und die Unreduzierbarkeit und unverfügbare Unerahnbarkeit der Selbsteröffnung Gottes in der Geschichte: P. Weß, Wie von Gott sprechen? Eine Auseinandersetzung mit Karl Rahner (Offene Fragen). Graz 1970; ders., Wie kann der Mensch Gott erfahren? Eine Überlegung zur Theologie Karl Rahners, in: ZKTh 102 (1980) 343–348.

192 Vgl. die unterschiedliche Beurteilung des Werkes von Rahner durch H. U. v. Balthasar und A. Gerken auf der einen Seite und etwa K. P. Fischer auf der anderen.

ßung Gottes[193] nicht konsequent genug.[194] Um jegliche Mythologie zu vermeiden, macht er die transzendentaltheologische Interpretation des Analogiedenkens, die das Gottesverständnis ganz von der transzendentalontologisch gedeuteten Geheimnishaftigkeit Gottes her entwirft, auch in der geschichtlichen Selbstmitteilung Gottes zum *Mittelpunkt* des Gottesverständnisses (und nicht zu einer zwar bleibenden, aber entsprechend der weiterschreitenden Analogie von Natur und Gnade in den Hintergrund tretenden hermeneutischen Dimension).[195] Damit scheint Rahner eine letzte, in seiner eigenen Theologie angelegte Konsequenz[196] christozentrischen Verständnisses und personaler Wende der katholischen Denkform und der gegenwärtigen Deutung des christlichen Gottesverständnisses zu verfehlen[197]. So sehr die Unbegreifbarkeit zum bleibenden Geheimnis Gottes gehört! Wird nicht die Entschiedenheit Gottes zur Liebe dem Menschen in der Heilsgeschichte als konkret geschichtliche Bestimmtheit der Freiheit Gottes erfahrbar? Ist diese konkrete Bestimmtheit nicht die Voraussetzung dafür, daß der Mensch Gott als Du erfährt, als

---

193 Wie sie in „Hörer des Wortes“ noch gegeben war!

194 Vgl. hier S. 52.

195 Vgl. hier S. 59–61. Eigenartigerweise ist es letztlich die Einsicht Rahners in eine letzte Unaussagbarkeit Gottes, welche er in seiner Wende zum „Gott-Denken“ erreicht (vgl. Eicher [4] 361–368), und die damit verbundene Relativierung des strengen metaphysischen Ansatzes (vgl. GK 61–79), die nicht zu einer Vertiefung und Freigabe seines Denkens durch und für die geschichtliche *Selbst*bestimmung Gottes führen, sondern zu einer Verfestigung des Verständnisses der Wirklichkeit Gottes von dieser Nichtaussagbarkeit selbst her, von der aus auch die heilsgeschichtliche Selbstmitteilung gedeutet wird.

196 Rahner geht nicht der hermeneutischen Spannung seines Denkens vom Apriorischen zum Geschichtlichen nach (obwohl sie in seiner Denkweise gelegen ist, zumal in ihrer theologischen Ausdeutung von „Hörer des Wortes“: vgl. Balthasar [1] 377f), sondern verbleibt zu sehr im Ungeschichtlichen, Apriorischen seines Ansatzes (was natürlich letztlich doch in einer gewissen Schwäche der transzendentalontologischen Objektmetaphysik gegenüber ihrer transzendentalen Geistmetaphysik – allerdings nicht notwendig! – mitbegründet sein mag: vgl. ebd. 378f; Eicher [1] 61f). Und so wird darin auch ein Überwiegen des Subjektiven in Rahners transzendentaltheologischer Entfaltung gegeben sein (vgl. Eicher [3] 295), insofern Rahner den vollen Zirkel von Natur und Gnade auch in der eindeutig theologischen Option seines Denkens nicht auf die kategorial ‚objektive‘, heilsgeschichtliche Selbstmitteilung Gottes hin ganz abschreitet.

197 In diesem Sinne treffen die Aussagen Gerkens etwas von der Problematik des Rahnerschen Denkens (wenn auch Gerkens eigene Anlehnung an Simons „Philosophie der Offenbarung“ keine glückliche Alternative ist; vgl. Eicher [2] 100f): „Wir können also hier bei Rahner die Schwächung der dialogischen (Gott–Christus–Mensch) und damit der personalen Dimension (Anruf–Glauben) feststellen“ (43). „Gott, das unsagbare Geheimnis, kann selbstverständlich nicht sinnlich anschaubar und auch nicht in endlichen Begriffen erfaßt werden. Aber er kann im Glauben *erfahren* werden, es gibt Gottesbegegnung, ohne daß diese Glaubenserfahrung schon die Schau der Wesenheit Gottes wäre“ (21). „Die Transzendentaltheologie Rahners und überhaupt jede Theologie, die vom ‚Ungegenständlichen‘ oder auch vom ‚Nichtobjektivierbaren‘ im Glaubensakt im Sinne der bloßen Negation fasziniert ist, muß sich fragen, ob sie genug über personales Erkennen nachgedacht hat, ob sie die Erfahrungen des Leibhaftig-Dialogischen genügend berücksichtigt“ (37).

dialogisches Gegenüber? Und diese Erfahrung muß wohl nicht bloß kategorialisierender Ausdruck einer tieferen Geheimnishaftigkeit unbestimmbarer Unbegreiflichkeit, sondern der Ausdruck der unbegreiflichen Freiheit Gottes selbst sein, die als (vom Menschen her) unbestimmbare sich selbst von sich aus für den Menschen konkret geschichtlich bestimmen will und kann. Ist nicht diese Selbstbestimmung Gottes für den Menschen das Unbegreifbare, das das tiefste Geheimnis der Freiheit Gottes erschließt? Und kann sich der Mensch an diesem Geheimnis Gottes nicht über seine Würde als Subjekt hinaus und gegenüber der Rationalität seiner eigenen Wirklichkeitsbeherrschung noch einmal tiefer verstehen als dialogisch begründete, unreduzierbare Individualität und existentielle Personalität?

Zusammenfassung

Am theologischen Werk Karl Rahners wurde ein erster Schritt der personalen Wende der dogmatischen Denkform in ihrer Auseinandersetzung mit der gegenwärtigen geistesgeschichtlichen Situation und ihrer Lösung aus dem neuscholastischen Denkhorizont erschlossen: Mit Hilfe der transzendentalontologischen Denkweise, die Rahner aus dem Traditionsstrang neuscholastisch-christlicher Philosophie übernimmt, der sich um die Vermittlung der scholastischen mit transzendentalphilosophischen Denkstrukturen bemüht, versteht Rahner den Menschen als transzendentalen Selbstvollzug in Seinserschlossenheit. Die Integrität des Menschen als freien Subjekts wird damit im Sinne des neuzeitlichen Bewußtseins gegenüber dem neuscholastischen Objektivismus in das Denken der katholischen Theologie aufgenommen. Durch die anthropozentrische Vermittlung des Seinsverständnisses, die mit der transzendentalontologischen Deutung des Menschen verbunden ist, wird auch das Gottesverständnis in anthropologische Relationen gestellt. Rahner deutet so die Wirklichkeit Gottes als das Woraufhin der transzendentalen Offenheit des menschlichen Geistes, als den personal-ontologischen Horizont des menschlichen Selbstvollzugs und den transzendentalen Seinsgrund der Wirklichkeit.

Aufgrund der Christozentrik seines Grundansatzes dienen Rahner die Strukturen dieser personal gewendeten Interpretation des Menschen und der Wirklichkeit Gottes zur theologischen Entfaltung seines Werkes: Die nicht-objektivierbare Apriorität transzendentaler Gotteserfahrung wird für Rahner zum Ansatzpunkt der Erschließung der Wirklichkeit Gottes als Geheimnis. Über die Interpretation Gottes als des personal-ontologischen Urgrundes von Geschichte bestimmt Rahner die Wirklichkeit Gottes schließlich in ihrer innersten Mitte als Geheimnis unbestimmbarer, unfaßbarer Freiheit. Gerade in der Heilsgeschichte erschließt sich Gott in seiner bleibenden Unbegreifbarkeit und Geheimnishaftigkeit, die darin als Ausdruck der Mitte seiner personalen Wirklichkeit erscheinen.

Der subjektive Selbstand des Menschen, der in der Seinserschlossenheit des menschlichen Geistes begründet ist, erscheint in dieser theologischen Vertiefung als die ‚Spitze' der ins Eigensein entlassenen Schöpfung. Er kommt dabei gerade im Zentrum der Heilsgeschichte, in der Christus sich als der freieste Mensch radikal in die äußerste Geheimnishaftigkeit Gottes weggibt und so das geeinte Andere des Logos ist, zu sich selbst, in seine letzte Tiefe. Die neuzeitliche Anthropozentrik des Wirklichkeitsverständnisses ist so verstehbar als Ausdruck und Folge der Subjektwerdung der Schöpfung Gottes im Menschen.

Dieser Schritt der personalen Wende des christlichen Gottesverständnisses überwindet jede objektivistische Interpretation der Wirklichkeit Gottes; er führt über deren thomanische Bestimmung aus dem Sein als Formalobjekt des menschlichen Geistes hinaus. Darin gibt er der in dieser Arbeit gestellten Frage nach der Überwindung der mißverständlichen objektivistischen Auslegung des Willens Gottes und ihrer autoritären Absicherung einen umfassenden hermeneutischen Horizont und einen Leitfaden.

Die Radikalisierung des transzendentalen Gottesverständnisses in der Theologie Rahners durch die Bestimmung der Wirklichkeit Gottes als Geheimnis unbestimmbarer Freiheit ließ die transzendentaltheologische Neugestaltung der dogmatischen Denkform aber auch mißverständlich erscheinen: So sehr das Geheimnis Gott als Geheimnis unfaßbarer und im letzten nie objektivierbarer Freiheit als eine *bleibende,* auch in der tiefsten Begegnung des Menschen mit Gott sich zeigende Bestimmung verstanden werden muß (und das hat Rahner sehr eindrucksvoll gezeigt), ist damit doch noch nicht die innerste ‚Intimität' Gottes, so wie er sich selbst dem Menschen in seiner heilsgeschichtlichen *Selbst*mitteilung geben wollte, erreicht. Die tiefste Innerlichkeit Gottes scheint mit dem transzendentaltheologischen Denken, das das geschichtliche Ereignis der Selbstmitteilung Gottes auf seine transzendentalen und ontologischen Voraussetzungen reflektiert, nicht mehr erreichbar. Sondern es bedarf dazu offenbar – entsprechend der in die Geschichte verweisenden Sinnrichtung der hermeneutischen Spannung des transzendentalontologischen Denkens – einer die geschichtliche Selbsteröffnung Gottes selbst in ihrer Konkretion wahrnehmenden Sichtweise.

Rahners Theologie, die das anthropozentrische Wirklichkeitsverständnis der Neuzeit aufnimmt, gibt auch keine genügende Antwort auf das Problem, inwieweit die ‚entpersonalisierenden' Tendenzen gerade dieser Entwicklung aus der christlichen Gotteserfahrung heraus bewältigt werden könnten. Rahner scheint deshalb noch nicht bis zum letzten Zielpunkt der personalen Wende des Denkens vorzustoßen. Dennoch stellt sein Beitrag subjektiver Vermittlung einen ersten, unverzichtbaren und *nicht zu revidierenden* Schritt dar.

Für den Fortgang dieser Untersuchung stellt sich die Frage, wie die katholisch-dogmatische Theologie über diesen Beitrag Rahners hinausführt. Es geht dabei um die Suche nach einem geschichtlich existentiellen, personal offenen Gottesverständnis, von dem aus die Moraltheologie Impulse zur vollen Überwindung des Objektivismus und Rationalismus ihres Denkens erhält.

2. Kapitel
Hans Urs von Balthasar: Gott als Liebe

Hans Urs von Balthasar findet zu den Grundlagen seiner Theologie ähnlich wie Karl Rahner im Ausgang vom Seinsdenken der katholischen Tradition.[1] Anders als Karl Rahner aber deutet er dieses Denken in einer ästhetisch-ontologischen Auslegung um[2], die in der theologisch ästhetischen und theologisch dramatischen Wende das traditionelle Denken schließlich in einen geschichtlichen und dialogischen Denkansatz hinein weit überschreitet[3]. Dabei vollendet sich die Christozentrik der dogmatischen Denkform.[4] Hans Urs von Balthasar versucht in dieser Wende den Menschen von der geschichtlich unmittelbaren, dialogischen Beziehung zu Gott her zu verstehen, in der die unreduzierbare Integrität der menschlichen Subjektivität als Freiheit gerade durch die konkrete, geschichtliche Begegnung mit der Wirklichkeit Gottes begründet wird. Die personale Wende der Transzendentaltheologie und ihre Aporien werden darin überstiegen. Gott wird als Liebe verstehbar, die sich im heilsgeschichtlichen Handeln für den Menschen unwiderruflich

---

1 Vgl. Lochbrunner 244.

2 Diese Auslegung führte Balthasar in seiner Studie „Wahrheit" (Einsiedeln 1947) durch. „Hier entfaltet Balthasar die Grundzüge einer Metaphysik, die sein Werk bestimmen und durchtragen wird" (Lochbrunner 80). „Es geht Balthasar nicht um eine kritische Erkenntnistheorie..., sondern um eine Ontologie der Wahrheit... Anderseits entwickelt Balthasar keine vollständige Metaphysik im Sinne einer Lehre vom Sein und den Seienden. Seine Perspektive ist begrenzter, auch wenn die behandelte Thematik im Horizont der metaphysischen Frage bleibt" (ebd. 83). „Die Perspektive der Wahrheitsstudie zielt... auf das Zu- und Ineinander der Transzendentalien Wahrheit-Gutheit-Schönheit" (ebd. 84). – Der 1985 erschienene 1. Band der Theologik ist eine wortgetreue Neuauflage des Buches „Wahrheit" von 1947 mit einer einordnenden Vorbemerkung zum Gesamtwerk der theologischen „Trilogie" Balthasars (Theologische Ästhetik, Theodramatik und Theologik). Im folgenden werden, weil die Sekundärliteratur zum Ansatz Balthasars noch eher spärlich ist, die Gedankenschritte aus diesem Werk mit ausführlicheren Zitaten belegt. – Balthasar beschäftigt sich in seiner an „Wahrheit" anschließenden Interpretation der Metaphysik in „Herrlichkeit", Bd. 3/1., neben seinem überaus vielschichtigen Gespräch mit der ganzen abendländischen Geistesgeschichte auch mit Thomas von Aquin (vgl. H 3/1, 354–370; Heinz 47f). Im übrigen ist das theologische Werk Balthasars, das heute in der katholischen Theologie zunehmend rezipiert wird (vgl. die Bibliographie der Sekundärliteratur bei Lochbrunner 329–339; dieser Rezeptionsprozeß erfolgte freilich sehr zögernd: vgl. Eicher [4] 293f), nur schwer in seinen geistigen Wurzeln festlegbar (vgl. Schwager 5). In bezug auf die Verarbeitung des metaphysischen Grundansatzes zu einer geistesgeschichtlichen Gesamtsicht in „Herrlichkeit" 3/1 scheint Gustav Siewerth (vgl. Balthasar [10] 36; Heinz 21[30]; Lochbrunner 84f[7]), bezüglich der theologischen Entfaltung Karl Barth, zumal dessen Denkform der analogia fidei (vgl. Schwager 5f), sein Denken nachhaltiger geprägt zu haben. Im Verständnis des Seins als ästhetischer Transzendenz und in der theologisch-ästhetischen und theologisch-dramatischen Lösung des Analogieproblems geht aber Balthasar über diese Ansätze hinaus einen ganz ihm eigenen Weg.

3 Vgl. Lochbrunner 244–246.

4 Vgl. Heinz 9–11.

entscheidet und sich so in ihre eigene, ewige trinitarische Fülle hinein bestimmt. Der Mensch zeigt sich in dieser geschichtlich-kategorialen, dialogischen Selbstmitteilung Gottes als sich selbst geschenkte (verdankte) Freiheit, die ganz in der Liebe Gottes geborgen ist.

Die folgende Untersuchung fragt bei Hans Urs von Balthasar nach diesem ‚Zielpunkt'[5] der personalen Wende dogmatischer Denkform, indem sie wie im Werk Karl Rahners an den philosophischen und theologischen Entscheidungen entlang die Entwicklung des Denkens bis in die Mitte des Gottesverständnisses verfolgt, um daraus einen Horizont für das moraltheologische Gottesverständnis zu gewinnen. Sie setzt beim metaphysischen Grundansatz an und folgt dann der theologischen Ästhetik – ohne die hinführenden Stufen entfalten zu können – in das Zentrum der heilsgeschichtlichen Offenbarung, um von der dort beginnenden theologisch-dramatischen Wende aus den Ansatz der Theodramatik in den Blick zu nehmen, der aber nur angedeutet wird.[6]

1. Metaphysische Grundlegung

Hans Urs von Balthasar versucht in seiner frühen Schrift über Wahrheit, die Beziehung von Subjektivität und Objektivität, ausgehend von der Seinserschlossenheit des Menschen, in einer Art phänomenologischer Ausgewogenheit[7] zu ver-

---

[5] Unter „Zielpunkt" ist dabei nicht ein philosophischer Hintergrund zu verstehen, der hier im Denken Balthasars aufgedeckt werden sollte. Beim Werk Balthasars, der gerade jede Reduktion theologischer Erfassung der heilsgeschichtlichen Selbstmitteilung Gottes auf nichttheologische Horizonte zu überwinden sucht, wäre ein solches Vorhaben auch kaum sinnvoll (vgl. Balthasar [9] 5f; Eicher [4] 300). Wenn auch bei Balthasar philosophische Vorentscheidungen (ein Vorverständnis) gegeben sein mögen (vgl. Geffré 43), so interessiert doch diese Arbeit nicht nur eine Teildimension der polaren Struktur von Natur und Gnade, sondern der ganze ‚Zirkel', dessen Konvergenzpunkt im theologischen Werk Balthasars unter dem Blickwinkel der Frage nach dem Gottesverständnis innerhalb einer personalen Wende der dogmatischen Denkform gesucht werden soll.

[6] Nach Balthasar muß die Theodramatik als die Mitte der Trilogie seines Werkes angesehen werden: „Mitten in der Ästhetik hat... die ‚theologische Dramatik' schon begonnen. In der ‚Erblickung' – so sagten wir dies – lag immer schon die ‚Entrückung'. Aber das war noch innerästhetisch gesprochen. Nun geht es darum, dem Begegnenden seine eigene Sprache zu lassen, oder besser: uns von ihm in seine Dramatik hineinnehmen zu lassen. Gottes Offenbarung ist ja kein Gegenstand zum Anschauen, sondern ist sein Handeln in und an der Welt, das von der Welt nur handelnd beantwortet und so ‚verstanden' werden kann. Erst von dieser Dramatik her öffnet sich dann auch ein sachgemäßer Zugang zum letzten, dritten Teil, der die Weise des Verfügtseins solchen Handelns in Begriff und Wort bedenken muß" (TD 15; vgl. 16). Es mag daher als gerechtfertigt erscheinen, auf dem Hintergrund des biographisch gesehen grundlegenden Werkes Balthasars (Theologik 1) im Durchgang durch die theologische Ästhetik bis zu dem Punkt vorzustoßen, wo diese Mitte in den Blick kommt und in ihrem Sinn für das Gottesverständnis deutlich wird.

[7] „Der metaphysische Entwurf der ‚Wahrheit' ist entschieden *objektbetont,* und zwar in phänomenologischer Perspektive" (Lochbrunner 105).

stehen. Eine unreduzierbare ‚Integrität'[8] von Subjekt *und* Objekt in ihrer die Erkenntnis in je eigener Weise bestimmenden Wirklichkeit scheint auf. Wahrheit zeigt sich dabei als freie Begegnung von Subjekt und Objekt[9], in der sich das Sein als ein unausschöpfbares, letztlich unreduzierbares Geheimnis[10] erschließt.

Die transzendentale Wende des Seinsdenkens wird so in eine Offenheit für die unreduzierbare Wirklichkeit von Subjekt und Objekt zurückgenommen, ohne daß das Denken damit in einen bloßen Objektivismus zurückfiele.[11] Und in der Unverfügbarkeit subjektiver und objektiver Wirklichkeit erschließt sich die Wirklichkeit von Mensch und Sein als das Geheimnis einer unbedingten, positiven Setzung durch eine Freiheit, die beide noch einmal umgreift, die Freiheit Gottes. Der Mensch zeigt sich darin noch vor aller transzendentalen Subjektivität als verdankte Existenz.[12] Und das Sein wird als ästhetische Transzendenz verstehbar.[13]

In der ontologischen Differenz dieses Seinsverständnisses eröffnet sich aber ein personales Gegenüber von Gott und Mensch, das gerade die geschichtliche Kategorialität als Ausdrucksraum eines Dialogs hat, in dem die verdankte Existenz des Menschen die Offenheit und Geschichtlichkeit der eigenen Freiheit als Subjekt geborgen erfahren darf in der heilsgeschichtlichen Liebe Gottes.

a) Die ‚Integrität' und Offenheit von Subjekt und Objekt

In der Schrift über Wahrheit bestimmt Balthasar, in Anlehnung an das existentiale Verständnis von Wahrheit als aletheia, Wahrheit als Enthülltsein des Seins im Subjekt (TL 28).[14] Dabei interpretiert er die Beziehung von Subjekt und Objekt in einer Erschlossenheit, in der der unreduzierbaren ‚Integrität' des Subjekts, als in der Seinsgelichtetheit alles Seiende „messende" Geistigkeit (TL 35f), eine ebenfalls unreduzierbare ‚Integrität' des Objekts (TL 49–57)[15] gegenübersteht: „So verbinden sich in der wahren Erkenntnis zwei scheinbar gegensätzliche Empfindungen:

---

8 Mit dem Begriff „Integrität" soll in diesem Zusammenhang die unreduzierbare Eigenwirklichkeit von Subjekt und Objekt in der polaren Erkenntnisbeziehung ausgedrückt sein.

9 Vgl. TL 79–141: „Wahrheit als Freiheit".

10 Vgl. ebd. 143–255: „Wahrheit als Geheimnis".

11 Zu Recht vermerkt Lochbrunner 105 die Objektbetontheit des Ansatzes Balthasars, wobei aufgrund der „phänomenologischen Perspektive" immer vor Augen bleiben muß, daß Balthasar durchaus die ‚Integrität' des Subjekts miteinbezieht (vgl. TL 113–128: „Die Freiheit des Subjekts").

12 Heinz 24 spricht dieses Verständnis des Menschen bei Balthasar an, indem er den Zusammenhang mit dessen Seinsverständnis herausstellt: „Die Urerfahrung des Seins erweist dem Menschen, daß er von allem Anfang an grundsätzlich und unüberholbar Angesprochener und damit Ant-wortender, und nicht souverän aus sich selbst heraus Wortender ist. In diesem Angesprochensein, der Erfahrung, daß er sein *darf,* vertieft sich seine Existenz zum *Person*sein."

13 Vgl. Eicher (4) 293.

14 Lochbrunner 85 betont eine „Verflechtung des biblisch-alttestamentlichen Wahrheitsbegriffes (hebräisch *'emeth*) mit dem Wahrheitsbegriff der griechischen Philosophie".

15 Aus der auch *ihm* eigenen Transzendenz in Gott!

diejenige des Besitzes in der Helle des Geistes, der das Erkannte übersieht, und diejenige des Überschwemmtwerdens durch etwas, was in der Erkenntnis selbst die Erkenntnis überbordet, das Bewußtsein der Teilnahme an etwas, was in sich selbst unendlich größer ist als das, was sich davon kundtut. In der ersten Empfindung schließt sich das Subjekt über dem Objekt, insofern das Begriffene Platz hat innerhalb des Begreifenden, das es umgreift. In der zweiten aber wird das Subjekt eingeführt, eingeweiht in die Geheimnisse des Objekts, von dessen Tiefe und Fülle es explizit nur einen kleinen Teil erfaßt, doch mit der Verheißung weiterer, nachfolgender Einweihung" (TL 31). Indem aber das Subjekt diese „Doppelgestalt der Wahrheit" (TL 69) erfaßt, erfährt es das „Gemessensein" alles Seienden an der Gelichtetheit des Seins an sich selbst, an dem Maß Gottes selbst und findet erst so sein eigenes Maß des im Seinslicht setzenden und urteilenden Messens der Objektivität: „In der punkthaften Identität von Sein und Bewußtsein, in dessen Licht das Subjekt das Maß sowohl seiner selbst wie des zu messenden Objekts gewinnt, wird ihm klar, daß das absolute Sein ein von sich selbst gemessenes, sich selbst gegenwärtiges und darum ein Selbstbewußtsein sein muß. Denn es erfährt, daß die Wahrheit, in deren Licht es das Objekt mißt, und die nichts anderes ist als die Lichtung des Seins, nicht auf die Punkthaftigkeit seines Selbstbewußtseins eingeschränkt ist. Es weiß, daß es, indem es den eigenen Maßstab zur Erkenntnis des Objekts anlegt, keinen subjektiven Maßstab handhabt, sondern an einem objektiven, letztlich unendlichen und absoluten Maßstab teilnehmen darf. Es weiß also, daß es in seiner messenden Funktion zugleich von einer es selbst umgreifenden Wahrheit des Seins schlechthin gemessen wird" (TL 44f; vgl. 51).

In dieser Erschlossenheit erweisen sich Subjekt und Objekt als immer schon füreinander geöffnet.[16] Und sie wachsen in unterschiedlicher Rezeptivität[17] und Spontaneität in einem geschichtlichen, miteinander vermittelten Selbstvollzug[18] aneinander zu der letzten Wahrheit, die in diesem Vollzug selbst von Gott unverfügbar und frei gestiftet und geschenkt wird: „Gottes Erkennen ist wahrheitserzeugend; es ist reine Spontaneität ohne Beimengung irgendeiner Rezeptivität von seiten der erkannten Dinge. Die Wahrheit, die seine Erkenntnis setzt, ist das Maß der Wahrheit der Dinge" (TL 127). „Er hat in sich selbst die Idee der Dinge. Dieses Bild ist das richtige, nicht darum, weil Gott die Dinge objektiver sieht als wir, sondern darum, weil das von ihm entworfene Bild als solches das eine wahre, subjektive und

---

[16] „Wahrheit als Natur" (vgl. TL 25–78, bes. 57–78).

[17] „Auch die ontologische Wahrheit des Objekts hat die Form einer Rezeptivität, da ihm nicht nur sein zeitliches Dasein immer neu von Gott zufließt, sondern insbesondere auch seine Idee ihm jeweils ursprünglich von Gott her zugesprochen und vorgestellt wird" (ebd. 54f).

[18] Balthasar beschreibt diesen Selbstvollzug als Freiheit: „Sowohl das Objekt wie das Subjekt besitzen die Wahrheit nicht nur an sich, als Natur, sondern für sich, als Freiheit. Sofern sie Natur sind, sind sie je schon zur Wahrheit hin in Bewegung gesetzt: das Objekt in die Bewegung der Selbsterschließung, das Subjekt in die Bewegung der Erschlossenheit für die Dinge. Sofern sie aber Freiheit besitzen, können beide über den Vollzug dieser Bewegungen mitverfügen" (ebd. 128f).

objektive zugleich ist. *Weil* Gott die Dinge so sieht, sollen sie so sein, wie er sie sieht" (TL 128).

b) Der Mensch als verdankte Existenz

Auch Balthasar begreift so den Menschen im Anschluß an Thomas von Aquin als seinserschlossenen Geist. Dabei erschließt er aber gegenüber dem traditionellen Objektivismus die Spontaneität menschlicher Subjektivität in einer differenzierten Weise, die zugleich für die Unreduzierbarkeit der Objektivität offenbleibt.

Manfred Lochbrunner beschreibt diese differenzierte Sichtweise Balthasars: „Die mehr technische Begrifflichkeit des Rezeptiven und Spontanen erhält bei Balthasar eine weiterführende Deutung. Die Rezeptivität wird als Haltung der indifferenten Bereitschaft und Gerechtigkeit verdeutlicht..., die Spontaneität als Haltung der Liebe... Daraus ergibt sich, den Grundansatz für die Erkenntnis im *Dienst* zu sehen."[19] Dieser Dienstcharakter drückt die gestaltende („zubereitende") und hinnehmende Rolle menschlicher Subjektivität im Erkennen zugleich aus: „Die Haltung des Dienstes ist so sehr die unbedingt erste in aller Erkenntnis, daß, wer die Indifferenz und die Bereitschaft nicht aufbringt, das Objekt so zu empfangen und aufzufassen, wie es sich selber zu geben und anzuzeigen wünscht, der elementarsten Voraussetzung objektiver Erkenntnis ermangelt. Darum hat auch die ursprüngliche Spontaneität, die die Lichtung des Erkenntnisraumes und die Zubereitung für mögliche Begegnung von Seiendem bedingt, den Namen Dienst (servitium) und nicht Streben oder Drang (appetitus) zu tragen" (TL 292).

Nach Manfred Lochbrunner wird deutlich, „daß sich der forcierte Dienstgedanke [bei Balthasar] letztlich gegen das Dynamismusmodell bei Maréchal richtet."[20] Die transzendentalontologische Denkweise Maréchals versteht die menschliche Seinserschlossenheit gerade von der Einheit der theoretischen und praktischen *(strebenden)* Vernunft her. Für Karl Rahner wird diese transzendentalontologisch verstandene Seinstranszendenz des Menschen zum Ermöglichungsgrund des transzendental subjektiven Selbstvollzugs menschlicher Freiheit, innerhalb dessen die setzende Rolle menschlicher Geistigkeit gegenüber der hinnehmenden akzentuiert erscheint. Indem Balthasar gegenüber diesem erkenntnismetaphysischen Verständnis der „Offenheit von Sein und Mensch" und deutlicher als Rahner[21] die Seinsoffenheit des menschlichen Geistes als bloße Partizipation an einer *ihm nicht eigenen* Gelichtetheit „allen Seins *an sich selbst*" (TL 44) kennzeichnet, wird ihm der geistige Selbstvollzug des Menschen nicht zur kategorialisierenden Einholung der transzendental apriorischen Seinsgelichtetheit, sondern zur wachsenden Erfahrung des Gemessenseins der Wirklichkeit an dem Maß dieser in der eigenen Partizipation erahnten, umfassenderen, fremden Selbstgelichtetheit. Die transzendentale Betonung der setzenden Rolle menschlicher Geistigkeit wird so in eine gleichsam phänomenologische Offenheit des Geistes für die Objektivität unter dem ermöglichenden Seinslicht zurückgenommen.

In der vielschichtigen Differenz, in der Balthasar die menschliche Subjektivität, die sich gebende Objektivität und das sich erschließende Sein einander zuordnet, steht für ihn nicht der subjektive Selbstvollzug, der aus der Seinsgelichtetheit ermöglicht wird, im Vordergrund des Verständnisses menschlicher Personalität. Denn die Seinsgelichtetheit zeigte sich als Erfahrung eines unreduzierbaren Geheimnisses der Wirklichkeit, als Erfahrung des „Gemessenseins" aller Wirklichkeit an einem unendlichen, transzendenten Maß. „Sein [= des Subjekts] Licht ist

---

19 Lochbrunner 89.

20 Ebd.

21 Vgl. ebd. 114–118.123–129.

begrenzte Teilnahme an einem unendlichen Licht. Sein Denken ist eingebettet in ein unendliches Denken des Seins, und kann nur darum als Maßstab dienen, weil es selbst von einem nicht mehr meßbaren, sondern alles messenden, unendlichen Maß gemessen wird" (TL 45). Menschliche Seinserfahrung wird für Balthasar darin zum Staunen, zu einem Staunen über die Unverfügbarkeit des Wirklichen in seiner Faktizität. H. Heinz beschreibt dieses Seinsverständnis bei Balthasar: „Die Majestät der Wirklichkeit, daß überhaupt Etwas ist, daß ein Ding auftaucht aus dem Nichts, daß es Dasein dem Nichtsein vorzieht, daß es die unfaßliche Gnade hat, sich zu offenbaren, überragt alle Türme der Spekulation um ein Unendliches. Dieses übervolle Geheimnis der Faktizität, das unser Staunen nicht zur Ruhe kommen läßt, ist...das eine Seinsgeheimnis, das zugleich das Wesensgeheimnis in sich schließt."[22] Das Staunen ist dabei nicht nur der Anfang der Seinserfahrung[23], in dem die Wirklichkeit der Seienden gleichsam in der Seinsgelichtetheit versinkt, sondern es ist das Wachsen der Seinserfahrung selbst, in welchem der Mensch im „steigenden" Durchdringen an den Seienden immer deutlicher erkennt, daß alles aus einer unverfügbaren, je neu setzenden Freiheit stammt: „Die steigende Erkenntnis der Welt und der in ihr vorhandenen Wahrheit steigert auch die Erkenntnis der Nicht-göttlichkeit des erkennenden Subjekts. ... Sein Selbstbewußtsein empfängt es jeweils dort, wo es aus der Indifferenz des Horchens auf mögliche Wahrheit ausgeht in den Dienst an der weltlichen Wahrheit. ... So wird denn das endliche Subjekt durch seinen Umgang mit der Wahrheit durch diese selbst immer mehr zur göttlichen Wahrheit hin aufgesprengt, indem es in jeder endlichen Begegnung mit den Objekten der Welt die jeweils größere Weite der göttlichen Wahrheit erkennt" (TL 46f). Weil aber in dieser Entfaltung menschlicher Seinserschlossenheit die Ermöglichung menschlichen Selbstvollzugs noch einmal eingegründet erscheint in das vorgängige Sichempfangen aller Wirklichkeit aus dem unendlichen Maß Gottes, steht für Hans Urs von Balthasar am Anfang menschlicher Seinserfahrung nicht die transzendentale Ermächtigung, sondern die hinnehmende Verdanktheit. Und der Mensch erschließt sich vor aller transzendentalen Subjektivität als *verdankte Existenz:* Es „genügt...nicht, zu sagen, alle weltliche Erkenntnis sei bestimmt durch die konstitutive, unschließbare Differenz zwischen Sein und Seiendem..., vielmehr erhält dann die Differenz eine weitere Grundbedeutung: die zwischen dem vernunfthaften und ethischen ‚Bewältigen' der weltlichen Seinslagen – und dem Bewußtsein eines nie zu bewältigenden, nie einzuholenden Seindürfens, eines gnadenhaften Zu- und Eingelassenseins im Bereich des Seins im ganzen"[24]. „Die Erfahrung des

---

[22] Heinz 23.

[23] „Die Verwunderung über das Sein ist nicht nur Ansatz, sondern – wie Heidegger sieht – bleibendes Element (ἀρχή) des Denkens. Das aber besagt – gegen Heidegger –, daß es nicht nur verwunderlich ist, daß Seiendes in der Differenz zum Sein sich über das Sein wundern kann, vielmehr ebenso, daß das Sein als solches und von sich her bis zum Ende ‚wundert', sich als Wunder, wunderlich und wunderbar benimmt" (H 3/1,944).

[24] Balthasar (12) 18.

Eingelassenseins in ein bergend-Umgreifendes ist für alles kommende, wachsende und erwachsene Bewußtsein unüberholbar“ (H 3/1,946).[25]

Das Verständnis menschlicher Personalität als „Verdanktheit“ scheint auch in einem bewußten Gegensatz zur existentialistischen Bestimmung menschlichen Daseins als „Geworfenheit“ zu stehen. Balthasar erschließt gegenüber diesem Verständnis menschlichen Daseins eine letzte *„Geborgenheit“* des Menschen in dem allem endlichen Seienden und der menschlichen Erkenntnis vorausliegenden, unmeßbaren Maß Gottes.[26] Hinter der unterschiedlichen Deutung des Menschen steht die unterschiedliche Interpretation der Seinserfahrung selbst. Für Balthasar gibt es einen entscheidenden Unterschied zwischen dem thomanischen Seinsverständnis, welchem er sich in seiner eigenen Deutung der Seinserfahrung verpflichtet fühlt, und dem existentialen Seinsverständnis Martin Heideggers. Demnach sucht Heidegger die Transzendenz des Seins in der unverfügbar freien „Lichtung“ des Seins im menschlichen „Dasein“ – ähnlich der thomanischen Realdistinktion von Sein und Wesen – durch die Überlegenheit über die Endlichkeit von Abstraktion und Objektivierung zu verstehen.[27] Indem er aber das Sein in der „existentialen Lichtung“ im menschlichen Dasein ganz unbezogen zu den Wesenheiten verstehen will, verliert er den eigentlichen Verständnisgrund für eine echte Positivität des Seins, in welcher das Dasein jedoch erst als „geborgen“ verstanden werden kann. Denn das „Geheimnis“ der Realdistinktion von Sein und Wesen, die „wir...zwar, wenn wir sie einzeln für sich betrachten, in ihrem Sinn und Gehalt zu kennen und zu verstehen meinen“, deren „unauflösbare gegenseitige Beziehung [aber] das Sein [erst] zu einem immer neuen Mysterium werden läßt“ (TL 217), wird in einem einseitigen Sinn geschlossen: In der unverfügbaren, existentialen Lichtung des Seins im menschlichen Dasein erscheint das Sein als ‚Totalität‘, vor der alles Seiende (und in ihnen die Wesenheiten) „nichtet“.[28] Dagegen steht aber: „...auch Existenzphilosophie, die das Sosein als Unwesentliches abtun will, [kann] vom Dasein nichts aussagen, ohne zu sagen, *was* es ist.“[29] Die „Gestalthaftigkeit des Wesens“ muß „eine gleichberechtigte Erfahrung des Seins wie die (für uns immer leere) Fülle“ besagen, „was eigentlich auch erst von einer wirklichen Realdistinktion zwischen beiden zu sprechen erlaubt“[30].

Für Hans Urs von Balthasar kommt in der menschlichen Seinserfahrung, in der sich der Mensch als verdankte Existenz erfährt, das Zeugnis für eine die Positivität der ganzen Wirklichkeit frei bejahende und frei setzende Tat in den Blick, für die Tat Gottes. Und in diesem Zeugnis zeigt sich für ihn auch die letzte Tiefe der Transzendentalität des Seins selbst an. Im Anschluß an das thomanische Verständnis der Realdistinktion und das ästhetische Transzendentale der scholastischen Ontologie erschließt er diese Tiefe als ästhetische Transzendenz.

c) Ästhetische Transzendenz

Die Beziehung von Subjekt und Objekt zeigte sich weder als „photographische Anpassung“ des Subjekts an die ihr Bild „divinatorisch“ einprägende Objektivität noch als „titanische Unterwerfung“ der Objektivität unter eine universal setzende

---

25 Vgl. auch Heinz 24.

26 Zum Begriff der „Geworfenheit“ bei Heidegger vgl. H 3/1,785f. Zum Gegenbegriff der „Geborgenheit“ vgl. TL 290–306.

27 Vgl. H 3/1,773.

28 Vgl. ebd. 782–786.

29 Heinz 23.

30 Balthasar (1) 379.

Subjektivität.[31] In dieser positiven beiderseitigen ‚Integrität' von Subjekt und Objekt erschließt sich für Balthasar die Bedeutung der thomanischen Lehre von der Realdistinktion, deren Problematik „den archimedischen Punkt der Metaphysik Balthasars"[32] bildet, in ihrem ganzen Gewicht.[33]

Die thomanische Lehre von der Realdistinktion beschreibt nach der Deutung Balthasars einen „höchst geheimnisvollen Dualismus innerhalb des einen Seins", welcher „dem Sein selbst und nicht erst der bestimmten Zusammensetzung von Seiendem eine unabsehbare perspektivische Tiefe" (TL 217) gibt. Dieser Dualismus betrifft die „Polarität des endlichen Seins zwischen Wesen und Existenz" (TL 110). Es „ergibt sich das Seltsame, daß Wesen wie Dasein, sobald eines von ihnen beginnt, als das Begriffene zu gelten, jeweils sofort auf den andern Pol als auf den Sitz des Geheimnisses hinweisen. Dort, wo die Wesenssphäre als das Erforschliche gilt, macht sie selbst darauf aufmerksam, daß sie unbegriffen bleibt, wenn nicht auch das Rätsel des Daseins einbezogen und mitgelöst wird. Wo aber das Dasein als bekannt vorausgesetzt wird, weist es hin auf die Intimität des Seins, als des ewigen Überschusses über alles Begriffene hinaus. Jeder Pol hat in sich selbst ein Moment der Begreifbarkeit, das aber sogleich über sich hinaus auf den anderen als das Unbegriffene hinweist. In dieser gegenseitigen Voraussetzung von Wesen und Dasein verdeutlicht sich immer mehr das Mysterium des einen Seins, das sich soseiend und daseiend immer neu enthüllt, um sich in dieser Offenbarung auch immer neu als das Verhüllte zu erweisen, das mehr ist als jede seiner Offenbarungen" (TL 112). In diesem geheimnisvollen Dualismus des einen Seins gründet letztlich die unreduzierbare ‚Integrität' von Subjekt und Objekt füreinander im Horizont der Seinsgelichtetheit.

Das Seinsverständnis selbst zeigt in dieser Realdistinktion eine eigentümliche Struktur. In der nicht rationalisierbaren und verallgemeinerbaren ‚Intimität' jedes Seienden als faktisches Dasein und seinem gleichzeitigen wesenhaften Eröffnetsein im subjektiven Erkenntnisraum wird nach thomanischer Lehre einerseits deutlich, daß das Sein in den Wesenheiten subsistiert und doch nie als bloße Summe der existierenden Wesenheiten verstehbar ist: „Es ist das Umgreifende (das durch keine Anzahl von Naturen ausschöpfbar ist, sondern immer weiter auf unendliche Weise partizipiert werden kann)..." (H 3/1,362). So geht das Sein in den Wesenheiten nicht auf, d. h., die Wesenheiten als einzelne und in ihrer Gesamtheit vermögen nie die letzte Faktizität und das individuelle Je-Dasein des einzelnen Seienden als Individuum einer Form und der Wirklichkeit überhaupt zu deuten.[34] Auf der anderen Seite zeigt sich, daß das Sein die Wesenheiten aber auch nicht aus sich entläßt: „Es wirklicht die Naturen nur, indem es *sich* in den Naturen verwirklicht.

---

31 Vgl. TL 69–78: „Die Doppelgestalt der Wahrheit".

32 Lochbrunner 97.

33 Vgl. TL 110–113.217–219; H 3/1,360–366; Lochbrunner 97–99; Heinz 22f.

34 Nach der Lehre der Realdistinktion kommen die Wesenheiten auch erst im Sein in ihre Eigentlichkeit. Sie haben keine abstrakte Wirklichkeit „in sich", zu der der actus essendi äußerlich hinzuträte (vgl. H 3/1,362).

......kommt es doch erst in ihnen zum ‚Stehen' und zur Subsistenz" (H 3/1,362). Das heißt: das Sein ist selber auf die Wesenheiten ‚angewiesen'. Es gibt kein Dasein ohne ein „eidos", ohne eine Erschließung zu einem subjektiven (letztlich dem göttlichen) Erkenntnisraum hin: „In der vorgreifenden Beschreibung wurde die Wahrheit als Unverhülltheit des Seins beschrieben, wobei hinzugefügt wurde, daß diese Unverhülltheit nicht nur als eine dem Sein anhaftende absolute Eigenschaft aufgefaßt werden darf, sondern eine Beziehung auf das Subjekt in sich schließt, dem es tatsächlich enthüllt ist. Erst wenn die Enthüllung nicht nur eine mögliche, sondern eine faktische ist, ist das Sein in sich selber erhellt und als solches gemessen. Maß und Licht aber sind die beiden untrennbaren Eigenschaften der Wahrheit. Es kann daher nicht angenommen werden, daß ein Seiendes Maß und damit Erkennbarkeit besitze, wenn es nicht zugleich im Licht des wirklichen Gemessenwerdens steht" (TL 50). „Nie ist ein Ding eine bloße Tatsache. Schon als Seiendes hat es teil an einem Wesen, das teils kraft seiner individuellen Einheit den vergänglichen Augenblick überragt, teils auf Grund des in ihm wie in Andern verkörperten Artwesens seine Individualität übergreift. Wo nun die Immanenz dieses Wesens (als Morphe) im Dasein aufhört, um in einer steigenden Transzendenz (als Eidos) schließlich zur göttlichen Idee sich zu erheben und mit ihr zusammenzufallen –: wer wollte das feststellen?" (TL 54).

In dieser ‚Schwebe' von Sein und Wesen, in der beide aufeinander ‚angewiesen' sind, ohne ineinander aufzugehen, zeigt sich die Transzendenz des Seins in einer vertieften Differenz. Das Sein ist einerseits die Fülle alles Wirklichen (und damit nicht objektivierbar; vgl. bei Thomas das Verständnis des Seins als Formalobjekt) und in diesem Sinne Urbild der transzendenten Wirklichkeit Gottes. Und doch ist es die an die Wesenheiten *gebundene* und auf diese angewiesene Armut, sodaß sich die Wirklichkeit Gottes (als das subsistierende Sein) noch einmal vom Sein selbst abhebt, welches sich als abkünftig zeigt aus dem unverfügbaren Willen der sich frei verströmenden, *ungebundenen* und sich nicht verlierenden Liebe Gottes. In seiner Fülle und Armut zugleich wird das Sein verstehbar als eine Vollkommenheit alles Wirklichen, in der sich die unendliche und freie verschenkende Güte Gottes widerspiegelt: „So ist das esse, wie Thomas es meint, zugleich ganz Fülle und ganz Nichtigkeit, Fülle, weil es das Edelste ist, die erste und eigentlichste Wirkung Gottes..., Nichtigkeit aber, da es als solches nicht existiert... Dieses unfeststellbare Zwischen von Fülle und Leere... fordert als durchzuhaltender Grund einer Metaphysik eine ununterbrochen wirksame Demut, die weder auf Wahrheit verzichtet noch auf irgendeine Weise sich endgültiger quasi-göttlicher Wahrheit bemächtigt. Die Seinsdifferenz zwischen Wirklichkeit und Wesen öffnet ebenso notwendig den Blick auf Gott als das subsistierende Sein, wie sie diesen Blick notwendig verschließt und den Zugriff verwehrt. Denn offenkundig ist der erkennende geschöpfliche Geist (um überhaupt Wirkliches erkennen zu können) gerade in die Differenz eingesetzt, in jene akthafte gelichtete Fülle (lumen intellectus agentis), die doch zugleich Nichtigkeit bleibt (intellectus possibilis), wobei er das Wirkliche je dort begegnet, wo es selber zum Stehen kommt, nämlich in der Subsistenz endlicher materieller Wesenheiten (omnis cognitio incipit a sensu), die doch wiederum nur seiend gedacht werden können, wenn sie partizipieren an *der* Wirklichkeit, die alles Wirkliche bei sich hält und es durchwaltet und doch wie gleichgültig übersteigt" (H 3/1,363f)[35].

Mit der Reflexion auf die scholastische Transzendentalienlehre[36] sammelt Balthasar dieses vertiefte Verständnis der Transzendenzstruktur des Seins in der Erfahrung des Schönen und faßt die tiefste Schicht der Transzendenz des Seins als ästhetische Transzendenz.[37] Denn „die Realdistinktion zwischen Wesen und Sein [ist] der eigentliche Punkt..., an welchem das Je-mehr- und Je-reicher-sein des Seins am elementarsten aufleuchtet..." (TL 220). Und die Schönheit ist gerade „die Transparenz durch alle Erscheinung hindurch des geheimniserfüllten Hintergrundes des Seins", „die unmittelbare Offenbarung des nicht zu bewältigenden Überschusses an Offenbarung in allem Geoffenbarten, des ewigen Je-mehr, das im Wesen des Seienden selbst liegt" (TL 254). Im Schönen zeigt sich das Allgemeine nur an der konkreten Gestalt, wird der (ästhetische) Sinngehalt nur untrennbar mit der konkreten, endlichen Gestalt preisgegeben. Aber „es ist nicht nur die einfache Entsprechung zwischen Wesen und Erscheinung, die das ästhetische Wohlgefallen erregt, sondern die völlig unbegreifliche Feststellung, daß das Wesen wirklich in der Erscheinung (die doch das Wesen nicht ist) erscheint, und zwar erscheint als ein Wesen, das ewig mehr ist als es selbst, das also nie endgültig erscheinen kann. Aber gerade dieses Nichterscheinen erscheint. Gerade dieser ewige Komparativ drückt sich im Positiv aus" (ebd.). Darin aber ist die Polarität von Sein und Wesen in ihrer geheimnisvollen Spannung offengehalten. In der Erfahrung des Schönen zeigt sich die Einheit des Seins, „das sich soseiend und daseiend immer neu enthüllt, um sich in dieser Offenbarung auch immer neu als das Verhüllte zu erweisen, das mehr ist als jede seiner Offenbarungen" (TL 112). Die letzte transzendente Begründung dieser Einheit wird dadurch sozusagen faßbar. Im Schönen wird das „Wunder des Seins" ansichtig[38], die tiefste Sinnschicht des Seins, das in seiner Einheit von Sein und Wesen durch die konkrete Gestalt der endlichen Wirklichkeit hindurch als ästhetische Transzendenz auf die Fülle Gottes selbst verweist.

d) Gott als freier und liebender Grund der Wirklichkeit

Balthasar erreicht in dieser Auslegung des Seins als ästhetische Transzendenz einen Verständnisgrund der Wirklichkeit, von dem aus Natur und Geschichte transparent gemacht werden auf die freie, unverfügbare Personalität Gottes. Alles wird in dieser Perspektive zum Ausdrucksraum der freien bejahenden Tat Gottes. In der Positivi-

35 In dieser ‚Schwebe' des Seinsverständnisses liegt auch der Grund für die Doppelsinnigkeit des thomanischen Naturbegriffs, der zwischen übernatürlicher Offenheit und immanenter Verschlossenheit ‚oszilliert'. Vgl. Balthasar (2) 278–280.

36 Vgl. TL 246–255. „Die *Darstellung des Transzendentaliensatzes* steht... im Zenit der Balthasarschen Wahrheitsstudie" (Lochbrunner 100; vgl. 100–102; Heinz 26–28).

37 Heinz 27 drückt diese Mitte des Seinsverständnisses bei Balthasar aus: „Obwohl nicht *vor* (Einheit,) Wahrheit und Gutheit, zeigt sich die geheimnisvolle Schönheit der Liebe als das Ursprünglichste im Ursprung des Seins, als ihr grundloser Grund."

38 Vgl. H 3/1,943–957: „Das Wunder des Seins und die vierfache Differenz"; dazu Verweyen 159–206.

tät seiner ins Dasein rufenden je persönlichen Setzung alles Wirklichen erscheint alles als Ausdruck seiner freien, überfließenden Liebe. Die Wirklichkeit Gottes zeigt sich darin als unreduzierbar freier und liebender Grund aller Wirklichkeit.

In der ontologischen Differenz des dargelegten Seinsverständnisses werden die einzelnen Seienden, wird Kategorialität nicht nur zum Zeugen allgemeiner Wesenheiten, deren Form sie individualisieren, nicht nur zum Zeugen einer bloßen Seinstotalität, an der sie im Seinsakt partizipieren oder als die sich das Sein selbst in ihnen (den Seienden) auszeugt[39], sondern letztlich zum Zeugen einer freien, je konkreten Tat Gottes, der alles Seiende je persönlich zum Sein ruft: „Aus der Unendlichkeit des Möglichen, das am Seinsakt partizipieren kann, vermag nur der göttliche Intellekt die umrissenen Formen zu ‚erfinden' und zu setzen, auch wenn sie dem Akt nicht als Äußeres hinzugefügt, sondern sozusagen aus seiner (immer noch uneingeschränkten) Fülle herausgestanzt werden. ... Eben darin aber wird eine neuartige Intimität Gottes im Geschöpf klar, die erst durch die Unterscheidung von Gott und esse ermöglicht wird. Sofern die Teilgabe an der Wirklichkeit – Gottes ureigenster Prärogative – für das Geschöpf nicht als Desintegration oder als Depotenzierung des göttlich einigen Seins zu fassen ist (als was es sich außerchristlich immer gab), erscheinen auch die Wesenheiten nicht als bloße Zerlegungen mit negativem Vorzeichen, sondern können als positive Setzungen und Bestimmungen durch Gottes allvermögende Freiheit erscheinen, und deshalb in die einzige Liebe Gottes eingegründet werden. In dem, was man (mit Vorsicht, weil es um ein unlüftbares Geheimnis geht) die ‚Realdistinktion' nennen kann, betrachtet Gott sein Geschöpf mit einem freien, gleichsam stereoskopischen Blick, was zugleich heißt, daß Gott für das Geschöpf diese ganz neue Plastizität erhält: eben wenn das Geschöpf sich im Sein Gott abgerückt fühlt, weiß es sich aufs unmittelbarste von Gottes Liebe erdacht ..." (H 3/1,363f). So zeigt sich in der ästhetischen Transzendenz als letzter Tiefe des Seins nicht eine bloße Totalität im Sinne kosmischer (oder auch idealistischer) Universalität, nicht eine bloße Freiheit im Sinne eines existentialen Personalgrundes, sondern die Freiheit der überfließenden Liebe Gottes.[40] „Es waltet also im Wirklichen ein Geheimnis jenseits von Fülle und Armut, das sich durch jedes der beiden zwar richtig und doch nur unzureichend ausdrückt. Nichts ist reicher und füllehafter als das Sein in seinem unfaßlich herrlichen absoluten Sieg über das Nichts..., aber diese Fülle kann sich nur *einmal* absolut ausbreiten: in Gott; aber weil sie sich nicht gegen etwas zu behaupten hat (denn das Nichts ist Nichts), braucht sie sich auch nicht, an sich haltend, in ein Wesensgehäuse zu verschließen, um vielleicht, daraus ausbrechend, jenseits ihrer Grenzen (die sie nicht hat) sich

---

39 Wird der zuerst genannte Zusammenhang in der ontologischen Differenz verabsolutiert, so führt das zu einer rationalistischen Reduktion (vgl. H 3/1,364). Wird die zweitgenannte Seite der ontologischen Differenz verabsolutiert, so erscheint das Sein als kosmische oder idealistische Totalität, in der auch die Wirklichkeit Gottes ‚verschlungen' wird (vgl. ebd. 364f).

40 Balthasar greift somit bewußt und akzentuiert die thomanische Unterscheidung der Wirklichkeit Gottes von der Wirklichkeit des Seins auf und vertieft sie im Horizont seiner ästhetischen Ontologie und Theologie.

mitzuteilen. Vielmehr ist die Fülle als solche reine Mächtigkeit..., aus deren Mögen alles Mögbare als das Vermögliche hervorgeht, deshalb reine Freiheit, und als nicht an sich haltende (oder sich in ein ‚Wesen' zusammenraffende) Freiheit reine Schenkung und Liebe" (H 3/1,955). Das Seinsverständnis öffnet sich so zu einer vierfachen Differenz, innerhalb deren Gott und Mensch, als freier setzender Grund und verdankte Existenz, in dialogischer Beziehung gegenüberstehen.

e) „Das Wunder des Seins und die vierfache Differenz"

Wird die ontologische Differenz im Sinne der Realdistinktion von Sein und Wesen und der darin sich zeigenden ästhetischen Transzendenz des Seins verstanden, so findet sich der seinsoffene menschliche Geist in eine „vierfache Differenz" hineingestellt. „Die Schönheit des sich zeigenden Seins wird nur dann nicht verfälscht, wenn eine vierfache Differenz offen bleibt: 1. Differenz zwischen Zufälligkeit meines Ichs und der bergenden Welt (Lichtraum des Seins); 2. Differenz zwischen allem Seienden und dem Sein; 3. Differenz zwischen Wesen und Sein im Ganzen; 4. Differenz zwischen Gott und Welt..."[41] In der Tiefe aller Seinserfahrung und vor all ihrer Differenzierung steht dabei für den Menschen die Urerfahrung des Seindürfens (H 3/1,945–948.964).[42] Dieses Verdanktsein und Zugelassensein zum Sein erfährt der Mensch an sich selbst, was sich symbolisch in der frühkindlichen Beziehung zur Mutter manifestiert.[43] Er erfährt es aber auch an der freien Abkünftigkeit aller Seienden aus der überfließenden Liebe Gottes, die den Menschen umgeben und die Fülle des Seins nicht auszuschöpfen vermögen, noch in ihrer schlichten Faktizität aus der Totalität des selbst armen, weil in den Seienden „Halt suchenden" Seins als Notwendigkeiten erklärbar sind (H 3/1,948-954.964). An dieser Armut des Seins bricht aber die letzte Tiefe der Differenz, die Gegenüberständigkeit von Gott und Welt auf (H 3/1,954–957.965). Vermag die Totalität des Seins die konkrete Wirklichkeit nicht zu ‚verantworten', so muß es selbst und mit ihm die ganze geschöpfliche Wirklichkeit Halt finden in der alles tragenden Verantwortung Gottes.

In dieser Darstellung der Seinserfahrung des Menschen zeigt sich so in der Tiefe des Seins das freie Gegenüber des Menschen als verdankte Existenz und der Wirklichkeit Gottes als des freien setzenden Grundes. Weil nichts in der Wirklichkeit, nicht die einzelnen Seienden, nicht das Sein selbst, die tragende Ver-antwortung für das Zugelassensein, das der Mensch in seiner verdankten Existenz erfährt, auf sich nehmen kann, ist der Mensch auf eine tiefer gelegene Antwort verwiesen, auf die Antwort einer Freiheit, die den Dialog der Dankbarkeit und Verantwortung auf sich zu nehmen vermag. Der Mensch selbst erscheint so als dialogisch offen auf ein Du, das seine Mitwelt und Umwelt transzendiert.

[41] Schwager 7[14]; vgl. H 3/1,943–957 und zusammenfassend 964f.

[42] Vgl. Balthasar (12) 15–20.

[43] Vgl. ebd. – „Um diese vierfache Differenz offenzuhalten, beruft sich Balthasar auf die ‚Urerfahrung des Kindes' gegen die ‚Witzigung des Erwachsenseins' (H 3/1,965)" (Schwager 7[14]).

f) Heilsgeschichtliche Ausrichtung

Die Zwänge und Grenzen des menschlichen Daseins zeigen das Gegenüber von Gott und Mensch in einer geschichtlichen Offenheit. Der Mensch, der ins Dasein eintritt, erfährt zunächst die Liebe der Mutter als Sammelpunkt seiner sich ganz von ihrem Du empfangenden, geschenkten Existenz[44] und so als Spiegel menschlicher Urerfahrung des Verdanktseins. Die Erfahrung des Verdanktseins löst sich aber mit dem Heranwachsen des Menschen von dieser symbolischen Manifestation.[45] Der Mensch erkennt die Endlichkeit der Mutter und der umgebenden Seienden, die unter dem gleichen „Zugelassensein" stehen wie das Selbst. Und für den erwachsenen Menschen muß sich die Wahrheit der Urerfahrung immer mehr behaupten gegenüber den anderen andringenden Erfahrungen, den Erfahrungen von Zwängen und Notwendigkeiten, Grenzen, Leid, Schuld und Tod (H 3/1,947.964). Auch wenn das Verdanktsein das zeitweise vielleicht Verschüttete, aber Letztgültige bleibt (ebd.), erweist sich die Erfahrung der Verdanktheit im Sein in den Grenzen des menschlichen Daseins als eine unabgeschlossene Erfahrung, weil sie sich gegen die Ausgesetztheit menschlicher Existenz behaupten muß: „Könnte die alles Seiende hochüberwölbende Seinsherrlichkeit in ihrer uneinholbaren Fremde nicht auch anders verstanden werden: statt als Be-lassen doch als Ver-lassen? Wo ist Gewähr, daß das endliche Wesen in der unendlichen Gleichgültigkeit des Seins wirklich geborgen sei? Und wenn es die in der Differenz waltende unfaßliche Fremdheit erlebt und dennoch dem Umgreifenden den Vorzug gibt, muß es da nicht notwendig seine Selbstaufhebung beantragen und, soweit ihm dies anliegt, auch anstreben ...? Die ,Wahl' der Seinsdeutung ist vom Menschen her gar nicht entscheidbar, weil beide Seiten der Alternative (die einander doch ausschließen) je eine Wahrheit empfehlen. Es waltet sowohl bergende Begleitung wie unheimliche Entfremdung" (H 3/1,958).

Diese Zweideutigkeit menschlicher Seinserfahrung verweist den Menschen in die Geschichte seiner Beziehung zu Gott. Erst in der konkreten Geschichte menschlicher Existenz und der konkreten Geschichte Gottes mit dem Menschen kann sie ihre letzte Antwort finden: „Die Kunde des Seins liegt, wie gezeigt, einfältig beschlossen in der Verwunderung des ersten Augenaufschlags des Kindes zur Wirklichkeit: daß es inmitten von Seiendem sein *darf*. Dieses Dürfen ist durch keine hinzukommende Einsicht in Gesetze und innerweltliche Nezessitäten einholbar. ... Es mutet uns zu, jenseits aller Gesetze, Kategorien und Schematismen an eine umgreifende Gnade zu glauben. ... Es ist nicht schwer einzusehen, wie von diesem Urwort der Welt her absteigend die geistige Sprache sich bildet, als Zeichen des Gehörthabens jenes Verweises und als seine Anwendung auf den Raum der Geistfreiheit, der beim Sprechen sich immer mit einem Hintergrund von Gnade erschließt, während von ihm aufsteigend das Offenbarungswort Gottes sich ermög-

44 Vgl. Balthasar (12) 15f.

45 Vgl. ebd. 16f.

licht, das nun erst den *Grund* dafür offenbart, warum Sein von Gnade kündet, und woher das Seindürfen stammt" (H 3/1,963).

So versucht von Balthasar die Heilsgeschichte selbst als antwortende Selbsteröffnung Gottes auszulegen, in der Gott sich in seiner dreifaltigen Liebe erschließt, die ganz unerwartet und frei alle Verantwortung für die geschöpfliche Wirklichkeit, auch in ihrer endlichen und schuldhaften Begrenztheit, umspannt. So wird tatsächlich eine der menschlichen Verdanktheit entsprechende Freiheit als unendlich überfließende und alle „Herrlichkeit" und Bedrohung der endlichen Wirklichkeit umgreifende Liebe endgültig erfahrbar.[46]

Reflexion 3: Dialogisches Gottesverständnis

Hans Urs von Balthasar vertieft durch seine Interpretation des Seinsdenkens die personale Wende dogmatischer Denkform auf ein Verständnis hin, in dem der Mensch von der Seinsgelichtetheit seines Geistes her nicht als transzendentale Subjektivität, sondern zuerst als verdankte Existenz gedeutet wird. Balthasar holt in dieser Deutung explizit und implizit Anliegen existentialer und dialogischer Anthropologie ein: Die personale Mitte des Menschen wird über seine ‚existentiale' Seinsoffenheit auf eine dialogische Tiefe hin ausgelegt, in der der Mensch Gott als dem freien und liebenden Grund der Wirklichkeit gegenübersteht; Balthasar versteht sie als die ursprünglichste Erfahrung des Menschen im Sein.[47]

---

[46] Balthasar beschreibt eine tiefe Verwiesenheit der menschlichen Seinserfahrung auf die heilsgeschichtliche Selbstmitteilung Gottes. Die unerrechenbare Freiheit Gottes wird von ihm dabei trotz dieser Verwiesenheit in sehr drastischer Sprache deutlich gemacht: „das erste entsetzte Verwundern darüber, ‚daß ich bin'", „die hängende Schwebe der unschließbaren Differenz, an der Not wie Herrlichkeit, Armut wie Fülle der wahren Wirklichkeit haftet", „die ... Schwebe zwischen Universalität und einmaliger Personalität". „Die in der Wirklichkeit, wie sie ist, unaufhebbare Gegenseitigkeit von Vergeblichkeit und Erfolg, von Wunde und Heilung, von Opfer und Seligkeit; der tiefe Wille zu Tod und Selbstaufgabe, nicht überholbar durch den gleichzeitigen Willen zum Leben und zur Selbsterfüllung. Sosehr sind diese aus der Seinsdifferenz gewonnenen und verstandenen Anliegen des Herzens im biblischen Wort eingeborgen und für immer offen gehalten, daß der Mensch am liebsten diese Offenbarung selbst als die zentrale Projektion seines eigenen transzendierenden Herzens deuten und in Beschlag nehmen möchte. Aber das Wort Gottes verwehrt es... ... Und gerade in dieser Unerbittlichkeit liegt für ihn [den Menschen] Heil, denn so allein wird ihm eingebläut, daß ein ‚Anderer' als er selbst sich um ihn kümmert. Daß seine berühmte Sorge (für sich oder für das Sein) längst überholt ist durch die Sorge, die ein ‚Anderer' um ihn und für ihn trägt. Welche Gestalt diese Sorge annehmen wollte, liegt schlechterdings jenseits des Raumes der Metaphysik. ... Aber die Offenbarung mag noch so quer zu allem Vermutbaren liegen ..., sie muß dennoch vollendend in die Differenzen eingehen: Gotteswort muß sich in Seinswort einschreiben, Seinswort in die Wesensworte, die unter seienden Wesen als verständliche ausgetauscht werden. Damit werden die Differenzen als solche obödiential verfügbar für Gottes Offenbarung. Sie sind es, sofern die höchste Differenz (zwischen Gott und dem Sein des Seienden) nur die Schwebe zwischen Geber und Gabe ist, wobei Gabe das Gegebensein (und Empfangensein) des Gebers bedeutet" (H 3/1,960f).

[47] Vgl. Heinz 23–26.

Die Wirklichkeit Gottes wird in dieser Form personaler Wende des Denkens nicht auf die transzendentale Apriorität des Seins als den ermöglichenden Horizont menschlicher Geistigkeit, sondern auf die „unendliche Intimität" (TL 259) hin, die sich in der Seinserschlossenheit des menschlichen Geistes (in der darin aufscheinenden Realdistinktion von Sein und Wesen) zeigt, interpretiert: „. . . in der Analyse des endlichen Selbstbewußtseins [ergab sich] die Entdeckung nicht nur eines leeren, grenzenlosen Horizontes von Sein überhaupt, als eines über-kategorialen Apriori zur Ermöglichung jeder beliebigen endlichen Erkenntnis von Objekten, sondern der ausdrückliche und notwendige Schluß auf ein unendliches Bewußtsein als der Bedingung der Möglichkeit von endlichen Subjekten. ... Die unendliche Freiheit, die mit einem unendlichen Selbstbewußtsein gegeben ist, verbürgt dem unendlichen Subjekt auch eine unendliche Intimität und somit eine absolute Transzendenz gegenüber allen weltlichen Subjekten und Objekten" (TL 258f). Von der unbedingten Positivität des Seins her erschließt sich aber diese „unendliche Freiheit" in ihrer „unendlichen Intimität" gleichsam inhaltlich. Als setzender Grund alles Wirklichen hat sie sich für alles Wirkliche „positiv" entschieden. „... wenn es überhaupt endliches Sein und endliche Wahrheit gibt, [sind] diese nur möglich... auf Grund einer freien und aus keiner Notwendigkeit ableitbaren schöpferischen Tat und Äußerung Gottes" (TL 259).

Die Erfahrung der Geheimnishaftigkeit Gottes eröffnet sich damit hier nicht von einer unbestimmbaren Unbegreiflichkeit her (etwa im Sinne der allem Begreifen vorausliegenden Ermöglichung des Begreifens), sondern aufgrund der unbegreiflichen Bestimmtheit, die sich vom Wunder des faktischen Daseins der Wirklichkeit her als liebendes Ja zu jedem einzelnen Seienden zeigt. Es ist gerade diese Bestimmtheit der Freiheit des liebenden Grundes alles Wirklichen, welcher in der Deutung Balthasars zum Ausdruck des umgreifenden Geheimnisses Gottes selbst wird. Im Sinne dieser Selbstbestimmung Gottes erschließt sich das Gottesverständnis bei Balthasar aus dem Seinsverständnis als ein dialogisches Gottesverständnis. Denn dem Geheimnis dieser freien Selbstbestimmung Gottes, aufgrund dessen Gott alles Seiende schafft und bejaht, verdanken sich die gesamte Wirklichkeit und der Mensch in freier, je neuer und nur staunend hinnehmbarer Setzung. Es korrespondieren liebende Selbstbestimmung Gottes und Erfahrung unbedingter Verdanktheit des Menschen in dialogischer Bewegung.

Die Gefahr des unangemessenen kategorial-objektivierenden Verständnisses der Wirklichkeit Gottes liegt dabei schon im Rücken: „Gotteswort muß sich in Seinswort einschreiben, Seinswort in die Wesensworte, die unter seienden Wesen als verständliche ausgetauscht werden. Damit werden die Differenzen [der Seinserfahrung] als solche obödiential verfügbar für Gottes Offenbarung. Sie sind es, sofern die höchste Differenz (zwischen Gott und dem Sein des Seienden) nur die Schwebe zwischen Geber und Gabe ist, wobei Gabe das Gegebensein (und Empfangensein) des Gebers bedeutet. *Nichts Substantielles und Subsistierendes* also, sondern die strömende Fülle des Seins Gottes im Zustand ihres Gegebenseins an die endlichen Empfänger" (H 3/1, 961; Hervorhebung J. R.). Indem Balthasar die thomanische Unterscheidung der Wirklichkeit Gottes von der Wirklichkeit des Seins in seiner Deutung der Realdistinktion erschließt und im Sinne der ästhetischen Transzendenz über Thomas hinaus entfaltet, verläßt auch er eindeutig den Rahmen objektivistischer Mißverständnisse des Gottesverständnisses aus dem Seinsverständnis.

Die Geheimnishaftigkeit Gottes eröffnet sich aber hier in einer ganz anderen Weise als in der transzendentalen Überwindung des Objektivismus. In der transzendentalen Deutung schien nicht nur die objektivistische Gebundenheit des menschlichen Geistes durchbrochen, sondern zugleich die Objektivität der transzendentalen Subjektivität des Menschen so zugeordnet, daß der Selbstausdruck Gottes in der Kategorialität nur durch die menschliche Subjektivität hindurch vermittelt verstanden werden konnte. Die dialogische Deutung des Gott-Geheimnisses läßt dagegen die Erfahrung Gottes in einer neuen Weise an die kategoriale Wirklichkeit gebunden sein. Nicht daß das naturhafte Vorgegebensein objektiver Wirklichkeitsstrukturen als Ausdruck der Transzendenz verstanden wäre. Es geht vielmehr um einen positiven, von Gott frei gesetzten Ausdruck seiner selbst. Gerade die geschichtliche Konkretion jedes Seienden, insofern es in seinem faktischen Dasein ein unableitbares Zeugnis der freien Setzung durch Gott gibt, ist der Ausdrucksraum dieser Vermittlung der Wirklichkeit Gottes. Die unverfügbare Geschichtlichkeit der freien schöpferischen Setzung Gottes führt dabei in den freien Selbstausdruck Gottes in der Geschichte des Menschen selbst ein. In der Kategorialität im Sinne der letzten unreduzierbaren Konkretion jedes Seienden, das in der Unverfügbarkeit seines einfachen Daseins auftritt, und im Sinne der Geschichte als die immer neue Erfahrung des Geheimnisses dieser Konkretion, in der Gott immer neu Seiendes setzt und in der er sich schließlich seiner Schöpfung als die Liebe mitteilt, die diese Setzung auch in den Grenzen des Daseins verantwortet, wird die dialogische Begegnung mit Gott in ihrer ganzen Fülle vermittelt.

Für Hans Urs von Balthasar wird diese Erfahrung der umgreifenden Transzendenz als Geheimnis unbegreiflicher Bestimmtheit zum Ansatzpunkt einer letzten Beschreibung der Wirklichkeit Gottes als Freiheit, die sich im heilsgeschichtlichen Handeln aus dem Reichtum ihrer ewigen trinitarischen Selbstbestimmung zur Liebe ganz radikal und unbedingt für den Menschen entscheidet. Das Geheimnis der Selbstbestimmung Gottes auf den Menschen und seine Welt hin, das sich dem Menschen in der Erfahrung des Verdanktseins anfanghaft zeigt, wird erst in der heilsgeschichtlichen Konkretion in seinem Innersten, in seiner endgültigen Bestimmung erfahren. Die Selbstbestimmung Gottes zeigt sich in der heilsgeschichtlichen Vertiefung als eine Treue Gottes, die die Schöpfung und den Menschen auch in den Grenzen der Endlichkeit, des Todes, der Schuld und Entfremdung aufnimmt und hält. Diese Treue Gottes erscheint nicht mehr nur als eine Eigenschaft Gottes. Sie zeigt sich im trinitarischen Geschehen der theologisch-ästhetischen und theologisch-dramatischen Sichtweise Balthasars als die seinshafte trinitarische Gestalt Gottes selbst. Läßt die theologisch-ästhetische Sichtweise diese Gestalt Gottes in der Heilsgeschichte aufleuchten, so taucht die theologische Dramatik den Wahrnehmenden in das Ereignis dieser Liebe Gottes, in dieses ‚Sichereignen' Gottes selbst ganz ein. In der Eingeborgenheit des Menschen in diese Wirklichkeit Gottes, in welcher Gott dem Menschen seine Liebe ganz und unmittelbar zueignet, wird aber der Mensch auch sich selbst ganz zugeeignet. Seine personale Würde als unreduzierbare Verdanktheit erfährt eine endgültige Begründung, und seine geschichtlich verfaßte, individuell sich selbst aufgegebene Freiheit findet einen letzten Halt.

2. *Theologisch-ästhetische und theologisch-dramatische Entfaltung*

Die theologische Ästhetik Hans Urs von Balthasars legt im Sinne der Transparenz aller Wirklichkeit in ihrer unverfügbaren, geschichtlichen Konkretion auf die Wirklichkeit Gottes die Heilsgeschichte als eine ästhetische Gestalt aus. Im freien und unreduzierbaren Ereignis der Heilsgeschichte erschließt sich das unmittelbarste Zeugnis für die Wirklichkeit Gottes.[48] Die Gestalt der heilsgeschichtlichen Selbstoffenbarung Gottes erweist sich als eine umfassende, stimmige Struktur[49], in der auf dem Hintergrund der Transzendenzerfahrung des Menschen in der Welt die Geschichte der Gotteserfahrung Israels und der Geschichte Jesu das eigentliche Zentrum bilden[50]. Die ‚Proportionen' dieser Struktur ergeben eine Stimmigkeit[51], die Stimmigkeit läßt die subjektive und objektive Evidenz aufbrechen[52] und so die Wahrheit aufleuchten, die den Menschen in die objektive Wirklichkeit Gottes selbst hineinführt: in die Herrlichkeit seiner trinitarischen Liebe, die die Welt und den Menschen auch in Endlichkeit und Schuld umfaßt und in sich einbirgt. Weil der Mensch in diesem Hineingenommensein in die Herrlichkeit Gottes (Entrückung [H 1,118]) von der Herrlichkeit Gottes so angerührt wird (H 3/2, 363–365), daß ihm die Herrlichkeit Gottes nicht mehr nur „Gegenstand" seiner Schau, sondern „inneres Prinzip" (ebd. 372) seines eigenen Handelns wird, führt die theologische Ästhetik dabei weiter zur Theodramatik[53]: Die objektive Wirklichkeit Gottes wird im heilsgeschichtlichen Handeln der unwiderruflichen liebenden Selbstbestimmung auf den Menschen hin nicht statisch, sondern in ihrer dynamischen Ursprünglichkeit als ewige trinitarische Fülle der Liebe erfahrbar.

Balthasar gelangt so zu einer theologischen Hermeneutik[54], die in ihrer Flexibilität die Analogie von Natur und Gnade ihren Spannungen gemäß abzuschreiten versucht. Durch die nahe Verwandtschaft der (metaphysischen) Transzendenz des Schönen zur (personalen) Transzendenz der Liebe kann er eine letzte Einheit der Seinserfahrung mit der Erfahrung der heilsgeschichtlich personalen Liebe Gottes deutlich machen. *„Sein als Liebe. Sein und Liebe*

48 Vgl. H 1,411: „Die objektive Evidenz" und ebd. 413–505.

49 Heinz 39 vergleicht die theologische Ästhetik Balthasars mit einer strukturalen Hermeneutik (im Sinne H. Rombachs). Dabei betont er im Versuch, die genuine, aufgrund der dezidiert theologisch ansetzenden und reflektierenden Vorgangsweise Balthasars nur sehr schwer mit philosophischer und geisteswissenschaftlicher Methodik vergleichbare Erkenntnishaltung der theologischen Ästhetik zu charakterisieren, daß die theologisch-ästhetische Betrachtung gegenüber der konkreten geschichtlichen Wirklichkeit der Offenbarung – aber auch des Menschen – keine formale Abstraktion darstellt. In einer solchen könnte Gottes Wirklichkeit nie erkannt werden. Denn auf welchem Hintergrund sollte man die Unüberschaubarkeit seiner Tiefe abstrahieren? In der Erkenntnishaltung Balthasars sieht Heinz nur eine gleichsam phänomenologische Einklammerung gegeben, die den universalen „Eidos" dieser Strukturen erhellen soll (vgl. 29–40, bes. 39f).

50 Vgl. H 1, 413–417 und 445–505: „Christus die Mitte der Offenbarungsgestalt".

51 Vgl. Lochbrunner 189; Schwager 8.

52 Vgl. H 1,110–120.

53 „Mitten in der Ästhetik hat also die ‚theologische Dramatik' schon begonnen" (TD 1,15; vgl. Schwager 9).

54 Vgl. Eicher (4) 294f.

sind koextensiv."[55] Dabei wird der „Liebesbegriff... [zum] Verbindungsglied innerhalb der Trilogie. Die Liebe wird zum *Konvergenzpunkt,* auf den hin Balthasar den Seinsbegriff, den Schönheitsbegriff und die Herrlichkeitschiffre, aber auch den Freiheitsbegriff ausrichtet. Um die Liebe zentriert Balthasar sein gesamtes theologisches Werk."[56] In der theologisch-ästhetischen und theologisch-dramatischen Entfaltung dieses Konvergenzpunktes öffnet sich die Denkform kath. Seinsdenkens zu einer letzten christozentrischen Wende der Analogie.[57]

Im folgenden geht die Untersuchung der theologischen Ästhetik Balthasars in das Zentrum nach, wobei die differenzierte Stufung der Wahrnehmung nur angedeutet werden kann, um vom Zielpunkt der Heilsgeschichte im Ereignis Jesu Christi aus den Ansatz der Theodramatik in den Blick zu bekommen.

a) Gott als universal verantwortende trinitarische Liebe

In seiner Darstellung der Entwicklung des Mythos, der Philosophie und der Religion der Antike zu Beginn des dritten Bandes der theologischen Ästhetik (H 3/1,43–281) reflektiert Balthasar eine Zweideutigkeit der vorchristlichen Transzendenzerfahrung des Abendlandes[58], welche die Unsicherheit und Offenheit menschlicher Seinserfahrung, wie sie am Ende der Überlegungen zur metaphysischen Grundlegung des Denkens Balthasars deutlich wurde, widerspiegelt. Sie findet einen Ausdruck darin, daß die Geschichte des griechischen Mythos in die Dichtung der Tragödie mündet, in der auch das „Licht" der Götter umgeben ist von der Unberechenbarkeit der Moira[59], und daß die antike Philosophie nur mühsam die Unverfügbarkeit der Transzendenz in ihrem Denken zu bewahren vermag[60].

In der Erfahrung Israels wird diese Zweideutigkeit von Gott her ein erstes Mal aufgebrochen.[61] Dieser geschichtliche Durchbruch Gottes selbst zum Menschen hin wird für Israel erfahrbar in der „Kabod Jahwe" (H 3/2,1, 31–36), der Erfahrung einer personalen Transzendenz in einer Nähe Gottes (ebd. 49–68: „Das göttliche

---

55 Lochbrunner 112; vgl. Balthasar (12) 17.

56 Lochbrunner 245.

57 Vgl. Heinz 9–11.

58 Vgl. Balthasar (10) 30.

59 H 3/1,143 beschreibt diese Entwicklung zusammenfassend: „Die Welt des Mythos war grundsätzlich dialogisch: vom Personal-Göttlichen strahlt Herrlichkeit auf den Menschen, der sein zeitliches Dasein in diesem Licht auszulegen wagt. ... Die Tragik der griechischen Kunst war, daß das Herz immer übermenschlichere Anstrengungen machen mußte, um seine äußersten Situationen jedesmal noch als vom göttlichen Licht umgriffen zu verstehen – auch dort, wo dieses Licht sich als Gottesnacht offenbarte – bis zuletzt die menschliche Herzkraft das Übergewicht über die Kraft der Götter erhielt und seine Liebe sich nun wirklich in der Weise verhält wie Rilke es fordert (bei dem ja auch der Mensch über den ‚Engel' emporwächst): daß Liebe sich als Herzstrahl ohne Gegenüber ins Unendliche verstrahle und dabei vielleicht den Gott erschüfe, ‚der uns am Ende erhört'."

60 Vgl. H 3/1,201–210.211–219. Über das Werk Vergils und Plotins kann Balthasar aber auch deutlich machen, „daß die antike ‚Theo-philosophie' (H 3/1,376) ‚den Mythos zwar überholt, aber nicht innerlich aufgehoben' (H 1,489) hat. Daher konnte von der antiken Philosophie her das Licht des Seins und des Geistes in die Geschichte des Abendlandes weiterstrahlen" (Heinz 46; vgl. 44–46).

61 Vgl. Heinz 122–129.

Ich"), die das Volk unmittelbar anspricht und zur freien Annahme ruft[62] und die das Volk durch seine Geschichte hindurch in verschiedener Gestalt begleitet. Aber dieser Durchbruch trägt noch nicht bis zur Endgültigkeit. Er läßt vielmehr auf seine Weise eine neue Zweideutigkeit deutlich werden: die Unfähigkeit des Menschen, der Erfahrung Gottes zu entsprechen, wenn dieser sich selbst erschließt; oder genauer: das Scheitern des Menschen an Gott selbst (ebd. 199–203).[63] Der immer ungreifbarer werdenden „Kabod Jahwe", dem immer tiefer werdenden Schweigen Gottes in der Geschichte Israels[64] korrespondiert die immer deutlicher werdende Tatsache, daß Israel von sich aus den Bund mit Gott nicht zu halten vermag. Die Geschichte Israels endet in der „leeren Zeit" (H 3/2,1, 337) nach dem Exil[65], in der schwebenden Ungewißheit über das Leben nach dem Tod[66], im Ringen um das lebendige Wort Gottes (ebd. 346–357). Auch die „drei Ausgriffe des Judaismus nach der fehlenden Herrlichkeit Gottes" – „das Bild des kommenden Messias", „die Apokalyptik" und „die ‚Weisheitslehre" (H 3/2,2, 34; vgl. H 3/2,1, 280–336) –

---

[62] Balthasar versucht diese Erfahrung Gottes in Analogie zu der „Ausstrahlung" zu fassen, die auch dem Menschen in der Begegnung mit anderen eignet: „Im menschlichen Bereich besagt kabod ‚die ausstrahlende und so Erscheinung werdende ‚Wucht' oder Mächtigkeit eines Wesens' [Anm. 2: M. Buber: Königtum Gottes, 1936², 234. Anm. 17]. ... Zuletzt wird jedoch nicht nur die geheimnisvolle Ausstrahlung nach außen, sondern das ‚Strahlenzentrum' des Menschen selbst, sein Ich in seiner ‚Ansehnlichkeit' für sich selbst und für andere mit kabod bezeichnet... Wird man in Analogie dazu auch von einem kabod Gottes sprechen können, sofern auch er in einer unvergleichlichen und doch vergleichbaren Weise sein ‚Ich' mit seiner ‚Wucht' und bannenden Gewichtigkeit den Menschen gegenüber vorstellt und hinsetzt? ... Die Theophanien, deren wichtigste am Sinai statthat, wollen als überwältigende Vergegenwärtigungen des lebendigen Gottes verstanden sein, und zwar einerseits so, daß die sinnliche Sphäre, die wesenhaft zum Menschen gehört, mit in Anspruch genommen wird, daß es also zu einem äußerlichen ‚Sehen' und ‚Hören' Gottes kommt, anderseits aber der angegangene Mensch klar versteht, daß die sinnliche Manifestation die Anzeige – gleichsam das Signal und Symbol – für das Hiersein der absoluten, geistigen und unsichtbaren Mächtigkeit ist, vergleichbar der Art, wie ein Mensch sein Gegenüber fixiert, ehe er mit ihm zu sprechen beginnt" (H 3/2,1,32–34).

[63] Heinz 127 formuliert: „Israel ist letztlich nicht an seiner Sündigkeit, auch nicht an der Endlichkeit des Daseins, sondern an Gott gescheitert; an seiner Überforderung durch Gott."

[64] Der Begriff der Herrlichkeit „erleidet" so im Alten Bund ein „inneres Gefälle" (vgl. H 3/2,2, 22).

[65] „Der Rest Israels muß in dieser langen Zeit eine wichtige und sehr schwere Erfahrung machen: die von Gottes Freiheit, zu reden oder zu schweigen, zu handeln oder zu ruhen. Im Sinn der Epoche zwischen dem Exodus und dem Untergang der Heiligen Stadt redet und handelt Gott nicht mehr" (H 3/2,1, 337).

[66] „Die Diskrepanz zwischen Anforderung und Wirklichkeit ist nicht zu bewältigen. ... Israel und in ihm die Menschheit mußten ihrer Endlichkeit überführt werden: Nicht nur die Grenze des Todes darf nicht überschritten werden – bezeichnenderweise hat keine andere Kultur eine so negativ-trostlose Vorstellung vom ‚Jenseits' wie Israel –, es ist Israel nicht nur verwehrt, nach einer Ganzheit in einem Jenseits Ausschau zu halten, auch der Abgrund des Versagens vor der Überforderung Gottes muß offenbar werden; Sünde, Tod, Sheol melden ihre gott-lose Herrschaft über den vergänglichen und sich vergehenden Menschen an" (Heinz 126).

können nicht verbergen, daß am Ende des Alten Bundes, ähnlich und doch in anderer Weise als in der nichtjüdischen Antike[67], eine Zweideutigkeit steht: „Die Geschichte des Bundes aber erwies, daß das erwählte Volk nicht fähig war, im Bereich der absoluten Liebe zu existieren..." (H 3/2,1, 383).[68]

Die neuerliche Zweideutigkeit am Ende des Alten Bundes wird von Gott her ein zweites Mal durchbrochen in Jesus Christus. Die theologisch-ästhetische Wahrnehmung der heilsgeschichtlichen Offenbarung Gottes nimmt in ihrem Zentrum den Menschen Jesus wahr (H 3/2,2, 48–68: „Auftreten Jesu"). Jesus vertritt einen Anspruch, der im Horizont der alttestamentlichen Gotteserfahrung den personalen Anspruch Gottes, die alttestamentliche „Kabod Jahwe", die seit dem Exil wie zurückgenommen war, in einer neuen Wucht erfahrbar werden läßt.[69] Doch trägt dieser Anspruch in Jesus eine eigentümliche Struktur. In der „Wucht" des Anspruchs Jesu signalisiert sich die Tiefe der Nähe Gottes, des Durchbruchs zum Menschen, mächtiger noch als in der alttestamentlichen Kabod, an die sie anschließt (ebd. 105–118). Aber diese Tiefe zeigt in Jesus zugleich eine eigene neue Gestalt. Sie ist eingefaßt in eine Armut Jesu, die sich – trotz der Wucht des Anspruchs Jesu – als Solidarität mit der Armut der Menschen (alttestamentlich: Anawim) und zugleich als Machtlosigkeit gegenüber der Freiheit der Menschen, in beidem als völlige Angewiesenheit auf Gott, auslegt (ebd. 118–130). Anspruch und Armut stehen in Jesus über Kreuz, und sie ergeben in ihm die höchste Offenheit, die Balthasar mit dem Wort „Überlassung" kennzeichnet und die sich sowohl in die Vertikale (Gott gegenüber, vor allem und zuerst) und in die Horizontale (den Menschen gegenüber) erstreckt (ebd. 130–149).[70]

---

[67] Der Unterschied zur nichtjüdischen Antike liegt für Balthasar darin, daß „das Maß des absoluten Leidens ... nicht an der Leidensfähigkeit des menschlichen Herzens (das mit ihr über die Götter hinauswächst) [abgelesen wird], sondern an der Wirklichkeit, die durch die Abwendung des lebendigen Gottes gesetzt wird" (H 3/2,1, 259).

[68] In dieser Zweideutigkeit „eignet [dem Alten Bund] eine ihm eigentümliche Dialektik von Gestalthaftigkeit und Gestaltlosigkeit. ... Der alte Bund ist ... *nachweislich* eine *in sich* unlesbare Figur, da sie den Schlüssel zu ihrer Lesbarkeit nicht in sich selber hat, eine Gestalt ohne eine auszumachende Mitte, ohne ein auszumachendes Ziel, eine Gestalt, die sich transzendieren muß, um zu sich selber kommen zu können. ... Erst Christus als der Erfüller der Geschichte Gottes mit den Menschen bringt diese Geschichte zum Ende" (Heinz 128f). Allerdings: „Diese ganze Überlegung wird einzig aus der Rückschau vom Neuen Bund her möglich. Vom Alten her konvergieren die Linien gerade nicht" (H 3/2,2, 32).

[69] „Das ganze Triptychon des Auftretens [= Taufe, Jugend, Versuchung] steht unter einer drängenden Wucht des Geschehenmüssens, worin unmittelbar göttlicher, sich durchsetzender Wille, treibender ‚Geist' und menschlich getriebener Gehorsam ... überall spürbar sind. Aber diese vorantreibende Wucht ist dadurch ausgezeichnet, daß sie sich in allen drei Teilen als die Rekapitulation der neu in Fluß gekommenen Heilsgeschichte verstehen läßt, also keineswegs bloß mühelos ablösend übernimmt, was bis zum Erfüller der Zeiten herabgetragen ward, sondern in einer Gegenwucht in das Zu-Erfüllende zurückdrängt und bis in die Ursprünge hinab sich die gesamte ‚Verheißung' auflädt, um sie von unten und innen – und keineswegs nur von oben, wie der Täufer es wohl erwartet hatte – zur ‚Erfüllung' zu bringen" (H 3/2,2, 49).

[70] Balthasar leitet von hier über zum Zentralpunkt seiner theologischen Ästhetik: „Jetzt

Die „Wucht" des Kreuzpunktes von Jesu Anspruch und armer Überlassung – und mit ihr ihre theologisch-ästhetische Wahrnehmung – kommt zu ihrer letzten Tiefe am Kreuz selbst[71] und im Geschehen des Karsamstags[72]. Das kreuzende Zugleich von Anspruch und Armut wächst sich aus zum Hiatus von Tod und Leben, von tiefster Gottüberlassenheit Jesu und höchster, erlittener Gottesferne durch die Miterfahrung der Dunkelheit nicht selbst begangener Sünde im „Abstieg zur Hölle". „Von Anfang an wiesen alle unsere Wege auf dieses Ziel: den Hiatus des Kreuzes und die Auslotung dieses Hiatus im Aufklaffen der Hölle" (H 3/2,2, 187). Daß in der Dreiheit von Anspruch–Armut–Überlassung „die Voll-Macht von Gott her sich streng im Raum der Macht-losigkeit und noch radikaler in der Übergabe der Gesamtexistenz (mitsamt ihrem Tod) in die gestaltende Verfügung Gottes auswirken sollte", „war so sehr die Grundverfassung des Daseins Jesu, daß die Form seiner Dauer dadurch bestimmt wurde: sie konnte nur Existenz auf die Stunde des absoluten Auftrags – des Todes – sein; auf sie zu (ja geradezu von ihr her) lebend erhielt ihr jeweiliger Augenblick seinen Sinn" (ebd.). „... erst am Kreuz vollendet sich wirklich das Paradox, daß der bevollmächtigte Sohn, den Gott als sein Wort ins Fleisch schickt, dort, wo es ganz mit dem ‚Sündenfleisch' (Rö 8,3) identisch wird, aufhört, Wort zu sein, um nur noch Raum zu sein für den aufprallenden Willen des Vaters" (ebd. 195). Im „Solidarischwerden mit den Sündern in ihrem äußersten Zustand vollzieht aber Jesus bis ans Ende den Heilswillen des Vaters" (ebd. 213). Dem wahrnehmenden Blick der theologischen Ästhetik öffnet sich im Auseinanderklaffen dieser Dimensionen im Innenraum der Tat und des Erleidens Jesu die Göttlichkeit Jesu und in ihr der trinitarische Reichtum Gottes.[73] Zugleich wird diese innerste Gestalt Jesu wortlose Tat und wortloses Erleiden, über allen Anspruch und alle Verkündigung hinaus die schweigende Mitte[74], der die Auswortung im Leben Jesu und im Zeugnis der Schrift nur verweisend dient[75] – das Schweigen des Karsamstags.

Um der theologisch-ästhetischen Wahrnehmung in diese Mitte zu folgen, muß das Besondere der Bedeutung des Karsamstags neben dem Karfreitag im Sinne Balthasars gesehen werden.[76] Es gibt eine Kontinuität und innere Gleichzeitigkeit von Jesu Tod, Höllenabstieg und Auferstehung.[77] Für Balthasar ist aber die Besonderung des Höllenabstiegs Jesu Christi deshalb so wichtig, weil erst in ihm die ästhetisch-theologische Struktur in ihren entscheiden-

gilt es zu sehen, wie Jesus seinen Anspruch und Auftrag in der Armut (oder im Gehorsam) so ausführt, daß er sein gesamtes gestaltloses und damit wortloses Dasein (als ‚Fleisch') in einer äußersten Gebärde dahingegeben sein läßt, um es als ganzes ... zu etwas in Gottes Hand zum ‚Wort Gottes' Formbarem zu machen" (ebd. 135f).

71 Vgl. ebd. 187–217: „Die Wucht des Kreuzes"; 187–196: „Der Anprall"; 196–211: „Kenose".

72 Vgl. ebd. 211–217: „Hölle".

73 Vgl. Heinz 101–105: „Die Miterschließung von Vater und Geist in der Selbsterschließung Jesu Christi".

74 Vgl. H 3/2,2, 69–81: „Nichtwort als Mitte des Wortes".

75 Vgl. ebd. 104–147: „Rückauswortung".

76 Vgl. Heinz 87f.167–193.

77 Vgl. H 3/2,2, 211, Johannes und Paulus deutend.

den Hiatus kommt.[78] Jesu Übernahme des Todes am Karfreitag bedeutet nicht nur die Übernahme des bloßen menschlichen Schicksals, sosehr diese eine Rolle zur Deutung der Tat und des Leidens Jesu spielt.[79] Aber erst in der Vollendung der Kenose Jesu bis zur Gemeinschaft mit den Sündern am Karsamstag, in der aus eigener Freiheit miterfahrenen Gottesferne ihrer freien Gottesentfremdung[80] zeigt sich Gottes Solidarität mit dem Menschen in ihrer letzten Konsequenz: „Jesu Erfahrung der Hölle bedeutet... nicht fixierte Rebellion (dann wäre er ein Verdammter), wohl aber Erfahrung des Widergöttlichen und der zeit-losen Trennung von Gott, der Sünde an sich – dies meint: Der Erlöser erfährt... nicht bloß die faktisch begangenen, sondern auch die ‚nur' möglichen Sünden, eben die ‚Sünde an sich'. Solche Höllenerfahrung kann aber für B[althasar] kein Tun mehr sein als aktives Absteigen oder gar siegreiches Niederwerfen, sondern sie ist ein Sein-bei-den-Toten, das sich aber dadurch auszeichnet und einzig ist, daß es ein *Mitsein* bedeutet, nicht als subjektive Erfahrung, sondern als ein objektives, passives Mit-einsam-sein."[81] In dieser letzten Konsequenz zeigt sich der Durchbruch Gottes zum Menschen und zur Schöpfung in seiner ganzen Fülle: Eine Verantwortung Gottes für sein Geschöpf, der auch in der Freiheitsentscheidung des Menschen zur Gottesentfremdung in seiner Liebe bis zum Äußersten geht und seine Solidarität nicht aufkündigt; eine Verantwortung Gottes für seine Schöpfung, in der die Schwebe der vierfachen Differenz des Seins ihren letzten und eigentlichen Stand gewinnen kann. „,... wie die schaffende und erwählende Liebe Gottes grundlos ist, so ist es auch die Sünde, der Haß der Welt (Joh 15,25). Der Abgrund der unbegründbaren Liebe aber hat sich in den Abgrund des sinnlosen Hasses verborgen" (H 3/2,2, 194). H. Heinz fügt diesem Satz Balthasars hinzu: „,... und [er hat] damit diesen [den Abgrund des Hasses] in sich eingeborgen."[82]

In diesem Hiatus wird dem Menschen die Wirklichkeit Gottes in ihrer ganzen Weite erfahrbar: *als sich in allem auf den Menschen und die Schöpfung hin bestimmende Freiheit und darin im ursprünglichen Sinn ganzer Hingabe als Liebe.* Balthasar faßt „das Leben Jesu, das im Kreuz kulminiert, als Sich-ereignen der trinitarischen, innergöttlichen Dramatik auf, als ein Sich-ereignen der Trinität *in* diesem Weg Jesu. Dieses Sich-ereignen ist ein Geschehen der Trinität selbst und nicht nur Offenbarung im Sinne der Kundgabe oder Bezeugung eines anderswo, im Himmel, wirklich Geschehenen, es ist vielmehr das Sich-ereignen und -zueignen der innertrinitarischen Liebe selber. Im andern seiner selbst, in seinem Gegenteil sogar: der Gottverlassenheit geschieht der Erweis, wie Gott außerhalb Gottes Gott sein kann."[83] Jesu Abstieg zur Hölle bezeugt dabei das Äußerste: Er wird verstehbar als Hineinnahme der Entfremdung durch Gott in sein Selbst, einer Zerrissenheit, die Gott um der Gemeinschaft mit dem Sünder willen in sich selbst erfährt. Der Vater entläßt den Sohn in die Entfremdung der Gottesferne der Sünde, erträgt diese Entfremdung. Der Sohn setzt sich der Miterfahrung der Dunkelheit der Entfremdung vom Vater aus (die horizontale Linie der „Überlassung" Jesu), obwohl er selbst ganz dem Vater überlassen bleibt und aus dieser Überlassenheit einzig leben kann (vertikale Linie); obwohl ihm selbst die Sünde fremd ist, muß er die Dunkelheit dieser

78 Vgl. Heinz 183–188.
79 Vgl. ebd. 182f.
80 Vgl. ebd. 184.
81 Ebd.
82 Heinz 185.
83 Ebd. 195; vgl. H 3/2,2, 197f.

Entfremdung durchstehen als Erfahrung einer vom Vater selbst frei gewollten Verlassenheit trotz seiner Überlassung.[84] Daß dieser Hiatus umgriffen ist vom Band der Liebe Gottes, dem Heiligen Geist (H 3/2,2, 198), daß Gott in dieser Liebe sich nicht scheut, dem Menschen auch als Sünder einen Platz in ihrem Raum zu erschließen und somit seine Verantwortung für seine Schöpfung und den freien Menschen radikal einzulösen, eine Antwort zu geben auf die Frage in der Erfahrung des Verdanktseins, die sich dem Menschen gegenüber den Grenzen und Zwängen des Daseins aufgibt, das ist der unbegreifbar „herrliche" Gehalt dieser unfaßbaren „Übergestalt" (H 1,416; 3/2,2, 75)[85], in der Gott selbst als Gerechtfertigter den Menschen rechtfertigt (H 3/2,2, 294f). „... der Sohn ist ... der Komparativ der Liebe des Vaters, welche im Sohn über den Sohn hinausreicht. Damit aber zeigt Gott das grundlose Umsonst seiner Selbst-Mitteilung; denn welchen Grund sollte Gott zu solcher Verkehrung haben, wenn nicht die Grundlosigkeit seiner Liebe, jenseits allen seinshaften Zwangs und aller anthropologischen Nützlichkeit der Erlösung? Gerade diese Freiheit, im Gegenteil seiner selbst, in der Nacht der Hölle, noch er selber zu sein und dadurch den Abgrund allen Hasses in den tieferen Abgrund seiner Liebe hineinholen zu können und zu wollen, kann nur noch als göttlich-herrliche Liebe verstanden werden. Daß Gott *in sich* Liebe ist, ist seine – freilich gerade freie – Liebe *zur Welt*."[86]

b) Der Mensch im Raum der trinitarischen Liebe Gottes

In der metaphysischen Grundlegung erschien die ganze Wirklichkeit in ihrem unreduzierbaren Dasein als das Zeugnis eines freien Ja Gottes. In der Heilsgeschichte zeigt sich dieses Ja nun vertieft und erst recht eröffnet, auch in den Erfahrungen geschöpflicher Endlichkeit und Schuld. Die Erfahrung der Liebe Gottes bricht in der freien, heilsgeschichtlichen Bestimmung Gottes für den Menschen in ihrer ganzen Fülle auf.[87] Balthasars Ästhetik erreicht hier den Punkt der paulinischen Rechtfertigungslehre (H 3/2,2, 277), die Balthasar in ihrer theologisch-ästhetischen und schließlich dramatischen Struktur beschreibt.

Die theologische Ästhetik gelangt in der Wahrnehmung des Ereignisses Jesu Christi in ihre Mitte. Im Kreuzesgeschehen des Karfreitags und im Karsamstag ist dem Menschen die überfließende Liebe Gottes als trinitarische Liebe erfahrbar. Mitten in dieser Mitteilung der Liebe kommt aber der Mensch zu sich selbst: Indem

84 Vgl. Heinz 194–197: „Kenosis als trinitarisches Geschehen".

85 Vgl. Heinz 168. „Balthasar betont selber, daß alle gestalthaften Bilder des Alten Testaments auf einen Punkt hin konvergieren, den Tod Christi, der selber gestaltlos ist. Gerade im Zerbrechen der menschlichen Gestalt kann aber die ‚Übergestalt' der trinitarischen Liebe aufleuchten, die eine ‚unbegreifliche Gestaltungsmacht' besitzt" (Schwager 8).

86 Heinz 198f.

87 Lochbrunner 164 beschreibt diesen ‚Verlauf' der Analogie von der natürlichen Transzendenzerfahrung zur heilsgeschichtlichen Gotteserfahrung in der theologisch-ästhetischen Sichtweise Balthasars: „Das Sachwort Schönheit ‚kehrt sich' im Verlauf der theologischen Ästhetik ‚um' in das Personalwort Liebe. Herrlichkeit, in der die Konnotation der Schönheit mitschwingt, ist letztlich *trinitarische Liebe*."

Gott sich im Menschen Jesus auslegt und mitteilt und so die menschliche Wirklichkeit in sich hineinnimmt, indem er die Verantwortung für seine Schöpfung übernimmt, ihre physische Endlichkeit und menschliche Armut bis hin zum freien Widerspruch des Menschen gegen Gott in der Sünde in sich einbirgt, bekommt der Mensch einen ‚Ort' im trinitarischen Geheimnis Gottes, in der trinitarischen Liebe Gottes: „Die Vollendung des Bundes und damit die volle Entsprechung wird nur möglich, indem die immanente Trinität zur ökonomischen wird: indem deshalb die seinshafte Bezüglichkeit der alttestamentlichen Gerechtigkeit (sedek) sich überschwenglich vertieft zu einer Mitteilung an das Geschöpf der innergöttlichen seinshaften Bezüglichkeit des dreieinigen Lebens. Denn in Gott ist die Beziehung von Vater und Sohn im Geist Gottes sein Sein selbst. Wenn – durch den kenotischen Gehorsam des Sohnes bis zum Aushauchen seines Geistes – der Glaube Zugang erhält bis zu einem Mitgeborenwerden mit dem Sohn aus dem Vater und einer Mitteilnahme am Geist von Vater und Sohn (Rö 8,9f), dann erhebt die Gnade auch über den Gegensatz zwischen Relation und Sein. Die Bedingung für dieses Unerhörte ist, daß es sich im Schreiten – nämlich im Mitabschreiten des Weges des Sohnes – ereigne: bestätigt uns der Geist im Abba-Ruf, daß wir Kinder des Vaters und Miterben des Sohnes sind, so gilt es bloß, ‚an seinen Leiden teilzuhaben, um mit ihm auch verherrlicht zu werden' (Rö 8,15ff)" (H 3/2,2, 289f). So gelangt der Mensch über sich selbst hinaus (Balthasar nennt dies innerhalb der Ästhetik die „Entrückung"), indem er selber zum Ort der Liebe Gottes wird, von Gott befähigt, diese Liebe zu übernehmen: „...‚Entrückung' muß neutestamentlich verstanden werden als das Eingeholtwerden des Menschen durch Gottes Herrlichkeit – seine Liebe –, so daß er kein Zuschauer bleibt, sondern ein Mittäter der Herrlichkeit wird. Aus der Entfremdung der Sünde zurückgebracht, kommt der Mensch in solcher Entrückung zugleich zu Gott und zu sich selbst. Zugleich in seine (ihm allein unerreichbare) Tiefe und in die wahre (nur in Christus durchzustehende) Mitmenschlichkeit. ... Wo der Mensch durch Gottes transzendente Liebe so ‚enteignet' ist, daß er selbst zu echter Transzendenz ermächtigt wird, gewinnt er Zugang zu seiner Eigentlichkeit, die ihm immer schon zugedacht war" (ebd. 26).[88]

Die Herrlichkeit Gottes kommt somit erst darin in ihre Fülle, daß sie durch den Menschen hindurchgeht und in ihm das Wunder der die Liebe Gottes nachahmenden Liebe wirkt.[89] Dem Menschen wird diese Liebe aber letztlich nur möglich aus der eigenen Übernahme der im Christusereignis zugänglich gewordenen trinitarischen Liebe Gottes. Der Mensch darf darin seine Liebe verstehen und leben als die Verherrlichung Gottes. Das Tun des Menschen hat die Herrlichkeit Gottes, die als

---

88 Damit ist im Grunde das Geschehen der Gnade ausgedrückt (vgl. H 3/2,2, 286–290).

89 Insofern ist die Frage nach dem Ziel der Schöpfung (Inkarnation oder Kreuz?) überholt: Gottes Liebe hat kein abgrenzbares Ziel. Sie ist nicht im Sinne des Mythos der Emanation zu verstehen, die ihr Ziel erreicht, wenn sie bis in die äußerste Entfremdung gegangen ist. Gottes dreifaltige Liebe ist zwar im Höllenabstieg Jesu in ihrer ganzen Tiefe erfahrbar, aber sie geht darin nicht auf (vgl. Heinz 154–158).

trinitarische Liebe erfahrbar wurde, „nicht mehr nur zum Gegenstand ..., sondern zu ihrem innern Prinzip“ (H 3/2,2, 372).

c) Das heilsgeschichtliche Handeln als unbedingte Selbstbestimmung Gottes zur Liebe

Balthasar ‚nutzt‘ die Doppelseitigkeit der Ästhetik, in der der wahrnehmende Mensch durch die heilsgeschichtliche Offenbarung zum „Mittäter der Herrlichkeit“ (H 3/2,2, 26) wird, um die personale Wirklichkeit der den Menschen verändernden Liebe Gottes in ihrer ganzen, dynamisch-begegnenden, objektiven Fülle darzustellen.[90] Die theologische Ästhetik schreitet zur theologischen Dramatik fort (H 3/2,1, 18; TD 1,15).[91] Und die existential-dialogische Offenheit des Menschen als verdankte Existenz für Gott zeigt sich umgriffen von dem vorgängigen Sichöffnen Gottes, in dem die heilsgeschichtliche Vertiefung der Selbstbestimmung Gottes in ihrer ganzen Ursprünglichkeit erfahrbar wird: in ihrem dramatischen Vollzug. Das Verständnis der Wirklichkeit Gottes als sich selbst bestimmende Freiheit vertieft sich darin zur dramatischen Auslegung der Trinität als das kenotische Geschehen.[92]

In der theologischen Dramatik greift Hans Urs von Balthasar das Zugleich der „Kenosis als Geschehen und Selbsterschließung der Trinität“[93] und das „Eingeholtwerden des Menschen durch Gottes Herrlichkeit – seine Liebe“ (H 3/2,2, 26), wie es die theologische Ästhetik im Ereignis des Karsamstag erschlossen hatte, in dramatischer und dynamischer Ursprünglichkeit vertiefend auf. Auch in der Mitte der Dramatik steht der Karsamstag, als „Unterwanderung der Weltsünde“[94]. „Die theodramatische Handlung umfaßt grundsätzlich die ganze Menschheitsgeschichte, sie wird aber nur in der Geschichte Israels, im Geschick Jesu und im Leben der Kirche theologisch faßbar. Das Zentrum der Handlung fällt selbstverständlich mit dem Part des zentralen Spielers zusammen. Balthasar hebt aber in der Sendung Jesu sein öffentliches Wirken nochmals deutlich von seiner ‚Stunde‘, dem ‚triduum mortis‘, ab. Die ‚Stunde‘ ist der Höhepunkt seiner Sendung. In ihr bekommt die Zeit einen ganz neuen Charakter, denn Jesu eigene Zeit wird am Kreuz und im Abstieg zur Hölle (‚psychologisch‘) zeitlos.“[95] Dabei deutet Balthasar das Erlösungsgeschehen in der Theodramatik konzentriert: Er hält „aus der Theologiegeschichte ... fünf Motive fest, an denen sich jedes theologische Denken zu orientieren

---

[90] Die ‚Objektivität‘ Gottes wird gerade in dieser mitreißenden Fülle der Liebe Gottes erfahren. Die Liebe Gottes „ist ... kein Gegenstand, der unbeteiligt kontempliert (und darin ‚objektiviert‘) werden könnte; sie wird als das, was sie ist, nur erblickt im Ergriffensein von ihr“ (H 3/2,2, 271). Im heilsgeschichtlichen *Handeln* Gottes drückt sich die Dynamik dieses Geschehens am unmittelbarsten aus.

[91] Vgl. Schwager 9; Lochbrunner 204–208.

[92] Vgl. Heinz 194–197: „Kenosis als trinitarisches Geschehen“; Schwager 22–27: „Dramatik als Unterwanderung der Weltsünde“.

[93] Heinz 194.

[94] Schwager 22.

[95] Ebd. 22f. Schwager bezieht sich hier auf: TD 2/2,100f; TD 3,215–219; TD 4,88–90.222–226. Als Parallele aus der Theologischen Ästhetik: H 3/2,2, 150–161.

hat, wenn es die ‚Stunde' Jesu ... richtig verstehen will"[96]: „1. die Dahingabe des Sohnes durch Gott den Vater für die Rettung der Welt, 2. den ‚Platztausch' zwischen dem Sündelosen und den Sündern (von den Kirchenvätern prinzipiell radikal verstanden, aber erst in den modernen Variationen der Stellvertretungstheorien ganz durchgeführt), 3. die daraus folgende Freisetzung des Menschen (Loskauf, Er-lösung), aber 4. darüberhinaus seine Einführung in das göttliche, trinitarische Leben, so daß 5. das Ganze als eine durchgeführte Initiative der göttlichen Liebe erscheint" (TD 3,295). Für Balthasar sammeln sich nun alle diese Motive und somit das richtige Verständnis der heilsgeschichtlichen Dramatik in ihrem Höhepunkt erst, wenn die in diesem Geschehen sich eröffnende Wirklichkeit der Trinität selbst als dessen umfassender Grund und Horizont verstanden ist: „... die Trinität ist nach Balthasar der einzig legitime Deutungsrahmen für das Kreuzesgeschehen. ... Er versteht [deshalb] nicht bloß die Schöpfung und die Menschwerdung, sondern schon die ewige Zeugung des Sohnes als eine Art Kenose, als Urkenose, durch die jener Raum eröffnet wird, der jedes mögliche Drama zwischen Gott und Welt umschließt."[97]

In dieser Konzentration erscheint aber die Einbergung des Menschen in den Raum der Liebe Gottes bis in das Innerste der trinitarischen Wirklichkeit Gottes selbst ‚eingesenkt'. Und die Selbstbestimmung Gottes zur Liebe, welche sich in der Heilsgeschichte dem Menschen endgültig zuwendet, erweist sich als das Innerste seiner selbst: Alle „Kenose Gottes in der Welt" ist umgriffen von der „Urkenose" Gottes, die sich im trinitarischen Geschehen der „ewigen Zeugung des Sohnes" eröffnet: Die „erste Kenose [die ‚Kenose' des Vaters bei seiner Selbstenteignung in der ‚Zeugung' des gleichwesentlichen Sohnes] weitet sich wie von selbst zur gesamttrinitarischen, da der Sohn anders als in Selbstenteignung dem Vater gar nicht gleichwesentlich sein könnte und da ihr ‚Wir', der Geist, ebenfalls nur Gott sein kann, wenn er diese im Vater und im Sohn identische Selbstenteignung ‚personal' besiegelt, indem er nichts ‚für sich' sein will, sondern (wie seine Offenbarung in der Welt zeigt) reine Kundgabe und Verschenkung der Liebe zwischen Vater und Sohn (Joh 14,26;16,13–15). Mit dieser Ur-Kenose sind die übrigen Kenosen Gottes in die Welt hinein grundsätzlich ermöglicht und bloße Folgerungen aus ihr: die erste ‚Selbstbeschränkung' des dreieinigen Gottes aufgrund der den Geschöpfen geschenkten Freiheit, die zweite, tiefere ‚Selbstbeschränkung' desselben dreieinigen Gottes durch seinen Bund, der von Gottes Seite her von vornherein unauflöslich ist, geschehe mit Israel, was da wolle, und die dritte, nicht nur christologische, sondern gesamttrinitarische Kenose aufgrund der Menschwerdung des Sohnes allein, der nun seine von vornherein eucharistische Haltung im *‚pro nobis'* von Kreuz und Auferstehung für die Welt verdeutlicht" (TD 3,308).

Balthasar legt die Begegnung von Gott und Mensch so in einem zweiten Schritt als eine dramatische Kommunikation aus, in der Gott als in dreifaltiger Liebe Handelnder erfahrbar und der Mensch in den personalen Raum der handelnden Liebe Gottes hineingenommen wird.

---

[96] Schwager 23.

[97] Ebd.; vgl. TD 3,303.308.310; als Parallele: H 3/2,2, 198.

Die endliche Existenz des Menschen in seiner Gebundenheit an Endlichkeit, Schuld und Tod wird durch die Liebe Gottes zum Menschen aufgebrochen zur Teilhabe an der die Grenzen überwindenden göttlichen Liebe.[98] Dieser zweite Schritt der Theologie Balthasars kann hier nicht mehr explizit entfaltet werden.

Balthasar nimmt die Offenheit Gottes für den Menschen aus der ästhetischen Schau der theologischen Ästhetik auf[99] und radikalisiert sie theodramatisch zu einem Eingeborgensein des Menschen im Handeln des sich immer schon trinitarisch bestimmenden Gottes. Es zeigt sich hier das Verständnis des Geheimnisses Gottes als sich selbst bestimmender Freiheit für den Menschen in ihrer letzten Tiefe. Das, was in der Ästhetik noch „einer Statik verhaftet" blieb, wird in den dramatischen Kategorien ganz der „Dynamik des Offenbarungsereignisses" geöffnet (TD 1,16). So wird Balthasar der christlichen Gotteserfahrung gerecht, in der das „ganz Besondere des Begegnenden" „eben dies" ist, „daß dieser unversehens, von sich her, paradox und zur Entgegnung herausfordernd, auf uns zutrat" (ebd.). In den dramatischen Kategorien wird die Beziehung von Gott und Mensch in einer Form darstellbar, die die Wirklichkeit Gottes nicht nur als Korrelat menschlicher oder geschöpflicher Selbsterfahrung deutlich werden läßt. In der heilsgeschichtlichen Tat Gottes wird Gott selbst in seiner ursprünglichen Selbstbestimmung erfahrbar[100]: Führte die Erfahrung der ‚Intimität' der Wirklichkeit, ihr unreduzierbares Dasein als Erfahrung einer Unmittelbarkeit zur schöpferischen Tat Gottes, in diese Selbstbestimmung Gottes für seine Schöpfung anfanghaft ein, so wird in der heilsgeschichtlichen Tat ihre ganze Fülle erst erschlossen. Das Geheimnis ihrer Konkretion entfaltet sich in seiner innersten Tiefe: Alles schöpferische Bejahen Gottes geschieht aus einer tieferen Bejahung der Grenzhaftigkeit dieser Schöpfung in Endlichkeit und Schuld inmitten ihrer Geschichte heraus, welche sich im Horizont der trinitarischen „Urkenose" und als diese selbst vollzieht.[101]

In dieser Bejahung wird die Wirklichkeit Gottes somit tiefer erfahrbar als in der bloßen Erfahrung des Geheimnisses Gottes als transzendentes Gegenüber existentialer Verdanktheit. Und weil noch die „Ästhetik ... auf die Suche nach neuen Kategorien gehen" muß, die dramatischen Kategorien aber die „Dynamik des Offenbarungsereignisses" (TD 1,16) am tiefsten wiedergeben, kommt hier alles in seine Mitte, trifft die Analyse, die H. Heinz für die Ästhetik gibt, noch unmittelbarer und im eigentlichen Sinne zu: „Im Geschehen der Gottverlassenheit [Jesu am Kreuz] geschieht, vollzieht sich und übereignet sich die Trinität in ihren Relationen und Prozessionen und gewinnt zu ihrer unendlichen Fülle eine neue Fülle hin-

[98] Vgl. TD 2/1,361–382.

[99] Zur engen Verbundenheit der theologischen Ästhetik mit der theologischen Dramatik, in der die wesentlichen Themen der Dramatik vorweggenommen sind, vgl. u. a. TD 1,15f; Heinz 10.

[100] „... die beiden Bände ‚Alter Bund' und ‚Neuer Bund' haben weitgehend das Offenbarungsdrama vorweg entfaltet" (TD 1,15). Aber in der theologisch dramatischen Perspektive geht es darum, „dem Begegnenden seine eigene Sprache zu lassen, oder besser: uns von ihm in seine Dramatik hineinnehmen zu lassen" (ebd.).

[101] Vgl. Heinz 148–165.

zu."[102] Das Ja, das Gott in diesem Geschehen selbst zum schuldhaften Menschen spricht, ist die Erfahrung *des wirklichen Geschehens seiner (vollendeten) Selbstbestimmung auf den Menschen und die Schöpfung hin, des wirklichen Geschehens der Liebe, der Selbstbestimmung als Vorgang und in dieser Konkretion des Innersten der bejahenden Freiheit Gottes.* Es ist das unmittelbare Innestehen *im Geheimnis dieser unbegreifbaren, sich für den Menschen und seine Welt ganz und gar in die ewige Fülle ihres trinitarischen Reichtums bestimmenden Liebe* selbst.

Was Manfred Lochbrunner im Anschluß an seine Darstellung des theodramatischen Ansatzes Balthasars zusammenfassend formuliert: „Somit *konvergieren* im theodramatischen Ansatz *Freiheit* und Liebe"[103], kann hier vielleicht im folgenden Sinne expliziert werden: Konvergieren bei Rahner in der Bestimmung der innersten Wirklichkeit göttlicher Personalität die Begriffe Freiheit und Geheimnis als (transzendentalontologisch gedeutete) Unbestimmbarkeit, so bei Balthasar die Begriffe Freiheit und Liebe als (im heilsgeschichtlichen Handeln, in seiner „Dramatik" sich erfüllende und sich in ihrer ganzen Fülle zeigende) Selbstbestimmung.

d) Die sich für den Menschen bestimmende Freiheit Gottes und die menschliche Freiheit

Im „Innestehen" des Menschen im Geheimnis der Liebe Gottes als handelnde Liebe und Selbstbestimmung ist auch der tiefste Ort der Begründung der Freiheit des Menschen erreicht.

Auch die theologisch-ästhetische ‚Eingründung' des Menschen in die heilsgeschichtliche Liebe Gottes, in der die endgültige Selbstbestimmung dieser Liebe für den Menschen erfahrbar wird, vertieft Balthasar in der Theodramatik noch einmal. Er deutet die Erlösung des Menschen von der sich ‚ausweitenden Kenose' Gottes her, in der der Mensch selbst in seiner sündigen Entfremdung von Gott einen ‚Ort' inmitten der trinitarisch kenotischen Liebe Gottes hat: „Da die Welt keinen andern ‚Ort' haben kann als innerhalb der Differenz der Hypostasen (nichts liegt außerhalb Gottes ...), kann ihre Problematik – ihre sündige Gottferne – sich auch nur an diesem Ort und durch ihn auflösen lassen. Das Nein der Kreatur ertönt an der ‚Stelle' der innergöttlichen Differenz, und der Sohn, der Mensch werdend in diese ‚Finsternis' des Neinsagens eintritt, braucht als ‚Licht' und ‚Leben' der Welt seine eigene ‚Stelle' nicht zu wechseln, wenn er, in die Finsternis scheinend, deren ‚Stell-Vertretung' unternimmt. Er kann es aufgrund seines *topos* innergöttlicher absoluter Differenz vom schenkenden Vater" (TD 3,310).[104] Das Innerste Gottes, die „innergöttliche Differenz" in der „ewigen Zeugung des Sohnes aus dem Vater" ist so der ‚Ort', an dem der Mensch trotz und mit seiner Sünde geborgen und erlöst wird.

In dieser Erfahrung wird aber die menschliche Existenz selbst in eine unüber-

---

102 Heinz 197. Balthasar kann dabei in den dramatischen Kategorien die Unwandelbarkeit Gottes in dieser komparativen Selbstbestimmung (vgl. 198f) festhalten und „den Aspekt der dramatischen Lebendigkeit" mit „der dogmatischen Lehre über die seinsmäßige Einheit zwischen göttlicher und menschlicher Natur" (Schwager 20f) verbinden (vgl. Heinz 99–101; Schwager 19–21).

103 Lochbrunner 225.

104 Vgl. Schwager 23f.

bietbare Freiheit gestellt: Ist der Mensch im Innersten der trinitarischen Liebe Gottes so unbedingt und umfassend geborgen, so lebt alle menschliche Wirklichkeitsbegegnung und Wirklichkeitsbewältigung von der Sinntiefe dieser Eingeborgenheit. Balthasar entwirft die personale Würde des Menschen deshalb ganz von der heilsgeschichtlichen Begegnung her. Menschliche Personalität empfängt sich als gestaltende Freiheit nach diesem Verständnis in ihrem eigentlichen Sinn erst aus der heilsgeschichtlichen Begegnung mit Gott. Im „Miteinander von endlicher und unendlicher Freiheit" „klärt sich endliche Freiheit als im Raum unendlicher Liebe wurzelnd auf. Im innertrinitarischen Sich-Verschenken und Sein-Lassen ist der endlichen Freiheit Raum gewährt."[105] Balthasar drückt so in seiner theologisch ästhetischen und dramatischen Denkweise die neutestamentliche Priorität des Heilsindikativs vor dem Heilsimperativ aus und legt den Sinn dieser Erfahrung in der Struktur der interpersonalen Beziehung von Gott und Mensch als Befreiung zur Liebe aus. „Dem göttlichen Grund der Liebe verdankt sich endliche Freiheit. Mehr noch: Da die Liebe Gottes in unsere Herzen ausgegossen ist durch den Heiligen Geist, der uns geschenkt ist (Röm 5,5b), wird die göttliche Liebe in die endliche Freiheit hinein verinnerlicht. Die endliche Freiheit wird zur unendlichen Liebe befreit. Der *theodramatische Ansatz* ist der *Ansatz bei der Freiheit als der bejahenden Zustimmung des endlichen Geschöpfs zu sich selbst in seiner Verdankung der absoluten, trinitarischen Liebe gegenüber.*"[106]

Reflexion 4: Zur Bedeutung des dialogischen Gottesverständnisses

Die Darstellung der tiefen Aufnahme des Menschen in den ‚Innenraum' der Liebe Gottes in der theologischen Ästhetik und Theodramatik läßt Hans Urs von Balthasar eine Unmittelbarkeit der Beziehung von Gott und Mensch beschreiben, in der die objektivistische Vermittlung der Wirklichkeit Gottes, wie sie das kosmozentrische Seinsdenken prägte, auf eine geschichtlich-dialogische Deutung hin überwunden wird. In dieser Deutung erscheint die Kategorialität, die geschichtliche Wirklichkeit als der Ausdrucksraum der Wirklichkeit Gottes, in dem sich Gott selbst frei, nicht aufgrund seinshafter hierarchischer Relation, sondern aufgrund seinshafter Tat der Liebe mitteilt und für den Menschen ausspricht. Auf der Ebene der existentialen und dialogischen Eingeborgenheit des Menschen in die unbedingt handelnde und sich selbst bestimmende Freiheit und Liebe Gottes ist dabei eine wirkliche Unmittelbarkeit der Begegnung von Gott und Mensch bei aller bleibenden Transzendenz Gottes über die kategoriale Objektivität im Sinne des Kosmos und als Welt des Menschen gegeben.

Mit dieser Form personaler Wendung des Gottesverständnisses werden die Aporien des transzendentalen Gottesverständnisses zurückgelassen. Die christliche Gotteserfahrung wird hier in ihrem Höhepunkt als konkret geschichtliche (dramatisch begegnende) Erfahrung verstehbar. Und die personale Du-Erfahrung Gottes zeigt sich in der umfassenden Verantwor-

105 Lochbrunner 225.

106 Ebd.

tung der Verdanktheit des Menschen und der Schöpfung als wirkliche Erfüllung des Gottesverständnisses aus dem Seinsverständnis. Diese ‚Aufhebung' des Gottesverständnisses aus dem Seinsverständnis, aber auch des transzendentalen Gottesverständnisses, in das dialogische Gottesverständnis ist für Balthasar im Wesen Gottes selbst als trinitarischer Liebe begründet: „Die philosophische Analogie der Differenz zwischen dem Sein und dem Seienden, dem Transzendentalen und dem Kategorialen kann deshalb auf das Verhältnis zwischen dem sich offenbarenden Gott und seiner Offenbarungsgestalt nicht angewendet werden, eben weil in der einmaligen Gestalt, und *nur* in ihr, das Mysterium der innergöttlichen ‚Übergestalt': die Dreieinigkeit als absolute Liebe und damit als ‚Wesen' Gottes kundgetan ist" (H 3/2,2, 15).

Aus der christlichen Erfahrung der geschichtlichen Begegnung von Gott und Mensch in Jesus Christus wird auch die ‚Entkategorialisierung' Gottes in der *Geschichte,* welche sich im transzendentalen Gottesverständnis unterscheidungslos mit der Entnuminisierung des Kosmos und der Befreiung des Menschen als Subjekts aus der Eingebundenheit in den ‚divinisierten' Kosmos zu verbinden drohte, zurückgewiesen. Einerseits erschließt sich in der Heilsgeschichte die (ganz unbedingt handelnde und sich unreduzierbar selbst bestimmende) Freiheit Gottes in personaler Opposition so unbedingt, daß jede Verwischung der Grenzen zwischen Schöpfer und Geschöpf unmöglich wird. Als Gabe Gottes ist die Schöpfung nie Wirklichkeit Gottes selbst. Entkategorialisierung Gottes als Erfahrung der Transzendenz Gottes über die geschöpfliche Wirklichkeit ist in diesem Sinne wirklich Ausdruck der christlichen Gotteserfahrung. Aber als Gabe Gottes ist die geschöpfliche Wirklichkeit in ihrer (geschichtlichen) Faktizität immer schon auch Zeuge der Freiheit Gottes selbst, welche sich geschichtlich vertiefend in dieser geschöpflichen Wirklichkeit weiterhin und immer neu ausdrücken kann. Im Sinne dieser Unmittelbarkeit geschichtlicher Begegnung von Gott und Mensch gibt es keine Entkategorialisierung Gottes.

In der geschichtlich-dialogischen Beziehung erscheinen Gott und Mensch *in einem wesenhaften Gegenüber von unendlicher Freiheit und endlicher Freiheit* (TD 2/1,170–288).[107] *Die personale, innerste ‚Intimität' Gottes und des Menschen wird aus der unmittelbaren Dialogik unendlicher Freiheit und endlicher Freiheit verstanden und beschrieben.*

Dabei geht es Balthasar bei dieser geschichtlich-dialogischen Beziehung von Gott und Mensch, die er in seiner theologischen Ästhetik und Dramatik erschließt, nicht um eine bloße religionspsychologische Analyse der christlichen Glaubenswirklichkeit als in personal geschichtlicher Vorstellungsform sich vollziehender religiöser Anschauungsform.[108] Balthasars Denken geht in der Bestimmung der personal-dialogischen Sinnmitte des christlichen Gottesverständnisses und der Verankerung menschlicher Personalität in dieser Sinnmitte über solche Schichten hinaus.[109] Die „Phänomenologie"[110] Balthasars deutet das Gottesverständnis und das Verständnis des Menschen von der heilsgeschichtlichen, personal-dialogischen Gotteserfahrung her im Horizont der existentialen, menschlichen Urerfahrung des Verdanktseins. Das psychologische, soziologische und personal geschichtliche Phänomen christlicher Heilsgeschichte wird dabei in theologisch-ästhetischer und theologisch-dramatischer Perspektive wahrgenommen, die in ihrer Tiefe alle mythologisierende Oberflächlichkeit oder psychologische Phänomenalität durchbricht, um die personal ‚objektive' Wirklichkeit Gottes als *in freier Selbstbestimmung unreduzierbar begegnende* Freiheit wahrzunehmen. Das dialogische Gottesverständnis in diesem Sinn versteht darin die personale Beziehung von Gott und Mensch *„nicht*

107 Vgl. Lochbrunner 215–224.224f.

108 Auch der Mythos ist dialogisch-personal (vgl. H 3/1,143; Heinz 44f). Heinz 44–46 beschreibt, wie Balthasar sein Verständnis der dialogischen Beziehung von Gott und Mensch an das mythologische Denken in einem gewissen Sinn anschließt, dieses aber zugleich hinter sich läßt.

109 Daß die mythische Erfahrungswelt an die jüdisch-christliche Offenbarungserfahrung nicht heranreicht, macht Balthasar immer wieder deutlich (vgl. z. B. H 3/2,1, 14–16.18).

110 Vgl. Eicher (4) 294.

so, daß der personale Gott dem Menschen wie ein Seiendes abgegrenzt einem anderen Seienden – mit Überspringung des Seins – entgegenträte (wie man, den Alten Bund philosophielos auslegend, meinen könnte)..." (H 3/1,956).[111] Die konkrete Du-Erfahrung Gottes in der geschichtlich-dialogischen Begegnung mit der sich im heilsgeschichtlichen Handeln selbst bestimmenden Freiheit ist aber auch kein Epiphänomen einer tiefer gelegenen Erfahrung des Geheimnisses der Transzendenz Gottes. Sie ist die Erfahrung der Mitte des personalen Geheimnisses Gottes selbst als (Transzendenz der) Liebe.

Das Verständnis der Wirklichkeit Gottes und des Menschen aus einem wesenhaften, dialogischen Gegenüber begründet ein umfassendes Verständnis der Wirklichkeit, in der die objektiv-ontologischen und subjektiv-transzendentalen Entwürfe der Ontologie und Anthropologie auf eine letztgültige, dialogische Sinnbestimmung aus der personalen Beziehung von Gott und Mensch hin überstiegen sind.

Der Wandel vom kosmozentrischen zum anthropozentrischen Wirklichkeitsverständnis läßt den Menschen nicht mehr nur als Teil des Kosmos, der mit seinem Geist in dessen objektiv vorgegebene Ordnung eingebunden ist, erscheinen, sondern als freies Subjekt, das sich in Freiheit selbst aufgegeben ist. Die menschliche Freiheit und Verantwortung, welche in der Subjektwerdung des Menschen und in dem Verlust seiner vordergründigen Geborgenheit in der Ordnung der Natur in ihrem ganzen Ausmaß bewußt geworden sind, finden aber in der Deutung der tiefsten Mitte aller Wirklichkeit aus dem Geheimnis der sich selbst bestimmenden Freiheit Gottes eine neue Geborgenheit. Dabei geht es um eine andere Geborgenheit, als es die Eingebundenheit in den Kosmos war, eine Geborgenheit, die den Eigenstand und die menschliche Freiheit nicht bedroht, sondern freisetzt. Aber sie ist auch nicht nur als bloße Ermöglichung menschlicher Freiheit in ihrem subjektiven Selbstand verstehbar. Denn sie geht darüber noch hinaus. Sie erschöpft sich nicht darin, menschliche Freiheit in ihren Eigenraum aus sich heraus zu entlassen; auch nicht darin, dies immer neu als tragender (transzendentaler) Urgrund zu tun. Sie überläßt über diese Ermöglichung hinaus den Menschen nicht der bloßen Offenheit seiner sich selbst aufgegebenen Freiheit, die sich dem Menschen auch in bedrängender Weise zulastet, als „die Erfahrung des Sichentziehens der selbstgeschaffenen Welt in eine neue Unverfügbarkeit, die Erfahrung der Verantwortung des schöpferischen Menschen von einem schauervollen Ausmaß, die Erfahrung der abweisenden Härte und Nüchternheit der neuen Welt und endlich die... Erfahrung, daß das welthafte Schöpfertum des Menschen gar nicht sein Leben adäquat bestimmen kann"[112]. Das transzendentale Gottesverständnis schien dem Menschen den eigenen Freiheitsraum zu eröffnen, den er braucht, um als Subjekt und Freiheit ernstgenommen zu sein. Aber es vermochte nicht wirklich eindeutig Gott als „jenes Geheimnis unendlicher, unsagbarer, bergender Fülle" zu erschließen, das die „unverwaltbare Vielfalt" des Menschen, welche sich dem Menschen in dieser Ermöglichung hart aufgibt, „zusammenhält und in ihrer Einheit garantiert und die dem

---

111 Hervorhebung hinzugefügt. Zur bleibenden Rolle der analogia entis bei Balthasar vgl. Lochbrunner 7; Schwager 5f.

112 Rahner (14) 33.

Menschen selbst entschwindende Vollendung seines Daseins aufnimmt“[113], obwohl es sich darum bemüht. Erst das theologisch-ästhetische und theologisch-dramatische Denken Balthasars stellt die unmittelbare Hineinnahme des Menschen mit seiner Freiheit in diese „bergende Fülle“ Gottes wirklich dar. Weil Balthasar die Eingeborgenheit des Menschen in die sich in die ewige trinitarische Fülle hinein bestimmende Liebe Gottes ästhetisch und dramatisch beschreibt, weil er in diesem Eingeborgensein des Menschen zeigt, wie die menschliche Freiheit selbst ein vollendetes Maß erhält[114], wird die Geborgenheit menschlicher Freiheit – gerade in ihrer Ermöglichung – durch die Liebe Gottes wirklich verstehbar. Von dieser letzten Begründung der menschlichen Freiheit her erschließt sich die menschliche Existenz endgültig als Verdanktheit.

Dialogisches Gottesverständnis, wie es in den theologisch-ästhetischen und -dramatischen Aussagen Balthasars zum Ausdruck kommt, gibt damit eine Antwort auf die Suche moraltheologischer Reflexion nach einem existentiellen und personal offenen Gottesbild, in dem die Wirklichkeit Gottes noch vor jeglicher Brechung der Vermittlung seiner Wirklichkeit durch das Prisma rationaler (objektivistischer oder subjektivistischer) Notwendigkeit oder Gesetzlichkeit zugänglich wird. Weil das Verdanktsein im dialogischen Verständnis der Wirklichkeit Gottes und des Menschen die erste und grundlegendste Erfahrung des Menschen ist, erscheint Gott im Horizont dieser Urerfahrung des Zugelassenseins zum Sein und des Eingeborgenseins in die trinitarische Liebe als ein letztes Du, das die geschichtliche Individualität und existentiell erfahrene Unreduzierbarkeit des Einzelnen unbedingt achtet. Denn es ist gerade Gott als der freie, liebende Grund aller Wirklichkeit, der den Einzelnen setzt und immer neu gnadenhaft bejaht. Die Wirklichkeit Gottes kann so unmöglich nur mit einem bloßen rational Allgemeinen verwechselt werden, denn sie zeigt sich als der Urgrund des individuell Konkreten, der existentiell erfahrenen Unreduzierbarkeit der menschlichen Freiheit selbst: „Weil kein Seiendes sich mit Notwendigkeit aus dem Sein deduzieren läßt und dennoch ist, indem es am Sein teilhat, weil diese Teilnahme und Teilgabe zwei Aspekte der einen selben unbegreiflichen, weil in sich nicht begründbaren Schwebe ist, darum ist das Wort des Seins selber das Seindürfen. An dieses erinnert es, bei jedem metaphysischen Aufblick des Menschen aus den Schein-Notwendigkeiten seiner empirischen und transzendentalen Betriebsamkeit. Es mutet uns zu, jenseits aller Gesetze, Kategorien und Schematismen an eine umgreifende Gnade zu glauben.“ Dabei ist es „das Offenbarungswort Gottes . . ., das . . . erst den *Grund* dafür offenbart, warum Sein von Gnade kündet, und woher das Seindürfen stammt“ (H 3/1,963). Ist darin aber nicht auch eine Überwindung des Mißverständnisses eingeschlossen, welches Gott mit dem Sittlich-Allgemeinen verschmelzen ließ? „Der kategorische Imperativ des Seins bedenkt nicht nur, wie der Kants, die menschliche Mitwelt, der der Handelnde Gesetz geben

---

113 Ebd.

114 „Die Maße des Menschen werden verändert, und zwar nicht nur partiell – für die begrenzte Welt der biblischen Glaubenden –, sondern progressiv total“ (TD 2/1,362; vgl. 361–382).

sollte. Er bedenkt das Sein überhaupt, sofern es jedes Gesetz in die Gnade übersteigt. Darin ist er noch anfordernder als der Kants, in welchem der Mensch mit sich allein ist und das Sein vergessen hat. Handle so, heißt es jetzt, als ob du selbst und dein Mitmensch und Mitding euch einer grundlosen Gnade verdanken würdet. Einer Gnade, in der das Sein in seiner ursprünglichen Differenz als lichtend-nichtender Aufgebrochenheit selber badet und die es durch sich offenbart" (ebd.).

Der Gedanke der Freiheit Gottes als erster und letzter ‚Fluchtpunkt' jeglichen Verständnisses der Wirklichkeit scheint dabei bei Balthasar gelegentlich extrem entfaltet. Demgegenüber mag die transzendentale Transposition der Analogie bei Karl Rahner[115] ein gewisses Korrektiv sein. In diesem Sinne sind wohl die Fragen und Anmerkungen zu verstehen, die R. Schwager an das Verständnis der Wirklichkeit Gottes bei Balthasar richtet: Versteht Balthasar „nicht jede Differenz zwischen den drei göttlichen Hypostasen zu unmittelbar als Freiheitsraum"[116]? Weicht er nicht, indem er „immer wieder auf die immanente Trinität zurück[geht] und versucht[,] von ihr her (Urkenose) die Schöpfung (erste Kenose), den Bund (zweite Kenose) und die Menschwerdung und das Kreuz (dritte Kenose) verständlich zu machen", „deutlich von der theologischen Tradition ab, die mit dem Wort ‚innen' das bezeichnete, was zum notwendigen ewigen Wesen Gottes gehört, und mit ‚außen' das meinte, was aus dem freien Ratschluß Gottes entspringt (Schöpfung und Heilsordnung)"[117]? Es zeigt sich darin die Problematik, daß trotz des berechtigten „Anliegens, auch die immanente Trinität möglichst lebendig in Erscheinung treten zu lassen", „die Heilige Schrift... wohl sehr konkret von der ökonomischen Trinität, aber nur indirekt von der immanenten" spricht und „die Kirche... die Lehre von der immanenten Trinität [nur] ausdrücklicher entfaltet, um einerseits verständlich zu machen, wie das Bekenntnis zur Gottheit Christi mit dem Monotheismus vereinbar ist und um anderseits das ewige Wesen Gottes – trotz seines Engagements in der Welt – klar von der Schöpfung zu unterscheiden"[118]. So mag es kein „Fehler" sein, daß in der transzendentalen Hermeneutik Karl Rahners „die Sprache Rahners – wie *Balthasar* bemerkt – ‚etwas seltsam Formales' [TD 3,299] hat"[119]. Vielmehr scheint darin die Seite der Analogie zum Tragen zu kommen, die unbedingt notwendig ist, damit die biblische Offenbarung nicht als mythologisch erscheint (vgl. H 3/1,956).

Auf der anderen Seite muß aber im vollen Zirkel von Natur und Gnade das Gottesverständnis einen wirklichen Weg gehen, der deutlich machen kann, daß die Transzendenz Gottes in der heilsgeschichtlichen Offenbarung von der geschichtlichen Selbstmitteilung her eine neue, andere Bedeutung erhält. Die Transzendenz Gottes verliert in der Heilsgeschichte den Charakter der reinen, unbegreiflichen Ferne. Ihre Unbegreiflichkeit erschließt sich hier vielmehr in der unfaßbaren Nähe Gottes, in der unfaßlichen Gnade, daß der unbegreifliche Gott sich dem Menschen unmittelbar erschließt. Diese Selbstbestimmung Gottes zur Selbsterschließung ist die letzte Tiefe des Geheimnisses Gottes. Daß sich dieses Geheimnis in geschichtlicher Konkretion und somit in Gebundenheit an geschichtliche Kategorialität zeigt, ist nicht ein Rückfall in den Mythos, sondern – anders als ein naturhaftes Verständnis göttlicher Anwesenheit in der Schöpfung – Ausdruck der unmittelbaren konkreten Tat der Liebe am Menschen. Darin muß das Gottesverständnis die naturhafte ontologische Beziehung von Gott und Schöpfung und die transzendentale Relation von Gott und menschlicher Freiheit noch einmal aufheben in den dialogischen Ausdruck seiner Liebe, die sich in der Urerfahrung des Seins als Verdanktsein und in der trinitarisch-heilsgeschichtlichen Dramatik kundtut: „Man könnte einwenden: der Unterschied zwischen dieser Überspannung der innergeschöpflichen Spannun-

[115] Vgl. GK 79–83.
[116] Schwager 15[67].
[117] Ebd. 35[177].
[118] Ebd.
[119] Ebd.

gen – durch die doppelte Faktizität der ‚Schöpfung aus Nichts' und der ‚Berufung zur Teilnahme am göttlichen Leben' – und der vorchristlichen Beziehung des Individuums auf einen kosmisch-hyperkosmischen Maßstab sei nicht erheblich. Er liege bloß darin, daß das prävalent naturhafte Verhältnis nunmehr zu einem betont freien und personalen werde. Das ist nicht durchaus falsch, und es zeigt, daß die positive Seite der *analogia entis,* eine gewisse Vergleichbarkeit des Seins der Urgründe mit dem der Wirkungen, in beiden Sichten gewahrt wird. Auf der andern Seite kommt im biblisch-christlichen Weltbild die negative Seite derselben Analogie – die ‚größere Unähnlichkeit' – mit ganz anderer Wucht zur Geltung, weil alles, was das Geschöpf an Ähnlichkeit mit dem Schöpfer je aufweisen kann, auf der unüberholbaren Opposition ‚Aus-sich-selbst' und ‚Aus-dem-Andern' (Aus-Nichts) aufruht" (TD 2/1,367f).

Zusammenfassung

Hans Urs von Balthasar führt die personale Wende der dogmatischen Denkform weiter. Er versucht die personale Wirklichkeit von Gott und Mensch nicht auf dem Hintergrund der transzendental gedeuteten Subjektivität des Menschen zu verstehen, sondern im Horizont einer gleichsam phänomenologischen Interpretation der Beziehung von Subjekt und Objekt. Mensch und Sein erschließt er so als das Geheimnis einer freien, positiven Setzung durch die beide noch einmal umgreifende Freiheit Gottes. Der Mensch zeigt sich in dieser Sicht in seiner personalen Würde noch vor der Deutung von der transzendentalen Subjektivität her als verdankte Existenz. Und das Sein wird als ästhetische Transzendenz verstehbar, in deren Tiefe der freie liebende Grund der Wirklichkeit aufscheint: die Freiheit und Liebe Gottes.

Das Gott-Geheimnis wird in dieser Form der personalen Wende nicht – wie im transzendentalen Gottesverständnis – von der transzendentalen Apriorität der Seinstranszendenz des menschlichen Geistes, sondern von der Erfahrung der freien unendlichen Konkretion der Wirklichkeit her interpretiert. In der Transzendenz des freien und liebenden Grundes der Wirklichkeit, der diese Konkretion in einer unbegreifbaren Bestimmtheit und Bejahung trägt und freisetzt, zeigt sich die Wirklichkeit Gottes als Geheimnis einer sich für den Menschen (und die Schöpfung) selbst liebend bestimmenden Freiheit.

Dieses Geheimnis der Selbstbestimmung Gottes für den Menschen und seine Welt, das sich in der existentialen Verdanktheit des Menschen und der Wirklichkeit anfanghaft zeigt, wird erst in der Heilsgeschichte in seinem Innersten erfahren. Es zeigt sich in seiner innersten Bestimmung als die Treue der trinitarischen Liebe Gottes, die den Menschen und die Schöpfung auch in den Grenzen der Endlichkeit und Schuld noch einmal bejahend umgreift und trägt. In der heilsgeschichtlichen Selbstmitteilung Gottes an den Menschen bestimmt sich die Freiheit Gottes in ihre ewige trinitarische Fülle der Liebe unwiderruflich hinein, die den Menschen selbst in der freien Entfremdung der Sünde noch in sich einbirgt. In dieser heilsgeschichtlichen Erfahrung bricht die personale Beziehung von Gott und Mensch in die Tiefe einer dialogischen Unmittelbarkeit auf. Der Mensch erhält in der trinitarischen Liebe Gottes selbst einen ‚Ort', an dem er unmittelbar in das Geheimnis der Liebe Gottes eingeborgen ist und an dem er der Liebe Gottes als handelnde in ihrem

Vollzug der liebenden Selbstbestimmung für sich begegnet. Im Innestehen in diesem Geheimnis erfährt er sich selbst zur Liebe ermächtigt.

In der so verstandenen Unmittelbarkeit der Begegnung von Gott und Mensch wird die Kategorialität als ‚freie', seinshafte und geschichtliche Konkretion aller Wirklichkeit zum Ausdrucksraum der Wirklichkeit Gottes, in dem sich Gott nicht aufgrund seinshafter hierarchischer Relation, sondern aufgrund der eigensten Tat der Liebe mitteilt und dem Menschen offenbart. Die konkrete Du-Erfahrung Gottes in der Urerfahrung des Menschen im Sein und in der heilsgeschichtlichen Dialogik ist somit kein Epiphänomen einer tiefer gelegenen Erfahrung des Geheimnisses der Transzendenz Gottes, sondern die geschichtlich-dialogische Erfüllung der Erfahrung Gottes in der Mitteilung seiner innersten Tiefe als die Liebe einer (für den Menschen) bedingungslos selbstbestimmten Freiheit. So wird in dieser Form der personalen Wende des dogmatischen Denkens die Gefahr der Entkategorialisierung Gottes, wie sie im Kontext der subjektiven Vermittlung der Denkform (als notwendigem Teil der personalen Umorientierung) gegeben war, vermieden und das Denken in eine geschichtlich-dialogische Mitte geführt, innerhalb deren sich der Mensch mit seiner Freiheit und Geschichtlichkeit im Horizont der liebenden Selbstbestimmung Gottes geborgen erfahren darf.

Zusammenfassung des Ersten Teils

Am Beginn der Lösung der katholischen Theologie aus dem neuscholastischen Denkhorizont in diesem Jahrhundert stehen im deutschen Sprachraum zwei dogmatische Theologen: Karl Rahner und Hans Urs von Balthasar. Ihr theologisches Werk wurde in den Untersuchungen der beiden ersten Kapitel als eine umfassende personale Wende der dogmatischen Denkform verstanden: Das aus heutiger Sicht anfanghafte Verständnis für personale Wirklichkeit bei Thomas von Aquin in seiner Deutung des Menschen als seinserschlossene Geistigkeit und in der Auslegung des Seins als erstes Sinnbild der Wirklichkeit Gottes wird von den beiden Autoren aufgenommen und in Auseinandersetzung mit neuzeitlichem Wirklichkeitsverständnis auf die Entfaltung der personalen Tiefe des Menschen aus einer existentialen bzw. dialogischen ursprünglichen Gottesbeziehung hin vertieft und überstiegen. Die Aussagekraft der katholischen, mit dem Seinsdenken tief verbundenen Denkform wird durch diese Uminterpretation für die anthropologischen und theologischen Gehalte neu gefaßt.

Versuchen wir den hermeneutischen Prozeß des *Gottesverständnisses* innerhalb dieser gegenwärtigen Entwicklung der dogmatischen Denkform zusammenzufassen! Rahner und Balthasar lassen die statische Geschlossenheit der traditionellen, hierarchisch-ontologischen Wirklichkeitssicht zurück; sie suchen die Wirklichkeit von einem unmittelbaren Zueinander göttlicher und menschlicher Freiheit her zu verstehen. Sie erschließen auf der einen Seite einen Raum für den freien subjektiven Selbstand des Menschen, für seine geschichtlich verfaßte Freiheit, seine unreduzierbare Individualität und dialogisch begründete Würde als Person. Auf der anderen

Seite erscheint die Wirklichkeit Gottes nicht mehr als bloße Transzendenz ‚hinter', ‚an der Spitze' oder ‚über' der Objektivität, sondern *in einem primären Gegenüber zum Menschen* und in einem inneren Verhältnis zu seinem ‚Raum' des freien subjektiven Selbstandes und der dialogisch begründeten Personalität. Gott wird als *Freiheit und Geheimnis* gedeutet, worein der Mensch gestellt ist und woraus er sich als Person empfängt.

Die Entwicklung beginnt mit der subjektiven Vermittlung des Seinsdenkens bei Karl Rahner. Mit Hilfe der transzendentalontologischen Denkweise kann er das Verständnis für den subjektiven Selbstand menschlicher Personalität, ermöglicht aus der Seinserschlossenheit des menschlichen Geistes, in die Denkform der dogmatischen Theologie einbringen. Das Verständnis Gottes als des Woraufhin der Seinstranszendenz des Menschen wird dabei zugleich anthropologisch vermittelt: Aus dem Kontext der ontologischen Hierarchie erscheint es in unbedingter Weise übertragen in das Gefüge anthropologischer Strukturen, gleichsam als existentialer Personalgrund. Mit dieser Deutung führt Rahner die thomanische Interpretation, die die Wirklichkeit Gottes in Analogie zum Verständnis des Seins als Formalobjekts des menschlichen Geistes erschloß und damit jeglicher unangemessenen Objektivierung zu entziehen versuchte, durch die Auslegung des Gottesverständnisses im Horizont der transzendentalen Apriorität des Seinshorizontes menschlicher Geistigkeit zu einer letzten Konsequenz. In der kategorialen Wirklichkeit eröffnet sich der Raum der Freiheit des Menschen, die ganz dem freien (transzendentalen) Selbstvollzug des Menschen überantwortet erscheint (anthropozentrisches Wirklichkeitsverständnis). In seiner Hermeneutik des Christusereignisses vertieft Rahner diese Zuordnungen, Bestimmungen und Freiheitsräume zur transzendentaltheologischen Dialektik: Der steigenden Selbstmitteilung Gottes korrespondiert die sich vertiefende Erfahrung seiner Geheimnishaftigkeit als nicht-objektivierbarer Transzendenz – verstanden als Hineingenommenwerden des Menschen in die personale Mitte Gottes als unbestimmbarer Freiheit. Darin erfährt der Mensch seine Subjektwerdung zugleich als radikale Selbstüberantwortung an die kategoriale Wirklichkeit; theologisch wird dieser Vorgang gedeutet als durch Gott erwirkte vollendete Entlassung der Schöpfung in ihre eigene Selbständigkeit. Die Radikalität dieser Dialektik bringt aber die eigentümliche Schwebe zwischen diesen Erfahrungen mit sich: dem Verlust kategorial-unmittelbarer Vermittlung der Wirklichkeit Gottes ausgesetzt zu sein und einer sich im Ansatz eröffnenden unmittelbar-innersten personalen Begegnung mit Gott als Geheimnis unbestimmbarer Freiheit überlassen zu werden; damit ist die Gefahr gegeben, daß der Mensch gerade aufgrund dieser Entzogenheit Gottes in der praktisch zu bewältigenden konkret-kategorialen Wirklichkeit an die bloße geheimnislose Rationalität seines transzendental-subjektiv gedeuteten Selbstvollzuges ausgeliefert bleibt (Beispiele dafür scheint die Wirkungsgeschichte der Subjektivitätsphilosophie zu bieten).

Demgegenüber steht ein zweiter Schritt der dogmatischen Entwicklung bei Hans Urs von Balthasar. Mit Hilfe einer ontologisch-ästhetischen Entfaltung des Seinsdenkens integriert auch er die den Objektivismus überwindende – deutlicher als in der Scholastik gesehene – subjektive Würde des Menschen. Aber die Geschichtlichkeit der Wirklichkeit wird bei ihm nicht primär von der Spontaneität der durch die apriorische Seinsoffenheit ermächtigten Subjektivität gedeutet. Die gestaltende Spontaneität des menschlichen Subjekts wird als Dienst an der Objektivität verstanden, welche im Medium der Subjektivität zu dem ‚Eidos' finden kann, das ihr von Gott zugedacht ist. Und weil die menschliche Subjektivität in diesem Dienst diese „Gemessenheit" der Objektivität an einer der menschlichen Subjektivität vorausliegenden Spontaneität begreift, weil sie an den objektiven Seienden erst sich selbst erschlossen wird als Teilnahme am „Maß" einer fremden Selbstgelichtetheit, Wahrheit und Freiheit, vermag Balthasar die Freiheitsräume von Gott und Mensch in einer noch umfassenderen Form zu erschließen, als es in der subjektiven Vermittlung des Seinsdenkens bei Rahner möglich war. Gott erscheint als der liebende freie Grund der Wirklichkeit, als Freiheit, die sich in der Bejahung jedes Seienden, dessen „Maß" aus seiner „Selbstgelichtetheit" gesetzt ist, liebend selbst bestimmt. Und der Mensch wird von seiner Seinserschlossenheit her, in der er an dem „Maß" des Lichtes Gottes teilhat, als verdankte Existenz verstehbar. In der geschichtlich-dialogischen Beziehung bestimmt sich die göttliche Freiheit im heilsgeschichtlichen Handeln in letzter Radikalität für die endliche Welt und den sündigen Menschen aus dem Reichtum ihrer trinitarischen Liebe, und die menschliche Freiheit findet zu sich selbst in diesem Raum der Liebe Gottes. So kommen die Freiheit Gottes als Liebe und die Freiheit des Menschen als Verdanktheit in der Heilsgeschichte auf den Höhepunkt ihres Zusammenspiels.

In dieser zweifachen Auslegung der Wirklichkeit Gottes und seines tiefsten personalen Geheimnisses im Horizont des heutigen Selbst- und Wirklichkeitsverständnisses drückt sich *ein unterschiedlicher Ansatz- und ‚Zielpunkt' der personalen Wende des Denkens* aus.

Versucht Karl Rahner das Gottesverständnis besonders in eine Beziehung zum personalen Verständnis des Menschen als transzendentaler Subjektivität und Freiheit zu setzen und erscheint in diesem Verstehenshorizont die personale Tiefe Gottes vor allem als nicht-objektivierbare Geheimnishaftigkeit, so rückt ein Verständnis personaler Wirklichkeit in den Vordergrund, das die Mitte der personalen Würde sowohl des Menschen als auch in einer gewissen Analogie dazu der Wirklichkeit Gottes in einer transzendental begründeten *‚Integrität'* gegeben sieht: Dem Menschen ordnet sich die Unreduzierbarkeit eines Freiheitsvollzugs zu, der alle Kategorialität (als Natur und Geschichte) beherrscht. Der Wirklichkeit Gottes aber kommt die Unreduzierbarkeit der Transzendenz zu, die diesem menschlichen Selbstvollzug noch einmal uneinholbar (apriorisch) ermöglichend vorausliegt (Gott als Geheimnis).

Hans Urs von Balthasar sucht im Gegensatz dazu die personale Wirklichkeit des Menschen von der Urerfahrung menschlicher Existenz als Verdanktheit her zu verstehen, die alle sich weiter differenzierende Wirklichkeitserfahrung und -begegnung trägt. Darin erfährt der Mensch sich selbst und alles Seiende als von einer Sein schenkenden Urfreiheit zum Sein zugelassen, die ihn vor aller subjektiven Selbstsouveränität in eine dialogische Offenheit stellt. Und Balthasar ‚schließt' diese dialogische Offenheit des Menschen durch das heilsgeschichtlich antwortende und verantwortende Handeln Gottes. Das Geheimnis der personalen Würde Gottes und des Menschen zeigt sich darin je als eine dialogisch begründete *‚Intimität'*. Gott kommt die Unreduzierbarkeit einer geschichtlich konkreten, in keiner Logik und in keinem Mythos rationalisierbaren, weil unbedingt spontan aus dem dynamischen Reichtum der trinitarischen Selbstbestimmung handelnden Freiheit der überfließenden, sich selbst nicht verlierenden Liebe zu (Gott als Liebe). Dem Menschen schenkt sich aber in dieser Dialogik die Unreduzierbarkeit der in dieser Liebe selbst befreiten Souveränität der Liebe.

Die dogmatische Theologie versucht mit diesen beiden Deutungen des christlichen Gottesverständnisses eine Antwort auf die Erfahrung der eigentümlichen Ausgesetztheit des Menschen heute zu geben. In der subjektiven, anthropozentrischen Wende und existentialen Erfahrung der Geschichtlichkeit, in der Erfahrung der Offenheit der sich selbst aufgegebenen Freiheit begegnet dem Menschen, anders als im kosmozentrischen Wirklichkeitsverständnis, wo er in der Vorstellung einer statischen Ordnung der Natur geborgen schien, eine letzte Unüberschaubarkeit, Unreduzierbarkeit und Unabgeschlossenheit der Wirklichkeit. Die Theologie bemüht sich deshalb darum, den Menschen als denjenigen zu verstehen, der in das Geheimnis Gottes gestellt ist. Gott selbst erscheint darin wesenhaft als Geheimnis. Die Theologie versucht von diesem Verständnis Gottes her, die Unüberschaubarkeit, offene Geschichtlichkeit und Unabgeschlossenheit der Wirklichkeit nicht als bloße Undurchdringlichkeit der kosmischen oder objektiven Wirklichkeit, nicht als bloßes Noch-nicht-Wissen des Menschen oder als das Unterwegssein seiner Selbstverwirklichung zu verstehen, sondern als das Geheimnis des Hineingenommenseins des Menschen in die *Freiheit* Gottes selbst. Dieses Hineingenommensein in die Freiheit Gottes ist es dann, das die letzte Entzogenheit der umfassenden technischen und rationalen Bewältigung der Wirklichkeit verständlich macht: Sie erscheint einerseits dem Menschen nicht nur – heute – vorübergehend zugemutet, sondern in einem tiefsten Sinne als der immer gültig bleibende Ausdruck dafür, daß der Mensch und die Welt im letzten in das Geheimnis Gottes selbst hineingestellt sind. Dieses Geheimnis Gottes birgt aber auch die Erfahrung des Menschen, in der er sich in diese letzte Entzogenheit der Wirklichkeitsbewältigung ausgesetzt fühlt, in eine tiefere Geborgenheit ein, in die Anteilnahme des Menschen am Geheimnis der Liebe Gottes. Es ist vor allem Balthasar, der dieses Letzte in einer endgültigen Tiefe darzustellen vermag: Der Mensch wurzelt mit seiner Freiheit nicht nur in der Wirklichkeit Gottes, indem Gott den Menschen, sich aus seinem Freiheitsraum fernhaltend, freiläßt (Gott als Geheimnis, als Geheimnis unbestimmbarer Freiheit). Der Mensch wurzelt in der Wirklichkeit Gottes, indem Gott ihn und alle Wirklichkeit immer schon im Raum seiner Liebe *sein* läßt, ihm die personale Würde und ihren Freiheitsraum schenkt und die Geschichte als Geschichte von Sein und Mensch frei umfaßt und geborgen hält (Gott als Liebe, als Geheimnis sich für den Menschen vorbehaltlos selbst bestimmender Freiheit).

Zweiter Teil

Personales Gottesverständnis im gegenwärtigen katholisch-moraltheologischen Denken

Die Vermittlung des christlichen Gottesverständnisses in der katholischen Moraltheologie – so wurde in der Einleitung zu zeigen versucht – bereitet heutigen Menschen große Schwierigkeiten. Denn die traditionelle Moraltheologie, die sich im Kontext der Neuscholastik weitgehend zur rationalistisch objektivistischen Aktmoral mit autoritären Zügen entwickelt hat, erweckt den Eindruck einer sicheren, kategorial klar erkennbaren und eindeutigen Vermittlung des „Willens Gottes". Ihr Denken zeigt sich dabei, im Gegensatz zur heutigen dogmatischen Vermittlung des Gottesverständnisses, wie sie im ersten Teil dieser Arbeit dargestellt wurde, weitgehend unberührt von der subjektiven und existentiell erfahrenen Würde des Menschen als Person. Der gegenwärtige Wandel dieses Denkens, der im zweiten Teil dieser Arbeit untersucht werden soll, bietet aber – anders als die dargestellte Situation der Dogmatik[1] – nur wenige Anhaltspunkte für eine innere Einheit der Entwicklung. In viel entschiedenerer Weise scheint hier der Rahmen des traditionellen Seinsdenkens zurückgelassen – wohl aus dem Grunde, weil das objektivistische Prinzip der Bestimmung der menschlichen Sittlichkeit in ihrem *Inhalt* von der vorgegebenen Seins- oder Wesensordnung her der heutigen metaphysischen bzw. anthropologischen Reflexion kaum mehr genügt. Für die *formale* Zuordnung der menschlichen Vernunft zur Konstitution der sittlichen Werte innerhalb des thomanischen Naturrechtsdenkens und der spanischen Spätscholastik scheint dies allerdings in diesem umfassenden Sinne nicht zu gelten[2]: Von hier aus sucht man die Brücke vom traditionellen Verständnis des Sittlichen in der Moraltheologie zu einer Interpretation zu schlagen, die in Auseinandersetzung mit dem heutigen Wirklichkeitsverständnis steht.[3] Insgesamt bietet jedenfalls die gegenwärtige Moraltheologie in einem breit angelegten Übergang vom objektivistischen Seinsdenken zur Deutung und Begründung des Sittlichen im Feld (transzendental-)subjektiver, analytischer, phänomenologischer, existentialer und dialogi-

---

[1] In der christozentrischen Ausrichtung der dogmatischen Denkform und der damit verbundenen Darstellung der (heilsgeschichtlichen) Hineinnahme der menschlichen Freiheit in den Raum des Geheimnisses Gottes, aus dem sich der menschliche Freiheitsvollzug letztgültig empfängt, zeigt sich eine solche innere Einheit des dogmatischen Denkens in einer letzten Tiefe an. Damit sollen natürlich nicht die vielfältigen Spannungen, die zwischen den heutigen Entwürfen der dogmatischen Theologie herrschen, einfachhin eingeebnet werden; sie kamen im ersten Teil der Arbeit zu Wort.

[2] An diesem Punkt scheint sich auch in der ethischen Reflexion des scholastischen Denkens eine gewisse anfanghafte Offenheit für ein personales Wirklichkeitsverständnis im Sinne der Achtung der subjektiven Würde der menschlichen Geistigkeit auszudrücken. Sie ist allerdings aufgrund der deutlich objektivistisch orientierten inhaltlichen Seite der traditionellen Ethik weniger zum Tragen gekommen als in der Dogmatik.

[3] Vgl. zusammenfassend Böckle (7) 174–188; (8) 85–92.

scher Denkweise das Bild einer zum Teil recht widersprüchlichen Entwicklung, die hier unter dem Begriff „personale Wende“ angesprochen wird.

Es kann im folgenden nicht darum gehen, die ganze Entwicklung der gegenwärtigen moraltheologischen Reflexion innerhalb der katholischen Theologie in ihrer differenzierten Breite darzustellen. Aber es soll die Frage gestellt werden, ob es auch der Moraltheologie gelingt, innerhalb ihrer Problemkreise die Wirklichkeit Gottes in ein solch inneres Verhältnis zur menschlichen Personalität als subjektivem Selbstand und dialogisch begründeter Individualität zu bringen, wie es die dogmatische Reflexion in ihrer Entwicklung erreicht hat. Vermag auch innerhalb der moraltheologischen Denkform der Raum der menschlichen Freiheit erschlossen zu werden – im Gegenüber und Zueinander zur Freiheit Gottes und ihrem Geheimnis als unbestimmbarer und sich für den Menschen bestimmender Freiheit? Wie werden die inneren ‚Zielpunkte‘ der personalen Wende des Denkens im Kontext der moraltheologischen Problemfelder vertieft und entfaltet? Dabei steht im Hintergrund dieser Fragen die umfassende Infragestellung der traditionellen Form der moraltheologischen Vermittlung des christlichen Gottesverständnisses. Es geht um die Suche nach einem personal offenen Gottesbild, das die objektivistisch autoritäre und rationalistische Verengung überwindet.

Betrachtet man die gegenwärtige Moraltheologie unter diesem Blickwinkel, so ist es zunächst der Gedanke der transzendentalen Ermöglichung der menschlichen Freiheit, der großen Einfluß auf die Moraltheologie ausübt. Für eine erste Form moraltheologischer Entwicklung nach dem Zweiten Vatikanum wird der subjektive, freie Selbstand des Menschen, der aus dem ermöglichenden Geheimnis Gottes eröffnet wird, zum ersten Deutungshorizont der menschlichen Sittlichkeit nach der Absage an die objektivistische Metaphysik und Anthropologie. Das Verständnis Gottes als Geheimnis einer unbestimmbaren, ermöglichenden Freiheit, an der sich die menschliche Subjektivität als ins Eigensein entlassener Selbstand erfährt, vertieft sich zur Deutung Gottes als des *Urgrundes der menschlichen Freiheit*. Und die unbedingte Verbindung mit dem menschlichen, subjektiven Selbstand als subjektivem Selbstvollzug bzw. objektiver Selbstzwecklichkeit, in welche die Deutung des ganzen sittlichen Phänomens gebracht wird, dient dazu, die objektivistische und autoritäre Verengung der moraltheologischen Denkform in einer *eindeutigen* Weise zu überwinden. Hier erhält der erste Problemkreis der moraltheologischen Vermittlung des christlichen Gottesverständnisses, der in der Einleitung dieser Arbeit aufgezeigt wurde, seine unmittelbare Antwort aus der gegenwärtigen Erneuerung der Moraltheologie.

Die Moraltheologie betont in dieser Entwicklung in ganz besonderer Weise den Raum der menschlichen Freiheit, den menschlichen Selbstand, den Gott als ermöglichendes Geheimnis selbst schenkt. Dabei gelangt sie aber zu einer Art anthropologischer Konzentration des Denkens: zur Auslegung der menschlichen Sittlichkeit in einer gewissen Ausschließlichkeit vom Fundament des menschlichen Selbstvollzuges und seiner Selbstzwecklichkeit her. In dieser Konzentration zeigt sich eine eigentümliche Schwierigkeit: In dem Augenblick, da die Moraltheologie das sittliche Sollen ganz vom menschlichen Freiheitsraum und vom menschlichen

Selbstand her zu verstehen und zu begründen versucht, scheint sie die Offenheit für die Schichten menschlicher Personalität zu verlieren, die über den subjektiven (rationalen) Selbstvollzug des Menschen hinaus in seine geschichtlich verfaßte Freiheit, seine unreduzierbare Individualität und existentiell erfahrene personale Würde führen, die ihr letztes Fundament offenbar in der dialogischen Beziehung des Menschen zu Gott haben.

Demgegenüber bemüht sich eine zweite Form der gegenwärtigen moraltheologischen Reflexion darum, nicht nur den Gedanken der transzendentalen Ermöglichung der menschlichen Freiheit aus dem Geheimnis Gottes aufzunehmen, um vom ermöglichten Selbstand der menschlichen Freiheit aus das sittliche Phänomen umfassend zu deuten. Sondern es geht ihr darum, auch das Anliegen der ‚Einbergung' der menschlichen Freiheit (mit ihrem Selbstand) in das Geheimnis der heilsgeschichtlichen Selbstmitteilung Gottes, wie es in der Entwicklung der dogmatischen Theologie deutlich wurde, für die Moraltheologie fruchtbar zu machen. Man versucht, gerade die geschichtlich christologische und eschatologische Spannung der personal und anthropologisch gewendeten Denkweise heutiger Theologie zu integrieren. Und es zeigt sich: Erst dort, wo sich die Moraltheologie für die ‚Eingeborgenheit' der menschlichen Freiheit in das Geheimnis Gottes öffnet, wo sie die geschichtlich sich vertiefende, dialogische Beziehung des Menschen zu Gott zum umfassenden Fundament ihres Denkens macht, vermag sie ihr Verständnis der Sittlichkeit auch in ein positives Verhältnis zur personalen Ganzheit des Menschen, zur geschichtlichen Tiefe seiner Freiheit und zur existentiellen Unreduzierbarkeit seiner Personalität zu bringen. Gott wird in diesem Denken als der bergende *Zielgrund der menschlichen Freiheit* verstanden, als Zielgrund der Freiheitsgeschichte, die sich dem Menschen als Aufgabe zulastet, nachdem er die ‚Geborgenheit' seiner Handlungsorientierung an der vorgegebenen Naturordnung in der subjektiven Wende des Denkens verloren hat. In dieser geschichtlich-hermeneutischen und dialogischen Sicht werden zwei Ebenen des Sittlichen vermittelt, die im traditionellen moraltheologischen Denken unverbunden nebeneinanderstanden: die Ebene der sich existentiell erfahrenden, geschichtlich verfaßten Freiheit und unreduzierbaren Individualität des Menschen auf der einen Seite und die des allgemeingültigen, universal anfordernden sittlichen Anspruchs auf der andern. Mit dieser Vermittlung wird aber die rationalistische Verengung der moraltheologischen Denkform aufgelöst. Der zweite Problemkreis des Gottesverständnisses in der Moraltheologie, der unter der Aufgabenstellung in der Einleitung zu dieser Arbeit angesprochen wurde, scheint hier aus der gegenwärtigen Entwicklung eine Antwort zu finden.

Die vorliegende Arbeit versucht, diese Entwicklung der Moraltheologie und ihre Bedeutung für die moraltheologische Vermittlung des christlichen Gottesbildes darzustellen. Die Moraltheologie geht dabei einen Weg, der von der scholastischen Begründung des sittlichen Anspruchs von der objektiven Naturordnung her über die Verankerung menschlicher Sittlichkeit im subjektiven Selbstand des Menschen als Selbstvollzug und objektive Selbstzwecklichkeit zur Deutung der Sittlichkeit aus einem ontologischen und gnoseologischen Fundament führt, das sowohl die Ermöglichung der menschlichen Freiheit wie auch ihre ‚Einbergung' in das heilsgeschichtlich sich vertiefende Geheimnis Gottes umschließt. Sie schreitet dabei von ihrem objektivistisch rationalistischen und autoritären Denken über die Überwindung der objektiven und autoritären Verengung bis zur Auflösung der rationalistischen Einseitigkeiten ihrer Denkform fort. Und das Gottesverständnis wandelt sich so von der ontologischen Interpretation der Transzendenz, die sich in der objektiven Seinshierarchie für das menschliche Handeln sinnstiftend ausdrückt, zum Verständnis Gottes als Grund des menschlichen Freiheitsvollzugs (Abschnitt A: Gott als Urgrund menschlicher Freiheit) bis zur Deutung der Wirklichkeit Gottes als ‚bergenden' Zieles der menschlichen Freiheitsgeschichte (Abschnitt B: Gott als Zielgrund menschlicher Freiheit).

Abschnitt A

Gott als Urgrund menschlicher Freiheit

Das Denken der traditionellen Moraltheologie scheint der menschlichen Freiheit und Subjektivität in einer doppelten Hinsicht unvermittelt und ‚äußerlich' zu bleiben. Zum einen ist ihm offensichtlich die subjektive Gestaltungsmacht der menschlichen Freiheit gegenüber der Objektivität fremd (objektivistische Verengung der moraltheologischen Denkform). Menschliche Freiheit ist zunächst sich selbst aufgegeben, auch wenn die vorgegebenen Strukturen der Naturordnung und anderer Sachordnungen eine relative Bedeutung für das Verständnis des sittlichen Sollens haben. Diese subjektive ‚Integrität' des Menschen besteht in einem gewissen Sinne ebenso gegenüber allen durch eine Autorität und ihre Setzungen personal begründeten Ordnungen. Aber auch in dieser Hinsicht scheint die traditionelle Moraltheologie die Unreduzierbarkeit des Menschen als Subjekt kaum zu beachten (autoritäre Verengung). Sowohl die traditionelle Naturrechtslehre als auch der apologetische Extrinsezismus, der sich innerhalb der Moraltheologie mit dem Naturrechtsdenken in Form deontologischer Normierungen auf eine ganz eigentümliche Weise verbunden hat[1], bringen eine für das subjektiv vermittelte Wirklichkeitsverständnis unverständlich bleibende Bindung der menschlichen Freiheit an den objektivistisch und autoritär vorgegebenen „Willen Gottes" zum Ausdruck.

Die gegenwärtige Moraltheologie bemüht sich gegenüber einer solchen Vermittlung des göttlichen Willens, die Interpretation des sittlichen Anspruchs in ein inneres Verhältnis zur Freiheit des Menschen als subjektiven Selbstvollzugs zu bringen. Sowohl im Gegensatz zum Objektivismus als auch in Absetzung vom autoritären Grundzug der traditionellen Deutungen möchte man – ähnlich wie die gegenwärtige dogmatische Reflexion – einen Freiheitsraum der menschlichen Subjektivität innerhalb der theologischen Denkform erschließen, in der auch die Wirklichkeit Gottes in eine positive Beziehung zur menschlichen Personalität mit ihrer subjektiven Würde gebracht ist. Darin soll Gott nicht mehr als bloßer Ursprung von objektiven und autoritativen Ordnungen erscheinen, welche der menschlichen Freiheit unmittelbar und zwingend vorgegeben sind, sondern vielmehr als der ermöglichende Horizont bzw. Konstitutionsgrund des menschlichen Freiheitsvollzugs und dessen subjektiver ‚Gestaltungsmacht', die dem Menschen in Auseinandersetzung mit objektiven und autoritativen Ordnungen aufgegeben ist (Gott als Urgrund menschlicher Freiheit).

---

[1] Vgl. hier S. 143–150.

3. Kapitel
Franz Böckle: Der Freiheit schenkende Gott

Franz Böckle nimmt ausgehend von dem anfanghaften Verständnis für den subjektiven Selbstand innerhalb des scholastischen ontologischen Seins- und Partizipationsdenkens, die subjektive Vermittlung des Denkens in die Moraltheologie auf. Er deutet die scholastische Interpretation, die die personale Wirklichkeit des Menschen von der Seinspartizipation des menschlichen Geistes her begründete, in eine eher transzendental gefaßte Ermöglichung des menschlichen Freiheitsvollzugs aus der unendlichen Freiheit um und integriert in deutlicherer Weise als die scholastische Anthropologie das Verständnis für den subjektiven Selbstvollzug des Menschen. Das Sittliche wird dabei gegenüber der objektivistischen Interpretation in anthropologischer Vermittlung gedeutet. Und die Wirklichkeit Gottes erscheint in dieser anthropologisch gewendeten Denkweise gerade als der ermöglichende Grund und Horizont des Freiheitsvollzugs des Menschen.

Der Denkweg Böckles beginnt zunächst in Auseinandersetzung mit transzendentalontologischem und transzendentaltheologischem Denken. Er sucht nach einer existentiellen und christozentrischen Vertiefung des moraltheologischen Denkens, bis er durch die Kritik des traditionellen Naturrechtsdenkens zu seinem subjektiv gewendeten Verständnis der menschlichen Sittlichkeit vorstößt.

1. Existentialethik, Christozentrik und die personale Denkform der Moraltheologie

Franz Böckle zog 1957 in einem Aufsatz zum Sammelband „Fragen der Theologie heute“ unter dem Titel „Bestrebungen in der Moraltheologie“[2] Bilanz über den Stand des damaligen moraltheologischen Denkens: Die neuscholastische Aktmoral ist auf eine personal ganzheitliche Sicht des Sittlichen hin[3] aufgebrochen durch die biblische und gnadentheologische Wende der Moraltheologie[4]. Böckle artikulierte aber auch die Problematik dieses Aufbruchs: Die Notwendigkeit, die personale Denkweise tiefer zu reflektieren.[5] Er ringt dabei um ein ganzheitlich personales Denken, in dem die existentiell-personale, aber auch die rationale und objektive Ebene des sittlichen Phänomens eine Einheit bilden. Denn die existentielle Tiefe der menschlichen Personalität bleibt auf das allgemeinmenschliche Wesen

---

[2] = Böckle (1).

[3] Böckle (1) 431: „... die Auseinandersetzung mit dem existentialistischen Denken verlangt... von der Moraltheologie, *das Verhältnis von Person und Akt* näher zu prüfen und den Akt wieder personal voller zu sehen.“ Die Aufnahme des personalistischen Denkens in die Moraltheologie schreibt Böckle (428) besonders Theodor Steinbüchel zu.

[4] Vgl. ebd. 425–427.

[5] Vgl. u. a. ebd. 436.

bezogen und ihre Objektivierung durch verleiblichende Akte ist notwendig.[6] Um die Art dieser Vertiefung näher zu charakterisieren, knüpft Böckle in diesem Aufsatz vor allem an die transzendentalontologische Interpretation der menschlichen Personalität durch Karl Rahner an[7] und lenkt die Reflexion schließlich in die zwei Richtungen

- der Frage nach einem neuen Abstraktionsprinzip innerhalb des naturrechtlichen Denkens und
- einer nicht nur biblisch, sondern systematisch gefaßten Christozentrik der Moraltheologie, in der Christus als das „universale concretum" zur echten hermeneutischen Mitte der personal gewendeten Denkform wird.[8]

In diesen beiden Fragerichtungen kündigen sich die grundlegenden Entwicklungen der Moraltheologie nach dem Zweiten Vatikanum an: Die in der Frage nach einem neuen Verständnis des naturrechtlichen Denkens eingeschlossene Frage nach der Rolle der menschlichen Subjektivität in der Erkenntnis und Konstitution des Naturrechts führt zur Besinnung der Moraltheologie auf die subjektiv setzende Freiheit des Menschen und seinen Selbstand als das erste Fundament der Deutung des sittlichen Anspruchs; und die Frage nach der systematischen Christozentrik weist auf die moraltheologische Suche nach der ‚Einbergung' der menschlichen Freiheit und ihrer geschichtlichen Offenheit in die dialogische Beziehung von Gott und Mensch in Jesus Christus hin.

Böckle greift zunächst besonders die zweite Fragerichtung in seinem Denken auf. Er versucht, die im transzendentalontologischen Verständnis der menschlichen Personalität gelegene existentielle und christozentrische Ausrichtung des Den-

---

6 Böckle (1) 430 betont einerseits die Bedeutung der Wesensethik für die Moraltheologie, zum anderen fordert er ihre Ergänzung: „Wo aber das arteigene, die Individuen verbindende und verpflichtende Wesen verkannt wird, droht die Gefahr einer reinen Situationsethik. Die Überwindung dieser Gefahr fordert von der Moraltheologie eine formale Existentialethik, die in Ergänzung zur Wesensethik zeigt, daß und wie das positiv Individuelle einen Menschen weit über das Allgemeine hinaus verpflichten kann in einem ‚Privatbereich', der der persönlichen Verantwortung des Einzelnen überlassen bleibt. Dazu sind eigentlich erst Ansätze da." Diese Differenzierung der existentiell-personalen Ebene von der allgemein-rationalen und die gleichzeitige Bezogenheit beider Ebenen aufeinander liegt in der Struktur des Menschen begründet, der sich als Person in kategorialen Akten objektivierend vollzieht: „Die Person ist ja nicht nur Ausgangspunkt und Sammelstelle einzelner Akte, sie spricht sich vielmehr in ihrer Individualität in den Akten aus und findet durch sie hindurch ihre endgültige Prägung" (431).

7 Alle vier moraltheologischen Autoren, welche in dieser Arbeit auf ihre Gestaltung der personalen Wende des Denkens innerhalb der Moraltheologie und deren Bedeutung für die moraltheologische Vermittlung des christlichen Gottesverständnisses hin untersucht werden, schließen ihre Reflexion (zumindest zunächst) in irgendeiner Hinsicht an Karl Rahner bzw. an die transzendentaltheologische Denkweise an. Dabei bilden freilich die vielschichtigen Ebenen der transzendentaltheologischen Hermeneutik nur den Ausgangspunkt für die zum Teil gänzlich widersprüchlichen Entwürfe, die mit Hilfe unterschiedlicher Denkweisen entfaltet werden. So kann in diesem gemeinsamen Ansatzpunkt letztlich doch keine einheitliche Basis der Entwicklung gesehen werden.

8 Vgl. Böckle (1) 439.

kens[9] in die Moraltheologie grundlegend einzubringen. Dabei eignet diesen Überlegungen noch eine gewisse Vorläufigkeit, weil die darin gelegene subjektive und geschichtliche Wende des Denkens noch nicht umfassend entfaltet wird.[10]

Hat Karl Rahner den Menschen in ‚existentialer Eingründung' als freien, transzendentalen Selbstvollzug in Seinserschlossenheit ausgelegt[11], so versucht er selbst, dieses Verständnis des Menschen für die christliche Ethik fruchtbar zu machen. Die von ihm erhobene Forderung einer „Existentialethik"[12] zielt auf eine Hermeneutik des sittlichen Anspruchs, die sich nicht auf dessen rational unmittelbar faßbare und ableitbare Dimensionen beschränken will. Sie soll den sittlichen Anspruch nicht als bloßen Schnittpunkt der allgemeingültigen Normativität und einzelner Situationen begreifen, sondern nach einer positiven Bedeutung der menschlichen Individualität für das Verständnis sittlicher Sollenserfahrung fragen. Rahner reflektiert die Problematik der weitgehenden Beschränkung der traditionellen Moraltheologie auf die Rationalität der üblichen moraltheologischen Normsysteme, welche die Erfahrung sittlicher Beanspruchung des Menschen in existentiellen individuellen Entscheidungen nicht positiv zu erreichen vermögen: „Überall dort, wo sich ein Mensch *innerhalb* des Sittlichen der allgemeinen Normen für eine von mehreren Möglichkeiten entscheidet, wo er *innerhalb* des allgemein und positiv Sittlichen ‚wählt', ist diese durch Entscheidung entstehende (nicht ableitbare) Konkretion seines sittlichen Soseins durchaus auffaßbar als ‚In-Erscheinung-treten' seiner ineffablen sittlichen Individualität und nicht allein als das bloß willkürliche Auswählen zwischen Möglichkeiten, die letztlich gleich-gültig wären und denen gegenüber das ‚Gerade-dies' und ‚Nicht-jenes' keine weitere positive und sittliche Bedeutung mehr hätte."[13] Er bedenkt aber zugleich die Schwierigkeit, die existentiell erfahrene Individualität hermeneutisch zu fassen: „...auch dort, wo die deduktiv-syllogistische Gewissensbildung aus den allgemeinen Normen und der konkret vorliegenden Situation scheinbar zu dem eindeutigen Resultat eines konkret einen Imperativs führt, kann dieser faktisch immer noch in den verschiedensten Weisen und inneren Haltungen realisiert werden. Selbst dort, wo diese Verschiedenheit nicht mehr nachweisbar ist, wo man sich den haargenau selben Fall als wiederholt realisierbar denken könnte, ist damit *nur* bewiesen (dies und nicht mehr!), daß eben das einmalig und positiv Individuelle nicht reflex satzhaft aussprechbar ist, kein Gegenstand einer reflexen, in Sätzen artikulierbaren gegenständlichen Erkenntnis sein kann, nicht aber ist damit bewiesen, daß ein positiv Sittlich-Individuelles einer personalen Tat nicht vorliegen könne."[14]

Der sittliche Anspruch wird damit innerhalb der katholischen Theologie anfanghaft im Horizont einer Personmetaphysik gedeutet, welche die personale Tiefe des Menschen in den Blick zu bekommen versucht, die in dessen rational nicht reduzierbarer ‚Intimität' und Geschichtlichkeit gründet: „Insofern derselbe Mensch in seiner eigenen Geistigkeit subsistiert, ist sein Tun auch immer mehr als bloße Anwendung des allgemeinen Gesetzes im Casus von Raum und Zeit, es hat eine inhaltliche positive Eigenart und Einmaligkeit, die nicht mehr übersetzbar ist in eine allgemeine Idee und Norm, die in Sätzen ausgesprochen werden kann,

---

9 Vgl. hier S. 43–45.

10 Diese Entfaltung wird erst Klaus Demmer in seiner Auseinandersetzung mit den transzendental vermittelten Ansätzen der Scholastik leisten.

11 Vgl. hier S. 31–34.

12 „Der Begriff wurde... von *K. Rahner* geprägt (Schriften II, S. 239, Anm. 1), er steht als Gegen- und Komplementärbegriff zu einer abstrakt allgemeinen Essenzethik, besagt aber nicht eine wesenlose Existenz, sondern bezieht sich auf das materiale Wesen des Menschen, insofern es durch das Positiv-Individuelle geprägt ist" (Böckle [1] 444[63]).

13 Rahner (4) 238; vgl. von K. Rahner: Situationsethik und Sündenmystik, in: StZ 145 (1949/50) 333–342; Gefahren im heutigen Katholizismus (Christ heute 1/10). Einsiedeln 1950; ferner Rahner (4) und (21).

14 Rahner (4) 238.

die aus allgemeinen Begriffen gebildet wird. Mindestens in seinem Handeln ist der Mensch wirklich auch (nicht nur!) individuum ineffabile, das Gott bei seinem Namen gerufen hat, einem Namen, den es nur einmal gibt und geben kann, so daß es wirklich der Mühe wert ist, daß dieses Einmalige als solches in Ewigkeit existiert."[15] Liest man diese Überlegungen Rahners, so wird deutlich, wie sehr hier die Moraltheologie schon auf eine Denkform verwiesen wird, in der die Mahnung Eugen Drewermanns, die existentiell erfahrene Würde des Menschen als Individuum nicht in einer bloß allgemeinen Sittlichkeit zu übergehen und dem Menschen Gott als wirklich liebendes Gegenüber auch für diese personal existentielle ‚Intimität' erfahrbar zu machen[16], unmittelbar und positiv ernst genommen ist. Die personale Reichweite dieses Ansatzes kommt aber in dieser Reflexion selbst noch nicht zum Zug. Er beschränkt sich letztlich auf den einklagenden Hinweis auf eine Dimension menschlicher Sittlichkeit, die von der Vernunft aus, die auf eine die geschichtlich konkrete Wirklichkeit des Menschen nicht einbeziehende Normativität reflektiert, nicht entworfen oder erreicht werden kann (die allerdings auf Rationalität hin transparent bleiben muß und gegen jede situationsethische [und in diesem Sinne ‚subjektivistische'] Reduktion abgegrenzt wird[17]). Denn Rahner selbst faßt diese Dimension schließlich in einer in Analogie zur ignatianischen Mystik entworfenen spirituellen (‚privaten') Hermeneutik. Sein Blick geht dabei immer sehr bewußt von der rationalen Ebene weg auf die „existentiale" hin. Er betont gerade die Unmöglichkeit, diese Ebene durch die allgemein sittliche Reflexion zu erreichen (auch wenn die zur Frage stehende Seite sittlicher Sollenserfahrung des Menschen innerhalb der allgemeinen Sittlichkeit liegt, aber eben nicht mehr satzhaft ermittelt[18] und somit auch in einer moraltheologischen normativen Proposition nicht aufgerufen werden kann): Der Mensch „wird also wohl immer seine Entschlüsse aus einer global erfaßten und während dieser längeren Zeit ihm aktuell gegenwärtigen Grunderfahrung über sich selbst und aus dem Gefühl der Kongruenz oder Inkongruenz des Wahlgegenstandes zu diesem seinem Grundgefühl über sich selbst heraus treffen, er wird nicht nur und nicht in letzter Linie aus einer rationalen Analyse heraus, sondern aus dem Empfinden heraus, ob etwas ‚zu ihm paßt' oder nicht, seine Entscheidung fällen. Und dieses Empfinden wird daran sich messen, ob einen die Sache ‚freut', innerlich *‚befriedigt'* (eine sehr gute Charakterisierung steckt in diesem Wort vom Frieden, den man in seinem Entschluß findet)."[19] Das Kriterium zur Erkenntnis einer sittlichen Anforderung in dieser individuellen, satzhaft nicht mehr reflektierbaren Tiefe ist für Rahner die ignatianische consolación sin causa, die er für seine „existentiale Logik" des sittlichen Anspruchs als Erfahrung von „Tröstungen" und „Trostlosigkeiten" in der existentiellen Entscheidungssituation aufgreift: „Wie wird dieser göttliche Trost einer transzendenten Unmittelbarkeit als Kriterium eingesetzt, um zu dieser partikulären Erkenntnis zu gelangen, die einem durch eine Essenzmoral allein nicht vermittelt werden kann? ... Der Gedanke ist... der: die hinsichtlich ihres Ursprungs mittels der Regeln zur Unterscheidung der Geister gedeuteten Tröstungen und Trostlosigkeiten lassen uns dadurch den Willen Gottes erkennen, daß diejenigen Tröstungen, die von Gott kommen, auch zur Wahl und zum Vollzug dessen drängen, was Gott von uns will..."[20] In dieser Hermeneutik bleibt aber *die Bezogenheit dieser existentialen Ebene auf die Rationalität im Sinne der geschichtlichen Vermittlung von sittlicher Einsicht durch die Eingebundenheit jedes einzelnen Menschen in den Zusammenhang der vorbegrifflichen geschichtlichen Sinnhorizonte*[21] außer acht. So reflektiert Karl Rahner gerade nicht auf eine Deutung, die die menschliche existentiell erfahrene Individualität (hermeneutisch) auf die allgemeine rationale Sittlichkeit beziehen

---

15 Ebd. 237f.

16 Vgl. dazu hier S. 16–19.

17 „Das Thema [der formalen Existentialethik] ist... abzugrenzen von dem, was man heute Situationsethik zu nennen pflegt" (Rahner [4] 227).

18 Vgl. ebd. 237.

19 Rahner (21) 144f.

20 Ebd. 136f.

21 K. Demmer wird an diesem Punkt seine Reflexion ansetzen. Vgl. hier Kap. 6.

würde. In seiner transzendental-mystischen Deutung scheint es ihm um eine personale Tiefe menschlicher Entscheidung zu gehen, die als eine nicht-universalisierbare Sinndimension des sittlichen Anspruchs verstanden werden müßte. Es stellt sich aber die Frage, ob nicht die unüberbrückbare ‚Dualität' von individuell existentieller Dimension und allgemein normativer Ebene innerhalb dieser Deutung die moraltheologische Reflexion selbst als allgemeine Rechenschaft vom Sinn sittlicher Beanspruchung in einer abstrakten Allgemeingültigkeit beläßt. Müßte diese nicht – so sehr es natürlich eine letzte, nicht mehr reflektierbare ‚Intimität' des Menschen gibt – gerade um der menschlichen Wirklichkeit als geschichtlicher, existentiell erfahrener Individualität willen auf die existentialen Tiefenschichten menschlicher Personalität hin aufgebrochen werden? Insofern Rahner die geschichtliche Struktur der ‚überrationalen' Sinntiefe des sittlichen Anspruchs, in der die menschliche, existentiell erfahrene Individualität und die allgemeine Rationalität des Sittlichen in einer dialektischen Einheit (der unthematischen Tiefe des allem begrifflichen Erkennen vorausliegenden Seinshorizonts[22]) aufeinander verwiesen und bezogen sind, nicht thematisiert, erbringt seine Erschließung der existentiellen Tiefe der Sollenserfahrung nicht eine *umfassende* moraltheologische Hermeneutik, welche den Ansatz des Verständnisses sittlicher Wirklichkeit von der transzendentalontologischen Deutung menschlicher Personalität her *systematisch* zu entfalten vermöchte. Die in diesem Denken gelegene geschichtliche und christozentrische Vermittlung moraltheologischen Denkens bringt die Wirklichkeit Gottes innerhalb der moraltheologischen Vermittlung nicht umfassend in ein positives Verhältnis zur personalen Würde und Individualität des Menschen.

Böckle hat sich in der Moraltheologie der Existentialethik, wie Rahner sie fordert, angenommen.[23] Die transzendentalontologische Anthropologie als personal gewendetes Seinsdenken und das transzendentaltheologische Denken Rahners als christozentrisches Denken[24] schaffen für Böckle einen Verständnishorizont, der eine verstehende, positive Auseinandersetzung mit der existentiell-personal und dialogisch ausgerichteten protestantischen Ethik der Gegenwart ermöglicht. Böckle erkennt das Anliegen gegenwärtiger protestantischer Autoren (Karl Barth, Emil Brunner...), die Ordnungsfunktionen der formalen und objektiven Sachlichkeit als Indikatoren zur Bewältigung der sittlichen Situation zu verstehen, den letzten Grund der sittlichen Verantwortung des Menschen aber immer in seiner freien Entscheidung vor Gott anzusiedeln, gegenüber dem traditionellen katholischen naturrechtlichen ‚Rationalismus' in seiner Berechtigung an.[25] Denn im Sinne des transzendentaltheologischen Denkens ist „der Mensch in seinen Entscheiden [letztlich] vor Gott gestellt, er verfügt aus der innersten Mitte der Person über sich als Ganzes in seiner Stellung zu Gott", weil nach dem transzendentalontologischen Verständnis als die „ursprüngliche Person" des Menschen „das eigentliche Personzentrum als transzendenter Geist in seiner dynamischen Ausrichtung auf Gott" bezeichnet wird und weil diese dynamische Ausrichtung auf Gott „der Urgrund der Freiheit und ihrer Entscheidungen" ist; „denn nur in dieser dynamischen Ausgerichtetheit auf das unendliche Gut ist der Mensch dem endlichen Gut gegenüber frei". In der menschlichen Sittlichkeit geht es also „um eine grundlegend existentiel-

---

[22] Vgl. Demmer (1) 8–36.

[23] Vgl. F. Böckle, Art. Existentialethik, in: LThK 3,1301–1304; Böckle (1) 443–446; (4) 78–82.

[24] Vgl. hier S. 43–45.

[25] Vgl. Böckle (3).

le Entscheidung"[26]. In dieser Annäherung an innerste Anliegen protestantischer Ethik bricht eine Tendenz innerhalb der katholischen Moraltheologie auf, die einseitige rationalistische Orientierung ihrer Denkform zu überwinden – wenn auch nach ihrem Verständnis die existentielle Mitte der menschlichen Sittlichkeit unmittelbarer, als es die protestantische Ethik zu verstehen scheint, auf die rationalen, objektivierenden Ebenen bezogen bleibt. Denn: „Den Entscheid selbst fällt der Mensch freilich nicht unmittelbar an Gott..., sondern in und durch seine ‚Natur' an endlichen Gütern, an gegenständlichen Werten."[27]

Aber es gelingt auch Böckle – wie schon Karl Rahner – nicht, eine umfassende Hermeneutik zu erschließen, innerhalb deren die essentielle und die existentielle Dimension des Sittlichen innerlich aufeinander positiv bezogen wären. Auch er thematisiert nicht die Geschichte als den ‚Ort' dieser Beziehung und findet nicht zur geschichtlich-hermeneutischen Denkweise als Form moraltheologischer Erkenntnis. Die katholische Moraltheologie zeigt sich so auf dem Weg aus dem neuscholastischen Denkhorizont zu einer personalen Denkform, deren Gestalt erst tastend in den Blick kommt. In der Interpretation des sittlichen Anspruchs bleiben alle Ordnungsstrukturen des sittlichen Phänomens, ob sie aus objektiv-ontologischen oder aus subjektiv-anthropologischen und formalen Sinnzusammenhängen entdeckt werden, bezogen auf eine personal-existentiale Tiefe und Sinnschicht, in der auch die Beziehung des Menschen zu Gott ihre Mitte hat. Zugleich zeigt sich aber, daß die Reflexion noch nicht weit genug geht, um diese Erkenntnis in der Struktur der moraltheologischen Denkform auch auszudrücken und die rationale Deutung des sittlichen Anspruchs auf diese personale Sinntiefe hin in einer geschichtlich-hermeneutischen Denkweise transparent zu machen. Infolge der systematisch noch nicht recht gelingenden Verbindung der personalen Sinnmitte des sittlichen Anspruchs mit seiner Rationalität bleiben die personale Tiefe in eine privatisierende Unverbindlichkeit verschlossen und die Rationalität zu einer abstrakten Allgemeingültigkeit verfestigt, die der subjektiv geschichtlichen und existentiellen Wirklichkeit des Menschen nicht gerecht zu werden vermag.[28] Es scheint, daß es der

---

[26] Böckle (1) 432.

[27] Ebd. Böckle betont deshalb auch im Anschluß an Rahner (4) 227–230 auf dem Hintergrund der transzendentalontologischen Metaphysik der Person gegenüber den stark situationsethisch orientierten Ansätzen der protestantischen Ethik die bleibende Bezogenheit der Situation und der darin sich äußernden existentiellen Unreduzierbarkeit der Wirklichkeit des Menschen auf die essentiellen Strukturen: „Für die christliche Ethik gibt es eine Bewältigung der Situation nur im Rahmen einer normativen Wesensethik. Die *absolute* Situationsethik gründet auf falschen philosophischen oder theologischen Voraussetzungen und verkennt das *wahre Wesen der Situation*. ... Wie der einzelne Mensch das Allgemeine im Menschen nicht aufhebt, sondern innerhalb des allgemein Menschlichen bleibt, so hebt die Situations- (Individual-) Ethik die allgemein normative Ethik nicht auf, sondern ergänzt sie" (Böckle [4] 79; vgl. [3] 59–79).

[28] In diesem Scheitern der wirklichen hermeneutischen In-Bezug-Setzung der rationalen und der existentiellen Seite des Sittlichen liegt der Grund dafür, warum zunächst die personale Mitte der christlichen Ethik, die Christozentrik, wieder in den Hintergrund tritt.

subjektiven und schließlich geschichtlichen Vermittlung der objektivistisch gefaßten traditionellen naturrechtlichen Denkweise bedarf, soll der grundlegende subjektive Bezug und die damit verbundene personale Fundierung, am Ende die freie geschichtliche und christozentrisch dialogische Bezogenheit des sittlichen Anspruchs in den Blick kommen.[29] Böckle widmet in seinem weiteren Denken vor allem der subjektiven Wende des Denkens der Moraltheologie umfassende Aufmerksamkeit.

2. *Das Naturrecht in der Kritik*

Karl Rahner hatte eine neue Form des Wesensverständnisses für das katholische Naturrechtsverständnis gefordert und als Abstraktionsprinzip die transzendentale Deduktion vorgeschlagen.[30] Diese Forderung bleibt dem Gedanken der Fundierung des sittlichen Anspruchs in einer ontologischen Struktur – hier verstanden als transzendentale Struktur des Menschen und seiner Wirklichkeit – in einem gewissen Sinn noch verhaftet. Die Verschiebung des Verständnisses der christlichen Ethik bewegt sich hier noch *innerhalb* der bleibenden Voraussetzung des Axioms „agere sequitur esse", allerdings von einer „*Ontologie des Seienden* unter der Vorherrschaft des Dinges" zu einer „*Ontologie des Seins* unter der Vorherrschaft der Person"[31]. Implizit ist mit diesem Gedanken aber schon die Richtung für ein an der transzendentalen Subjektivität des Menschen orientiertes Verständnis des sittlichen Anspruchs gewiesen.[32]

---

29 Sodaß es dann gelingen kann, die existentiell erfahrene, geschichtliche Freiheit und einmalige Individualität des Menschen als Horizont der Auslegung des sittlichen Anspruchs in das Denken der Moraltheologie zu integrieren und deren eigene Mitte in der personal-dialogischen Beziehung von Gott und Mensch in Jesus Christus deutlich zu machen.

30 Vgl. K. Rahners Auseinandersetzung mit dem Buch von J. Fuchs, Lex Naturae. Zur Theologie des Naturrechts (Düsseldorf 1955): Bemerkungen über das Naturgesetz und seine Erkennbarkeit, in: Orien. 19 (1955) 239–243; dazu Böckle (1) 439f.

31 Böckle (3) 74. B. beruft sich in diesem Zusammenhang auf die transzendentalontologisch denkenden Scholastiker der Gegenwart, vor allem auf J. B. Lotz. Dabei wird die Aufnahme transzendentalontologischer Metaphysik im Sinne einer Rückkehr der Moraltheologie zur vollen Sicht der menschlichen Personalität (in Seinserschlossenheit) gegenüber der verengten Einschränkung auf die bloße Aktmoral verstanden und die Seinsbegründetheit der menschlichen Freiheit und Geistigkeit als Ausdruck der ganzheitlich existentialen Sicht der Personalität interpretiert. In dieser Perspektive ist der Satz von Böckle (1) 431 zu verstehen: „Der Grundsatz ‚agere sequitur esse', Handeln ist Seinsvollzug, steht, wenigstens als Programm, wieder am Anfang jeder Moral."

32 Böckle (3) 75 spricht schon in diesem Zusammenhang von der setzenden Rolle der menschlichen Subjektivität in der Sittlichkeit; er bestimmt sie von dem transzendentalontologischen Verständnis der menschlichen Personalität als Selbstvollzug in Seinserschlossenheit her: „Ohne damit die Person aus der Ordnung des Seienden herauszulösen, wird sie nun doch ganz anders an den Ausgangspunkt gerückt. Erst und gerade durch die Mitteilung des Seins an die Person werden die Werte gesetzt, kraft derer das Reich des Seienden eine Ordnung der Güter ist." Im Grunde ist schon hier die Orientierung

Böckle sucht in Anlehnung an jüngere Forschungen zum Naturrechtsverständnis bei Thomas von Aquin eine Neuinterpretation des Naturrechtsdenkens und des sittlichen Phänomens überhaupt zu leisten, die nicht im Sinne der Reflexion auf ein neues Abstraktionsprinzip, sondern als Reflexion auf die setzende *Rolle* der menschlichen Subjektivität in der Konstitution naturrechtlicher Sittlichkeit zu verstehen ist. Er transponiert dabei das scholastische Partizipationsdenken in ein gleichsam transzendental-subjektiv gewendetes Denken. Diese Reflexion auf die Rolle der menschlichen Subjektivität in der Setzung des sittlichen Anspruchs ergibt die eigentlich subjektive Wende des moraltheologischen Denkens. Das scholastische Axiom „agere sequitur esse" wird in dem Sinne verlassen, als nicht mehr die vorgegebene Objektivität den sittlichen Anspruch primär begründet, sondern zunächst der Vollzug der menschlichen, sich selbst aufgegebenen Freiheit selbst[33], wobei freilich die vorgegebene Struktur der menschlichen Subjektivität als „in objektiver Vermittlung sich selbst subjektiv aufgegebene" Freiheit das ontologische Fundament dieser subjektiven Stiftung sittlicher Wirklichkeit bleibt und in diesem Sinne das scholastische Axiom seine Bedeutung behält.[34]

Nach dem Ergebnis neuerer Forschungen zum Naturrechtsverständnis bei Thomas von Aquin bestimmt Thomas die Mitte des Naturrechtsbegriffs durch eine Offenheit des menschlichen Geistes, kraft deren der Mensch als seinsoffene Geistigkeit durch ein nicht-diskursives Erkennen[35] des göttlichen Gesetzes an der die Schöpfung ordnenden Tat Gottes teilzunehmen vermag. „So erweist sich das

---

der Deutung der menschlichen Sittlichkeit an objektivistisch vorgegeben verstandenen Ordnungen durchbrochen. Die Bedeutung dieser Verlagerung für das Verständnis des sittlichen Phänomens wird Böckle aber erst später immer schärfer herausheben.

33 Die in der transzendentalontologischen Transposition der scholastischen Denkweise anhebende subjektive Vermittlung wird hier explizit deutlich gemacht.

34 Vgl. Schüller (2) 43f; (4) 159–161.

35 Arntz (2) 92f erläutert dieses Verständnis bei Thomas auf dem Hintergrund der Tradition: Zwei Texte seien hier „angeführt, die uns zeigen, in welchem Sinn man das natürliche Sittengesetz als Vernunftgesetz verstanden hat. Der erste Text stammt von Abaelard: ‚Was zu tun sei, rät die Vernunft, die allen von Natur aus eingegeben ist und deshalb auch bei allen bleibt.' Der eigentliche Kernpunkt ist hier deutlich die Vernunft. Ein zweiter Text stammt von Wilhelm von Auxerre. Er gibt uns nun den entscheidenden Aufschluß darüber, was mit ‚Vernunft' in diesem Zusammenhang gemeint sein kann: ‚Strenggenommen bedeutet Naturrecht das, was die natürliche Vernunft ohne jede oder ohne größere Überlegung befiehlt, wie die Gottesliebe und ähnliches.' Legt uns diese Definition des Wilhelm von Auxerre also die leider später immer wieder übersehene Einsicht nahe, daß ‚naturalis' in dem Ausdruck ‚naturalis ratio' nicht ‚supernaturalis' gegenüberstehen muß, so bestätigt Thomas diese Interpretation auch selbst... Wenn aber naturalis nicht im Gegensatz zu supernaturalis steht, was bildet dann den Gegensatz, und was bedeutet es eigentlich? Eine implizite Antwort finden wir schon in dem angeführten Text des Wilhelm von Auxerre: ‚Was die natürliche Vernunft ohne jede oder ohne große Überlegung befiehlt.' Ich glaube, es geht um den intellectus im Gegensatz zur diskursiven ratio. ...Das Objekt dieser naturalis ratio ist dann das ‚naturaliter cognitum' im Sinne von ‚sine discursu cognitum' oder, positiv ausgedrückt: das, was ‚per se notum' ist. ...das Denken des hl. Thomas bewegt sich offensichtlich auf der Linie dieser Tradition."

Naturgesetz als ‚nichts anderes als eine Teilnahme am ewigen Gesetz im vernunftbegabten Geschöpf'."[36] Thomas geht bei diesem Verständnis des Naturrechts „aus von einer Strukturparallelität zwischen dem Verfahren der praktischen und der theoretischen Vernunft und dem Gedanken der Partizipation, derzufolge der Mensch durch seine Vernunft mit dem Naturgesetz am ewigen Gesetz teilnimmt"[37]. Die Würde des menschlichen Geistes mit seiner einzigartigen Offenheit auf das Sein übersetzt sich innerhalb des naturrechtlichen Denkens in die das Gesetz Gottes intuierende und das Naturrecht setzende Funktion: Das Naturrecht ist in der „Teilnahme der Vernunft des Menschen am ewigen Gesetz" in einem ersten Sinne „aliquid per rationem constitutum"[38]. Diese Ratio wird freilich ganz aus ihrer Offenheit für die Objektivität gedeutet. So sind die „inclinationes naturales" als objektiv gerichtete Neigungen des Menschen, von denen aus Thomas in einem zweiten Sinn das Naturrecht entwirft, das Material, mit dem der Inhalt des durch die menschliche Ratio erkennbaren Naturrechts bestimmt wird.[39] Daher herrscht bei Thomas eine gewisse Spannung zwischen der setzenden und der hinnehmenden Funktion des menschlichen Geistes als praktischer Vernunft:

„Für den *Systematiker* ergeben sich... hier zumindest zwei Schwierigkeiten. Die erste Schwierigkeit bildet die Frage, was eigentlich mit diesen inclinationes naturales genau gemeint sei. Geht es hier bloß um psychologisch relevante Faktoren, oder versteckt sich hier hinter einer psychologischen Terminologie im Grunde eine metaphysische Betrachtung? Und die zweite Schwierigkeit bildet die Frage, ob dann, wenn letzteres zutreffen sollte, diese inclinationes naturales schlechthin normativ sind oder aber nur auf etwas hinweisen, was ‚solitarie sumptum' (um eine Formulierung Cajetans zu gebrauchen) zwar gut ist, dessen Gegenteil jedoch unter bestimmten Umständen nicht nur gewählt werden kann, sondern sogar gewählt werden muß. Die Konsequenzen sind hier zunächst deutlicher als die Sache selbst. Wenn die natürlichen Neigungen schon an sich normativ sind, dann ist die *menschliche Natur* die Norm, und der Verstand hat dann diesen ordo naturae auf sich zu nehmen. Das bedeutet jedoch wieder zweierlei. Zunächst muß man dann sagen, daß der Mensch das Naturgesetz auf zweierlei Weise in sich trägt: sowohl in seiner *Natur* – aber das wäre nicht mehr als ein Gesetz im übertragenen Sinne – als auch in seiner Vernunft – und das wäre das Gesetz im eigentlichen Sinne. Eine solche Verdoppelung des Naturgesetzes führt aber in verschiedene Sackgassen. Denn wenn nur das letztere ein Gesetz im eigentlichen Sinne ist, dann ist das erstere das ‚Unwesentliche'. Und anderseits: Wenn der Verstand nichts anderes zu tun hat als von dem ordo, der in der (metaphysischen) Natur des Menschen vorgegeben ist, Kenntnis zu nehmen und ihn zu befolgen, dann wird der Verstand dadurch normiert, und dann ist der Verstand das ‚Unwesentliche'. Diese Auffassung ist zwar nicht gänzlich unmöglich, aber es ist doch äußerst unwahrscheinlich, daß sich Thomas für diese Alternative entschieden haben sollte. Hat man aber das eingesehen, dann muß auch die sich daraus ergebende Konsequenz akzeptiert werden: Die natürlichen Neigungen bieten sich dem Menschen nur dar als Materie, in der *er selbst* eine vernünftige Ordnung zu schaffen hat!"[40]

Greift Böckle in seiner Reflexion und Differenzierung des Naturrechtsbegriffs zunächst die verschiedenen Dimensionen des hoch- und spätscholastischen Natur-

---

[36] Ebd. 94.
[37] Ebd. 93; vgl. 94.
[38] Vgl. ebd. 94f.
[39] Vgl. ebd. 97–100.
[40] Ebd. 99f.

rechtsverständnisses auf und sichtet die verschiedenen Sinnrichtungen[41], so konzentriert sich seine Auseinandersetzung sehr bald auf die Bedeutung der setzenden Funktion menschlicher Geistigkeit. Die Untersuchung des Naturbegriffs, der in „vierfacher Weise... in der Geschichte der Moraltheologie" verstanden wird, läßt letztlich deutlich werden, daß der „Wurzelgrund des Naturrechtsgedankens... die Urerfahrung eines transzendenten Sollensanspruchs zur *Selbstverwirklichung*" ist. „Es ist die Unentrinnbarkeit, mit der wir uns selbst zugelastet sind." Das heißt: „Der konkrete Sollensgehalt kann nur aus der Sinndeutung menschlichen Daseins gefordert werden. Dabei ist der Mensch nicht einfach fixiert, er ist in eine echte Geschichte gestellt, in der er in steter geistiger Auseinandersetzung konkrete *Daseinsentwürfe* suchen muß."[42] Dabei wird aber von Böckle weniger die Seinsoffenheit und Gründung dieser setzenden Funktion in einer nicht-diskursiven (rezeptiven) Teilnahme an Gottes schöpferischer Tat als eigentliche Würde der menschlichen Geistigkeit verstanden und in den Vordergrund gestellt, vielmehr wird der rationale Charakter des Setzungsvollzugs als Akt der Subjektivität von ihm betont: „Thomas übernimmt zwar aus der von Plato über Cicero und Augustinus führenden Tradition den Gedanken der Teilhabe der menschlichen Vernunft an der göttlichen Vernunft (an der ‚ratio gubernativa in mente divina'); er hat aber diesen Gedanken *in ganz entscheidender Weise umgeformt*. Das entscheidend Neue liegt in der Betonung des Subjektseins des Menschen. Des Menschen einzigartige Würde liegt in seiner aktiven Teilnahme an der göttlichen Weltlenkung. Er ist im Rahmen seiner kreatürlichen Vernunft sich selbst zugelastet. Er hat an der göttlichen Vorsehung Anteil, indem er dazu bestimmt ist (und diese seine Bestimmung auch erfaßt), daß er vernünftigerweise für sich und andere vorsorgen muß."[43] Böckle denkt in seiner Interpretation des thomanischen Denkens und in seiner weiteren Reflexion des Sittlichen im Kontext der gegenwärtigen geistesgeschichtlichen Entwicklung immer mehr auf den rationalen Selbstvollzug menschlicher Geistigkeit hin, der für ihn immer deutlicher zum ersten Fundierungs- und Deutungshorizont des sittlichen Sollens (vor dessen transzendenter Rückbindung oder objektiv sachlicher Bezogenheit) wird.

Diese Arbeit kann nicht die gegenwärtige Diskussion über das ethische Denken des Thomas von Aquin und der Spätscholastik in ihrer spannungsreichen Vielfalt darlegen, die vielschichtige Problematik der Entwicklung von Thomas zur (intellektualistisch oder voluntaristisch orientierten) spät- und neuscholastischen Theologie nachzeichnen[44], und von dorther das Denken Böckles in seiner Entwicklung von einem scholastischen zu einem mehr am

---

41 Vgl. Das Naturrecht im Disput 122–140.

42 Ebd. 140; Hervorhebungen von J. R.

43 Böckle (7) 175; vgl. (8) 90.

44 Vgl. zu solcher Problematik u. a. Arntz (1) und (2); Auer (2); B. Bujo, Moralautonomie und Normfindung bei Thomas von Aquin. Unter Einbeziehung der neutestamentlichen Kommentare (VGI 29). Paderborn 1979; U. Kühn, Via Caritatis. Theologie des Gesetzes bei Thomas von Aquin (KiKonf 9). Göttingen 1965; K. W. Merks, Theologische Grundlegung der sittlichen Autonomie. Strukturmomente eines „autonomen" Normbegründungsverständnisses im lex-Traktat der Summa theologiae des Thomas von Aquin (MThSt.S 5). Düsseldorf 1978; Mongillo.

subjektiven Selbstvollzug des Menschen orientierten, neuzeitlichen Deutungshorizont hin aufweisen. Böckle betont vor allem die Originalität des thomanischen Denkens gegenüber den verschiedenen Denkmodellen partizipativen Seinsdenkens platonischer, stoischer und augustinischer Tradition und deren ethischen Ansätzen. Bei Thomas kommt deutlicher als in jedem Denken zuvor zum Ausdruck, daß die „Teilnahme des Menschen an der göttlichen Vorsehung (am ewigen Gesetz)... spezifisch in der natürlichen Neigung der praktischen Vernunft zu normsetzender Aktivität im Hinblick auf seine aufgegebene Vollendung und Erfüllung"[45] liege und daß darin das „Subjektsein des Menschen"[46] erstmalig betont sei. Böckle stützt diese Gedanken, die ihm als Ausgangspunkt und Absicherung für seine akzentuierte Deutung des sittlichen Phänomens vom subjektiven Selbstvollzug menschlicher Vernunft her dienen[47], durch Reflexionen auf die spätscholastische intellektualistische Umprägung des scholastischen Partizipationsdenkens. Während im thomanischen Verständnis die setzende Vollmacht menschlicher Geistigkeit in der ontologischen Fülle des hochscholastischen Seinsverständnisses gedeutet wurde, wird im spätscholastischen Intellektualismus diese Partizipation immer mehr im Sinne einer „inneren Widerspruchslosigkeit" gedacht, die göttlichem und menschlichem Erkennen und Wollen vorgegeben ist. Die Interpretation des Gabriel Vasquez von J. M. Galparsoro Zurutuza[48] referierend stellt Böckle fest: „Nach Vasquez ist das sittliche Naturgesetz die vernunftbegabte Natur des Menschen selbst. Gegen den Voluntarismus betont er mit allem Nachdruck, daß die Wesensnatur des Menschen in bezug auf ihre innere Widerspruchslosigkeit von jedem willensmäßigen und rationalen Element unabhängig sei. Weil die Wesensnatur ihr letztes Fundament in der Natur Gottes hat, ist sie selbst dem göttlichen Erkennen und Wollen vorgegeben. Und weil das Sein Gottes nur in innerer Widerspruchslosigkeit gedacht werden kann, so ist auch die menschliche Vernunftnatur durch die innere Widerspruchslosigkeit geprägt. Dieses Prinzip der inneren Widerspruchslosigkeit der Wesensnatur bildet das ontologische Fundament im System von Vasquez. Aus der Widerspruchslosigkeit der Vernunftnatur als solcher (‚natura rationalis quatenus rationalis') erwächst der unbedingte Sollensanspruch."[49] Und Böckle zieht aus dieser Deutung die Konsequenz: „In diesem Sinn ist die Verpflichtung nicht im Erkennen oder Wollen Gottes verankert, jedoch für Vasquez nur denkbar auf dem Hintergrund des widerspruchslosen göttlichen Wesens."[50] Die subjektive Würde des Menschen wird für ihn in diesem Denken noch schärfer deutlich. Denn die rationale Deutung des Partizipationsdenkens bindet die im Sollen erfahrene Verpflichtung auf dem Hintergrund des göttlichen Wesens an die Rationalität selbst, die dem menschlichen Subjekt als rationalem Selbstvollzug unmittelbar zu eigen ist. „Vasquez vertritt... keine profane Vernunftautonomie", aber „ein System theonomer Rationalität"[51].

Wie immer man diese Interpretation thomanischer und spätscholastischer Theologie beurteilen mag[52], es geht hier lediglich darum, in den *formalen Relationen* des Denkens von

---

45 Böckle (8) 91.

46 Ebd. 90.

47 Böckle (8) 86 verweist, „um deutlich zu machen", daß die Überlegungen, „eine Unterstellung des Menschen unter den transzendenten Anspruch Gottes [hebe] des Menschen gesetzgeberische Autonomie nicht [auf]..., sondern [trage sie] entsprechend der Schöpfungsrelation transzendental", „nicht erst ein nachträglicher Versuch sind, das moderne Autonomiepostulat theologisch zu rechtfertigen", „vornehmlich auf die *Grundlegung sittlicher Autonomie im Gesetzestraktat der Summa Theologiae des Thomas von Aquin*".

48 Die vernunftbegabte Natur, Norm des Sittlichen und Grund der Sollensforderung. Systematische Untersuchung der Naturrechtslehre Gabriel Vasquez'. Bonn 1972.

49 Böckle (7) 184f.

50 Ebd. 185.

51 Ebd.

52 Arntz (2) 110–112.117 hat gezeigt, daß auch die Theologie des Vasquez an der Verengung, die sich im nachthomanischen Denken vollzieht, teilhat. Böckle (7) 183–188 scheint nur das suarezianische Denken kritisch zu sehen.

Franz Böckle, welche er an der thomanischen und spätscholastischen Theologie rückversichert[53], deutlich zu machen, wie er auf die geistesgeschichtlich von der Spätscholastik in bestimmter Hinsicht nicht mehr weit entfernte[54] anthropozentrische Wende zugeht.[55]

---

53 Böckle löst sich selbstverständlich von der konkreten Auffüllung des Vernunftverständnisses bei Thomas und in der Spätscholastik (vgl. [7] 185f).

54 Vgl. Siewerth (2) 119–154. Die „Wende zur Rationalität" (119) verbindet dabei die Spätscholastik über ihre Kontroverse von Voluntarismus und Intellektualismus hinweg. Vor allem aber das Werk des Franz Suarez „verwandelte" „Metaphysik endgültig in rationale Logik" und „verwurzelte" „die Erkenntnis ausschließlich im abstrakt konzipierenden Subjekt" (120). Diese „Verwurzelung der Erkenntnis im abstrakt konzipierenden Subjekt" bereitet offenbar die Kehre zum transzendentalen Subjekt vor.

55 Vielleicht läßt sich eine Linie ziehen von Vasquez' Interpretation des Partizipationsdenkens, welche nach Galparsoro und Böckle in der Aussage gipfelt: „Aus der Widerspruchslosigkeit der Vernunftnatur als solcher ... erwächst der unbedingte Sollensanspruch" (Böckle [7] 185), zur kantischen Selbstverpflichtung durch das Gesetz der praktischen Vernunft. Aus der Fundierung des sittlichen Sollens in der „Widerspruchslosigkeit der Vernunftnatur als solcher", aus der „der unbedingte Sollensanspruch" „erwächst", welche bei Vasquez menschlichem *und* göttlichem Erkennen vorgegeben ist, wird bei Kant die *„reine, an sich praktische Vernunft"*, die „unmittelbar gesetzgebend" ist und die der transzendentalen menschlichen Subjektivität zugehört (Kant 31). Vermittlungsglied scheint dabei eben die Widerspruchslosigkeit zu sein, die für Kant ein Merkmal der unbedingten Einheit des sittlichen Sollens mit sich selbst – eben im Sinne seiner Unbedingtheit – ist. Kant geht dabei aus von der Frage nach der *„Bedingung der Möglichkeit"* (33) der unbedingten (= kategorischen) Qualität des sittlichen Anspruchs, die der Mensch in seinem Sollen unmittelbar und unmißverständlich erfährt, aber in der *Widersprüchlichkeit* der einzelnen konkreten sittlichen Zielsetzungen und Motivationen nie widerspruchslos begründen kann (19–22). Er kommt so zur Forderung der *„Autonomie* des Willens", die als „das alleinige Princip aller moralischen Gesetze und der ihnen gemäßen Pflichten" gegenüber jeglicher *„Heteronomie"*, aller „Abhängigkeit vom Naturgesetze, irgend einem Antriebe oder Neigung zu folgen", in „der Unabhängigkeit ... von aller Materie des Gesetzes (nämlich einem begehrten Objecte)" „doch Bestimmung der Willkür durch die bloße allgemeine gesetzgebende Form" (33) ermöglicht und darin *alle Widersprüchlichkeit einer objektgebundenen Bestimmung aus dem innersten Verpflichtungsgrund des Sollens ausschaltet:* „In einem pathologisch-afficirten Willen eines vernünftigen Wesens kann ein Widerstreit der Maximen wider die von ihm selbst erkannte praktische Gesetze angetroffen werden. Z. B. es kann sich jemand zur Maxime machen, keine Beleidigung ungerächt zu erdulden, und doch zugleich einsehen, daß dieses kein praktisches Gesetz, sondern nur seine Maxime sei, dagegen, als Regel für den Willen eines jeden vernünftigen Wesens, in einer und derselben Maxime mit sich selbst nicht zusammen stimmen könne" (19). Gesetze „müssen [aber] den Willen als Willen, noch ehe ich frage, ob ich gar das zu einer begehrten Wirkung erforderliche Vermögen habe, oder was mir, um diese hervorzubringen, zu thun sei, hinreichend bestimmen, mithin kategorisch sein, sonst sind es keine Gesetze: weil ihnen die Nothwendigkeit fehlt, welche, wenn sie praktisch sein soll, von pathologischen, mithin dem Willen zufällig anklebenden Bedingungen unabhängig sein muß" (20). Die durch die widersprüchliche ‚empirische' Gebundenheit des menschlichen Willens an Objekte des Begehrens nicht begründbare kategorische Verbindlichkeit und in diesem Sinne *unbedingte Einheit* des Sollens findet deshalb ihre Bedingung der Möglichkeit nur im Subjekt, als universelles Gesetz (36f) der Vernunft: „Man kann das Bewußtsein dieses Grundgesetzes ein Factum der Vernunft nennen, ... weil es sich für sich selbst uns aufdringt als synthetischer Satz a priori ..." Es ist „das einzige Factum der reinen Vernunft ..., die sich dadurch als ursprünglich gesetzgebend *(sic volo, sic jubeo)* ankündigt" (31).

Böckle selbst übernimmt jedenfalls zunehmend in seinem weiteren Denken zur Charakterisierung und Deutung der formalen Relationen (Wirklichkeit Gottes – partizipative Vernunft – setzendes Subjekt – sittlicher Anspruch), welche er aus dem scholastischen Denken für das Verständnis menschlicher Sittlichkeit eruiert hat, Begriffe der transzendentalen Wende des Denkens, vor allem den Begriff der „Autonomie", aber auch Begriffe wie „Selbstvollzug" und „Selbstverpflichtung". Die Interpretation der theonomen Rückbindung des scholastischen Partizipationsdenkens schwächt sich dabei von ihrer Deutung als „Urerfahrung eines transzendenten Sollensanspruchs zur Selbstverwirklichung"[56] zu einer den sittlichen Anspruch vertiefenden und darin letztbegründenden Dimension ab: Durch die „spekulative Rückführung der Stellung nehmenden (wertenden) Vernunft auf ihren letzten transzendenten Grund wird die Struktur solcher Vernunft selber nicht verändert. Wohl bekommt der Anspruch zur vernünftigen Selbstverwirklichung durch die Begründung in der lex aeterna einen unbedingten Charakter"[57] – offenbar Indikatoren, daß sich der Referenzpunkt der Interpretation der Würde menschlich setzender Geistigkeit verändert, zumindest verlagert hat: Es leitet weniger die scholastisch-ontologische Unmittelbarkeit der Seinsoffenheit und theonomen Partizipation, sondern eher eine gleichsam transzendental setzend gedeutete Subjektivität (auf dem Hintergrund der Ermöglichung durch Gott) das Denken. An der Akzentuierung der setzenden Rolle menschlicher Subjektivität wird so eine umfassende subjektive Vermittlung des moraltheologischen Denkens greifbar, die den subjektiven Selbstvollzug nicht nur im naturrechtlichen Denken, sondern grundsätzlich als setzenden Grund des sittlichen Sollens erscheinen läßt. Die objektivistische Reduktion in der moraltheologischen Interpretation des sittlichen Phänomens wird überwunden und das Verständnis für die personale Würde des Menschen als Subjekt umfassend in die Denkform der Moraltheologie aufgenommen.

3. Menschliche Sittlichkeit im Horizont subjektiven Selbstvollzugs

Der Mensch kann sich heute nicht mehr im umfassenden Sinn und vorrangig aus der ihn umgebenden Wirklichkeit des Kosmos und seiner Ordnung verstehen. Er hat selbst Macht über die Natur gewonnen und muß sich deshalb in seinem sittlichen Auftrag zunächst von sich selbst her zu verstehen suchen.

Böckle rekurriert in seiner ‚relecture' des thomanischen und scholastischen Naturrechtsverständnisses nicht auf die konkrete Gestalt der scholastischen Interpretation sittlicher Rationalität.[58] Es kommt ihm lediglich darauf an, über die

---

[56] Das Naturrecht im Disput 140.

[57] Böckle (8) 91.

[58] „Die lex naturalis, d. h. die widerspruchslose Vernunftnatur des Menschen und der ihr grundsätzlich entsprechende Selbstvollzug, ist darum streng zu unterscheiden von dem konkreten Urteil der Vernunft, diese oder jene Handlung sei der Vernunft angemessen. Die konkrete Beurteilung, was vernunftgemäß sei, muß sich an Kriterien orientieren, die nicht das Ganze zu fassen vermögen" (Böckle [7] 186).

Vernunft die Subjektivität als Vollzugsraum und primären Boden der Fundierung und des Verständnisses menschlicher Sittlichkeit deutlich werden zu lassen: „Die Teilnahme des Menschen an der göttlichen Vorsehung (am ewigen Gesetz) liegt daher spezifisch in der natürlichen Neigung der praktischen Vernunft zu normsetzender Aktivität im Hinblick auf seine aufgegebene Vollendung und Erfüllung.“[59] Damit ist aber der Naturbegriff selbst als unmittelbarer Legitimationsgrund menschlicher Sittlichkeit zurückgelassen: „. . . das natürliche Sittengesetz besteht weder in einer Naturordnung, aus der Normen abgelesen werden können, noch in einer Summe vernünftiger Verhaltensregeln oder allgemeiner Rechtssätze. Es handelt sich vielmehr um jenes innere Gesetz, das den Menschen als sittliches Wesen zur Selbst- und Weltgestaltung beansprucht und ihn durch einfache Reflexion die wichtigsten der seiner Verantwortung unabdingbar aufgegebenen Ziele (fundamentale Rechtsgüter) erkennen läßt.“[60] Ein Seins- oder Wesenskosmos als subjektiv nicht vermittelte Objektivität, dessen Struktur aufgrund theologischer und philosophischer Axiome dem menschlichen Selbstvollzug unmittelbar normativ vorgegeben wäre, ist nach diesem Verständnis der menschlichen Sittlichkeit nicht denkbar. Das Bewußtsein um die setzende Rolle und subjektive Würde des menschlichen Geistes und der menschlichen Freiheit fordert immer schon eine Vermittlung von Natur und Kosmos mit der gestaltenden Subjektivität in der Deutung des sittlichen Phänomens. Und erst in dieser Gestaltung der vorgegebenen Wirklichkeit durch die Subjektivität (die freilich die objektive Vorgegebenheit des Kosmos nicht willkürlich verändern kann, sondern immer auch an diese als ‚Material‘ der eigenen Gestaltung gebunden ist[61]) wird das Feld sittlichen Sollens betreten, kommen sittliche Qualifikationen und ihre Fundierung und Legitimation ins Spiel. Die schon zitierte Aussage Böckles im Zusammenhang seiner Würdigung der Bedeutung der transzendentalontologischen Personmetaphysik für eine neue Deutung menschlicher Sittlichkeit findet hier – allerdings in mehr ‚rein‘ transzendental reflektierten Denkmotiven und Aussageweisen[62] – ihren Höhepunkt: „die Werte

---

[59] Böckle (8) 90f. Vgl. 86–91 die Zusammenfassung des thomanischen Denkansatzes: „Schlüsselbegriff des ganzen [Gesetzes-]Traktates [bei Thomas] . . . ist die ratio. . . . Menschliches Handeln ist nur durch diese seine Vernunftbestimmtheit menschlich“ (87f). „Selbst das erste sittliche Prinzip (bonum faciendum, malum vitandum) gewinnt der Mensch durch die Tätigkeit seiner Vernunft. Dabei ist die Erfahrung zwar nicht die Quelle des Prinzips, aber das Mittel für sein Erfassen. Wenn es einmal über die Erfahrung zum Bewußtsein gekommen ist, erweist es sich als unmittelbar einsichtig.“ (90)

[60] Ebd. 250.

[61] Ebd. 244: „Eine naturwüchsig expandierende Naturbeherrschung ist zumindest in Gefahr, den Unterschied von Mensch und Natur zu nivellieren und den Menschen nur noch als Natur oder Struktur (Strukturalismus) zu nehmen. Vollendeter Technizismus ist dann nur ein vollendeter Naturalismus. Echte Kultur will befreien und bleibt gerade darum der Natur in Freiheit erinnernd verpflichtet.“

[62] Die Mitteilung des Seins als Bedingung der Möglichkeit menschlich setzender Spontaneität tritt in Böckles Denken, wie gezeigt, zurück; das anthropologisch gewendete Gottesverständnis wird schließlich im Anschluß an eine rein transzendentale Analyse der Freiheit (von H. Krings) gedeutet, und der transzendentalontologische Horizont wird eher verlassen, obwohl der gelegentliche Rückgriff auf Thomas an ihn erinnert.

[werden] *gesetzt*", wodurch „das Reich des Seienden eine Ordnung der Güter ist"[63].

So vollzieht sich im Denken Böckles gegenüber dem traditionellen Verständnis der objektiven Seins- und Wesensstrukturen als leitenden Horizonts der Interpretation eine umfassende Neubestimmung des Fundierungs- und Verständnisgrundes des sittlichen Anspruchs. Sie entspricht dem subjektiv gewendeten, neuzeitlichen Wirklichkeits- und Selbstverständnis des Menschen. Sie drückt sich nicht nur in der Aufnahme der setzenden Rolle der menschlichen Subjektivität in das moraltheologische Denken aus. Darüber hinaus werden im Denken Böckles deren Voraussetzungen reflektiert, die die subjektive Wende erst in ihrer eigentlichen Konsequenz deutlich werden lassen. Das sittliche Sollen zeigt sich als eine Erfahrung, die umfassend auf den subjektiven Selbstvollzug bezogen und in ihm begründet ist. Sie bricht im subjektiven Freiheitsvollzug des Menschen auf und hat diesen Selbstvollzug zum eigenen Ziel: „Ein Akt der Selbstverpflichtung, eine Grundentscheidung der Freiheit scheint zum Verständnis des Sollens-Phänomens unerläßliche Voraussetzung."[64] „... Freiheit [erfüllt] sich [dabei] nicht in einer Wahl zwischen Objekten, sondern als Selbstvollzug des gegenständlich wählenden Menschen... Die Freiheit zielt in ihrem Grundwesen auf das Subjekt als solches und ganzes..."[65]

Hier wird deutlich, warum erst die setzende Deutung der objektiven Wirklichkeit durch den Menschen den sittlichen Anspruch begründen kann. Weil sich Freiheit „nicht in der Wahl zwischen Objekten, sondern als Selbstvollzug des gegenständlich wählenden Menschen" erfüllt, weil die Freiheit auf die Verwirklichung des subjektiven Selbstvollzugs, auf „das Subjekt als solches und ganzes" als das letzte Ziel ihres Vollzugs gerichtet ist, muß alle objektiv-gegenständliche und sachliche Wirklichkeit erst zu diesem Ziel in Beziehung gesetzt werden, um sittlich relevant zu sein. Dies geschieht in der Deutung, die allein erkennend alles in diesen Zielhorizont stellen kann. So setzt die menschliche Freiheit das sittliche Sollen – nicht willkürlich, weil sie sich selbst als Ziel und in der „gegenständlichen" Vermittlung objektiv bindet, aber doch interpretierend, weil sie sich auf das Ziel ihrer eigenen Verwirklichung hin entwerfen und vollziehen muß.

Die subjektive Wende des Verstehenshorizonts kommt in dieser Beschreibung der inneren Geschlossenheit der subjektiven Bezogenheit und Zielrichtung menschlicher Sittlichkeit, die über die scholastisch-thomanische Anthropologie weit hinausführt, in ihre eigentliche Radikalität: Der tiefste Sinn der menschlichen Sittlichkeit ist letztlich nur vom Menschen selbst, von der Sinntiefe seines Selbstvollzugs her verstehbar. Diese letzte Sinntiefe aber meint den menschlichen Freiheitsvollzug in eigener Spontaneität (Rationalität) als Verwirklichung der eigensten personalen Würde.[66] Im Sinne dieser inneren Geschlossenheit, die Böckle selbst schon

---

63 Böckle (3) 75. Hervorhebung von J. R.

64 Böckle (8) 49.

65 Ebd. 80.

66 Ebd. 70: „Mit dem Anspruch auf Autonomie hat der neuzeitliche Mensch sich selbst zum Subjekt der Geschichte gemacht. Er weiß sich nicht mehr eingebettet in eine ruhende Ordnung der Welt. Er fühlt sich allein verantwortlich und ist bereit, sein geschichtliches und gesellschaftliches Schicksal selbst in die Hand zu nehmen."

umfassend reflektiert, aber noch nicht in der unbedingten Schärfe wie Bruno Schüller sieht[67], betont Böckle den rationalen Charakter der menschlichen Sittlichkeit als Ausdruck ihrer subjektiven, sich selbst erkennenden und darin bestimmenden Bindung und beschreibt sie in Auseinandersetzung mit dem neuzeitlichen Autonomieverständnis (in Anlehnung und Kritik) als autonom auf sich selbst bezogen und so in sich selbst begründet.[68]

Mit der Deutung des sittlichen Anspruchs von seiner unbedingten Bezogenheit auf den subjektiven Selbstvollzug des Menschen her gelingt es in diesem ersten Schritt der personalen Wende der Moraltheologie, die Interpretation des Sittlichen *in ein positives, inneres Verhältnis zur menschlichen Person als Subjekt zu bringen* und gegenüber der objektivistischen Hermeneutik anthropologisch auszurichten. In Entsprechung zur dogmatischen Entwicklung gilt es, nun die Bedeutung dieser Wandlung des Denkens für die Vermittlung des christlichen Gottesverständnisses zu reflektieren, jetzt im Kreis der moraltheologischen Fragestellung.

4. *Theonome Autonomie*[69]

Franz Böckle reflektiert die menschliche Sittlichkeit nicht nur vom subjektiven Selbstvollzug des Menschen aus. Er fragt als Theologe auch nach dem Grundbezug dieses Verständnisgrundes des sittlichen Phänomens zur Wirklichkeit Gottes. Dabei geht er in der Bestimmung der theonomen Eingründung der „setzenden" Vernunft des Menschen vom thomanischen Partizipationsdenken zur transzendentalen Reflexionsfigur der Bedingung der Möglichkeit von endlicher Freiheit über.

In der menschlichen Sollenserfahrung zeigt sich eine eigentümliche Dialektik. Der menschliche Selbstvollzug als subjektiver Freiheitsvollzug, in dem die Sollenserfahrung unmittelbar aufbricht und der ihr eigentliches Ziel ist, ist sich selbst als ‚Ort' und Ziel sittlichen Sollens ein unbedingter Anspruch.[70] Er kann zugleich aber nicht der letztbegründende Grund für die Unbedingtheit sein, die in seinem eigenen Vollzug erfahrbar wird. Als endlicher Freiheitsvollzug hat er einen absoluten Sinn, der diese Unbedingtheit, mit der er sich selbst als sein eigenes Ziel beansprucht, begründen könnte, in sich selbst nicht zur Verfügung: „... man wird im Hinblick auf die gegenwärtige Ethik-Diskussion sagen müssen, daß ein... unbedingter (kategorischer) Sollensanspruch überhaupt nur durch eine theonome Legiti-

---

67 Vgl. hier 155–159.

68 Vgl. Böckle (8) 48–92.

69 Vgl. den Titel des Aufsatzes von Böckle (5) „Theonome Autonomie"; auch Böckle (8) 333 (Sachregister). Böckle führt diesen Begriff in die katholische Moraltheologie ein im Anschluß an seine differenzierte Auseinandersetzung mit der Theonomie und Autonomie der Vernunft und des Menschen, vor allem in: Das Naturrecht im Disput 121–150; Böckle (5); (6); (7).

70 Vgl. Böckle (8) 48f.

mation zwingend begründet werden kann. Ein immanenter Humanismus kann im Prinzip logisch nur zu einer hypothetischen Forderung führen. ......für den Erfahrungsbereich des Menschen [gibt es] keinen Ansatz..., der *logisch absolut* wäre. Das ist die philosophische Einsicht in das Nicht-zur-Verfügung-Haben eines absoluten Sinnes." (Und aus Anm. 44 dazu:) „Der Anspruch scheint ultimativ weder aus ‚Werten an sich' noch aus einer formal-logischen Analyse der Moralsprache, noch aus einer transzendental-philosophischen Bewußtseinstheorie begründbar zu sein."[71] Die Geschlossenheit der Fundierung menschlicher Sittlichkeit, in der sich der subjektive Selbstvollzug des Menschen als sein eigenes, sich selbst aufgegebenes Ziel selbst bindet, bedarf damit zuletzt einer tieferen Ermöglichung und Freisetzung zu sich selbst, die die Faktizität der in ihr waltenden unbedingten Bindung noch einmal trägt. Die somit in diesem Fundierungsverhältnis herrschende Dialektik von Eigenstand (unbedingte Selbstbindung) und Ermöglichtsein (Nicht-zur-Verfügung-Haben eines absoluten Sinnes) versucht Böckle durch eine transzendentale Bestimmung der Bedingungen der endlichen Freiheit zu fassen. Die „Analyse der Bedingungen endlicher Freiheit" führt dabei „zum Denken vollkommener Freiheit als dem erfüllenden Gehalt transzendentaler Freiheit überhaupt"[72]. Die vollkommene Freiheit „ist nicht...Grenze [der endlichen Freiheit], sondern deren Erfüllung"[73]. Es ist so die vollkommene Freiheit, die als „Bedingung der Möglichkeit"[74] der endlichen Freiheit erst die Voraussetzung dafür schafft, daß im endlichen Selbstvollzug die unbedingte Erfahrung sittlichen Sollens in Selbstbindung aufbricht. „Vollkommene Freiheit ist das letzte Woraufhin des [unbedingten] Eröffnetseins endlicher Freiheit."[75]

Böckle beschreibt schließlich diese Ermöglichung des menschlichen Freiheitsvollzugs in seiner Endlichkeit und Unbedingtheit zugleich in der paradoxen Ausdrucksweise der theonomen Autonomie auf dem Hintergrund des transzendentaltheologischen Schöpfungsverständnisses.[76] Die Freisetzung des endlichen Freiheitsvollzugs durch die absolute Freiheit wird gedeutet als das schöpferische Entlassenwerden des Menschen in sein Eigensein durch Gott. In der unbedingten ‚Selbstzentrierung' der endlichen Freiheit drückt sich aber der Selbstand des Menschen aus, der als subjektiver Selbstvollzug ‚Ort' und Ziel seiner eigenen Sollenserfahrung ist und in diesem Vollzug, in dem er seine eigene Freiheit selbst frei verwirklichen soll, auch der Wirklichkeit Gottes gegenüber noch einmal frei ist, obwohl diese die letzte Bedingung und Möglichkeit seiner Selbstverwirklichung ist: „Mit der theonomen Legitimation des sittlichen Anspruchs wird der Widerspruch behoben, daß ein bedingtes Subjekt durch sich selbst oder durch andere bedingte Subjekte unbedingt beansprucht wird. Die Paradoxie endlicher Freiheit aber bleibt bestehen.

---

71 Böckle (7) 177f; vgl. (8) 70–92.
72 Böckle (8) 83.
73 Ebd.
74 Vgl. ebd.
75 Ebd.
76 Vgl. ebd. 84f.

Der Sollensanspruch wird als totale Abhängigkeit (Geschöpflichkeit) in der Unabhängigkeit der Selbstbestimmung (Personalität) verstanden. Die Freiheit besagt *einerseits* totale *Abhängigkeit,* insofern der Mensch die Möglichkeit zur Freiheitsentscheidung als Geschenk empfängt (Schöpfung als Gnade), *andererseits* aber auch *totale Unabhängigkeit,* insofern er sich der einzigen Möglichkeit der Freiheit gegenüber in der Wahl befindet. Die Paradoxie endlicher Freiheit besteht also darin, daß der Mensch als selbstzentriertes Wesen dem absoluten Selbst gegenübersteht."[77]

5. Der Freiheit schenkende Gott

Die Wirklichkeit Gottes ist so in ein besonderes Verhältnis zum freien Selbstvollzug des Menschen als Vollzugsgrund der Sittlichkeit gebracht: Gott ist der freisetzende Urgrund menschlicher Freiheit, der transzendentale Ermöglichungsgrund, der den Menschen in die relative Autonomie seines rationalen Selbstvollzugs und ins Eigensein als sittliches Subjekt entläßt und entlassend trägt. Der „transzendente Anspruch Gottes [trägt] des Menschen gesetzgeberische Autonomie... entsprechend der Schöpfungsrelation transzendental"[78]. Dabei zeigt sich auch innerhalb der moraltheologischen Reflexion das Gottesverständnis in einer anthropologischen Vermittlung. Die freisetzende Abhängigkeit des menschlichen Selbstvollzugs von der Ermöglichung durch Gott, das darin ausgedrückte Ermöglichungsverhältnis zwischen Gott und menschlicher Freiheit läßt Gott nicht mehr primär als setzenden Grund der Objektivität, sondern als Grund und Horizont des menschlichen Selbstvollzuges und der ihm eigenen Fundierung und Bindung der menschlichen Freiheit verstehen. Die Paradoxie des Begriffs der „theonomen Autonomie" des Menschen wendet sich dabei gegen jede unangemessene, kategorial objektivierende Vermittlung der Wirklichkeit Gottes überhaupt, welche die subjektive ‚Gestaltungsmacht' der menschlichen Freiheit zu überspringen droht. Was Gott vom Menschen ‚inhaltlich will', das hat er im grundsätzlichen Vertrauen auf den Selbstand und die Verantwortung des Menschen nicht eindeutig vorgegeben, sondern er ‚will' gerade den freien Selbstentwurf des Menschen, dessen Freiheit er ermöglichend und bejahend trägt. „Theonome Legitimation des Sollensanspruchs bedeutet daher nicht irgendeine Absolutsetzung kategorial-sittlichen Verhaltens und der es regelnden Normen, sondern als Aussage über die unbedingte Beanspruchung im ganzen des sittlichen Lebens gerade den *Vorbehalt* gegen jegliche Verabsolutierung des Kategorialen."[79] Damit ist ein wichtiger Punkt der Entfremdung zwischen dem Denkhorizont der Moraltheologie und der damit verbundenen Interpretation des christlichen Gottesverständnisses auf der einen Seite und dem heutigen Selbst- und Wirklichkeitsverständnis auf der anderen Seite bewältigt: Gott erscheint für den Menschen zuallererst als der Freiheit schenkende Gott und nicht mehr als Konkurrent neben dem Menschen, der diese Freiheit durch unvermittelt vorgegebene

---

77 Ebd. 91f.
78 Ebd. 86.
79 Böckle (7) 178.

kategoriale Objektivität unmittelbar bestimmen wollte. „Vollkommene Freiheit ist das letzte Woraufhin des Eröffnetseins endlicher Freiheit. Sie ist nicht deren Grenze, sondern deren Erfüllung. Sie ist nicht ihre Konkurrenz, sondern die Bedingung ihrer Möglichkeit.“[80] Der erste Problemkreis der moraltheologischen Vermittlung des christlichen Gottesverständnisses erhält somit eine erste Antwort.[81]

Reflexion 5: Die Radikalisierung des transzendentalen Gottesverständnisses

Karl Rahner deutet den Menschen als denjenigen, der mit seiner Freiheit in das Geheimnis der unbestimmbaren Freiheit Gottes gestellt ist. Dabei wird der subjektive Selbstand des Menschen als Ausdruck des geschöpflichen Eigenstands unter dem ermöglichenden Gott-Geheimnis verstanden. *Beide* Bestimmungen aber – der subjektive Selbstand des Menschen und die Geheimnishaftigkeit Gottes – vollenden sich nach diesem Verständnis in der heilsgeschichtlichen Selbstmitteilung Gottes, in Jesu Christi unbedingter Weggabe an die unthematische Seinstranszendenz seiner menschlichen Geistigkeit als Mitteilung gerade der bleibenden Geheimnishaftigkeit, der unreduzierbaren, nicht objektivierbaren Mitte göttlicher Personalität als Freiheit.

Auch die Moraltheologie interpretiert in der subjektiven Wende ihres Denkens – wie sie hier am Ansatz von Franz Böckle zu beschreiben versucht wurde – das sittliche Phänomen in der Spannung des radikalen Selbstandes des Menschen, der zugleich dialektisch ganz auf die ermöglichende Wirklichkeit Gottes zurückgegründet wird.[82] Die menschliche Sittlichkeit wird in Priorität auf den Selbstvollzug des Menschen selbst bezogen und von dort her gedeutet.[83] Der Begriff der „theonomen Autonomie“ bringt aber zum Ausdruck, daß dieser menschliche Selbstvollzug und der damit verbundene Eigenstand des Menschen als sittlichen Subjekts ganz von der ermöglichenden Transzendenz Gottes getragen ist.

Insofern Böckle sich zur anthropologischen Begründung des Gottesverständnisses aber eher an streng transzendentale Denkweise hält[84], vermag er im Unterschied zur dogmatischen Interpretation die heilsgeschichtliche Christozentrik, wie sie in der transzendentalontologischen Denkweise zumindest formal angelegt ist, nicht so explizit zu integrieren. Obwohl er natürlich konkret in der biblischen Fundierung seines Ansatzes immer wieder die heilsgeschichtliche Wirklichkeit christlicher Gotteserfahrung und ihre Bedeutung für die Sittlichkeit reflektiert[85]

---

80 Böckle (8) 83.

81 Diese Antwort stellt eine Bewältigung des Objektivismus des moraltheologischen Denkens dar. Zur davon mitbetroffenen Überwindung des autoritären Charakters vgl. hier S. 143–154.

82 Vgl. den Begriff der theonomen Autonomie bei Böckle.

83 Diese Priorität zeigt der Begriff der Autonomie an.

84 Böckle schließt sich in der „Fundamentalmoral“, in der er die Überlegungen seiner Aufsätze zusammenfaßt, letztlich für das Gottesverständnis der transzendentalen Analyse der Freiheit von H. Krings an: Freiheit. Ein Versuch, Gott zu denken, in: PhJ 77 (1970) 225–237 (Böckle [8] 80[23]). Nur ausfaltend taucht auch Rahnersche Ausdrucksweise auf: ebd. 83 der Begriff des „Woraufhin“.

85 Vgl. ebd. 151–164.167–232.

und die christozentrische Struktur des christlichen Offenbarungsverständnisses erwähnt[86], entwickelt er keine ausdrückliche, metaphysisch explizit fundierte, geschichtlich-hermeneutische Sicht des sittlichen Phänomens, in der die Wirklichkeit Jesu Christi, als der Beginn der Eschatologie der Geschichte, von sich aus zur expliziten und impliziten Mitte der Denkform würde.

Böckle versteht die „totale *Abhängigkeit*" menschlicher Freiheit, „insofern der Mensch die Möglichkeit zur Freiheitsentscheidung als Geschenk empfängt", im Sinne der „Schöpfung als Gnade"[87]. Dabei mag entsprechend Rahners Bestimmung der konkreten, untrennbaren Bezogenheit von Natur und Gnade in der Geschichte[88] implizit ein heilsgeschichtlicher Bezug gegeben sein. Aber Böckle selbst reflektiert diese christozentrische Spannung der transzendentaltheologischen Denkweise nicht ausdrücklich. Das ist sicherlich mitbedingt von der in einer bestimmten Hinsicht mehr ungeschichtlichen, undynamischen Denkweise der rein transzendentalen Analytik im Gegenüber zu der inneren geschichtlichen Dynamik der transzendentalontologischen Denkweise, die zumindest in der Spannung zwischen unthematischer Seinstranszendenz und kategorialer Vermittlung menschlicher Geistigkeit formal enthalten ist[89]: In der mehr transzendental-analytisch gefaßten Erschließung der transzendentalen Ermöglichung menschlichen Selbst- und Freiheitsvollzuges erscheint die Ermöglichung menschlicher Freiheit aus dem Geheimnis Gottes noch übergeschichtlicher, apriorischer als in der sowieso schon sehr formalen Geschichtlichkeit, wie sie im transzendentalontologischen Denken ausgedrückt ist. Sie muß daher eher als eine *statische Gegebenheit,* als *gegebener Konstitutionsgrund* und *faktisch abstrakte Struktur* (und in diesem Sinne mehr schöpfungstheologisch) in den Blick kommen denn als geschichtlich dynamische Relation mit dem Höhepunkt in Jesus Christus. Die Christozentrik des transzendentalen Gottesverständnisses tritt in der Moraltheologie somit zurück.

Diese auf den ersten Blick vielleicht eher unbedeutende Verschiebung zwischen der anthropologischen Wende in Dogmatik und Moraltheologie zeigt den Ansatzpunkt einer moraltheologischen Entwicklung an, in der innerhalb der transzendentalen Dialektik ein Akzent auf die Erfahrung des Freiheitsraumes des Menschen unter der transzendentalen Ermöglichung durch Gott gelegt wird. In der moraltheologischen Interpretation wird die geschichtliche Bewegung menschlicher Selbstwerdung bis in das Ereignis, das Jesus Christus ist, hinein aufgrund der ‚statisch-analytischen' Denkweise nicht entfaltet. Der Mensch wird als derjenige verstanden, der *aus* dem Geheimnis Gottes, als transzendentalem Grund seines freien Selbstvollzuges, ermöglicht ist. Aber nicht die geschichtliche Geborgenheit und Ermöglichung seiner Freiheit in und aus der Liebe Gottes im vollendenden Ereignis der Selbstmitteilung Gottes in Jesus Christus, nicht das Sein des Menschen *in* das Geheimnis Gottes hinein, wie es in der Christozentrik der dogmatischen Entwürfe im Vordergrund stand (die schöpfungstheologische Deutung des Ermöglichtseins und Entlassenseins des Menschen aus diesem Geheimnis Gottes wurde erst von deren Erfüllung und Vollendung im Ereignis Jesus Christus theologisch erschlossen), stiftet hier den primären Halt in der Offenheit, Aufgegebenheit und

---

86 „Ein letzter positiver Sinngrund eröffnet sich dem menschlichen Sein-Können erst in der definitiven Vollendungszusage Gottes, wie sie uns in Jesus Christus bezeugt wird" (Böckle [6] 86).

87 Böckle (8) 91.

88 Vgl. Rahner (2).

89 Vgl. Demmer (1) 25–30.

Ausgesetztheit der menschlichen Freiheit. Sondern als auf sich selbst gerichteter vernünftiger Selbstvollzug begründet sich die menschliche Freiheit zunächst selbst und findet an sich selbst als ,Ort' und Ziel der sittlichen Sollenserfahrung eine rationale Orientierung. Damit scheint der Gedanke des Selbstandes der menschlichen Freiheit, die *aus* dem Geheimnis Gottes ins Eigensein entlassen ist – im Sinne der Abstraktion von der geschichtlich-heilsgeschichtlichen Verwiesenheit des Menschen *in* das Geheimnis Gottes – radikalisiert.

Auch in der Moraltheologie wird dabei die Wirklichkeit Gottes als Geheimnis verstanden. Franz Böckle schließt in dieser Bestimmung ausdrücklich an die Deutung Karl Rahners an: „Die Analogie als Form des Denkens und Redens von Gott geht von der Voraussetzung aus, daß menschliche Erkenntnis von vornherein auf das absolute Geheimnis ausgerichtet ist."[90] „Jedes erkennende Aussein auf irgendein Seiendes setzt immer schon Gott als den unsichtbaren, ungegenständlichen Grund und Horizont allen Erkennens voraus. Selbst da, wo Gott als der Absolute in metaphysisch begrifflicher Reflexion genannt und objektiviert wird, ist er nicht Gegenstand, sondern Grund begreifenden Erkennens."[91] Über die transzendentaltheologische Deutung des Schöpfungsbegriffs auf dem Hintergrund dieses transzendentalen Verständnisses Gottes als nicht-objektivierbares Geheimnis und ermöglichender Grund macht Böckle diese Gedanken auch für die Moraltheologie fruchtbar: „Aus der gleichen transzendentalen Erfahrung gewinnen wir auch den Zugang zum rechten Verständnis der Geschöpflichkeit als einem fundamentalen offenbarungstheologischen Begriff. ... Kreatürlichkeit und Schöpfung der Welt und des Menschen meinen einen dauernden, immer aktuell bleibenden Vorgang: ,ihr dauerndes Sich-selbst-zugeschickt-Werden aus der freien Setzung des personalen Gottes'."[92] Das heißt für das Verständnis menschlicher Sittlichkeit: „Gottes Schöpfertum umgreift transzendental die kategoriale Entwicklung der Welt. Welt und Mensch sind von der souveränen schöpferischen Freiheit Gottes getragen, und zwar so, daß Gott selbst in keiner Weise von der Welt abhängig ist. Umgekehrt kann die Welt schlechterdings nichts von ihm Unabhängiges an sich tragen; aber dies liegt gerade darin, daß er die Welt und den Menschen in ihrem Selbstsein und ihrer Eigentätigkeit begründet. Darin findet der Mensch als autonomes sittliches Vernunftwesen seine volle Bestätigung."[93] In dieser Ermöglichung der „Eigentätigkeit" des Menschen als „autonomes sittliches Vernunftwesen" erscheint der „Wille Gottes" nicht als ein „kategoriales Gesetz", das der Mensch hinnehmend zu verwirklichen hat. Weil Gott sich mit der Freiheit des Menschen durch ihre transzendentale Ermöglichung sozusagen identifiziert, nimmt sein „Wille" auch an der Offenheit menschlicher Freiheit ,teil'. Weil die Freiheit des Menschen das sittliche Sollen erst deutend inhaltlich füllt, zeigt sich der „Wille Gottes", der der ermöglichende Horizont dieser Deutung ist, in der unthematischen Offenheit ihrer noch unaufgefüllten Möglichkeiten.

Anders als bei Rahner aber wird für Böckle diese anthropologische Bestimmung der Wirklichkeit Gottes nicht zum Ansatz einer christozentrischen Hermeneutik. Nicht die Geheimnishaftigkeit der sich heilsgeschichtlich vertiefenden Freiheit Gottes steht in der Mitte seiner Hermeneutik. Aufgrund der fehlenden systematisch-geschichtlichen Perspektive begnügt er sich mit der schöpfungstheologischen Ausdeutung der transzendentalen Ermöglichungsdialektik. Damit erscheint aber der anthropologisch gewendeten Bestimmung der Wirklichkeit Gottes als Geheimnis und des Menschen als subjektiver Selbstand die Spitze abgebrochen. Nicht die innerste Personmitte Gottes, der sich in der heilsgeschichtlichen Selbstmitteilung als das bleibende Geheimnis offenbart, ist der Grund für die Geheimnishaftigkeit Gottes, die sich in der ,Teilnahme' des „göttlichen Willens" an der Offenheit menschlicher

[90] Böckle (8) 78.
[91] Ebd. 79.
[92] Ebd.
[93] Ebd. 80.

Freiheit anthropologisch vermittelt ausdrückt, nicht die Freiheit Gottes selbst, die sich geschichtlich vertieft, ist der Grund für die Freiheit des Menschen, sondern die Freiheit des Menschen, sein geschöpflicher Selbstand, ist das Prisma, der primäre Erkenntnisgrund, von dem her Gott als (ermöglichendes) Geheimnis erscheint.

In dieser Akzentsetzung aber neigt die Moraltheologie dazu, die subjektive Rationalität des freigesetzten, autonomen Selbstvollzugs des Menschen nicht nur zur ersten, sondern auch zur umfassenden leitenden Sinntiefe der Interpretation menschlicher Sittlichkeit zu machen, um dem Menschen in der Offenheit seiner von Gott geschenkten Freiheit einen Halt zu geben.[94] Die hier noch mehr beiläufige Lösung der Moraltheologie von der geschichtlich-christologischen Zentrierung der anthropologischen und personalen Wende der katholischen Theologie ist der Beginn einer subjektiv anthropologischen ‚Konzentration' der moraltheologischen Interpretation des sittlichen Phänomens. Vor allem in dem Versuch der gegenwärtigen Moraltheologie, den autoritären Zug der traditionellen Denkform zu überwinden, wird die Geschlossenheit der subjektiven Fundierung vom subjektiven Selbstvollzug als ‚Ort' und Ziel des sittlichen Sollens her als eine Sinnhaftigkeit menschlicher Sittlichkeit in sich selbst gedeutet und unbedingt betont, um die Würde des Menschen als Subjekt auch gegenüber den Überformungen des Menschen durch die autoritäre Überinterpretation der transzendenten Rückbindung des Sittlichen zur Geltung zu bringen.

4. Kapitel
Bruno Schüller: Der menschliche Mensch

Die in sich geschlossene Struktur der menschlichen Sittlichkeit, wie sie bei Franz Böckle vom subjektiven Selbstvollzug als ‚Ort' und Ziel der menschlichen Sollenserfahrung her deutlich wurde, wird von *Bruno Schüller* schärfer beschrieben. Im Horizont der Übernahme phänomenologisch werttheoretischer und analytischer Inhalte und Methodik in die katholische Moraltheologie wandelt sich das Denken von der Reflexion über die setzende Rolle der menschlichen Subjektivität zur Darstellung der objektiven, das sittliche Sollen umfassend begründenden Werthaf-

[94] Diese Spaltung von Theologie und Ethik kündigt sich nach manchen Deutungen schon in der spätscholastischen „Spaltung von Theologie und Naturrecht" an: „Von seiten der Theologie und der Kirche erfährt naturrechtliches Denken und Argumentieren bereits in der spanischen Spätscholastik eine eigentümliche Reduktion, die in der im 19. Jahrhundert zur Blüte gelangenden Neuscholastik kanonisiert wird. Das Naturrecht ist nicht mehr die umfassende reflexe theologische Theorie der Weltwirklichkeit, sondern Theologie und Naturrecht werden gespalten, wobei beide eine verschiedene Wirklichkeit reflektieren: die Theologie den Menschen in seiner Heilsgeschichte, das Naturrecht den natürlich, profan-weltlich lebenden Menschen" (Urban 97).

tigkeit der menschlichen Subjektivität und Person als Selbstzwecklichkeit in sich. Die menschliche Subjektivität als Ziel des eigenen Freiheitsvollzugs ist sich selbst der letzte objektive Wert, der in einem unbedingten Anspruch zur eigenen Verwirklichung aufruft. Entsprechend dem Verständnis des Menschen als „gegenständlich wählenden" Wesens vermittelt sich dieser unbedingte Anspruch in der Vielfalt objektiver Werterfahrungen gemäß dem „ordo bonorum".

Schüller vertieft durch diese werttheoretische und analytische Beschreibung die subjektive Wende in mehrfacher Hinsicht. Durch die kritische Ausrichtung dieser Denkweise wird die autoritäre Verengung der traditionellen moraltheologischen Denkform aufgedeckt. Und die innere Geschlossenheit und rationale Konsistenz menschlicher Sittlichkeit, die in der werttheoretischen und analytischen Darstellung unbedingt erfaßt wird, bringt die Unreduzierbarkeit der Würde des Menschen als Subjekt gegenüber jedem theologisch begründeten Positivismus zur Geltung: Nicht nur die unangemessene objektivistische Auslegung des „göttlichen Willens", sondern darüber hinaus die autoritär-voluntaristische Deutung, die den sittlichen Anspruch als „göttliche Intervention" in der kategorialen Wirklichkeit erscheinen ließ[95], wird kritisch zurückgelassen. In dieser Überwindung der autoritären Denkweise der Moraltheologie führt die verschärfte Darstellung der inneren Geschlossenheit der vom menschlichen, subjektiven Selbstvollzug her entworfenen Sittlichkeit aber auch die Radikalisierung des transzendentalen Gottesverständnisses weiter. In der werttheoretischen und analytischen Sichtweise tritt nicht nur die heilsgeschichtlich-christozentrische Ausrichtung der personalen Wende zurück. Die transzendentale Ermöglichung des menschlichen Selbstandes durch das Gott-Geheimnis tritt für das Verständnis des Sittlichen überhaupt in den Hintergrund der in sich geschlossenen Sinnhaftigkeit der menschlichen Sittlichkeit für sich selbst, die von der Selbstzwecklichkeit der menschlichen Personalität her umfassend begründet ist. Die anthropologische Wende der Moraltheologie vollendet sich.

Auch Schüller beginnt – wie Böckle – seinen Denkweg mit der personal-existentiellen Vertiefung des moraltheologischen Denkens im Horizont einer phänomenologisch-existentialanalytischen Betrachtungsweise und in Anlehnung an das transzendentaltheologische Denken.[96] In der Auseinandersetzung mit den traditionellen Argumentationsformen der katholischen Moraltheologie[97] wandelt sich diese Strukturbeschreibung aber in einer kritischen Wende zur phänomenologisch-werttheoretischen und analytischen Beschreibung der Grundstrukturen menschlicher Sittlichkeit als subjektiver Selbstbestimmung in objektiver Wertbegegnung (an sprachlichen Artikulationen sittlicher Phänomene im christlichen Sprachkontext entlang)[98], die in den semantisch orientierten Untersuchungen der späteren Beiträge Schül-

95 Vgl. Fuchs 363.380.

96 Vgl. Schüller (2): „Gesetz und Freiheit". Dabei wird diese Studie durch die gegenüber den christozentrischen Ansätzen des zweiten Drittels des 20. Jh.s forcierte neue Hinwendung zum Naturrecht bei Schüller vorbereitet: vgl. Schüller (1) (in Auseinandersetzung mit der protestantischen Ethik); aber auch: Wie weit kann die Moraltheologie das Naturrecht entbehren?, in: LebZeug 1/2 (1965) 41–65.

97 Vgl. Schüller (3); (4).

98 Die Charakterisierung der Denkhaltung, die Schüller in seiner Auseinandersetzung mit der traditionellen Neuscholastik, der Wertethik und der anglo-amerikanischen Sprachanalytik zuwächst, ist nicht ganz einfach, weil vielschichtig. Schüller selbst spricht von

lers einen gewissen Zielpunkt findet[99]. Obwohl Schüller so sehr viel deutlicher als Franz Böckle den Horizont der transzendentaltheologischen Reflexion verläßt, soll der Ausgangspunkt seines Denkens als Kontrast zu seiner weiteren Denkentwicklung in einem Exkurs kurz dargestellt werden.

Exkurs: Das Stehen unter dem Gesetz als Grundverfaßtheit menschlichen Daseins aus der Gnade Gottes

Die Auseinandersetzung mit dem traditionellen Gesetzestraktat in einem der ersten Werke Bruno Schüllers widmet sich der Neubestimmung des Begriffs im Feld gegenwärtiger geistesgeschichtlicher Problematik und theologischer Reflexion, der als Zentrum der traditionellen moraltheologischen Naturrechtslehre zu gelten hat, ja der in der thomanischen Ethik als Grundausdruck zur Bezeichnung des sittlichen Anspruchs verwendet wird[100], dem Begriff des *Gesetzes*[101].

In einer Art phänomenologischer Beschreibung[102] menschlicher Existenzerfahrung „unter dem Gesetz“ bestimmt Schüller die Erfahrung sittlichen Sollens als eine Grundverfassung menschlicher Existenz, das „Dasein unter dem Gesetz als Verfassung des personhaften Geschöpfs in statu viae“ (16). Insofern diese Existenzerfahrung den Menschen in seiner innersten Mitte betrifft und in ihr aufbricht, sucht Schüller die sterilen Bestimmungen und Unterscheidungen des traditionellen Gesetzestraktates auf die ganzheitliche Personmitte des Menschen hin auszulegen (vgl. das Verhältnis von Gebot und Rat [61–75], das Verhältnis der Gebote zueinander [75–89] in der existentiellen Einheit der immer ganzheitlichen Beanspruchung des Menschen [„Das Dasein unter dem Gesetz als totale Beanspruchung des Menschen durch Gott“ 61], die Deutung der Erfahrung eines leichten und schweren Anspruches im Sinne personal zentraler und peripherer Akte [90–110] usw.). Schüller führt die „Abstraktheit“ des traditionellen Gesetzestraktates, die die menschliche Geschichtlichkeit überspringt, auf die unglückliche, neuzeitlich apologetische Trennung von Natur und Gnade zurück: „Die katholische Theologie hat sich daran gewöhnt, den Begriff ‚Gnade‘ fast ausschließlich dem übernatürlichen Sein des Menschen vorzubehalten. Das hat zur Folge, daß sie dem Gnadencharakter des natürlichen Menschseins wenig Aufmerksamkeit schenkt. Nun gewinnen wir alle sittlichen Grundbegriffe, auch den Begriff des Sittengesetzes, ursprünglich aus unserem natürlichen Selbstverständnis. Wenn wir also unser natürliches Menschsein nicht mehr als Gnade Gottes verstehen, können wir auch nicht mehr im Gesetz Gottes eine Gestalt der Gnade Gottes erblicken. Von daher hat der übliche Traktat ‚de lege divina‘ einen stark

---

seiner Verwurzelung in der neuscholastischen Tradition, einer Beeinflussung durch die deutschsprachige Wertethik und der Aufnahme analytischer Denkweise (was den Inhalt seiner Reflexion zur normativen Ethik betrifft). Vgl. dazu ausführlich: Schüller (4) 268–270.

99 Vgl. Schüller (5).

100 Siehe die Unterscheidungen in lex aeterna, lex naturae, lex humana, lex divina usw. (vgl. Mongillo 62–64).

101 Vgl. Schüller (2) 11–15: „Der Begriff Gesetz“. Im folgenden finden sich die Zitationsbelege zu Schüller (2) im Haupttext.

102 Schüller (2) 12 führt aus: „Das Eigentümliche des Sittengesetzes, die von ihm bewirkte Pflicht, ist ein unableitbares, nicht weiter auflösbares Phänomen, das man nur in einem unmittelbaren Erfassen begreifen kann, das nicht erst am Ende einer schlußfolgernden Deduktion einleuchtet, dessen Dasein und Sosein sich aufweisen, aber nicht eigentlich beweisen lassen.“ Schüller 12[1] stützt sich auch auf Dietrich von Hildebrand, der aus der phänomenologischen Schule stammt.

nomistischen Zug." (8) Schüller versucht demgegenüber auch die natürliche Erfahrung des sittlichen Sollens als eine Erfahrung der Gnade zu verstehen. Die heilsgeschichtliche Spannung, die damit in das Verständnis des sittlichen Sollens hineingetragen wird, begründet für ihn einen tiefen existentiellen Charakter, und die undynamische Vermittlung des „Willens Gottes" wird aufgesprengt: „Wenn man sich einmal ernsthaft mit der paulinischen Gesetzestheologie eingelassen hat, kann es einem geschehen, daß man den üblichen Traktat ‚de lege divina' nicht mehr bloß in theologischer, sondern auch in philosophischer Hinsicht unzureichend findet. Das kann eigentlich nicht überraschen. Der Mensch hat schon immer im Licht des Glaubens auch sein natürliches Menschsein deutlicher und tiefer sehen gelernt. In den üblichen Traktaten nimmt das Gesetz sich aus wie ein ‚unbewegter Beweger', der das Leben der Menschen zwar aktiv bestimmt, aber dabei unwandelbar derselbe bleibt, in welcher sittlichen und heilsgeschichtlichen Verfassung die Menschen sich auch befinden. Bei Paulus hingegen ist das Gesetz eine vielgestaltige und wandlungsreiche Wirklichkeit, die dem Menschen je nach seiner existentiellen Verfassung als Gottes Gnadenangebot oder Gericht, als Gottes Segen oder Fluch begegnet. Bei einem genaueren Zusehen stellt sich nun heraus, daß das Gesetz nicht erst innerhalb unserer gegenwärtigen Heilsgeschichte diese innere Bewegtheit empfängt, sondern in jedem denkbaren Fall nur dadurch Gesetz sein kann, daß es sich dem Menschen nacheinander in verschiedener Gestalt darstellt." (7f) Schüller zielt damit auf eine existentielle Offenheit des Verständnisses des sittlichen Phänomens überhaupt hin, die dem sehr nahe kommt, was Karl Rahner mit seiner „Existentialethik" (oder auch Eugen Drewermann und die protestantische Ethik) um der Individualität und existentiell erfahrenen Personmitte des Menschen willen fordert: „Was sich am Verhalten des Menschen nicht auf allgemeine Sätze bringen läßt, hat vom Standpunkt der Rechtswissenschaft aus den Charakter des normativ nicht Regelbaren. So berechtigt die Betrachtungsweise der Rechtswissenschaft ist, so muß es sich die Moraltheologie doch verboten sein lassen, auch für sich diese Betrachtungsweise als die primäre anzunehmen. Sonst könnte sie in Gefahr geraten zu übersehen, daß der Mensch als sittliches Wesen durch jeden unbedingt verbindlichen Imperativ zuerst vor Gott und nicht etwa vor eine menschliche Instanz gebracht ist. Oder sie könnte sich sonst dazu verleiten lassen, dem Allgemeinen durchweg eine größere sittliche Bedeutsamkeit zuzuschreiben als dem Besonderen und Individuellen." (15)

Zu diesem existentiell offenen, gnadentheologisch und heilsgeschichtlich ausgerichteten Denken kommt Schüller durch die Bestimmung der innersten Mitte seiner Phänomenologie aus der tiefen Dialektik, wie sie das transzendentale Gottesverständnis und auch die moraltheologische Hermeneutik in ihrer subjektiv gewendeten Gestalt zum Ausdruck bringen. In der Mitte seiner Phänomenologie steht die Beschreibung der menschlichen Sittlichkeit aus dem eigentümlichen Ineinander menschlicher Freiheit und göttlicher Ermöglichung, das er in seiner Ausdrucksweise so beschreibt: Das Gesetz ist Ausdruck einer „notwendigen Weise göttlicher Verfügung", einer Verfügung aber „über das sich selbst bestimmende Geschöpf" (16), das in der Erfahrung des sittlichen Anspruchs auf dem Grunde seiner Existenz aufgerufen ist zur Freiheit einer Entschiedenheit für Gott und zu sich selbst (21–25: „Das Gesetz als Ruf in die Entscheidung und Entschiedenheit").

Bei dieser Bestimmung geht Schüller aus von der „besonderen" „Form der Notwendigkeit", die das „unbedingte Sollen" (16) hat, einer „Notwendigkeit, die sich durch das Gesetz der Wahlfreiheit des Menschen auferlegt", aber „von der Art [ist], daß sie diese Freiheit sich selber voraussetzt und nicht antastet". „Das Gesetz spricht" so trotz der „Notwendigkeit" seiner Verbindlichkeit den Menschen „gerade auf seine freie Selbstbestimmung hin an". Es ist ein „Paradox" (13), daß der „Mensch... in seiner Entscheidungsfreiheit von einem unbedingten Sollen betroffen" ist, daß er „sich selbst ganz übergeben ist", worin „er sich selbst auch ganz entzogen" (16) ist. Die Freiheit erweist sich so „als eine Art coincidentia oppositorum. Insofern sie sich selbst [durch das Betroffensein vom Sollen] ganz geschenkt wird..., ist sie totale Abhängigkeit. Insofern sie sich... in der Indifferenz der Wahl [Selbstbestimmung] befindet, ist sie ganz Unabhängigkeit" (18). In theologischer Vertiefung dieser Struktur der Freiheit stößt so auch Schüller wie Böckle auf die „Paradoxie endlicher Freiheit“[103]: „Setzen wir für totale Abhängigkeit Geschöpflichkeit – Geschöpflichkeit ist die einzige Form totaler Abhängigkeit –, für Unabhängigkeit und Freiheit Person ein, dann können wir sagen: Das unbedingte Sollen ist die Form, in die sich für eine Person ihre Geschöpflichkeit übersetzt. Das Dasein unter dem Gesetz ist notwendige Verfassung des personhaften Geschöpfs“ (18f). Das heißt aber: „Indem der Mensch das Gesetz Gottes vernimmt und sich zu unbedingtem Gehorsam aufgerufen weiß, ist er sich selbst zu freier Selbstbestimmung überantwortet“ (19).

Schüller deutet so die Erfahrung des sittlichen Anspruchs grundlegend im Horizont des menschlichen Selbstvollzugs als freie Existenz, versteht aber gerade diese Existenz zuinnerst und auf dem Grunde ihres Selbstvollzugs durchdrungen und getragen von der verfügenden und rufenden Wirklichkeit Gottes. „Als wen muß der Mensch sich selbst begriffen haben, damit er sich in seiner Entscheidungsfreiheit vom unbedingten Sollen des Gesetzes betroffen erfahre? Die Antwort, die wir jetzt geben können, läuft zugleich auf eine Korrektur dieser Frage hinaus: Der Mensch muß sich als personhaftes Geschöpf erfassen, damit er sich vom Gesetz Gottes betroffen und dadurch in Freiheit versetzt erfahren könne. Das Gegenüber von Schöpfer und personhaftem Geschöpf ist nicht nur der Seinsgrund, sondern auch der Erkenntnisgrund des unbedingten Sollens.“ In dieser Dialektik wird in einer theologischen Reflexion der sittliche Anruf unbedingt subjektiv gebunden und zugleich gedeutet als die die menschliche Personalität selbst begründende und weckende Gnade Gottes. „Das Gesetz Gottes ist nicht Einschränkung personaler Freiheit, sondern deren Setzung. Das Gesetz Gottes ist seinsmäßig früher als die Freiheit des Menschen, setzt sich diese selbst voraus. Denn der Mensch ist Person, weil er Geschöpf ist, nicht umgekehrt. Der Mensch ist seiner selbst mächtig, weil er der Allmacht Gottes überantwortet ist“ (19). Der Mensch erscheint so mit seiner Sittlichkeit und Selbstbestimmung im Geheimnis der ermöglichenden Freiheit Gottes („Das Dasein aus Gnaden als Grund des Daseins unter dem Gesetz“: 42) begründet.[104]

In allen Überlegungen seiner Untersuchung entfaltet Schüller dieses Gegründetsein menschlicher Freiheit in seiner ganzen theologischen, geschichtlichen und existentiellen Tiefe, sodaß auch die Geborgenheit des Menschen in der heilsgeschichtlich sich vertiefenden Wirklichkeit Gottes deutlich wird. Er versucht die Dialektik der personalen Mitte des Verständnisgrundes sittlicher Wirklichkeit im Spannungsfeld der ‚Kategorien‘ von Natur und Gnade näher zu präzisieren. Ist es die Freiheit des Menschen selbst, seine freie Entschiedenheit, die als Sinnziel des sittlichen Anspruchs von Gott selbst gewollt ist, so ist das Gesetz, d. h. das sittliche Sollen als Grundstruktur des menschlichen Existenzvollzuges, als Mitte, Ermöglichung und ‚Anlaß‘ des menschlichen Freiheitsvollzuges und der Freiheit des Menschen selbst, der Beginn der Gnade Gottes, der die menschliche Natur als unter dem Gesetz stehendes Dasein immer schon zur Freiheit der Entschiedenheit, zum Weg in die Verwirklichung seines Personseins beruft – als Ursprung seiner Personhaftigkeit überhaupt. „Er [der Mensch] lebt ganz aus Gottes Gnaden; aber gerade darum lebt er auch ganz kraft freier Selbstbestimmung. Dieses Verhältnis von Grund und Begründetem zwischen Geschöpflichkeit und Personalität legt sich im Menschen zunächst aus als eine innere Distanz zwischen Natur und Person. Der Mensch *ist* schon er selbst vor aller freien Selbstbestimmung, nämlich als Natur, als sich selbst von Gottes Gnaden vorgegeben. Der Mensch *wird* aber auch erst er selbst, nämlich als Person, indem er sich in Freiheit als den annimmt, als der er sich von Gott vorgegeben ist. Das unbedingte Sollen des Gesetzes erweist sich dann als das Verhältnis des Menschen zu sich selbst, insofern er als noch unentschiedene Person auf sich selbst als von Gott her vorgegeben, als Natur bezogen ist. Es will, daß der Mensch das, was er aus Gnaden ist, zugleich ganz kraft freier Selbstbestimmung werde. Daraus ergibt sich: Das Gesetz ist eine Gestalt, die Gottes Gnade annimmt, insofern sie einer Person zugedachte Gnade ist“ (43).[105]

---

103 Böckle (8) 92; wobei Böckle hier vermutlich von Schüller abhängt.

104 Ganz im Sinne der transzendentalontologischen und transzendentaltheologischen Dialektik.

105 „Genau denselben Sachverhalt spricht im Grunde das bekannte scholastische Axiom aus, das Sollen gründe im Sein. Das Sein des Menschen ist Grund für das Sollen des

Diese wesenhafte Gnadenhaftigkeit des sittlichen Anspruches versteht Schüller in sich als durch den Menschen nicht zerstörbaren, bleibenden transzendenten Ruf Gottes inmitten der menschlichen Existenz (in statu viae), der durch die Selbstmitteilung Gottes in Jesus Christus auch gegenüber der Sünde eine unwiderrufliche Unbedingtheit annimmt, die die menschliche Freiheit in ihren Höhepunkt führt. Solange der Mensch sich auf dem Weg sittlicher Selbstwerdung befindet, vermag er das gnadenhafte Angebot auf dem Grunde seiner personalen Wirklichkeit, den Ruf des Gesetzes zur Freiheit der Entschiedenheit nicht zu zerstören. Schüller begründet diese Aussage ausdrücklich christologisch, was für ihn möglich und nötig ist aus der dynamischen Sicht der Beziehung von Natur und Gnade. Insofern die menschliche Natur nie ohne die Gnade Gottes verstanden werden kann (Schöpfungsgnade ist dabei innerlich auf Erlösungsgnade ausgerichtet[106]), ist das bleibende „liberum arbitrium" des Sünders nicht als ein abstrakter, durch den status naturae lapsae nicht angerührter Rest der natura integra zu verstehen, sondern als die *bleibende Versöhnungsbereitschaft Gottes,* die Gott in seiner Erlösung (und „weil Gott von vornherein nie gesonnen war, auf bloß natürliche Weise des Menschen letztes Ziel zu sein" [137]) dem Menschen schenkt. „In Christus bleibt dem Sünder nicht nur ohne sein Verdienst, sondern auch wider sein Verdienst das übernatürliche Heil weiterhin angeboten" (138). Das, was den Menschen also in seiner innersten Personalität ausmacht, das Angerufensein durch das Gesetz zur Entschiedenheit für Gott und darin für sich selbst, bleibt durch die Treue Gottes bestehen. Obwohl der Mensch durch die Sünde sein eigenes persönliches Sein, sein Zentrum bedroht, setzt Gott von außen durch seinen bleibenden Anruf den innersten Widerstand im Menschen selbst dagegen. „Der Sünder hat noch das liberum arbitrium seiner Sünde zum Trotz; aber nicht deshalb, weil er es durch seine Sünde, soweit es auf sie ankommt, nicht verwirkt hätte. Er hat es von sich aus tatsächlich verwirkt. Wenn es ihm gleichwohl erhalten bleibt, dann nur wegen der gnädigen Versöhnungsbereitschaft Gottes in Christus" (139). Weil so die bleibende Treue Gottes, die in Christus als Versöhnungsbereitschaft deutlich wird, die Aufrechterhaltung des Innersten menschlicher Personalität (des Anrufs zur Freiheit und somit der Ermöglichung von Freiheit) gegen das „existentielle Apriori, das er [der Sünder] seinem eigenen Willen in Freiheit eingestiftet hat" (141) als „überaktuelle, personale Entschiedenheit gegen Gott" (131) und darin gegen sich selbst, ist, wird die Geschichtlichkeit des glaubenden Menschen unter der Erlösungsgnade deutlich: „Es muß dann im Menschen Stufen oder Grade der Freiheit geben, Grade in der Weise, wie der Mensch jeweils seiner selbst in Freiheit mächtig ist und sich selber in freier Ursächlichkeit die Essenz des Gerechten oder Sünders geben kann. Der Mensch ist seiner selbst jeweils in Freiheit mächtig nach dem Maße, wie er vom Gebot Gottes zur Freiheit aufgerufen ist. Der Sünder war zur Freiheit aufgerufen, er hat von seiner Freiheit Gebrauch gemacht und ist nach dem Maße dieser Freiheit definitiv gegen Gott entschieden. Wenn nun Gott diesen Sünder zur Umkehr ruft, dann muß dieser Ruf den Sünder jedenfalls noch über jenes Maß hinaus zur Freiheit aufrufen, das er in seiner Sünde schon an die Sünde veräußert hat" (141). Hier wird deutlich, daß sich erst im eigentlichen geschichtlichen Dialog von Gott und Mensch erschließt, was Sünde und Freiheit sind und sein sollen!

In dieser Phase seines Denkweges geht Schüller somit – in Anlehnung an die Transzendentaltheologie – ganz umfassend von einem theologisch-christologischen Blickwinkel aus. Aus diesem Grund scheint er die transzendental anthropologische Vermittlung des Gottesverständnisses hier auch deutlicher als Böckle in einer geschichtlichen Verständnisweise zu reflektieren und darin in ihrer vollen transzendentalontologischen Spannung aufzunehmen: Er vermag die existentielle Geschichtlichkeit der menschlichen Selbstbestimmung unter der sich geschichtlich vertiefenden Liebe Gottes darzustellen, die den Menschen mit seiner Freiheit

---

Menschen, das Sein des Menschen geht also jedem Sollen des Menschen voraus, kann folglich dem Menschen nur geschenkt sein" (Schüller [2] 44). „... Gott selbst [ist] dem Menschen im Medium seines Menschseins zuerst geschenkt und dann auch zu freier Annahme auferlegt" (43).

106 Vgl. Rahner (2).

nicht nur *aus* dem Geheimnis Gottes entlassen sein läßt, sondern diese Freiheit im Geheimnis Gottes wachsen läßt, bis in Jesus Christus, der unwiderruflichen Versöhnungsbereitschaft Gottes, jede Sünde des Menschen überwunden ist und die menschliche Freiheit durch die Treue Gottes, unter seinem unzerstörbaren Anruf, der ja gerade die Mitte des menschlichen Daseins ist und die menschliche, freie Personalität konstituiert, in ihren Höhepunkt kommt. Der Mensch ist in diesem Sinne *in* das Geheimnis Gottes *hinein* geborgen.

Indem Bruno Schüller in der weiteren Entwicklung seines Denkens ein offenes Gespräch mit der ethischen Gedankenwelt der neuzeitlichen Philosophie aufnimmt, wächst eine gewisse Distanz zu dieser zunächst im Kontext stark theologisch orientierter Reflexion vorgetragenen Art der Darstellung subjektiv vermittelter Interpretation der sittlichen Wirklichkeit im christlichen Verständnishorizont. In der Transformation der Existenzanalyse in die phänomenologisch-analytische und sprachanalytische Untersuchung wird die Bezogenheit der Interpretation des sittlichen Phänomens auf den Horizont der Subjektivität des Menschen nicht aufgegeben. Doch Schüller vermeidet es, in der Ausführung dieser Interpretation die ontologische Fundierung des sittlichen Sollens im Sinne umfassender metaphysischer Reflexion (sei es als transzendentalontologische Reflexion oder als existentialphänomenologische Analyse) zum Ausgangspunkt seines Denkens zu machen und die Deutung des sittlichen Phänomens von dort her zu entfalten; Schüller sucht vielmehr umgekehrt, diese Fundierung auf das für die analytische und logische Konsistenz des Verständnisses der menschlichen Sittlichkeit Notwendige und Unverzichtbare zu beschränken. In Auseinandersetzung mit der phänomenologischen und analytischen Ethik sucht Schüller nach einer Denkform der Moraltheologie, die imstande ist, unabhängig von jeder Darstellung vorausgesetzter Anthropologie und Ontologie eine Ethik aus dem christlichen Verständnishorizont vorzutragen, in der in sich selbst „christliche Anthropologie und Dogmatik" „formaliter" schon artikuliert sind.[107]

1. *Die autoritäre Verengung der traditionellen moraltheologischen Denkform*

Bruno Schüller ist innerhalb der katholischen Moraltheologie einer der Autoren, die sehr konsequent und mit einer gewissen methodischen Strenge die subjektiv vermittelte Rationalität in das Denken christlicher Ethik aufzunehmen versuchen.

Hinter diesem Bemühen scheint bei Schüller neben der Aufnahme phänomenologisch-werttheoretischen Denkens formal gesehen besonders das Anliegen gegenwärtiger sprachanalytischer Ethiker zu stehen, denn diese „philosophische Schule versucht, dem Menschen zur besseren Erkenntnis seiner Welt zu verhelfen, indem sie die Sprache analysiert, mit der er sich über die Phänomene seiner Welt verständigt. ... Zwar haben schon Sokrates, Platon und Aristoteles die gleiche Methode angewandt, doch sie haben sie verlassen, um zu den höheren Zielen der Philosophie zu gelangen: zu einem Entwurf philosophischer Weltsicht, der kraft seiner Totalität umfassende Erklärungskraft hat."[108] Vor allem George Edward Moore hat sich gegen einen solchen totalen Anspruch philosophischer Reflexion und den metaphysischen Ansatz philosophischer Ethik gewandt. „In einer Situation, in der auch die Moralphilosophie in England unter den Einfluß des in der Philosophie insgesamt vorherrschenden späthegelianischen Idealismus geraten war, findet sich Moore nicht ab mit Theorien wie der Francis Herbert Bradleys, in denen die fundamentalen ethischen Aussagen letztlich von metaphysischen Aussagen abgeleitet werden..."[109] „Demgegenüber ist das Ziel analytischer Philosophie bescheide-

---

107 Schüller (4) 160[11].

108 Schwartz 16.

109 Ebd. 23f.

ner, die Forderung methodischer Klarheit aber rigoroser."[110] Schüller scheint sich in einer formalen, positiven Auseinandersetzung mit sprachanalytischer Denk*haltung*[111] gerade diese Bescheidung auch für die Moraltheologie und ihre Fundierung in etwaigen metaphysisch expliziten Reflexionen der christlichen Dogmatik und Anthropologie zu eigen gemacht zu haben: „Wer die christliche Ethik in der christlichen Anthropologie, die Moraltheologie in der Dogmatik fundiert glaubt, begeht nicht den naturalistischen Fehlschluß, sondern übersieht, daß sich christliche Anthropologie und Dogmatik selbst schon formaliter innerhalb einer Ethik artikulieren. Ich selber habe diesen Fehler früher in extenso begangen. Vgl. etwa *B. Schüller,* Gesetz und Freiheit, Düsseldorf 1966, 42–52. Der tiefere Grund dafür ist, daß ich damals noch nicht zu unterscheiden wußte zwischen Paränese, normativer Ethik und Metaethik."[112]

Indem Schüller phänomenologische und sprachanalytische Denkhaltung und

---

110 Ebd. 16.

111 Zur inhaltlichen Auseinandersetzung vgl. seine eigenen Angaben: Schüller (4) 268–270.

112 Ebd. 160[11]. Man tut Schüller unrecht, wollte man ihm vorwerfen, daß er mit seinem Ansatz die Ethik ganz aus dem Zusammenhang christlicher Anthropologie und Dogmatik lösen wolle. Seine Darstellungsweise ist von der methodischen Überzeugung getragen, daß die ethische und infolge dessen auch die moraltheologische Reflexion grundsätzlich einen eigenen Ansatzpunkt hat (in dem eben nach seinem Verständnis zwischen normativer Ethik und Metaethik unterschieden werden muß). In dessen Perspektive werden wohl implizit die Ergebnisse der Anthropologie und Ontologie enthalten sein, aber eben implizit, weil ontologische und anthropologische Fragestellung nicht unmittelbar zur Debatte steht. Schüller selbst gibt immer wieder Hinweise auf Zusammenhänge zwischen der Struktur seiner ethisch-moraltheologischen Reflexion und christlicher Metaphysik und Anthropologie. Er vertritt bestimmte ethische Positionen im Hinblick auf christlich metaphysische Voraussetzungen (vgl. seine Stellungnahme zum Kognitivismus im Gegensatz zum Dezisionismus; vgl. hier S. 161).

Im folgenden wird allerdings deutlich werden, daß die analytische Stringenz, um die sich Schüller bemüht, im moraltheologischen Denken zu einer Art subjektiver Konzentration der ontologischen und gnoseologischen Fundierung des Verständnisses menschlicher Sittlichkeit führt. Das läßt eine gewisse Grenze der Möglichkeit der unbedingten Trennung von methodisch streng beschränkter ethischer Reflexion und ontologischen und anthropologischen Voraussetzungen dieser Reflexion aufscheinen: Es scheint nicht zuletzt gerade die Denkhaltung Schüllers zu sein, die ihn zu ganz bestimmten ontologisch-anthropologischen Konsequenzen für sein Verständnis und seine Deutung des sittlichen Phänomens führt. Das entspricht in einem gewissen Sinn der Entwicklung der analytischen Sprachphilosophie, die im Gegenzug zu ihren (kritisch orientierten) Anfängen die Verbundenheit von Methode und Sache wiederaufnimmt und im Blickwinkel ihres eigenen Ansatzes metaethische Konsequenzen zieht: Während zunächst „analytische Philosophen eine deutliche Zäsur zwischen aller bisherigen [metaphysisch, d. h. ontologisch oder anthropologisch rückgebundenen] Philosophie und ihrer eigenen Arbeit" (Schwartz 16) empfanden, „stellten sich" auf dem „Umweg über die sprachkritische Behandlung vor allem auch des ‚normalen' (‚ordinary') Redens über die Sache" „viele der alten und auch neue Sachfragen wieder ein" (Craemer-Ruegenberg 11). „Dieser Entwicklungsprozeß der sprachanalytischen Ethik ist bis heute noch keineswegs abgeschlossen; die Diskussion läuft weiter. Je mehr man sich von der blassen grammatikalischen Rekonstruktion (und Destruktion) ethischer ‚Gegenstände' abwandte und sich in sprachkritischer Perspektive inhaltlichen Problemen zuwandte und auch weiterhin zuwendet, um so mehr öffnet sich in Fragestellungen und Problemfassungen ein Zugang zur großen [eben noch von einem metaphysischen Fundament ausgehenden] Tradition der Moralphilosophie" (ebd.).

Inhalte[113] in die Reflexion der Moraltheologie zu integrieren sucht, unterzieht er zunächst die traditionelle Denkform einer gewissen Kritik. Waren die Ethiker dieser philosophischen Richtungen bestrebt, durch ihre Methodik eine grundlegende Neufassung der Ethik und ihrer Fundamente zu leisten[114], so wirkt dieses Bemühen auch in die Aufnahme dieses Denkens in die Moraltheologie hinein: Die kritische Wandlung der theologischen Interpretation sittlicher Wirklichkeit läßt sich dabei bei Schüller zunächst vor allem als eine Aufdeckung der autoritären Absicherung der rationalen Argumentation innerhalb der Moraltheologie fassen.

Schüller interpretiert in seiner kritischen Reflexion der „Begründung sittlicher Urteile" innerhalb der (traditionellen) katholischen Moraltheologie[115] zunächst das christliche Gebot der Liebe als die Bindung des sittlichen Sollens an das der menschlichen Subjektivität als Wert entgegentretende Gute.[116] Er zeigt, daß die Forderung, Gott und den Nächsten (ja sogar den Feind) zu lieben, in der werttheoretischen Begründung des Sollens aus dem begegnenden Guten „logisch abgesichert *und begründet*" ist[117], und weist dieses Begründungsverhältnis als den Grundzug der teleologischen – nach seinem Verständnis für die Moraltheologie grundlegenden[118] – Argumentationsform auf.

Schüller geht dabei vom gerundivischen Charakter des Wortes „gut" aus, um die „teleologische" Begründung des Sollens aus dem entgegentretenden Wert zu entfalten: „Das Wort ‚gut' meint von sich aus nicht den Grund dafür, daß etwas faktisch anerkannt wird, sondern dafür, daß etwas anzuerkennen ist (Gerundivum). Als Wertungswort dient es dazu, Stellungnahmen zu normieren, sie als sinnvoll oder sinnwidrig, als berechtigt oder unberechtigt zu qualifizieren."[119] Die Wertung, welche sich so in menschlicher Sprache ausdrückt, gründet aber selbst noch einmal in der vorausliegenden („objektiven") Gutheit der Seienden: „Die Liebe des Menschen hat ihren verbindlichen Maßstab an der Gutheit oder am Wert dessen, worauf sie sich jeweils bezieht, mag das eine wirkliche, schon im Dasein befindliche Gutheit sein oder eine nur mögliche, erst noch zu erwartende und zu erhoffende Gutheit."[120] „Der Wert oder die Gutheit eines Seienden ist nicht identisch mit der Forderung nach

---

[113] Vgl. Schüller (4) 268–270.

[114] Sehr stark ausgeprägt ist dieses Bewußtsein, wie schon angedeutet, bei den analytischen Philosophen, die „eine deutliche Zäsur zwischen aller bisherigen Philosophie und ihrer eigenen Arbeit [sehen]. Diesen Bruch und Neuanfang sehen sie auf allen Gebieten traditioneller Philosophie. Erst jetzt, so meinen sie, hat sich die Philosophie auf das ihr eigene Feld beschränkt" (Schwartz 16).

[115] Vgl. Schüller (3); (4). Im folgenden wird aus der 2. Auflage (= Schüller [4]) zitiert und gegebenenfalls die Parallele aus der 1. Auflage in Klammern hinzugefügt. Einleitend zu diesem Buch schreibt Schüller 10 (8): „Es braucht hier nicht erörtert zu werden, mit welchem Recht die Moraltheologie bei der Normbegründung auch wie eine philosophische Ethik verfahre. Dieses Recht ist nicht bestritten. Aber die Frage ist, ob sie von diesem Recht immer einen einleuchtenden Gebrauch gemacht hat. Das ist der Grund, warum in dieser Arbeit gerade die Argumentationsweisen analysiert werden sollen, durch die die Moraltheologie eine innere Einsicht in die Geltung sittlicher Normen vermitteln will."

[116] Vgl. Schüller (4) 66.

[117] Vgl. ebd. 66f (32).

[118] Vgl. ebd. 59 (25).

[119] Ebd. 66 (31f).

[120] Ebd. 65 (31).

anerkennender Liebe, sondern der Grund, auf den diese Forderung sich stützt, und zwar zureichender Grund. Zwischen Grund und Begründetem besteht ein *synthetisches* Verhältnis. Natürlich, das *Wort* ‚Grund‘ läßt sich rein analytisch explizieren als ‚Grund eines Begründeten‘; ganz so wie das Wort ‚Vater‘ immer so viel heißt wie ‚Vater eines Kindes‘. Trotzdem ist der Satz, die Forderung, ein Seiendes zu lieben, habe ihren Geltungsgrund in der Gutheit dieses Seienden, ein synthetischer Satz; nicht anders als die Aussage, Peter sei Pauls Vater. Man darf demnach die Behauptung, das Gute als solches sei das der Liebe Würdige, nicht für eine bloße Worterklärung nehmen, die – genau genommen – zu lesen wäre: ‚etwas sei gut‘ *bedeutet,* ‚etwas sei der Liebe wert‘. Man bringt vielmehr die Einsicht in eine sachliche Beziehung zur Sprache, indem man aussagt: bonum *est* amabile et amandum. Das ist jedenfalls die Grundannahme einer normativen Ethik *teleologischer* Prägung: Der Begriff des Guten oder des Wertes liegt dem Begriff des Sollens voraus wie der Grund dem Begründeten; oder um es mit den Worten *M. Schelers* zu sagen: ‚Jedes Sollen (ist) in einem Wert fundiert (und nicht umgekehrt).‘“ Hier aber liegt auch die logische Begründung des christlichen Gebotes der Gottes- und Nächstenliebe: „Kurzum, von einem teleologischen Standpunkt aus ist die Begründung, die die katholische Theologie für das Gebot der Gottes- und Nächstenliebe vorbringt, in sich logisch abgeschlossen. Für die sittliche Forderung, Gott über alles zu lieben, kann es nur einen Geltungsgrund geben, und zwar den, daß Gott der über alles Gute ist. Man könnte von da aus seine Überlegungen nur dann weiterführen, wenn man ihnen eine andere Richtung gibt und fragt, welche Gründe man dafür habe, von Gott zu sagen, er sei der über alles Gute, vom Menschen, er sei Selbstwert und Zweck an sich selbst. Damit befindet man sich jedoch auf einem Feld, das eher der Meta-Ethik und der Meta-Axiologie zugehört.“[121]

Nachdem Schüller die vielfältigen Verzweigungen dieser Argumentationsform innerhalb der normativen Ethik katholischer Theologie schrittweise kritisch zu entfalten versucht hat[122], geht er der Problematik einer zweiten traditionellen moraltheologischen Argumentationsform[123] in der Analytik von „deontologischen“ Sätzen nach: „Die überkommene katholische Moraltheologie kennt, wie es

---

121 Ebd. 66f (32).

122 Nach Schüller (4) 70 (36f) sieht sich der Mensch aufgrund seiner endlichen Existenz in der Sollenserfahrung in eine Wertbegegnung gestellt, die sich ihm in der Struktur apriorisch-formaler Wertverhältnisse in differenzierter Weise aufgibt. „Genau besehen zeigt sich hier ... die charakteristische Grundsituation des Menschen. Als endliches Wesen hat er nur begrenzte Möglichkeiten, sich des Wohls seiner Mitmenschen anzunehmen. Seine Tätigkeit kann nicht beliebig vielen Menschen wirksam zugute kommen und nicht allen berechtigten Interessen und Bedürfnissen gelten. Er ist genötigt, unter den Wirkungsmöglichkeiten, die sich ihm jeweils darbieten, eine Wahl zu treffen, zu beurteilen, welcher er vor anderen den Vorzug geben will. Rein willkürlich wird er dabei nicht verfahren wollen. ... Dann aber, so scheint es, wird er bemüht sein herauszufinden, von welcher Handlungsmöglichkeit er sich versprechen darf, sie komme den Menschen mehr zugute, erfülle wichtigere Interessen, befriedige dringendere Bedürfnisse usw. Und genau dieser Handlungsmöglichkeit wird er vor anderen den Vorzug geben wollen. Er muß sonach auch zwischen wichtig und wichtiger, zwischen dringlich und weniger dringlich, zwischen besser, gut und weniger gut unterscheiden können, das heißt, er muß die zwischen konkurrierenden Werten waltenden Vorzugsgesetze erfassen können. An ihnen bemißt sich, welche Handlung jeweils richtig und welche falsch ist.“ Schüller (4) widmet sich einer genauen Analyse dieser Wertverhältnisse anhand christlicher und nichtchristlicher Moralsprache. Tragende Prinzipien wie der Vorrang sittlicher vor nichtsittlichen Werten (73–78 [39–45]), die Bedeutung der Zahl und der beziehungsqualitativen Nähe der Mitmenschen für die Dringlichkeit einer Wertbegegnung (107–123 [72–91]) usw. kommen so in den Blick.

123 Vgl. Schüller (4) 171 (137).

scheint, zwei Formen einer deontologischen Begründung."[124] Die erste Form: „Den Grund für... [die] Unerlaubtheit [einer Handlung] sieht man in... Naturwidrigkeit, nicht in... sonstigen Folgen." Die zweite Form: „Man sagt von einer bestimmten Handlungsweise, sie geschehe ohne die erforderliche Berechtigung und sei deswegen sittlich unerlaubt."[125] „Kurz, bei der deontologischen Urteilsbildung spricht die Theologie einer Handlungsweise den Charakter sittlicher Unerlaubtheit zu aufgrund eines Merkmals, das der Handlungsweise unabhängig von ihren jeweiligen Folgen eigen ist. Dieses Merkmal wird bald in einer spezifischen Naturwidrigkeit, bald in einer Unrechtmäßigkeit gesehen."[126] Zusammenfassend läßt sich diese Argumentationsform so charakterisieren: Die deontologischen Begründungen setzen eine nichtreflexive Norm, also eine Wertartikulation, welche auf ein nicht-sittliches und in diesem Sinne kontingentes Gut geht, als unbedingten sittlichen Wert.[127] Hier wird die eigentümliche Struktur der deontologischen Begründung gegenüber der teleologischen Argumentationsform deutlich. Die deontologische Begründung versucht aus der Bindung sittlichen Sollens an das entgegentretende Gute ‚auszubrechen'. Sie gibt an, daß ein nicht-sittliches Gut, das in seinem „objektiven Wertgehalt" als begrenzt verstanden werden müßte, dennoch eine unbedingte sittliche Beanspruchung für den Menschen darstellen kann. Sie versucht, die sittliche Erkenntnis des Menschen, der die Verwirklichung eines Gutes als Folge einer Handlungsweise im Gegenüber zu anderen Gütern bedenkt und so jedes nicht-sittliche Gut in den Zusammenhang der objektiven Werthaftigkeit der begegnenden Seienden (ordo bonorum) zu stellen bemüht ist, zu überspringen. So stellt sich die Frage: Gibt es einen Begründungszusammenhang, der erklärt, warum das für die menschliche Erkenntnis zunächst relative Gut eine absolute Verpflichtung für den Menschen in sich tragen kann?

In der innerhalb der Tradition häufig vorkommenden Abschwächung der Gültigkeit der Normen, die im Sinne der deontologischen Argumentationsform begründet wurden, zeigt sich nun eine Hermeneutik des sittlichen Anspruchs an, die – obwohl sie es vorzugeben und eine eigene logische Konsistenz wie der erste Argumentationstyp für sich zu beanspruchen scheint – nicht ganz auf die Vermittlung mit der Reflexion der Folgen einer Handlung, d. h. auf die Vermittlung mit der Einsicht des Menschen in den „ordo bonorum", wie sie sich in der Reflexion der Folgen seiner Handlungen ausdrückt, verzichten kann.[128] In der Schlußfigur

---

124 Ebd. 173 (140).

125 Ebd. 174 (140).

126 Ebd.

127 Dabei besteht, „was reflexive Normen angeht wie die, man solle stets gerecht handeln, ... zwischen Teleologen und Deontologen grundsätzlich eine Übereinstimmung. ... Es geht nur um Handlungsweisen, deren Folgen ausschließlich in nicht-sittlichen Gütern und nicht-sittlichen Übeln bestehen. Die Frage ist, ob für den sittlichen Charakter solcher Handlungsweisen nur ihre Folgen ausschlaggebend sind oder nicht" (Schüller [4] 173 [139]).

128 Schüller (4) 177–199 (144–153) spricht diese Problematik unter der Überschrift „Eingrenzung des Rechten aus Rücksicht auf die Folgen. Die restriktive Auslegung sittlicher

„unerlaubt, weil unberechtigt“ verlegt sie dabei diese Vermittlung in die Wirklichkeit Gottes selbst, der gleichsam als Gesetzgeber in den Fällen, in denen es nach menschlichem (vernünftigem) Ermessen eine Ausnahmemöglichkeit von der durch die Norm gegebenen Verpflichtung geben muß, dem Menschen die vernünftige Berechtigung erteilt. „Es ist kein Zweifel möglich. Die Tradition denkt sich Gott wie einen Gesetzgeber, der – sit venia verbo – sein Urteil durch teleologische Überlegungen bildet. ... Jedenfalls hat sie sich Gott als Gesetzgeber ziemlich genau in der Weise gedacht, wie sie sich den menschlichen Gesetzgeber denkt. Der menschliche Gesetzgeber, so sagt sie, hat die Vollmacht, in bestimmten Fällen durch Dispens oder Privileg den einzelnen oder eine Teilgruppe von der Beobachtung eines Gesetzes zu befreien. Er müsse für ein solches Vorgehen zwar Gründe haben, die letztlich auf eine Förderung des Gemeinwohls hinauslaufen. Aber diese Gründe bewirken nicht schon durch sich selbst die Befreiung des einzelnen oder der Teilgruppe von dem betreffenden Gesetz. Dazu sei vielmehr ein eigener Hoheitsakt des Gesetzgebers erforderlich, eben der Akt der Dispens- oder Privilegerteilung.“[129] Darin wird aber ein Zweifaches deutlich: Einerseits weist sich in all dem doch eine unterschwellige Bezogenheit der sittlichen Interpretation des „Willens Gottes“ auf die Vernunft (Einsicht des Menschen) aus. „Der [sittliche] Erkenntnisprozeß muß ... in ... [folgender] Richtung verlaufen. Aus der *Einsicht* in den sittlichen Charakter einer Handlungsweise ergibt sich unmittelbar, ob Gott sie gebietet, erlaubt oder verbietet.“[130] Denn die vernünftige Durchdringung des sittlichen Anspruchs scheint sich in der Artikulation deontologischer Normen gleichsam selbst zu begrenzen: „Man könnte ... sagen, der Konzeption der Tradition gehe die letzte Konsequenz ab. Wenn jemand in einem Ausnahmefall nur durch Verletzung eines weniger wichtigen Wertes einen wichtigeren Wert verwirklichen könne, dann sei er schon durch diese Wertkonkurrenz selbst zur Verletzung des weniger wichtigen Wertes berechtigt oder gar verpflichtet, dann brauche er dazu nicht noch eine eigene göttliche Ermächtigung.“[131] Andererseits wird der Grund für diese Selbstbegrenzung deutlich: Es ist die positive Setzung Gottes, die die letzte Begründung der absoluten Verpflichtung einer Norm nach dem deontologischen Verständnis bildet. „Tatsächlich scheint die Tradition an einem gewissen Rest von Positivismus festzuhalten.“[132] Denn obwohl in der „restriktiven Auslegung“ der deontologischen Normen die innere Bezogenheit der moraltheologischen Hermeneutik auf die menschliche Einsicht in den objektiven ordo bonorum deutlich wird, stützt sich diese nach außen hin auf die Autorität Gottes: Gott selbst muß die Ausnahmen, die sich von der menschlichen Einsicht in den ordo bonorum her nahelegen, „erlau-

Normen“ an. Er weist auch auf die Schwierigkeiten hin, welche die „Umwandlung des Erfüllungsgebots in ein Zielgebot“ (200–205) oder der Gedanke der „Pflicht zur pflichtwidrigen Tat“ (206–215 [154–163]), die im Anschluß an die deontologische Argumentationsform in der katholischen Moraltheologie aufgekommen sind, bereiten.

129 Schüller (4) 237 (181f).

130 Ebd. 263 (213); Hervorhebung von J. R.

131 Ebd. 237 (181f).

132 Ebd. 237 (182).

ben". Die absolute Verbindlichkeit der (deontologischen) Norm erscheint dadurch nicht relativiert, sondern in ihrer Unbedingtheit gerade begründet. In der konkreten Anwendung wird sie nur aus dem freien, barmherzigen Willen Gottes eingeschränkt.

Die Motivation für ein solches Verständnis des Sittlichen wird an der traditionellen Schlußfigur „unerlaubt, weil naturwidrig" erst verständlich. Die traditionelle Moraltheologie zeigt sich in dieser Schlußfigur überzeugt davon, daß die Natur gegenüber der in eigenständiger Macht verändernden Kultur des Menschen die allwirksame Macht Gottes unmittelbarer wiedergibt. „Hinter dem dargelegten Argumentationstyp steht die Vorstellung, durch die Werke der Natur spreche Gott unmittelbar selbst, durch die Taten des Menschen hingegen spreche der Mensch und nicht Gott."[133] Und weil die objektive Ordnung der Natur so unmittelbar von Gott gesetzt erscheint, legt sich für das traditionelle Verständnis auch der Gedanke nahe, daß sie, die der menschlichen Subjektivität und Freiheit vorgegeben ist, ebenso unmittelbar als Ausdruck des sittlich gebietenden „Willen Gottes" zu interpretieren ist: „... richtige Aussagen über den Willen des allwirkenden Gottes [werden] zugleich als Aussagen über den Willen des sittlich gebietenden Gottes [genommen]... und umgekehrt."[134] So wird in bestimmten Fällen durch die Identifikation des allwirkenden Gottes mit dem sittlich gebietenden Gott die Autorität Gottes in die Begründung sittlicher Normen mit einbezogen. Dabei wird die Autorität Gottes der die „objektive" Relativität des nicht-sittlichen Gutes, auf das sich die deontologische Normierung bezieht, ersetzende unbedingte Begründungszusammenhang, aus dem die absolute Verbindlichkeit der deontologischen Norm erfließt. Denn in den deontologischen Normierungen wird der Rekurs auf die Autorität Gottes zur unhinterfragbaren Instanz der seinem sittlich gebietenden Willen entstammenden, der menschlichen Einsicht und Reflexion auf die Folgen vorgegebenen und dem „objektiven" Wertgehalt eines nicht-sittlichen Gutes gegenüber transzendent begründeten deontologischen Verpflichtung genommen, von der nur diese Autorität Gottes selbst im notwendigen Fall zu dispensieren vermag.[135] Die Motivation aber für dieses Denken liegt dabei offenbar in einem Mißtrauen gegenüber der menschlichen Subjektivität, für die ein nicht-sittliches Gut absolut gesetzt wird, um es als von Gott unantastbar vorgegebene Natur der subjektiven Gestaltung zu entziehen.

Im Horizont der subjektiv vermittelten Rationalität und in bezug auf die Gestaltungsfähigkeit der menschlichen Subjektivität und der ihr eigenen sittlichen Verpflichtung zur Gestaltung der sittlichen Wirklichkeit im Vollzug der eigenen

---

133 Ebd. 233 (173f).

134 Ebd. 231 (170).

135 „Der Fehler, den teleologisch ausgelegten Willen des allwirkenden Gottes, wie er sich naturhaft, das heißt in menschlicher Freiheit vorgegebenen Daten bekundet, mit dem Willen des sittlich gebietenden Gottes gleichzusetzen, findet sich bisweilen auch dort, wo in der ethischen Argumentation von natürlichen Neigungen (inclinationes naturales) des Menschen ausgegangen wird" (ebd. 233 [177]).

Freiheit muß diese Interpretation allerdings als willkürlich und fremd erscheinen. Insofern sowohl Subjektivität als auch Objektivität aus dem allwirksamen Willen Gottes konstituiert und entlassen sind, drückt sich der „Wille Gottes" nicht in der bloßen Vorgegebenheit der Natur aus. „Wenngleich nun ohne allen Zweifel der Wille Gottes in sich ein einziger Wille ist, so ist es doch nicht möglich, von richtigen Aussagen über den *allwirkenden Gott* unvermittelt auch richtige Aussagen über den *sittlich gebietenden Gott* zu erschließen."[136] Der Rekurs auf den Schöpferwillen bzw. allwirksamen Willen Gottes trägt in der konkreten Begegnung von Subjektivität und Objektivität, als gemeinsam Vermittelten eines ganzheitlichen Prozesses der sittlichen Selbstwerdung des Menschen in der Welt, zum Verständnis der sittlichen Wirklichkeit in dem Sinne unmittelbar nichts bei[137], als gerade in der Vermittlung, nicht in der Vorgegebenheit sittliche Wirklichkeit sich konstituiert[138]. Und der Sprung von diesem Schöpferwillen Gottes zum sittlich gebietenden Willen Gottes, den die traditionelle Moraltheologie in einseitiger Weise nur für die objektive Wirklichkeit „natürlicher" Ordnungen und gerade gegen die subjektive Wirklichkeit der menschlichen Freiheit in den deontologischen Normierungen zu vollziehen scheint, ist durch nichts zu rechtfertigen.

In dieser Kritik traditioneller moraltheologischer Argumentation vermag Bruno Schüller somit einen autoritären und positivistischen Zug moraltheologischer Denkform aufzudecken. Es wird bewußt, daß die subjektive Wende des Denkens nicht nur gegenüber dem Objektivismus, sondern auch gegenüber dieser autoritären Verengung des Denkens in der Moraltheologie den subjektiven Selbstand des Menschen zur Geltung bringen muß.

2. *Subjektiver Selbstand des Menschen und Autorität Gottes*

Das objektive Naturrechtsdenken sollte innerhalb des neuscholastischen Denkens eigentlich den Versuch darstellen, die moraltheologische Interpretation des sittlichen Anspruchs als „Wille Gottes" auf eine universale Intelligibilität und Kommunikabilität hin zu öffnen.[139] Aber es wird an der kritischen Analyse der traditionel-

---

136 Ebd. 231 (170f).

137 Vgl. ebd. 235 (179).

138 Schüller (4) 233 (174) führt dies an einem Beispiel aus: „Gesetzt, jemand sei von Geburt blind, werde aber durch medizinische Kunst von seiner Blindheit geheilt. Ein anderer komme mit gesunden Augen auf die Welt. Man kann sagen, der erste verdanke sein Augenlicht menschlicher Kunst, der zweite der Natur. Aber dann muß man selbstverständlich hinzufügen: Beide verdanken gleichermaßen ihr Augenlicht Gott (als der causa prima). Nicht der allwirkende Gott und der Mensch stehen in einem Konkurrenzverhältnis, sondern in gewissem Sinn Natur und Mensch, Kausalität der Natur und Kausalität der Freiheit. Und ob der Mensch die Kausalität der Natur ungehindert ihren Lauf nehmen lassen oder in sie eingreifen soll, das kann allein davon abhängen, auf welche Weise er besser die ihm aufgegebenen sittlichen Ziele verwirklichen kann. Darum kann der Unterschied zwischen naturhafter und künstlicher Verursachung rein als solcher niemals die Grundlage für eine sittliche Urteilsbildung darstellen."

139 Vgl. Demmer (3) 88. Kaufmann 140f formuliert im Anschluß an Ernst Troeltsch, daß

len Argumentationsformen der Moraltheologie durch Bruno Schüller deutlich, daß für die subjektiv vermittelte Ratio der Neuzeit diese Denkform viele eingenommenen ethischen Positionen in ihrer Einsichtigkeit nicht voll tragen kann. In den deontologischen Begründungsfiguren verpflichtet sie vielmehr sehr schnell aufgrund einer der menschlichen Subjektivität als unvermittelt vorgegeben verstandenen (Natur-)Ordnung auf den Gehorsam gegenüber dem sich in dieser Ordnung ausdrückenden autoritativen Willen Gottes und bricht so die Argumentation – wenn man so will – ideologisch ab.[140] Diese gleichsam kategoriale Einteilung, Eingrenzung und Entgegensetzung von Einsichtigkeit und autoritativer Verfügtheit sittlichen Sollens hinterläßt dem heutigen Menschen einen Eindruck unberechenbarer Irrationalität, der ihn weder das traditionelle Bemühen katholischer Moraltheologie um wirklich rationale Argumentation noch die befreiende Größe der Freiheit Gottes selbst erfahren läßt.

Demgegenüber scheint in den Reflexionen Schüllers eine grundsätzliche Zuordnung zwischen menschlich subjektivem Selbstand und göttlicher Autorität bewußt gemacht. In der Kritik der Argumentationsformen der traditionellen Moraltheologie drückt sie sich zunächst in der Forderung aus, die volle Reflexion auf die Folgen der verschiedenen Handlungsweisen – auch in den traditionell deontologisch normierten Fällen – zur Geltung zu bringen. Weil die traditionelle Deutung der objektiven Seins- und Wesensstrukturen als unmittelbaren Ausdrucks des sittlich gebietenden „Willens Gottes" der unreduzierbaren ‚Gleichrangigkeit' von Objektivität *und* Subjektivität in bezug auf ihre Setzung durch Gott nicht gerecht wird, gibt es keinen Grund, die Einsicht des Menschen in den ordo bonorum, wie sie sich in der Reflexion auf die Folgen seiner Handlungen ausdrückt,

---

dem Naturrechtsdenken katholischer Theologie „eine ‚Doppelseitigkeit' inne-[wohnt]...: *Es dient einerseits dazu, den kirchlichen Herrschaftsanspruch gegenüber den Christen zu legitimieren (Kirche als Sachverwalterin des Naturrechts), es dient jedoch andererseits auch dazu, aufgrund seiner natürlichen Vernünftigkeit und Einsehbarkeit Verbindlichkeit auch für die Nichtchristen zu fordern, denen auch ohne die Gnadenmittel der Kirche die Einsicht in die Vernünftigkeit der Schöpfungsordnung zugänglich* ist."

140 Diesen ‚ideologischen' Zug traditioneller Naturrechtslehre und Moraltheologie beschreibt Kaufmann 144f.148–152 aus wissenssoziologischer Perspektive als Ergebnis des Festhaltens an der umfassenden Wirklichkeitsdeutung (= „intentionale Weltauffassung") aus der scholastischen, ontologisch-seinsordnungshaften Denkweise gegenüber der neuzeitlichen Entwicklung mit ihrem induktiven, pluralistischen und subjektiv differenzierten Wirklichkeitsverständnis. „Die Angewiesenheit des Menschen auf Sinngebung seines Handelns erklärt die Persistenz intentionaler Weltauffassungen und die Attraktivität ‚naturrechtlicher' Argumentationen, die an der Idee eines ‚natürlichen Sittengesetzes' und damit an einer gemeinsamen Basis für Individual- und Sozialethik festhalten. *Vermutlich ist jedoch die Frage nach dem richtigen Leben und die Frage nach dem richtigen Recht nicht mehr in ein und demselben Sinnzusammenhang in überzeugender Weise zu erörtern.* Das ist jedoch eines der Ziele – oder eine zentrale Prämisse – aller scholastischen und mit ihr jeder traditionellen Ethik. Sobald somit ein gewisser Grad der Komplexität von gesellschaftlichen Handlungszusammenhängen überschritten ist, vermögen ‚intentionale Weltauffassungen' solche Zusammenhänge nicht mehr angemessen darzustellen und werden dadurch ideologieträchtig" (150f).

– auch nicht mit Berufung auf die Autorität Gottes – zu überspringen. Denn wenn Gott als Grund der objektiven Wirklichkeit *und* der menschlichen Subjektivität und Freiheit verstanden ist, muß auch die subjektive Gestaltung der Wirklichkeit, die der Mensch aufgrund seiner ihm von Gott geschenkten Freiheit vollziehen darf und sogar (im Auftrag Gottes) vollziehen muß, in die Deutung des sittlichen Anspruchs mit einbezogen werden. Das bedeutet aber, daß die Einsicht des Menschen in den „ordo" des sittlichen Anspruchs, wie sie sich in der Reflexion der Folgen seiner Handlungen als Einsicht in den „ordo bonorum" anzeigt, in die Interpretation des sittlichen Sollens uneingeschränkt aufgenommen werden muß, soll nicht die volle Gestaltung des Sittlichen durch den Menschen, die mit der von Gott gestifteten objektiven Wirklichkeit zusammen in das Verständnis des Sittlichen eingehen muß, willkürlich beschränkt werden.

In der Forderung, die menschliche Einsicht unreduziert in die Deutung des Sittlichen aufzunehmen, drückt sich aber – über die Überwindung des deontologischen Autoritätsdenkens der traditionellen Moraltheologie, das im Horizont der objektivistischen Naturrechtslehre steht, hinaus – eine grundsätzliche Beziehung des subjektiven Selbstands des Menschen in seiner Sittlichkeit und der Autorität Gottes aus. Denn wenn die volle Einsicht des Menschen in die Interpretation des sittlichen Anspruchs eingebracht wird, zeigt sich das sittliche Sollen in *der* Bezogenheit auf die gestaltende, menschliche Subjektivität, wie sie schon in der Darstellung des Verständnisses menschlicher Sittlichkeit im Horizont des subjektiven Selbstvollzugs deutlich wurde (s. oben S. 130f). Wie gegenüber der objektivistischen Gebundenheit der Deutung des sittlichen Anspruchs erweist sich das Verständnis der menschlichen Freiheit als ‚Ort' und Ziel des sittlichen Sollens, das im subjektiven Selbstvollzug aufbricht und ihn zugleich zur eigenen Verwirklichung auffordert und so unbedingt beansprucht, als grundlegende Voraussetzung der subjektiven Wende des Denkens auch gegenüber dem theologischen Autoritätsdenken und Extrinsezismus. Denn: Erfüllt sich Freiheit „als Selbstvollzug des Menschen", zielt der menschliche Freiheitsvollzug im letzten „auf das Subjekt als solches", dann kann selbst Gott nicht am menschlichen Selbstvollzug als Subjekt vorbei die sittliche Vollendung des Menschen bewirken, auch nicht in positiver, den Menschen nur von außen aufrufender Bestimmung. Denn gerade in der freien Selbstübernahme des Menschen liegt diese Vollendung selbst begründet. Die Bezogenheit des Sittlichen auf die volle menschliche Einsicht wird so als Moment an der Begründung des sittlichen Sollens vom menschlichen Selbstvollzug her verständlich. Die erkennende Durchdringung des sittlichen Anspruchs ist die Bedingung für die gelungene Verwirklichung der menschlichen Freiheit, die erst im *selbstbewußten*, d. h. erkennenden Vollzug ihrer selbst das Ziel des Sollens, den freien Selbstvollzug, erreicht. Die Forderung, gegenüber dem deontologischen Autoritätsdenken der traditionellen Moraltheologie die Einsicht des Menschen in das Sittliche unbedingt ernst zu nehmen, weist somit über sich hinaus auf eine grundsätzliche Überwindung jedes theonomen Positivismus: Der sittliche Anspruch muß immer als ein Anruf zur menschlichen Selbstwerdung in Selbstbestimmung verstanden werden.[141] Die Autorität Gottes kann zu dieser erkennenden Selbstbestimmung des Menschen nie in Konkurrenz gebracht werden. Denn als Schöpfer des Menschen, der menschlichen Personalität als Subjekt in freier Selbstbestimmung, trägt Gott den Menschen gerade in seinem subjektiven Selbstvollzug und hat seine Verwirklichung selbst als Ziel bestimmt.

Schüller faßt diese inneren Zusammenhänge, die sich in der subjektiv gewendeten Begründung des Sittlichen erschließen, in seinem weiteren Denken mit radikaler Schärfe. Als Voraussetzung der notwendigen rationalen Transparenz und Verfügbarkeit des sittlichen Phänomens für den Menschen, der grundlegenden Bezogenheit des Sittlichen auf die menschliche Einsicht und der darin sich ausdrückenden unbedingten Bindung des sittlichen Anrufs an den subjektiven (freien) Selbstvollzug des Menschen, weist er die umfassende, in sich geschlossene Konsistenz der menschlichen Sittlichkeit in ihrer logischen, ontologischen und gnoseologischen Fundierung auf die menschliche Selbstzwecklichkeit auf. Die Selbstzwecklichkeit ist in der Personhaftigkeit des Menschen in „Selbstbesitz durch Selbstbewußtsein und Selbstbestimmung"[142] begründet, die als objektiver, letzter Wert dem Menschen selbst als personale Würde (von Gott) eingestiftet ist und als „finis ultimus"[143] die menschliche Freiheit beansprucht. Die unbedingte rationale Transparenz der sittlichen Wirklichkeit und die damit verbundene Bezogenheit des sittlichen Anspruchs auf die menschliche Einsicht zeigen sich darin als die Immanenz der „objektiven Werthaftigkeit" in den Seienden als wirklichen Werten (Eigenwerten), die für den Menschen umfassend kognitiv eröffnet ist[144] und in der die Werte als ordo bonorum unter dem formalen Horizont des letzten Zielgrundes der menschlichen Sittlichkeit hinnehmend erkannt werden. Die hinnehmende Erkenntnis ermöglicht ihrerseits die Verwirklichung dieses letzten Zielgrunds, der sittlichen Güte. Denn diese ist konstitutiv auf die menschliche Selbstbestimmung bezogen. Sie ist gerade darin der letzte objektive Gehalt der Sittlichkeit, daß sie die freie, erkennend bewußte Selbstbestimmung des Menschen, die ihm in der objektiven Wertbegegnung ermöglicht ist, als Verwirklichung seiner eigensten personalen Würde selbst dem Menschen aufgibt.

Von dieser immanenten Sinnhaftigkeit, Konsistenz und (rationalen) Transparenz der menschlichen Sittlichkeit in sich her drückt sich für Schüller der in dieser Selbstaufgegebenheit begründete subjektive Selbstand des Menschen im Sittlichen nicht nur in der Fähigkeit aus, in eigener Einsicht die Wirklichkeit zu gestalten. Die menschliche Sittlichkeit erhält von der objektiven Selbstzwecklichkeit her einen

---

141 So schon Schüller (2) 16–20.

142 Schüller (5) 52.

143 Ebd. 34.

144 Vgl. schon die Begründung der teleologischen Argumentationsform bei Schüller (4) 66f und zur Übernahme des Kognitivismus ebd. 162. Diese Fundierung des Sollens in der Objektivität des begegnenden Wertes, schließlich in der objektiven Würde des Menschen als Selbstzwecklichkeit entfaltet Schüller in den Aufsätzen des Buches „Der menschliche Mensch" in voller Konsistenz.

Sinn an sich selbst, der nicht nur gnoseologisch gegenüber der kognitiven Heteronomie des objektivistischen Wirklichkeitsverständnisses und des autoritären Extrinsezismus bedeutsam ist, sondern der ganz grundlegend und umfassend gegenüber der Wirklichkeit Gottes eine ontologische und gnoseologische „Eigenwirklichkeit" des Menschen in seiner Sittlichkeit begründet. In der Begründung des Sittlichen als objektiv-hinnehmender Wertbegegnung in subjektiver, erkennender Selbstbestimmung unter dem formalen Finis der objektiven Selbstzwecklichkeit des freien Selbstvollzugs des Menschen als Person, in der logischen Konsistenz und in sich abgeschlossenen Struktur dieser Begründung des Sittlichen vom Sich-selbst-Aufgegebensein des Menschen her drückt sich für Schüller eine Sinnbegründung der menschlichen Sittlichkeit an sich selbst aus, die die subjektive ‚Integrität' der menschlichen Freiheit in der Sittlichkeit gerade darin zum Ausdruck bringt, daß es zur primären Deutung und Bestimmung des sittlichen Anspruchs in seiner Inhaltlichkeit und in seiner logischen, gnoseologischen und ontologischen Fundierung unmittelbar keiner weiteren Prämisse bedarf, die nicht innerhalb der subjektiven und objektiven Struktur der menschlichen Sittlichkeit als subjektiver Selbstbestimmung in objektiver Wertbegegnung selbst läge.

Die transzendente Rückbindung des sittlichen Sollens tritt damit aber hinter die anthropologische Fundierung ganz zurück. Vom In-sich-selbst-Begründetsein der menschlichen Sittlichkeit her scheint jede weiter ausgreifende Fundierung, die das Sittliche von den ontologischen, gnoseologischen und logischen Zusammenhängen der transzendentalontologischen Dialektik und Eingründung des menschlichen Selbstandes in das ermöglichende Geheimnis her verstehen wollte, für das Verständnis der menschlichen Sittlichkeit sekundär. So vollendet sich in einer umfassenden Neubestimmung, einer anthropologischen Konzentration der theologischen Interpretation des sittlichen Phänomens, zu der sich die kritische Revision der rationalen Argumentation der Moraltheologie ausweitet, die subjektiv-anthropologische Wende der moraltheologischen Denkform und die Radikalisierung des transzendentaltheologischen Gottesverständnisses.

3. Die Vollendung der subjektiv-anthropologischen Fundierung des sittlichen Anspruchs

Bruno Schüller formuliert die innere, ursprüngliche Bezogenheit von menschlicher Einsicht und Sittlichkeit gegenüber der positivistischen (autoritären) Begründung des Sittlichen zu Beginn seines Buches „Der menschliche Mensch"[145] im Anschluß an Franz Brentano in der These, daß als „entscheidende Instanz für die axiologische Differenz zwischen Gut und Schlecht ‚nicht ein positives Gesetz, sondern die eigene moralische Einsicht herangezogen' wird"[146]. Diese gegenüber einem theonomen, aber auch menschlich dezisionistischen Positivismus[147] geltende Überzeugung

[145] = Schüller (5).
[146] Ebd. VIII.
[147] Vgl. ebd. 54–88: „Dezisionismus, Moralität, Glaube an Gott".

entfaltet Schüller in der weiteren Reflexion der Aufsätze dieses Buches[148] gerade gegenüber dem theologischen Autoritätsdenken. Er greift die Ablehnung des Moralpositivismus durch die Tradition[149] und die traditionelle Auffassung, „die (rein) sittlichen Gebote Jesu seien inhaltlich kongruent mit den Forderungen des natürlichen Sittengesetzes"[150], in Überlegungen auf, welche die „Bedeutung der Gotteserkenntnis für das Verständnis von Moralität"[151] aufzuschlüsseln und „für die Sichtung und Scheidung einiger Fragen" einen Beitrag zu leisten versuchen, die zum Kreis der Problematik, „was genau die Christlichkeit einer christlichen Ethik ausmache"[152], gehören[153]. Beschäftigt sich die erste Frage letztlich mit der Problematik des theonomen, so berührt die zweite relevante Probleme des christonomen Positivismus. Im Horizont der werttheoretischen und analytischen Reflexion dieser Fragen gelangt Bruno Schüller aber zu der umfassenden Interpretation des Sittlichen, in der sich die unmittelbare ontologische und gnoseologische Fundierung des Verständnisses der menschlichen Sittlichkeit auf den aus der transzendentaltheologischen Dialektik isolierten Selbstand des Menschen einschränkt, dessen Ermöglichung aus dem Geheimnis Gottes ganz in den Hintergrund tritt.

Es ist zuerst die spätscholastische Kontroverse zwischen Vasquez und Suárez, welche Schüller kritisch zur Untersuchung heranzieht und an der er die traditionelle Ablehnung des Moralpositivismus vertiefend reflektiert.[154] Er versucht, an der gegensätzlichen Auffassung dieser beiden Theologen über den innersten Grund der *Verbindlichkeit* des sittlichen Sollens im Feld ihrer unterschiedlichen Deutungen des ontologischen Analogiedenkens die „Bedeutung der Gotteserkenntnis für das Verständnis von Moralität" (29) zu erörtern. Dabei hebt er die Gegensätzlichkeit der

---

148 Im weiteren folgt die Untersuchung vor allem den Aufsätzen aus Schüller (5): „Sittliche Forderung und Erkenntnis Gottes" (28–53), „Das Proprium einer christlichen Ethik in der Diskussion" (3–27) und: s. Anm. 147.

149 Nach Schüller (5) 30 „besteht unter katholischen Theologen Einigkeit darüber, daß jeder Moralpositivismus, also auch dessen theonome Variante, abgelehnt werden muß. Das Wesen des sittlichen Wertes einer Handlung könne nicht ursprünglich konstituiert sein durch ihre Übereinstimmung mit einer aus wahlfreiem Entschluß hervorgehenden Anordnung Gottes." Trotz der „moralpositivistischen Reste", welche in der deontologischen Argumentationsform traditioneller Moraltheologie zum Vorschein kamen (vgl. 40; Schüller [4] 237), habe die Moraltheologie immer „die logisch ursprüngliche Einsicht in die sittliche Forderung der Vernunft (ratio) zu[geschrieben], insofern diese im Sinne des heiligen Augustinus gnoseologisch vom Glauben (fides) als einer bestimmten Erkenntnisweise abgehoben wird. Sie behauptet damit, welche Bewandtnis es mit Gut und Böse habe, das könne sich dem Menschen ursprünglich nur erschließen, indem er es selbst begreift, und nicht etwa dadurch, daß er sich (glaubend) auf die autoritative Versicherung eines anderen stütze" (Schüller [5] VIII).

150 Schüller (5) IX.

151 Ebd. 29.

152 Ebd. 4.

153 Schüller erhebt ebd. nicht den Anspruch, diese Problematik des christlichen Propriums umfassend zu lösen.

154 Vgl. Schüller (5) 32f. Der Aufsatz „Sittliche Forderung und Erkenntnis Gottes" behandelt, systematisch gesehen, die grundlegendste Problematik. – Die Seitenzahlen daraus im Haupttext und Anm. 155 und 157–159!

beiden Autoren von der ontologisch analogischen Ebene auf die werttheoretische und analytische Ebene, um in dieser Perspektive die beiden Entwürfe zu prüfen. In dieser Sichtweise fordert aber die analytische Stringenz eine klare Entscheidung der logischen Problematik, die nach Schüllers Darstellung hinter der Kontroverse der spätscholastischen Theologen steht. Zugleich reduziert sich die ontologische Fundierung des sittlichen Anspruchs auf das, was für die analytisch-logische Konsistenz des Verständnisses seiner unbedingten Verbindlichkeit unverzichtbar erscheint.

Die kritische Untersuchung setzt bei dem Umstand an, „daß die Tradition am Unterschied zwischen Gut und Böse deutlich Inhalt und Form oder den Wert- und Verbindlichkeitcharakter voneinander abhebt" (31).[155] Analytisch läßt sich diese Unterscheidung an einer sprachlichen Differenzierung greifen: „Durch Wörter wie ‚gut' und ‚böse', ‚recht' und ‚unrecht', ‚wahrhaftig' und ‚unwahrhaftig' bezieht man sich auf den Wertcharakter einer moralischen Handlungsweise; durch Wörter wie ‚geboten', ‚gesollt', ‚erlaubt', ‚verboten', ‚pflichtwidrig' auf ihren Verbindlichkeitscharakter." Dabei stellt Schüller fest: „Nach Auffassung der Tradition wird eine Handlungsweise durch ihre Übereinstimmung mit dem Maßstab des Sittlichen, mit der ‚natura humana' oder der ‚recta ratio', unmittelbar nur in ihrem Wertcharakter konstituiert, also nur als gut, gerecht oder wahrhaftig." Und: „Es ergibt sich somit noch die weitere Frage, worin der Verbindlichkeitscharakter der moralischen Handlungsweise seinen Grund habe und wie er hinreichend erfaßt werde. In diesem Punkt besteht nun nach Auskunft der Lehrbücher seit G. Vasquez und F. Suárez eine Kontroverse, die bis in die Gegenwart andauert" (31). Steht für Schüller die intellektualistische Deutung des ontologischen Partizipationsdenkens bei Vasquez für die Auffassung, der innerste Grund der Verbindlichkeit sittlichen Sollens liege im Wertcharakter einer Handlungsweise selbst, so stellt er die voluntaristisch vermittelte Auffassung von Suárez als die Vorstellung einer letzten Gründung der Geltung einer Handlungsweise als sittliche Handlungsweise in einem dem Wertcharakter schlechthin transzendenten Grund, im Willen Gottes, dar: „Folgende Auffassungen stehen einander gegenüber: 1. Die Verbindlichkeit einer moralischen Handlungsweise hat ihren unmittelbaren Geltungs- und Erkenntnisgrund in ihrem Wertcharakter. Er kann mithin logisch vorgängig zum Glauben an Gott erkannt werden. So G. Vasquez… 2. Die Verbindlichkeit einer moralischen Handlungsweise hat ihren unmittelbaren Geltungsgrund im gesetzgeberischen Willen Gottes. Und obgleich Gott dem Menschen notwendigerweise sittliche Güte zur Pflicht macht, so ist es doch erst sein Glaube an Gott, durch den der Mensch logisch in die Lage versetzt wird, diese unbedingte Verbindlichkeit zu erfassen. So (anscheinend) Suárez" (32).

Die in diesen Auffassungen gelegene, in werttheoretischer Perspektive ausgefaltete Alternative versucht Schüller in ihrer Tiefe in logisch analytischer Denkweise bewußt zu machen anhand der Gegensätzlichkeit deskriptiver und gerundivischer

[155] Dabei hat Schüller zunächst auf die „gemeinsame Voraussetzung" beider Positionen, die nach seinem Verständnis hinter der spätscholastischen Theologie stehen, hingewiesen: „kein Moralpositivismus" (30).

Ausdrücke: Eine Gründung des Verpflichtungscharakters in einer den sittlichen Werten transzendenten willentlichen Verfügung müßte den gerundivischen Charakter in den Wertungswörtern „gut" und „schlecht" in einen mehr oder weniger rein deskriptiven verwandeln. Er weist in diesem Zusammenhang auf die in der jüngeren Tradition versuchten Differenzierungen der Verbindlichkeit der „natürlichen" sittlichen Erkenntnis gegenüber der aus dem Glauben begründeten hin im Sinne einer Unterscheidung von hypothetischem und kategorischem Charakter des Imperativs, welche diese Schwierigkeit zu lösen suchen: „Wer diese zweite Auffassung [= die Verbindlichkeit einer moralischen Handlungsweise hat ihren unmittelbaren Geltungsgrund im gesetzgeberischen Willen Gottes] vertritt, spricht den Wertungsprädikaten ‚gut' und ‚schlecht' jeglichen gerundivischen Charakter ab. Er müßte sie insofern den rein deskriptiven Ausdrücken zurechnen. Falls Suárez tatsächlich so gedacht haben sollte, so tun das doch nicht spätere katholische Philosophen, die sich gleichwohl auf der Seite eines Suárez gegen Vasquez glauben. Sie schreiben den Wertungsprädikaten einen gewissen gerundivischen Charakter zu, halten also dafür, der sittliche Wert einer Handlung begründe bereits eine Art Verbindlichkeit. M. Wittmann nennt diese ‚ein gewisses Sollen', das jedoch nicht ‚ein spezifisch sittliches Sollen' sei. J. B. Schuster kennzeichnet sie als ein ‚gewisses unvollkommenes Gesolltsein'... Ähnlich äußerte sich J. de Vries, der allerdings von dieser ‚unvollkommenen' Verbindlichkeit sagt, sie sei – nach kantischer Terminologie – kategorisch und nicht etwa hypothetisch" (32). Die Alternative, den gerundivischen Charakter in den Ausdrücken sittlicher Wertungen entweder ernst zu nehmen oder letztlich – wie nuanciert auch immer – zu leugnen, scheint dagegen auf der phänomenologisch analytischen Ebene der Reflexion Schüllers für eine solche Differenzierung nicht offen zu sein. Denn die Sittlichkeit betrifft den Menschen ja in seinem innersten Selbst: „Wenn der sittliche Wert in sich selbst von Wert ist, dann kann die von ihm ausgehende Forderung überhaupt nur unbedingte oder kategorische Forderung sein" (33). Denn Sittlichkeit, Moralität hat „für den Menschen notwendigerweise den Rang eines formalen Endzwecks (finis ultimus). Ihr steht demnach nur eine einzige Alternative gegenüber, nämlich ihre freie Negation, also Unmoral. Wenn nun Moralität überhaupt als gut zu beurteilen ist, dann kann es nur das Gutsein eines Endzwecks sein. Eine Verbindlichkeit aber, die in diesem Gutsein gründet, kann als Verbindlichkeit eines Endzwecks nur unbedingte oder kategorische Forderung sein" (34). Sicherlich ist „sittliche Güte konstitutiv auf das freie Können des Menschen bezogen" (33) und ihr unbedingter, kategorischer Anspruch gibt sich in der (bedingten) Brechung konkreter, kategorialer Wertbegegnung auf: „Alle nicht-sittlichen Werte..., auch insoweit sie Werte in sich selbst sind, begründen einen Anspruch auf Verwirklichung nur, sooft dem Menschen die Möglichkeit zu ihrer freien Verwirklichung gegeben ist" (34). Doch bleibt der in dieser endlichen Wertbegegnung wirksame, unbedingte Anspruch sittlicher Güte, der sich durch diese Brechung entsprechend der „Grundsituation des Menschen" als „endliches Wesen"[156] (um seiner konstitutiven Bezogenheit auf das Können des Menschen willen, dessen freier Selbstvollzug gerade ihr letzter, unbedingter „objektiver" Gehalt ist) hindurch bedingt vermittelt, dennoch kategorisch: In der Brechung ist er „mithin ein bedingter Anspruch, aber deswegen durchaus kein hypothetischer Imperativ" (34). Denn: Ist die Möglichkeit zur freien Verwirklichung gegeben, so bindet dieser Anspruch in unbedingter Weise.

Schüller macht den Unterschied zwischen bedingtem Anspruch und hypothetischem Imperativ deutlich, indem er ihre allgemeine Form nachzeichnet: „Hypothetische Imperative beziehen sich auf die Anwendung der notwendigen Mittel bei vorgegebenem Zweck. Sie haben die allgemeine Form: Wenn du dir das und das zum Ziel setzt, mußt du das und das zu seiner Erreichung tun. Im Unterschied dazu bezieht sich der bedingte Anspruch, der von nicht-sittlichen Eigenwerten ausgeht, gerade auf Zielsetzungen. Er hat die allgemeine Form: Du sollst dir die Verwirklichung dieses oder jenes Eigenwertes zum Ziel setzen, wenn du zu seiner Verwirklichung in der Lage sein solltest." Daran wird deutlich, daß der sittliche Wert an sich, die sittliche Güte selbst, nur unbedingt sein kann, denn für ihn ist es ja gerade „konstitutiv, ausschließlich auf den Menschen bezogen zu sein, insofern dieser sich frei selbst bestimmen kann" (34). Er erfüllt also die Bedingung im bedingten Anspruch per definitionem. Wollte man den Anspruch sittlicher Güte unter irgendeine andere Bedingung stellen, dann hieße das: „Eine solche Bedingung könnte nur in einer Konzession an das Gegenteil von Moralität, also an die Eigensucht bestehen." („‚Du sollst moralisch sein unter der Bedingung, daß du in jedem Fall oder in der Mehrheit der Fälle auf deine Kosten kommst; Du sollst moralisch sein, solange der Preis, den du eventuell dafür zu zahlen hast, sich in bestimmten Grenzen hält.'") (35). Schüller faßt zusammen: „Absolut heißt die sittliche Forderung aus zwei Gründen... 1. Sie hat in sittlicher Güte, also in einem bonum in se ihren Geltungsgrund, ist mithin kein hypothetischer Imperativ. 2. Insofern sie die Verwirklichung sittlicher Güte zur Aufgabe macht, sittliche Güte jedoch konstitutiv auf die freie Selbstbestimmung des Menschen bezogen ist, ist sie, wenn sie an den Menschen ergeht, auch immer, das heißt unabhängig von irgendeiner kontingenten Bedingung, erfüllbar. Im übrigen geht es bei der absoluten sittlichen Forderung darum, daß zwischen dem ordo amoris und dem ordo bonorum ein absolut geltendes Verhältnis der Entsprechung besteht" (35f).

Von dieser werttheoretischen und analytischen Konsistenz sittlicher Sollenserfahrung her[157], in der der analytisch unbedingte Charakter sittlichen Sollens im unbedingten Anruf des formalen „finis" der objektiven Wertbegegnung des Menschen gründet, weist Schüller alle Deutungen zurück, welche den innersten Geltungsgrund sittlichen Sollens nicht dieser Struktur menschlicher Wertbegegnung – *der unmittelbaren Unbedingtheit der in ihr herrschenden Sollenserfahrung entsprechend* – selbst *unmittelbar immanent* sein lassen, sondern in einer irgendwie transzendenten Wirklichkeit von außen hinzukommend zu verstehen suchen. Dieses Los der Zurückweisung teilen die juridisch voluntativen und autoritativen Kategorien, die Schüller bei Suárez und im Hintergrund des „ganzen deontischen Vokabulars" (40)[158] gegeben

---

156 Schüller (4) 70.

157 In der formalen Totalität und Unbedingtheit: „... sittliche Güte oder Moralität [ist] ein allumfassendes Daseinsverständnis, eine Einstellung des Menschen zu seinem Leben im ganzen..." (34). Und in der objektiven Differenziertheit: „Unsere Liebe hat ihren verbindlichen Maßstab an der Gutheit dessen, dem sie sich jeweils zuwendet; der ordo amoris hat seine genaue Entsprechung im ordo bonorum" (36).

158 An Gedanken von J. B. Schuster stellt Schüller die Problematik dieses „Vokabulars" dar: „Schuster macht zum Begriff der ‚vollkommenen' sittlichen Bindung eine aufschlußrei-

sieht, gleichermaßen mit den psychologisch-phänomenologischen J.H. Newmans[159]. Dabei zeigt sich als letztgültige Fundierung des sittlichen Anspruchs in seiner Unbedingtheit die objektive immanente Werthaftigkeit des Menschen selbst, seine Selbstzwecklichkeit: „Insofern der Mensch sich reflex auf seine eigene sittliche Güte als vorgegebene Möglichkeit bezieht, nimmt er frei Stellung zu seiner eigenen Bestimmung, die ihm nur eigen ist, weil er Person ist. Der unbedingte Anspruch, der von dieser Bestimmung an ihn ergeht, gründet also in seinem eigenen Personsein, insofern ihm das immer schon vorgegeben ist. Sittliche Güte als Beziehung der Menschen untereinander fordert, daß jeder den anderen liebe wie sich selbst. Diese sittliche Forderung hat ihren Grund in der Selbstzwecklichkeit oder Personwürde eines jeden Menschen" (39). Das heißt: Im unbedingten Sollen der menschlichen Sittlichkeit ist im objektiven Anruf die menschliche Freiheit sich selbst aufgegeben, als formaler finis der objektiven Wertbegegnung, welche sich nach dem ordo bonorum differenziert, als sittliche Güte und letzter objektiver Wert im Sinn der Würde der subjektiv selbstbestimmten, freien Personhaftigkeit zugleich, weil die erstere (die sittliche Güte) in der objektiven Wertbegegnung auf den subjektiven Selbstvollzug, die freie Selbstbestimmung des Menschen gerade konstitutiv bezogen ist, ihn somit letztlich selbst zum Inhalt hat.

Franz Böckle sprach im Zusammenhang mit seiner Umdeutung des hochscholastischen Partizipationsdenkens, als ontologischer Basis für die Würde des Menschen als gesetzgebender Vernunft, in die transzendentale Denkfigur der Ermöglichung endlicher Freiheit aus der unendlichen Freiheit noch davon, daß durch die „spekulative Rückführung der Stellung nehmenden (wertenden) Vernunft auf ihren letzten transzendenten Grund... die Struktur solcher Vernunft [zwar] selber nicht

---

che Bemerkung. Dieser Begriff sei gewonnen aus der Analyse eines von menschlicher Autorität erlassenen Gesetzes... Ist damit nicht der Grundfehler der Suárezianischen Auffassung aufgedeckt? Wahrscheinlich trifft es zu, daß das ganze deontische Vokabular, mit dem wir die sittliche Forderung zu charakterisieren pflegen, aus zwischenmenschlichen Autoritätsverhältnissen ursprünglich übernommen worden ist. Aber daraus folgt keineswegs, daß wir auch den *Begriff* sittlicher Verpflichtung logisch ursprünglich aus diesen Verhältnissen gewinnen. Mehr noch, das ist sogar ausgeschlossen, da alle von Menschen erlassenen Gesetze gegenüber dem natürlichen Sittengesetz etwas Abgeleitetes sind" (40).

159 „Newman unterscheidet am Gewissen einen ‚moral sense' und einen ‚sense of duty'. Als ‚moral sense' erfasse das Gewissen den sittlichen Wert oder Unwert einer Handlung; als ‚sense of duty' ihre unbedingte Verbindlichkeit" (45). Für Schüller bleibt diese Beschreibung im psychologischen Phänomen stecken: „Die phänomenologisch getreue Analyse des Gewissenserlebnisses in seiner dramatischen Erscheinungsform ist eines; dessen Deutung in einer nachfolgenden Reflexion ist ein anderes. Weist Newman tatsächlich auf, daß die Erfassung des sittlichen Imperativs logisch nicht begründet ist durch die lebendige Erfahrung von Gut und Böse, Recht und Unrecht? Wenn er es täte, dann würde daraus folgen, daß er höchstwahrscheinlich nicht eine phänomenologische Analyse des wirklichen Gewissens vorlegt, sondern des seit Freud so genannten ‚Über-Ichs'. Freud unterscheidet nicht zwischen Gewissen als iudicium ultimo-practicum und Über-Ich als introjizierter menschlicher Autorität. Darum gebraucht er zur Bezeichnung des Über-Ichs auch das Wort ‚Gewissen'" (47f).

verändert" wird, aber doch „der Anspruch zur vernünftigen Selbstverwirklichung durch die Begründung in der lex aeterna einen unbedingten Charakter"[160] bekommt. Und er brachte noch zum Ausdruck (als transzendental begründete Überzeugung), daß nur eine hypothetische Begründung des sittlichen Anspruchs ohne eine theonome Rückbindung möglich sei, daß nur die theonome Rückbindung die Antinomien einer Letztbegründung der Ethik lösen könne.[161] Bruno Schüller zieht aber aus der immanenten Konsistenz der Fundierung sittlicher Sollenserfahrung des Menschen in der objektiven, unbedingten Werthaftigkeit menschlicher Selbstzwecklichkeit (als objektiv sich selbst aufgegebener, subjektiv sich vollziehender Freiheit) nun die Konsequenz, daß *in der Wirklichkeit des Menschen selbst alle Tiefen der Begründung und primären Sinndeutung der menschlichen Sittlichkeit abgelesen werden können.* Er begründet diese Ansicht theologisch mit dem transzendentaltheologischen Schöpfungsbegriff: „Das Geheimnis der Schöpfermacht Gottes muß ja gerade in der Möglichkeit bestehen, ‚durch sich selbst und durch den eigenen Akt als solchen etwas zu konstituieren, was in einem damit, daß es radikal abhängig (weil total konstituiert) ist, auch eine wirkliche Selbständigkeit, Eigenwirklichkeit und Wahrheit gewinnt (weil eben von dem einen, einmaligen *Gott* konstituiert), und zwar auch eben dem es konstituierenden Gott gegenüber. Gott allein kann das noch vor ihm selbst Gültige machen. Darin liegt ja schon das Mysterium der aktiven Schöpfung, die nur Gott zukommen kann'." (51f; vgl. Rahner [3] 182f). In dieser objektiven Konstitution der Würde des Menschen in sich ist aber das ontologische Fundament für die immanente Konsistenz der menschlichen Sittlichkeit gegeben: „Wenn dem Menschen wirkliche Würde eigen ist, in se, obschon ab alio, dann ist meines Erachtens nicht zu sehen, warum sie nicht in einem direkten Blick auf den Menschen erfaßt werden könne. Das Begründete, wofern es nur einen echten Eigenstand besitzt, kann logisch vorgängig zu seinem Grund erkannt werden. Denn in diesem Fall besteht zwischen dem Begründeten und seinem Grund nicht ein analytisches, sondern ein synthetisches Verhältnis" (53). So „verdankt" der Mensch „seine Personwürde der schöpferischen Liebe Gottes", und insofern ist „Gott der transzendente Grund wie für die Personwürde des Menschen so auch für den Anspruch auf Anerkennung" dieser Würde. Aber dieser Anspruch selbst hat „seinen unmittelbaren immanenten Geltungsgrund in ebendieser Personwürde" (39f).[162]

---

[160] Böckle (8) 91.

[161] Vgl. Böckle (7) 177f mit Anm. 44f; hier S. 131–133.

[162] Schüller (5) 51 betont den Charakter dieser Immanenz der personalen Würde auch in Analogie zur realen (und nicht bloß putativen) Zueignung der Rechtfertigung. Er stellt im Anschluß an die Betonung des Schöpfungsglaubens die Frage: „Folgt daraus, daß die dem Menschen eigene Würde überhaupt nur erfaßt werden kann von ihrem transzendenten Grund her? Das müßte daraus folgen, wenn von der Würde des Menschen zu sagen wäre, sie sei ‚extra nos in Deo', ähnlich wie es bei reformatorischen Theologen von der Glaubensgerechtigkeit heißt, sie sei ‚extra nos in Christo'. Was *nur* in Gott und seiner Liebe Subsistenz hat und gar nicht im Menschen, eine Würde, von Gott dem Menschen nur ‚imputiert', nicht aber wirklich zu eigen gegeben, davon könnte der Mensch nur

Allerdings betont Schüller dabei in einer anderen Ausdrucksweise als das ontologisch hierarchische Partizipationsdenken und das transzendentale Denken der Bedingungen der Möglichkeit menschlichen Selbstvollzugs die transzendente Rückbindung menschlicher Sittlichkeit.[163] Der Mensch empfängt seine Selbstzwecklichkeit ganz von Gott. Und an dieser Vorgegebenheit menschlicher Personalität für sich selbst läßt sich ein Verständnis für den christlichen Glauben an einen Schöpfer erschließen. Schüller weist die Deutung menschlichen Selbstvollzugs und menschlicher Selbstbestimmung, verstanden als letztes Fundament der Interpretation menschlicher Sittlichkeit im Sinne des Dezisionismus, zurück; in dessen äußerster Konsequenz wäre Moralität eine freie, gleichsam willkürliche Schöpfung des menschlichen Geistes: „... nach dem Dezisionismus fehlt der Moralität der deontische Charakter im üblichen Sinn. Das ‚Ich soll' ist umgewandelt in ein ‚Ich will aus freiem Entschluß'. Ein Sollen kommt nur noch vor, insoweit damit die Verbindlichkeit der Regeln eines konsistenten und in sich stimmigen Wollens ausgedrückt werden kann" (71). Demgegenüber kennzeichnet Schüller die Sittlichkeit als Bindung an begegnende Werte, deren „Gutsein ... unabhängig von und vorgängig zu jeder freien Stellungnahme des Menschen zu sich selbst, zu anderen seinesgleichen und zu der ihn umgebenden Welt" (76) ist. In dieser hinnehmenden Struktur der menschlichen Sittlichkeit drückt sich für ihn letztlich aus, daß dem Menschen „eine Lebensform vorgegeben [sei], die sein bonum supremum und darum sein oberstes Telos sei". Und so stellt er schließlich den Menschen vor die Frage, ob er es „mit der puren Faktizität einer dem Menschen vorgegebenen teleologischen Bestimmung" „bewenden lassen will" (87). Aus der Sicht des Theisten bleibt die Antwort: „Die Liebe Gottes ist zuerst und vor allem schöpferische Liebe: Mensch und Schöpfung sind gut, *weil* von Gott geliebt. Demgemäß ist des Menschen Liebe primär antwortende Liebe: Weil etwas gut ist, soll der Mensch es lieben. Der Dezisionismus hat keinen Raum für diese antwortende Liebe. In gewisser Weise sagt er: Indem der Mensch sich entschließt, für etwas zu sein, bringt er das ins Dasein, was man ‚gut' nennt. Das hat etwas unmittelbar Einleuchtendes an sich, wenn man voraussetzt, außer dem Menschen gebe es kein personales, sinnstiftendes Wesen" (87f).

Aber diese transzendente ‚Eingründung' ist von einer äußersten Vorsicht und Zurückhaltung. Sie gibt sich als möglicher Verständnishintergrund für die Faktizität der vorgegebenen menschlichen Sollenserfahrung als sich selbst aufgegebener

---

etwas wissen, indem er es sich glaubend von Gott gesagt sein ließe. Dem direkten Blick auf den Menschen könnte sich dann nur ein gänzlich würde-loses Wesen zeigen. Aber wenn schon der Begriff einer Glaubensgerechtigkeit ‚extra nos in Christo' kaum denkerisch nachvollzogen werden kann, so entspricht ganz sicher die Vorstellung von einer dem Menschen nicht wirklich zu eigen gegebenen Würde nicht dem biblischen Schöpfungsglauben. ‚Und Gott sah alles an, was er gemacht hatte, und siehe, es war sehr gut' (Gen. 1,31). Obschon der Mensch keine Würde hat, die er nicht von Gott empfängt, so hat er doch die empfangene Würde als seine ureigene Würde, der Substanz seines Menschseins eingestiftet."

[163] Vgl. zum folgenden Schüller (5) 54–88: „Dezisionismus, Moralität, Glaube an Gott".

subjektiver Selbstbestimmung in der objektiven Wertbegegnung. Sie hat nichts von der ontologisch umfassenden Fülle des Seins- und Partizipationsdenkens, nichts von der unbedingten Strenge der transzendentalen Ermöglichungsstrukturen: „Angenommen..., aus agnostischer oder atheistischer Sicht erweise sich der Dezisionismus als im hohen Grad plausibel, so folgt daraus selbstverständlich nicht, der Glaube an Gott sei die *logische* Bedingung dafür, daß jemand sich das begründete Urteil bilden könne, Moralität stelle sich vernehmender Vernunft dar als sittliche Güte und unbedingte Forderung. Denn die Gründe, die dieses Urteil rechtfertigen, sind nicht unmittelbar theologischer Natur. Was aus agnostischer Sicht den Dezisionismus plausibel macht, das macht den Kognitivismus gleichsam unbegreiflich, widerlegt ihn aber nicht. Und wenn man, nicht in historischer, sondern in systematischer Absicht fragt, wie sich ein theistisches von einem nicht-theistischen Verständnis von Moralität unterscheide, so kann das, wie mir scheint, nur bedeuten: Was an dem einen wahren Verständnis von Moralität nimmt den Charakter des rein Faktischen und nicht weiter Begreifbaren an, sobald man unterstellt: non est Deus? Der Dezisionismus gibt darauf eine Antwort, auch wenn er in der Hauptsache kaum von dieser Fragestellung her entwickelt worden sein dürfte" (88).[164] Für das Verständnis der menschlichen Sittlichkeit in ihrem eigenen inneren Sinn und ihrer Bedeutung für den Menschen selbst trägt diese transzendente Eingründung unmittelbar nichts bei. Die Frage bleibt: Welche praktische Relevanz hat dann dieser (logisch gesehen) bloß mögliche, aber nicht zwingende (ontologische) Zusammenhang noch für die Sittlichkeit des Menschen? Ist eine solche Relevanz logisch und gnoseologisch überhaupt nicht faßbar?

Im Denken Bruno Schüllers scheint die anthropologische Wende der Deutung des sittlichen Phänomens formal vollendet. Nicht nur der Horizont der vorgegebenen ontologischen, subjektiv unvermittelten Ordnung, auch der Horizont der transzendentalen Rückbindung der menschlichen Sittlichkeit an die Ermöglichung durch das Geheimnis Gottes tritt in den Hintergrund der unmittelbar die Sittlichkeit in Geltung und Verbindlichkeit (analytisch-)logisch, ontologisch und gnoseologisch begründenden (vom Menschen selbst hinnehmend übernommenen) Aufgegebenheit menschlicher Selbstbestimmung. In dieser In-sich-selbst-Begründetheit der menschlichen Sittlichkeit im Sinne der von Gott sich selbst übereigneten Geschlossenheit ihres inneren Sinnes und ihrer ontologischen und gnoseologischen Fundierung sieht Schüller die Voraussetzung dafür erfüllt, daß die menschliche Sittlichkeit jeder positivistischen Mißdeutung, jeder Überformung ihres inneren Wesens durch eine Setzung vor allem aus einem transzendenten, willkürlichen Willen, die der menschlichen Sittlichkeit in ihrer schöpfungsmäßigen Eigenwirklichkeit als subjektiver Selbstbestimmung des Menschen in hinnehmender Wertbegegnung äußerlich bliebe, entzogen ist.[165] Freilich scheint dies erst die Voraussetzung zu sein. Denn

---

164 Böckle (7) 177f dagegen sieht die transzendente Ermöglichung menschlicher Sittlichkeit sehr wohl als *logische Letztbegründung*.

165 Um jedem Mißverständnis vorzubeugen, muß hier betont werden, daß die Kennzeichnung von Schüllers Denken als „Vollendung der anthropologischen Wende" in der

Schüller bemüht sich darum, zu zeigen, daß in dieser Fundierung die umfassende ontologische und gnoseologische Bestimmung des *innersten Wesens* der menschlichen Sittlichkeit gegeben ist, die durch keine weitere Deutung, die das Sittliche von einem breiteren ontologischen Fundament her oder im Horizont der vielfältigen Geschichte des Menschen zu betrachten versuchte, überholt werden kann. Er unternimmt diesen Versuch vor allem gegenüber der heilsgeschichtlichen Wirklichkeit der christlichen Gotteserfahrung, die das innerste Wesen menschlicher Sittlichkeit nicht modifiziere, auch wenn ihre einzigartige Bedeutung für den Menschen und seine Sittlichkeit im Sinne deren geschichtlicher und existentieller Entfaltung (nicht aber ihrer logischen und essentiellen Begründung) nicht geleugnet wird. Das Wesen menschlicher Sittlichkeit besteht so nach Schüllers Verständnis letztlich in der Verwirklichung der Menschlichkeit selbst, die nicht nur unabhängig vom christlichen Glauben erkannt zu werden vermag, sondern grundsätzlich zunächst von jeder geschichtlichen Weltanschauung oder religiösen Wirklichkeitsdeutung absehen muß und der die christliche Deutung der Gotteserfahrung und jede (religiöse) Kultur dienen müssen und können.

4. *Der menschliche Mensch*

Schüller greift im ersten Aufsatz seines Buches „Der menschliche Mensch“[166] die traditionelle These der Moraltheologie auf, daß die sittliche Verkündigung Jesu nichts anderes enthalten könne als den Inhalt des natürlichen Sittengesetzes. An der Applikation dieser These im Horizont gegenwärtiger Denkweise versucht er zu zeigen, daß die heilsgeschichtliche christliche Erfahrung Gottes nicht nur das im voraus zum Glauben zugängliche, im Menschen selbst gründende Wesen der menschlichen Sittlichkeit sich selbst voraussetzt, sondern daß sie dieses Wesen im letzten innerlich in keiner Hinsicht zu überholen vermag oder verändert. Hatte er in der Existenzanalyse und theologischen Anthropologie von „Gesetz und Freiheit“ den Gnadencharakter der Ermöglichung menschlicher Personalität betont und in dieser Betonung die menschliche Selbstbestimmung unter ihrer wesenhaften Gebundenheit an die sich geschichtlich-heilsgeschichtlich vertiefende Gnade Gottes

---

Deutung des Sittlichen nicht im Sinne der transzendental subjektiven Anthropozentrik gemeint sein kann, insofern Schüller in den phänomenologischen und werttheoretischen Zügen seines Denkens sehr viel ‚objektiver‘ denkt als der transzendental subjektive Formalismus. Dieser ‚objektive‘ Zug zeigt sich innerhalb seiner analytischen Denkweise als Ablehnung des Dezisionismus und Aufnahme des Kognitivismus (vgl. dazu „Dezisionismus...“: s. Anm. 163). Die „anthropologische Wende“ Schüllers vollzieht sich vielmehr in seinem Verständnis des Menschen im Gegenüber zur Wirklichkeit Gottes, insofern Schüller das gegenwärtige Bemühen, zur Deutung der Wirklichkeit des Menschen und seiner Welt nur die dafür unverzichtbar notwendigen Voraussetzungen zuzulassen und so willkürlicher Spekulation einen Riegel vorzuschieben, für sich übernimmt.

166 „Das Proprium einer christlichen Ethik in der Diskussion“ = Schüller (5) 3–27.

gedeutet[167], so spricht Schüller jetzt nicht mehr von der damit zusammenhängenden gnoseologischen Konsequenz, daß der „Mensch... schon immer im Licht des Glaubens auch sein natürliches Menschsein deutlicher und tiefer sehen gelernt"[168] hat, und von der ontologischen, daß er „seiner selbst jeweils in Freiheit mächtig [ist] nach dem Maße, wie er vom Gebot Gottes zur Freiheit aufgerufen ist"[169]. Was er jetzt betont, das ist gnoseologisch gesehen „die logisch ursprüngliche Einsicht in die sittliche Forderung der Vernunft (ratio)..., insofern diese... gnoseologisch vom Glauben (fides) als einer bestimmten Erkenntnisweise abgehoben wird"[170]. Er wendet somit seinen Blick innerhalb der Analogie von Natur und Gnade auf die Seite hin, die ontologisch von dem relativen Selbstand des Menschen als des ins Eigensein entlassenen Geschöpfes Gottes ausgeht[171], was die der Gottesbeziehung „logisch vorgängige" Erkenntnis des aus Gott begründeten Menschen in sich selbst einschließt[172]. Die Interpretation dieses Selbstandes als „Selbstbesitz durch Selbstbewußtsein und Selbstbestimmung", die – mehr oder weniger – ausschließliche Gründung der menschlichen Sittlichkeit in ihrer Geltung und Verpflichtung auf „diese ontische Differenz..., die der Grund dafür ist, daß der Mensch in einem qualifizierten Sinn Selbstwert oder Zweck an sich selbst ist"[173], wird für Schüller zum Ausgangspunkt einer Bestimmung des Wesens menschlicher und damit auch

[167] „Das Dasein aus Gnaden als Grund des Daseins unter dem Gesetz" (Schüller [2] 42; vgl. dazu hier S. 139–143).

[168] Ebd. 8.

[169] Ebd. 141.

[170] Schüller (5) VIII.

[171] Wie oben S. 159f ausgeführt, geht Schüller (5) 53 aus von der Frage, ob der „Schöpfungsglaube nicht ganz bestimmte Annahmen über die Würde des Menschen und deren Erkennbarkeit impliziert", und antwortet: „Wie mir scheint, tut er das. Wenn dem Menschen wirkliche Würde eigen ist, in se, obschon ab alio, dann ist meines Erachtens nicht zu sehen, warum sie nicht in einem direkten Blick auf den Menschen erfaßt werden könne."

[172] „Das Begründete, wofern es nur einen echten Eigenstand besitzt, kann logisch vorgängig zu seinem Grund erkannt werden. Denn in diesem Fall besteht zwischen dem Begründeten und seinem Grund nicht ein analytisches, sondern ein synthetisches Verhältnis" (ebd.). Die Verschiebung des Blickwinkels und Ansatzpunktes im Denken Schüllers wird deutlich, wenn man diesem Gedanken, der von einer Interpretation der transzendentaltheologischen Dialektik des christlichen Schöpfungsverständnisses als unbedingter Selbstand in radikaler Abhängigkeit von dem diesen Selbstand ermöglichenden Gott ausgeht, die Analyse der gleichen Dialektik des Schöpfungsbegriffs in „Gesetz und Freiheit" gegenüberstellt (vgl. bes. Schüller [2] 18–20), die in den Gedanken mündet: „Das *Gegenüber* [Hervorhebung von J. R.] von Schöpfer und personhaftem Geschöpf ist nicht nur der Seinsgrund, sondern auch der Erkenntnisgrund des unbedingten Sollens" (19). Ist es hier die *Relation* der transzendenten Eingründung und transzendentalen Ermöglichung, die den Seinsgrund und Erkenntnisgrund des sittlichen Sollens und der menschlichen Sittlichkeit erschließt, so ist es nach der Wende des Denkens bei Schüller primär und in der angedeuteten gewissen Ausschließlichkeit die Wirklichkeit des Menschen in sich selbst als Person, „rein deskriptiv verstanden als Selbstbesitz durch Selbstbewußtsein und Selbstbestimmung" (Schüller [5] 52), die das Sollen somit unbedingt in sich begründet.

[173] Schüller (5) 52.

christlicher Sittlichkeit, die sich grundsätzlich von der darin gegebenen „natürlichen" Einsicht in „Gut" und „Böse" her entwirft. Es geht um eine Reflexion, welche die „Innerlichkeit" des sittlichen Sollens zur menschlichen Subjektivität in ontologischer, gnoseologischer und logischer Hinsicht noch einmal, jetzt in Auseinandersetzung mit der apologetisch-gnoseologischen Ebene der Tradition, zum Ausdruck zu bringen sucht, um auch innerhalb des christlichen Verständnishorizonts die Problematik des autoritären Positivismus zu bewältigen.

Ist die menschliche Sittlichkeit in einer gewissen *Ausschließlichkeit* vom Selbstand des Menschen – zumindest gnoseologisch – her zu erschließen, so muß dies eine grundlegende Bestimmung des *umfassenden Wesens* des Sittlichen sein. Insofern Schüller die relative Geschlossenheit der Sinnstruktur der menschlichen Sittlichkeit betont, scheint der gegenüber jeglicher Analogie verschlossenen Form ihrer Verbindlichkeit auch der Ausfall der Analogie zwischen der „natürlichen" Sittlichkeit und der Sittlichkeit, wie sie sich im christlichen Kontext darstellt, zu entsprechen. Der eigentliche Charakter der menschlichen Sollenserfahrung und der Inhalt des Sollens, der ursprünglich am menschlichen Selbstvollzug in Wertbegegnung erschlossen wird, also das *Wesen menschlicher Sittlichkeit nach Verbindlichkeitscharakter und Inhaltlichkeit,* kann danach in der Polarität von Natur und Gnade nicht verändert werden.[174] Schüller meint, so auch im christlichen Kontext durch die Vorgängigkeit der in Inhalt und Verbindlichkeit vollen und vollkommenen (= logisch konsistenten und ontologisch und gnoseologisch in einem gewissen Sinn in sich geschlossenen) „natürlichen" Sittlichkeit gegenüber jeder heilsgeschichtlichen und gnadentheologischen Modifizierung erst die wirklich innere Beziehung von sittlichem Sollen und subjektivem Selbstand des Menschen wahren und darin die Überwindung jedes (auch des christonomen) Moralpositivismus leisten zu können.

Es ist nur konsequent, wenn Schüller den Standpunkt vertritt, daß nicht nur die transzendente Rückbindung den eigentlichen Sollenscharakter der Sittlichkeit nicht verändere, sondern daß auch die sittliche Verkündigung Jesu (d. h. also das Verständnis der Sittlichkeit, wie es sich unter der tiefsten, geschichtlichen Verdichtung der transzendenten Rückbindung, der endgültigen Selbstmitteilung Gottes, erschließt) nichts anderes enthalten könne als den Inhalt des Sittengesetzes, d. h. die dem Menschen vorgängig zu dieser Verdichtung der Transzendenzbeziehung erkennbare Sittlichkeit. Er beruft sich dabei wiederum auf die Tradition, in der er den gleichen Standpunkt vertreten sieht: Eine „sehr alte und ökumenisch weitverbreitete These normativer Ethik" „lautet bei *F. Hürth – P. M. Abellán:* ‚Alle sittlichen Gebote des ‚Neuen Gesetzes' sind auch Gebote des natürlichen Sittengesetzes.

174 Es sei noch einmal darauf hingewiesen, daß Schüller hier noch über Böckle (8) 91 hinausgeht, der die spezifische Besonderheit der Sittlichkeit – wird sie aus ihrer transzendenten Eingründung verstanden – in der Veränderung der Qualität der Verbindlichkeit sieht, auch wenn der Inhalt davon nicht berührt wird. Die christliche Heilsgeschichte modifiziert dabei noch einmal die ‚transzendentale Ermächtigung' des Menschen (vgl. Böckle [6] 86). Schüller faßt die transzendente Rückgründung sehr viel indirekter als Böckle. Es zeigt sich im folgenden als Konsequenz, daß damit auch eine Spezifizierung der Sittlichkeit in ihrem Wesen aus der Heilsgeschichte für ihn nicht gegeben sein kann.

Christus hat dem natürlichen Sittengesetz keine einzige moralische Vorschrift rein positiver Art hinzugefügt...'"[175]

Für die Tradition war allerdings die *weitreichende* transzendente Rückbindung ihrer naturrechtlichen Argumentation (im unterschiedlich gefaßten Gedanken der Partizipation, die in der deontologischen Argumentation auch die Autorität Gottes im Sinne der unmittelbaren Selbstaussage seines Willens durch die Natur einschloß) der Grund einer sozusagen monistischen Bestimmung der Analogie von Natur und Gnade.

Schüller entwirft das Grundverständnis der menschlichen Sittlichkeit und insofern auch ihre „natürliche Dimension" von der konsequenten anthropologischen Vermittlung aus. In diesem Sinne gibt er auch eine heutige Interpretation der genannten Aussage der Tradition wieder, die offenbar seine eigene Deutung unmittelbar umreißt: „Katholische Theologen, die die ganze normative Ethik philosophischer Reflexion zuordnen, lassen sich dabei noch von einer anderen Überlegung leiten. Sie glauben imstande zu sein, alle sittlichen Verhaltensregeln, an die sie sich gebunden wissen, prinzipiell von ihrem inneren Geltungsgrund her einsichtig zu machen. Eine sittliche Weisung wie das Gebot der Nächstenliebe hat für sie nichts von einem Glaubensmysterium an sich, zu dem sie sich nur bekennen könnten im Vertrauen auf das Wort Christi. Sie werden beispielsweise urteilen, wer nur die Personwürde (Selbstzwecklichkeit) des Menschen erfasse, erfasse damit auch, daß und warum es sittlich gut ist, einen Menschen um seiner selbst willen zu achten und zu lieben. Diese Annahme hängt ihrerseits damit zusammen, daß katholische Moraltheologen durchweg jeden Moralpositivismus zurückweisen, selbstverständlich auch dessen theonome Variante. Der Gehorsam gegenüber einem gebietenden Willen könne überhaupt nur dann sittlicher Gehorsam sein, wenn sachlich zuvor dieser gebietende Wille als eine Autorität erwiesen sei, der zu gehorchen sittlich gut und richtig sei. Das besagt aber, welche Bewandtnis es mit sittlicher Güte hat, das kann sich logisch ursprünglich nur innerer Einsicht erschließen und nicht etwa einem Glauben, der sich auf die autoritative Versicherung eines anderen verläßt, und wäre dieser andere Gott selbst."[176] Demgegenüber versteht die Moraltheologie in der Tradition das sittliche Phänomen vorwiegend im Horizont des objektivistischen (ontologisch-rationalen) Naturrechtsdenkens. Dabei liegt – wie schon ausgeführt – die eigentümliche Verbindung von naturrechtlicher Rationalität und theonomer Autorität vor, in der die naturrechtlichen Begründungen einerseits dazu dienen sollten, einen universal geltenden sittlichen Anspruch zu vermitteln[177], in der aber die gleiche naturrechtliche Argumentation in den Argumentationsfiguren, welche Schüller als „deontologisch" beschreibt, einen „Rest von Moralpositivismus"[178] integriert, der unter dem Vorwand unbedingter rationaler Schlüssigkeit offenbar eine autoritäre Normsetzung in der Berufung auf den Willen Gottes betreibt[179]. Transzendente Rückbindung, ursprüngliche

---

[175] Schüller (5) 12. Schüller zitiert hier F. Hürth – P. M. Abellán, De principiis, de virtutibus et praeceptis. Pars I. Rom 1948, 43.

[176] Schüller (5) 14.

[177] Vgl. Demmer (3) 88; Kaufmann 140f.

[178] Vgl. Schüller (4) 237.

[179] Diese eigenartige Verbindung zeigt sich auch bei F. Hürth, den Schüller immer wieder als Kronzeugen für die Auffassung der Tradition anführt, daß die Verkündigung Jesu nichts anderes beinhalte als den Anspruch des natürlichen Sittengesetzes (vgl. Schüller [5] IX.12.15): „Auch *Hürths* Argumentation gegen die homologe künstliche Insemination muß an einer logisch entscheidenden Stelle so rekonstruiert werden, damit sie den Eindruck der Schlüssigkeit erwecken kann. Die Natur, so meint Hürth, stellt im ehelichen Akt dem Menschen die Möglichkeit bereit, neues Leben zu wecken. Nachdem er das in allen Einzelheiten dargelegt hat, schreibt er der Natur die Rolle eines Gesetzgebers zu, der sich ganz und gar durch Vernunft leiten läßt. Die Natur könne sich selbst

Einsicht in „Gut" und „Böse", Vernunftbegriff usw. erhalten aber auf diesem jeweils verschiedenen Hintergrund einen unterschiedlichen Sinn, welcher die Spannung von Natur und Gnade jeweils in anderer Weise verstehen läßt.

Geht die traditionelle Denkform aus vom seins- oder wesenshaften Partizipationsdenken, d. h. von der seins- oder wesensmäßig objektiven Naturordnung, die in einer unbedingten und (ontologisch und logisch) *unmittelbaren* Rückbindung an den Schöpfergott[180] zugleich der partizipativen Vernunft des Menschen in rationaler Erkenntnis zugänglich ist, so ist die ursprüngliche Einsicht in „Gut" und „Böse" in diesem Sinne zwar vorgängig und gnoseologisch unabhängig von der heilsgeschichtlichen Offenbarung, aber nie ohne die Schöpfungsrelation in einem *unmittelbaren* Sinn zu verstehen! „Natürliche Sittlichkeit" meint hier die an der ontologisch objektivistisch vorgegebenen theonomen Schöpfung sich bewußt werdende menschliche Einsicht in „Gut" und „Böse" und steht in einem Gegenüber zur heilsgeschichtlichen Offenbarung. Schüllers anthropologisch gewendete Deutung der ursprünglichen Einsicht in „Gut" und „Böse" stellt sich auf das Fundament der Selbstzwecklichkeit des Menschen, das *in der Schöpfungsbeziehung logisch isoliert*[181] und in diesem Sinne *vorgängig zur transzendenten Rückbindung überhaupt* zugänglich gedacht ist (auch wenn sie ontologisch natürlich „ab alio" gestiftet ist). So meint hier die ursprüngliche Einsicht in „Gut" und „Böse" eine Erkenntnis, die (eben in diesem Sinne: zumindest logisch) jeder transzendenten Relation (von der menschlichen Erkenntnis aus gesehen) „vorausliegt"! Schüller beruft sich dafür auf die ontologische Dialektik des transzendentaltheologischen Schöpfungsbegriffs. Dort war jedoch gerade der Gedanke vorherrschend, daß die traditionelle Bestimmung der Beziehung von Natur und Gnade in der Gegenüberstellung von Schöpfung und Heilsgeschichte unglücklich sei, weil sie die transzendente Rückbindung des Menschen und der Schöpfung nicht in ihrer sich vertiefenden Einheit zwischen der Schöpfungsgnade und der Gnade der endgültigen Selbstmitteilung Gottes an den (in dieser Mitteilung in den tiefsten Selbstand gelangenden) Menschen darzustellen vermochte. Natur wurde somit als Beginn der Gnade gedeutet.[182] Bei Schüller scheint aber ein Versuch unternommen (indem er „Natur" als das versteht, was sich dem ausschließlichen [logisch auf das Begründete gegenüber dem Grund beschränkten] Blick auf den relativen Selbstand des Menschen *in sich* zeigt), die ursprüngliche sittliche Erkenntnis von diesem Bezug noch einmal logisch (nicht ontologisch![183]) zu emanzipieren und einen Standort der Bestimmung der „natürlichen Sittlichkeit" zu finden, der zunächst von jeglicher transzendenten Eingründung abstrahiert (ohne sie zu leugnen!).

So steht die Aussage der Tradition, die „natürliche Sittlichkeit" sei durch das „Gesetz Christi" inhaltlich nicht erweitert, und deren Interpretation durch Schüller in einem unterschiedlichen Horizont. Steht im Hintergrund der traditionellen Denkform das Bemühen der gesamten neuscholastischen Apologetik, nämlich die rationale Begründung soweit wie möglich ‚nach vorne' zu treiben, um sich vor dem neuzeitlichen Rationalismus rechtfertigen zu

---

nicht widersprechen. Das täte sie aber, wenn sie zunächst dem Menschen ein so sinnreiches Mittel zur Zeugung anbietet und ihm daraufhin doch erlaubte, statt dessen ein anderes, von ihm, dem Menschen ersonnenes Mittel zu wählen." Nach Hürth spricht „aus der Weisheit der Natur die schlechthin überlegene Weisheit des Schöpfers... Dann legt sich nämlich der Gedanke nahe: Gott könnte, wenn er so wollte, dafür sorgen, daß die natürliche Insemination im ehelichen Akt immer zum Ziele führte. Er tut es jedoch nicht, wie die Erfahrung lehrt. Aus welchem Grund tut er es nicht? Weil er es so für besser hält" (Schüller [4] 226f).

180 Vgl. ebd. 233 (173f).

181 Vgl. Schüller (5) 53.

182 Vgl. Rahner (2) 336–343.

183 Der ontologische Zusammenhang findet dabei auch einen impliziten Niederschlag in der formalen Struktur der Ethik (vgl. die Entscheidung Schüllers für den Kognitivismus gegen den Dezisionismus). Aber dieser Niederschlag trägt nach Schüller eben keine unbedingte logische Stringenz in sich.

können[184], so geht es Schüller um die methodische Zurückhaltung gegenüber metaphysischen und anthropologischen Vorentscheidungen innerhalb einer methodisch streng phänomenologisch und analytisch arbeitenden Ethik.[185] Die Tradition verbindet die transzendente Rückbindung der menschlichen Sittlichkeit und die ursprüngliche Einsicht in „Gut" und „Böse" aufgrund der objektivistisch-ontologischen Denkweise so unmittelbar, daß sie die „natürliche Sittlichkeit" praktisch mit der christlichen Sittlichkeit identifizieren zu können glaubt. Schüller entwirft die ursprüngliche Einsicht in das Wesen der Sittlichkeit in einem relativen (gnoseologischen) Voraus zu jeder transzendenten Rückbindung. Und er will diese Bestimmung des Wesens menschlicher Sittlichkeit im Sinne der Tradition als das „natürliche Sittengesetz" verstehen, welches die Tradition letztlich aber eben aufgrund ihres natürlichen, unmittelbar transzendent zurückgebundenen Schöpfungsbegriffs mit dem „Gesetz Christi" weitgehend gleichsetzen zu dürfen glaubte (im Gegenüber zur neuzeitlich kritischen Erkenntnishaltung). Er verwendet eine gnadentheologische (transzendentaltheologische) Dialektik dazu, den logisch und ontologisch-dialektisch in sich (= gegenüber der Transzendenz) geschlossenen Selbstand des Menschen zum gnoseologischen und ontologischen Fundierungsgrund dieser „natürlichen Sittlichkeit" zu machen. Die Frage ist: Bleibt bei diesem Wechsel der umfassenden Sinnhorizonte hinter den Begriffen nicht eine bloß formale Übereinstimmung der Gedanken übrig? Ist dann eine Gleichsetzung der Gedanken noch möglich?

Schüller bestimmt gegenüber der traditionellen Theologie, die die transzendente Rückbindung weit in das Verständnis der natürlichen Sittlichkeit einbringt, das Wesen der menschlichen Sittlichkeit in logischer Vorgängigkeit zur transzendenten Rückbindung als ursprüngliche Einsicht in „Gut" und „Böse" von der menschlichen Selbstwirklichkeit in sich her. Die Frage ist dabei, ob nicht die Fundierung in der Tradition sehr viel mehr theologisch-gnadenhafte Momente enthält, als sie selbst reflektiert, und ob sich die Reflexion Schüllers aufgrund des gewandelten Interpretationshintergrundes, welcher die ontologische und logische Fundierung des sittlichen Phänomens betrifft, nicht an einem anderen ‚Punkt'

---

184 Wenn Schüller betont, daß sogar Pius XI. und Pius XII. die Auffassung der inhaltlichen ‚Deckungsgleichheit' des Sittengesetzes und der sittlichen Verkündigung Jesu gebilligt und geteilt haben müssen (vgl. Schüller [5] IX), dann ist der Hintergrund einer solchen Ansicht der Päpste allerdings genauer zu betrachten. Für die damalige Auffassung bedeutet eine solche Identifikation mehr die Betonung, daß gegenüber der neuzeitlichen Trennung von Vernunft und Glaube die ursprüngliche (scholastische) Einheit von Vernunft und Glaube richtiger sei. Vernunft ist aber dann immer gedacht als ontologisch und logisch *notwendig* auf die Wirklichkeit Gottes offen und von ihr her begründet, auch wenn in der neuzeitlichen Apologetik die Übernatürlichkeit der Gnade scharf davon abgehoben ist. Wenn Schüller von natürlicher Sittlichkeit spricht, meint er die in der Selbstbestimmung des Menschen gerade in ihrer relativen Vorgängigkeit vor der transzendenten Eingründung (in dem oben beschriebenen Sinne) betrachtete Vernunft. Ist in den Zusammenhängen des ontologischen Partizipationsdenkens die natürliche Einsicht – auch wenn sie gegenüber der Gnade als strenger Offenbarungsgnade abgegrenzt ist – immer in einer „natürlichen" Ausrichtung auf die Wirklichkeit Gottes unmittelbar bezogen, so ist für Schüller gerade die (logische) Vorgängigkeit zu jeder transzendenten Eingründung das entscheidende Kriterium für den Selbstand. Die „Natürlichkeit" des traditionellen Verständnisses der menschlichen Sittlichkeit bezieht sich auf ein Gegenüber zur Offenbarung, bei Schüller auf ein grundsätzliches Gegenüber in der Beziehung von Gott und Mensch.

185 Vgl. Schüller (4) 160[11]; hier S. 143–145.

innerhalb der Polarität von Natur und Gnade bewegt.[186] Inhaltlich wird die Bestimmung der menschlichen Sittlichkeit bei Schüller durch die Goldene Regel als „Definition des sittlich Guten" und als notwendigen (wenn auch nicht hinreichenden) Bestimmungsgrund für das sittlich Richtige ausgefüllt.[187] Indem er diese „Definition" des Sittlichen zum Ausgangspunkt seiner Deutung der menschlichen Sittlichkeit in der Spannung von Natur und Gnade macht – und zwar als Inbegriff der Sittlichkeit in ihrer „natürlichen" und in ihrer christlichen Ausprägung –, geht die traditionelle, eigentlich immer schon über bloße rationale und philosophische Horizonte hinausgehende Deutung der natürlichen Sittlichkeit in den Versuch einer Letztbegründung alles Sittlichen auf den Sinngehalt der Goldenen Regel über.

Schüller versteht die Goldene Regel als Ausdruck des Wesens menschlicher Sittlichkeit, die von der objektiven Würde des menschlichen subjektiven Selbstands als „Selbstbesitz durch Selbstbewußtsein und Selbstbestimmung" her entworfen ist, offenbar insofern, als er in der von ihr angesprochenen Verpflichtung zu unbedingter Unparteilichkeit gleichsam den funktionalen Ausdruck des formalen finis ultimus menschlicher Sittlichkeit, des unbedingten Anspruchs sittlichen Gutseins gegeben sieht. „Die Goldene Regel... definiert das sittlich Gute. Das sittlich Gute ist aber nur notwendiger, nicht zureichender Bestimmungsgrund für das sittlich Richtige."[188] Sie „fordert zur Unparteilichkeit auf"[189]. Hier ist die Mitte menschlicher Sittlichkeit erreicht, die sich natürlich konkret – im Sinne des ordo bonorum – entfalten muß: „Unparteilichkeit ist die notwendige, nicht aber zugleich zureichende Bedingung für die Richtigkeit einer sittlichen Norm."[190] In der Begegnung mit den konkreten Werten verwirklicht sich die Sittlichkeit als Unparteilichkeit: „Wer sich die Goldene Regel zur Handlungsmaxime macht, läßt also grundsätzlich die Selbstsucht hinter sich und entschließt sich zu einer Liebe, die ihr Gesetz allein an der Gutheit dessen hat, dem sie sich jeweils zuwendet."[191]

Im Sinne dieser Bestimmung der Goldenen Regel als Mitte der menschlichen Sittlichkeit[192] führt Bruno Schüller die traditionelle These von der (inhaltlichen)

---

[186] Von daher ist wohl zu erwarten, daß das Aufgreifen der monistischen Interpretation der Spannung von Natur und Gnade innerhalb der theologischen Deutung der menschlichen Sittlichkeit im Horizont der anthropologisch konzentrierten Vermittlung des moraltheologischen Denkens den Monismus in einer Weise radikalisieren wird, die mit der objektivistischen Denkform (die z. T. unmittelbar vom Schöpferwillen auf den sittlich gebietenden Willen Gottes übergeht) nicht mehr so ohne weiteres verglichen werden kann!

[187] „Die Goldene Regel, im Sinne von Mt 7,12 und Lk 6,31 ausgelegt, definiert das sittliche Gute" (Schüller [5] 6; vgl. [4] 89–106 [56–71]).

[188] Schüller (5) 6.

[189] Schüller (4) 93.

[190] Ebd.

[191] Ebd. 92f.

[192] Die natürlich die Fundierung der menschlichen Sittlichkeit in der objektiven Würde menschlicher Personhaftigkeit voraussetzt: „... die normative Geltung der Goldenen Regel [hängt] primär an der Einsicht in die Personwürde des Menschen" (Schüller [5] 50).

Unüberholbarkeit des „natürlichen Sittengesetzes“ als These von der Unüberholbarkeit der Sinnbestimmung menschlicher Sittlichkeit aus sich selbst in seiner Analyse der christlichen Ethik konsequent durch. Alle Entfaltung des Sittlichen, auch durch die heilsgeschichtliche Offenbarung, erscheint gleichsam nur als äußere Fortbestimmung dessen, was durch die Goldene Regel als Inbegriff des sittlich Guten bestimmt ist. In diesem Sinne spricht Schüller vom Evangelium als „Paränese“. Paränese ist ein relationaler Begriff. Was dieser Begriff bedeutet, definiert sich an dem, was man als erklärende Argumentation, rationale Begründung und darin sittliche Verbindlichkeit stiftende und fundierende Bestimmung in der Ethik gelten läßt.[193] Gegenüber der Wesensbestimmung des Sittlichen aus der Selbstzwecklichkeit des Menschen mit ihrer Mitte in der Definition des sittlich Guten durch die Goldene Regel kann für Schüller das Evangelium als Erfüllung des Gesetzes, d. h. die heilsgeschichtliche Selbstmitteilung Gottes als unverdiente und unfehlbare Heilszusage an den Menschen mit all seiner menschlichen Verantwortung, sittlichen Anstrengung und Begrenztheit in dieser Anstrengung, letztlich keine originäre Begründung sittlicher Einsicht, insofern keine ursprüngliche Fundierung und wesenhafte (Neu-)Bestimmung der menschlichen Sittlichkeit sein. Denn „selbst die Goldene Regel wird durch das Verhältnis von Evangelium und Gesetz nicht eigentlich analysiert und begründet, sondern eher in Erinnerung gerufen und in den Dienst einer eindringlichen Mahnung gestellt. Die Aufforderung: Tu den anderen Gutes, wie Gott dir Gutes getan hat!, heißt im Grunde: Handle so, wie es die Goldene Regel gebietet!, was wiederum gleichsinnig ist mit der Mahnung: Handle sittlich gut! Wer sich so an einen anderen wendet, übt ohne allen Zweifel Paränese.“[194] Damit ist wohl gemeint: Der Heilsimperativ, die Freiheit des Christen zur eigenen Liebe und Verwirklichung des sittlich Guten aus der erfahrenen Liebe Gottes heraus[195], trägt in sich die gleiche logische Struktur, wie sie die Goldene Regel ausdrückt, und darin letztlich die gleiche innere Fundierung und Notwendigkeit (Verbindlichkeit). Ist aber die Goldene Regel die Bestimmung des Wesens menschlicher Sittlichkeit in sich, dann ist nichts Weiteres erkennbar, das durch die ‚Logik des Heilsindikativs und Heilsimperativs‘ zu diesem Wesen menschlicher Sittlichkeit hinzukäme.

Es scheint, daß in diesem Sinne die ursprüngliche Einsicht in Gut und Böse durch die Offenbarung nicht nur nicht überholt werden kann, insofern sie als „natürliche Erkenntnis“ in die christliche Sittlichkeit eingeht, sondern daß sie den letzten gültigen Gehalt auch der sittlichen Botschaft Christi in ihrem eigentlichen Sinn ausdrückt und wiedergibt, zumindest was das eigentliche Wesen menschlicher Sittlichkeit überhaupt betrifft. Schüller betont, daß seine Wesensbestimmung des

---

193 Schüller (4) 17 definiert Paränese als etwas, das „zielt auf das *Tun* dessen, was als sittliche Forderung schon erkannt und anerkannt ist“. Demgegenüber ist die „Erklärung und Begründung sittlicher Vorschriften“ in der normativen Ethik „veranlaßt durch die Frage: *Was* sollen wir tun?“

194 Schüller (5) 6.

195 Vgl. Merklein.

Sittlichen nicht einfachhin identisch sei mit einer „natürlichen Sittlichkeit", die gleichsam der bleibende Rest nach einer Subtraktion des Christlichen vom umfassenden Verständnis menschlicher Sittlichkeit im christlichen Kontext wäre. Seine Bestimmung des Wesens der Sittlichkeit ragt deshalb in die christliche Bestimmung der Sittlichkeit hinein, weil sie immer schon mehr ist als eine solche bloße subtraktive Bestimmung. „... sittliche Güte und sittliche Richtigkeit, wenn in der Weise eines φύσει δίκαιον grundgelegt, [sind] konstitutiv bezogen... auf jedes Personwesen überhaupt. Indem der Mensch in der ihm gegebenen Weise innerer Einsicht sittliche Güte und sittliche Richtigkeit begreift, begreift er also immer schon weit mehr als das, was nur Wahrheit und Geltung beanspruchen kann für das ihm auch ohne den jüdisch-christlichen Glauben mögliche Verständnis seines menschlichen Daseins."[196] Die Bestimmung ist zwar zugleich nicht mit der umfassenden Fülle der Sittlichkeit zu identifizieren: Es gibt nach Schüller ein „Daseinsverständnis" aus dem Glauben, „das die Grenzen ihm [dem Menschen] möglicher innerer Einsicht schlechthin transzendiert"[197]. Die nähere Entfaltung des Verhältnisses dieser Daseinsbestimmung zum Wesen der menschlichen Sittlichkeit ist aber für Schüller kein eigentliches Thema mehr. Die ursprüngliche Einsicht in Gut und Böse scheint von ihr nicht affiziert. Diese ‚Integrität' der menschlichen Sittlichkeit in ihrer Bestimmung von sich selbst her war ja die Voraussetzung aller Überwindung des autoritären Positivismus – auch für die Sittlichkeit im christlichen Glaubenskontext. Paränese ist wichtig![198] Christliche Entfaltung der Sittlichkeit in diesem Sinne auch. Und doch bleibt sie in bezug auf das innere Wesen der Sittlichkeit, auf die „Definition des Sittlichen", gleichsam akzidentiell.

Bemüht sich Schüller durch diese Entfaltung des Wesens menschlicher Sittlichkeit von der in sich geschlossenen, unüberholbaren „natürlichen" Sittlichkeit aus darum, auch im christlichen Verstehenskontext jeden theonomen Moralpositivismus zurückzulassen[199], so ordnet er schließlich alle ethischen Entwürfe innerhalb religiöser und philosophisch weltanschaulicher Kontexte auf die Ethik der Menschlichkeit hin, die im Sinne dieses Wesens der Sittlichkeit allen theologischen und gleichsam metaphysischen Modifikationen und geschichtlichen Entfaltungen vorausliegt. Er relativiert die unter verschiedenen geschichtlichen Sinnhorizonten stehenden Ethiken der Stoa, des Konfuzianismus, des Judentums und des Christen-

196 Schüller (5) 15. Schüller greift hier das transzendentaltheologische Verständnis des Naturbegriffs auf, nach dem die „‚reine' Natur... nicht eine eindeutig abgrenzbare, de-finierbare Größe" ist und sich „keine saubere Horizontale zwischen dieser Natur und dem Übernatürlichen (Existential und Gnade) ziehen" läßt (Rahner [2] 340). Insofern er aber sein Verständnis der menschlichen Sittlichkeit in ihrem Wesen gerade in Abstraktion von der geschichtlich sich vertiefenden *Relation* von Gott und Mensch entwickelt (vgl. hier S. 159–162), mutet dieser Rekurs auf die volle Gestalt der transzendentaltheologischen Dialektik etwas unvermittelt und widersprüchlich an.

197 Schüller (5) 16.

198 Vgl. ebd. 11; Schüller (4) 32.

199 „Würde man sich das Handeln Gottes und das Handeln Christi als den Begriff sittlicher Güte konstituierend denken, so befände man sich in einem theonomen und christonomen Moralpositivismus" (Schüller [5] 8).

tums auf die zentrale Suche nach der Ethik der Menschlichkeit hin.[200] Was aber ist diese Menschlichkeit, „der menschliche Mensch“? Es scheint, daß man nach Schüller von der Glaubensartikulation der verschiedenen Suchenden abstrahieren muß, um sie in den Blick zu bekommen.

Die phänomenologisch-analytische Methodik der moraltheologischen Untersuchungen Schüllers liest die ethische Wirklichkeit unter Absehen von christlicher Anthropologie. Die Sinnentscheidungen und Glaubensartikulationen des christlichen Glaubens sind in seiner Darstellung bewußt zunächst ausgeklammert. Die Wesensbestimmung des Sittlichen scheint dabei grundlegend und im Sinne der Unüberholbarkeit auch umfassend. Schüller sieht in den durch seine Untersuchungen gewonnenen Strukturen des Sittlichen zumindest die Umrisse oder strukturellen Grundbedingungen des Verständnisses der gesuchten Sittlichkeit der Menschlichkeit, der Verwirklichung des menschlichen Menschen, der in ihrem tiefsten Sinn auch die christliche Ethik dient.

Reflexion 6: Zur Problematik der Radikalisierung des transzendentalen Gottesverständnisses

Die unmittelbare Begründung der menschlichen Sittlichkeit vom subjektiven Selbstand des Menschen her entspricht der christlichen Gotteserfahrung im Sinne der Ermöglichung des radikalen Eigenstandes des Menschen unter der Gnade Gottes. Der relative Selbstand des Menschen in der ermöglichenden und freilassenden Abhängigkeit vom Schöpfer muß eine Sinnhaftigkeit menschlicher Sittlichkeit in sich selbst einschließen, insofern gerade der subjektive Selbstvollzug, die Verwirklichung der menschlichen Personalität als „Selbstbesitz durch Selbstbewußtsein und Selbstbestimmung“ vom Schöpfer, der den Menschen in sein Eigensein deshalb entläßt, gewollt ist. Die Forderung der Unparteilichkeit, die bei Schüller in die Mitte seiner Entfaltung dieser Sinnhaftigkeit der menschlichen Sittlichkeit rückt, ist der zentrale logische Niederschlag der ontologischen und gnoseologischen Fundierungszusammenhänge dieser Deutung des Sittlichen vom subjektiven Selbstand des Menschen her; sie bringt ein wichtiges und unverzichtbares Merkmal menschlicher und christlicher Sittlichkeit zur Geltung.

Es ist für die christliche Interpretation so gesehen unbedingt notwendig, die menschliche Sittlichkeit auf die Sinndimensionen dieser (im Sinne des transzendentaltheologischen Naturbegriffs) „natürlichen“ Sittlichkeit zu beziehen. Zugleich steckt für die Moraltheologie in diesem Verständnis die Möglichkeit, den Eindruck der voluntaristischen Intervention Gottes, wie er in der traditionellen Annahme von positiven autoritären Bestimmungen Gottes gegeben war, grundlegend zu überwinden. So erreicht die personale Wende der moraltheologischen Denkform nicht nur die Lösung von der unangemessenen kategorialen Objektivierung des „göttlichen Willens“, sondern auch die Bewältigung der autoritären, positivistischen Überformung des menschlichen Selbstandes in voluntaristisch anmutenden sittlichen Verfügungen, welche traditionelle Moraltheologie der Autorität Gottes zuschrieb.

---

200 Vgl. ebd. 100–119: „Der menschliche Mensch“.

In der *exklusiven* Sinnbestimmung des Sittlichen von der Würde des Menschen als Subjekt in radikalem Eigenstand her liegt aber auch eine Problematik des Entwurfs von Bruno Schüller. Die Dialektik der transzendentalen Hermeneutik, die das Verständnis der menschlichen Freiheit an den immanenten Selbstvollzug *und* an die heilsgeschichtlich sich entfaltende und vertiefende Selbstmitteilung Gottes bindet, scheint endgültig radikalisiert auf den subjektiven Selbstand des Menschen hin. Über die Abstraktion von der eschatologisch-christologischen Verwiesenheit der menschlichen Freiheit in das Geheimnis Gottes hinaus, wie sie bei Franz Böckle deutlich wurde, rückt Bruno Schüller die transzendente Rückbindung ganz in den Hintergrund der in sich geschlossenen Sinnhaftigkeit des menschlichen Selbstandes, der für ihn das erste *und* letzte Fundament für das Verständnis des Sittlichen bildet. Die Heilsgeschichte selbst erscheint als bloße Entfaltung des inneren Wesens der so logisch, gnoseologisch und ontologisch unabhängig von ihr erfaßbaren primären Sinntiefe der Sittlichkeit.

Die Reichweite dieser Problematik wird bewußt, wenn man sich vor Augen hält, daß sich die ungeschichtliche Geschlossenheit der analytisch-logischen Unbedingtheit des sittlichen Anspruchs, die sich auf die objektive Selbstzwecklichkeit der menschlichen Freiheit gründet und bei Bruno Schüller in der Mitte des Verständnisses der menschlichen Sittlichkeit steht, nicht nur gegenüber der transzendenten, in heilsgeschichtlicher Spannung sich konkretisierenden Ermöglichung des menschlichen Selbstandes durch Gott verschließt. Sie scheint in gleicher Weise *gegenüber der geschichtlich verfaßten Freiheit des Menschen* unvermittelt und äußerlich zu bleiben. Die reine und einseitige Bestimmung von der bloßen werttheoretischen und analytischen Konsistenz der Sollenserfahrung her scheint das innerste Verständnis der menschlichen Sittlichkeit nicht in ein inneres, positives Verhältnis zur *existentiell erfahrenen Individualität und geschichtlich sich entfaltenden Freiheit* des Menschen bringen zu können.

Schüller bemüht sich, um der logischen Eindeutigkeit des sittlichen Anspruchs im Sinne seiner inneren Unbedingtheit und kategorischen Qualität willen, das Wesen der menschlichen Sittlichkeit gegenüber jeglicher geschichtlicher Zweideutigkeit abzugrenzen. So unterscheidet er am Phänomen die Ebene der Genese und die Ebene der Geltung.[201] Die *Geltung* sittlicher Urteile beruht nach seinem Verständnis auf der ihnen innewohnenden rationalen Legitimation (im Sinne der phänomenologischen und analytischen Fundierungen), die selbst keinem geschichtlichen Wandel unterworfen sein kann, insofern ihre Bindung und ihr Sollenscharakter unbedingt ist und analytisch ermittelt werden muß.[202] Die *Genese* sittlicher Erkenntnis ist ein psychologisch und empirisch bedingtes Faktum, das den wechselhaften Einflüssen der Wirklichkeit unterworfen ist.[203] Beide Ebenen sittlicher Wirklichkeit sind streng voneinander zu unterscheiden und nicht miteinander zu

201 Vgl. ebd. 19–27.
202 Vgl. ebd. 23f.
203 Vgl. ebd. 24f.

verwechseln.[204] Von dieser innerhalb der analytischen Beschreibung des sittlichen Phänomens vorgenommenen Unterscheidung her wird deutlich, daß in dieser Bestimmung des sittlichen Anspruchs und seiner Verbindlichkeit jede geschichtliche Dynamik *aus der Mitte* menschlicher Sittlichkeit herausgenommen ist. Darin scheint aber zugleich die existentiell erfahrene und geschichtlich verfaßte Freiheit des Menschen aus der innersten Bestimmung des Sittlichen ausgeklammert zu sein.

Schüller betont: „Weder die ‚Wertblindheit' eines Menschen noch seine existentielle Aufgeschlossenheit bewirken eine Änderung im erkenntnistheoretischen Status eines menschlichen Werturteils."[205] Natürlich ist eine solche Aussage insofern berechtigt, als sich in der methodischen Beschränkung der Beschreibung des unbedingten sittlichen Anspruchs im Sinne der werttheoretischen und analytischen Kritik Genese und Geltung, konkret-geschichtliche Entfaltung und erkenntnistheoretisch-apriorische Tiefe des Sittlichen unterscheiden müssen. Die werttheoretische und analytische Kritik des sittlichen Phänomens zielt ja auf eine Darstellung innerer Zusammenhänge des Sittlichen, die auf der apriorischen und in diesem Sinne „übergeschichtlichen" Ebene[206] liegen. Problematisch und zum Ausschluß der geschichtlichen Dimension aus der menschlichen Sittlichkeit wird dieses Verständnis nur, wenn es in monistischer Weise in das Zentrum der Bestimmung des Wesens menschlicher Sittlichkeit rückt, das ja über die werttheoretisch-analytischen Strukturen hinaus bis in seine erkenntnistheoretische Tiefe hinein auch geschichtlich verfaßt ist. Die werttheoretisch-analytische Apriorität ist nur ein Teil der umfassenden apriorischen Struktur, die den sittlichen Freiheitsvollzug ermöglicht. Diese Struktur hat – transzendentalontologisch gesehen – erst ihre Ganzheit in der Seinsgegründetheit der Freiheit als transzendentaler Ermöglichung des menschlichen Selbstvollzugs, die die geschichtliche Dynamik in der Differenz von unthematisch-apriorischer Seinsunmittelbarkeit und notwendiger kategorialer Entfaltung unmittelbar in sich trägt.[207] Zu einem Ausschluß der geschichtlichen Dimension aus dem Verständnis menschlicher Sittlichkeit kommt es, wenn gegenüber dieser Ganzheit das Sittliche primär und einseitig von den logischen Zusammenhängen der werttheoretischen und analytischen Kritik aus interpretiert wird.

Bei Schüller zeigt sich diese Verengung des Denkens in der Durchführung der traditionellen These von der Unüberholbarkeit der „natürlichen Sittlichkeit" durch die heilsgeschichtliche Vertiefung der Beziehung von Gott und Mensch. Denn er nimmt diese Durchführung mit Hilfe der Goldenen Regel als primärem funktionalem Niederschlag der Sittlichkeit, die von der werttheoretisch-analytisch beschriebenen Selbstzwecklichkeit des Menschen her entworfen ist, vor. Die apriorisch-übergeschichtliche Konsistenz der analytisch erfaßten Unbedingtheit der menschlichen Sollenserfahrung wird bei ihm insofern zum Zentrum der Interpretation des sittlichen Phänomens, als die logische Geschlossenheit dieser Erfassung des sittli-

---

[204] Vgl. Schüller (4) 33–40.

[205] Schüller (5) 25.

[206] Auch nach dem transzendentalontologischen Verständnis eröffnet sich in der Einheit von Wesensfreiheit und Wahlfreiheit, von Seinsgegründetheit der Freiheit und deren kategorialer Entfaltung „Geschichte als ontologisches Erkenntnisgeschehen", „als analoge Wirklichkeit; der ontologischen Grunddifferenz von Sein und Seiend entspricht... eine solche von Übergeschichtlichkeit und Geschichtlichkeit" (Demmer [1] 20). Vgl. dazu hier S. 186–189.

[207] Von dieser Ganzheit, von der Seinsgegründetheit der Freiheit her, die sich in kategorialer Entfaltung auslegen muß, kann Demmer (3) 17 betonen: „Von objektiver Geltung ohne Bezug zu geschichtlicher Einsicht zu sprechen hat keinen Sinn. Wollte man an dieser Stelle die gängige Unterscheidung von Geltung und Genese einführen, so müßte man doch hinzufügen, daß die Unterscheidung um der sachgemäßeren Vermittlung willen, allerdings nicht um den Preis der Einebnung geschieht."

chen Anspruchs zum Paradigma und absoluten Ausdruck des menschlichen Selbstands unter der Gnade Gottes wird. Die kategorische Qualität des sittlichen Anspruchs, die sich in der werttheoretisch-analytischen Betrachtungsweise Schüllers zeigt, wird zum Bild einer in sich selbst geschlossenen ‚Autarkie'. Denn von dieser kategorischen Unbedingtheit her zeigt Schüller gegenüber der transzendenten Rückbindung des Menschen den inneren Sinn menschlicher Sittlichkeit in sich selbst, der sich auf die objektive Selbstzwecklichkeit des Menschen formal gründet. Gerade die Geschlossenheit und Unbedingtheit des sittlichen Anspruchs, die sich in der werttheoretischen und analytischen Tiefe der erkenntnistheoretischen Betrachtung erschließen, scheint die In-sich-Ständigkeit der menschlichen Sittlichkeit in Selbständigkeit, Eigenwirklichkeit und Wahrheit auszudrücken. In der unbedingten Konsistenz dieser Tiefe zeigt sich der wirkliche Eigenstand, der Sinn an sich selbst, für Schüller offenbar zentral und umfassend schlüsselhaft an. Geschichtliche Differenzierungen und analoge Spannungen der Deutung des sittlichen Phänomens erscheinen von dieser Tiefe her wie eine Verwischung der inneren (formalen) Konsistenz. Und sie werden darin für Schüller per se auch zu einer Relativierung, Infragestellung oder gar Zerstörung des Selbstandes, der ‚Autarkie', des inneren Sinns menschlicher Sittlichkeit an sich selbst. So wird dieser innere Sinn in sich selbst von Schüller gerade gegenüber der Heilsgeschichte aufgewiesen. Denn wie der erkenntnistheoretische Grund des Sittlichen in seiner werttheoretisch-analytischen Dimension jeder geschichtlichen Bewegung enthoben erscheint, so ist die in sich begründete Struktur des Sittlichen, wie sie in der werttheoretisch-analytischen Sichtweise deutlich wird, nämlich als „Definition" des Sittlichen durch die Goldene Regel, durch keine geschichtliche und heilsgeschichtliche Entfaltung überholbar. Die werttheoretisch-analytische Beschreibung des Sittlichen wird darin zum Ansatzpunkt einer ontologisch und gnoseologisch unrelationalen und undynamischen Deutung der menschlichen Sittlichkeit, des subjektiven Selbstands des Menschen und der Fundierung des sittlichen Sollens.

In dieser Deutung kann aber, so scheint es, die geschichtliche, konkrete Individualität des Menschen (als letztes ontologisches Fundament der menschlichen personalen Würde) nicht mehr in ein positives Verhältnis zur objektiven Begründung des sittlichen Sollens gebracht werden. Denn gerade die Formel der Unparteilichkeit als Mitte der analytisch bestimmten „Definition" des sittlich Guten auf dem Boden des subjektiven Selbstands des Menschen als „Selbstbesitz durch Selbstbewußtsein und Selbstbestimmung", die letztlich der „Selbstzwecklichkeit" des Menschen in der Sittlichkeit gerade Geltung verschaffen will, kehrt sich – wird sie als *ausschließliche* Bewegung und Fundierung der Sittlichkeit genommen – in einer gewissen Weise gegen die Wirklichkeit des Menschen, den letzten Zweck menschlicher Sittlichkeit, als konkreten und geschichtlichen Freiheitsvollzug und als unreduzierbare Individualität.

Denn als logische Funktion für sich genommen, muß die Forderung der Unparteilichkeit die menschliche Individualität aus der Begründung des sittlichen Handelns in unbedingter Weise ausschließen: „Die Goldene Regel fordert zur Unparteilichkeit auf: Man soll Gleiches gleich und Ungleiches ungleich behandeln. Sie läßt allem Anschein nach von sich aus völlig offen, welche Gleichheiten und welche Ungleichheiten unter Menschen sittlich bedeutsam sind, eine unterschiedliche Behandlung gebieten oder verbieten. ... Bedeutet das, man könne alles Beliebige als sittlich wichtige Ungleichheit behaupten, ohne mit der Goldenen Regel logisch in Konflikt zu geraten? Anscheinend ja, mit einer einzigen Ausnahme. Man kann nicht die eigene Individualität noch die Individualität irgendeines anderen

Menschen als sittlich erhebliche Ungleichheit behaupten."[208] Dieser logische Ausschluß der Individualität des Menschen aus der Begründung des sittlichen Anspruchs, der innerhalb der Funktion der Unparteilichkeitsforderung um der notwendigen Bezogenheit wirklicher Sittlichkeit auf eine universale Gerechtigkeit willen eine unbedingte Stellung hat und logisch haben muß, wird, wenn die Unparteilichkeitsforderung in umfassender Weise zur Mitte der Bestimmung des *ganzen* Wesens menschlicher Sittlichkeit wird, zu einem Ausschluß der menschlichen Individualität aus der Begründung des sittlichen Anspruchs überhaupt. Schüller scheint diesen Ausschluß im Auge zu haben, wenn er sich selbst den Einwand macht, ob man dann nicht „Bedenken" dagegen haben müsse, „die Individualität eines Menschen rundweg auszuschließen aus den Gründen, die eine sittliche Forderung inhaltlich bestimmen. Individualität muß auch in sich selbst ein Positives und Gutes sein. Also muß auch sie die richtige Liebe des Menschen bestimmen, wenn wirklich der Grundsatz zutreffen soll, die Liebe des Menschen als eines freien Wesens habe ihren Maßstab an der Gutheit dessen, dem sie gilt."[209] Offenbar ist damit das Problem angesprochen, daß vor allem beim Menschen die Begründung des Sollens im objektiv begegnenden Wert in Hinblick auf die (objektive) Selbstzwecklichkeit des Menschen die Würde des Menschen als konkrete, nicht abstrakte Individualität meint, welche sich im eigenen freien Selbstvollzug (als „Selbstbesitz durch Selbstbewußtsein und Selbstbestimmung") konstituiert und welche den Mitmenschen zu unbedingter Achtung und Liebe verpflichtet, den Menschen sich selbst gegenüber aber zu ganzer Verwirklichung und Entfaltung. Es unterscheidet den Menschen gerade von den Dingen, daß er „Selbstbesitz durch Selbstbewußtsein und Selbstbestimmung"[210] ist. Und das meint: Die objektive Würde, die dem Menschen in dieser „ontischen Differenz"[211] zur unterpersonalen Umwelt eignet, ist die Würde der freien, d. h. sich unwiederholbar, unreduzierbar selbst übernehmenden und darin sich selbst unvergleichbar vollziehenden und konstituierenden Wirklichkeit. Fragt man nach der objektiven Würde des Menschen, so ist es nicht bloß sein allgemeines Wesen als „Selbstbesitz durch Selbstbewußtsein und Selbstbestimmung", sondern es ist gerade die Konkretion dieses Wesens in seiner Verwirklichung der menschlichen Person als eines solchen freien Selbstbesitzes und darin als freier, d. h. unwiederholbarer und unvergleichbarer Individualität, welche sein Wesen als Selbstvollzug notwendig konstituiert und anzielt. Die Selbstzwecklichkeit des Menschen ist somit nicht in einer bloßen Abstraktion von menschlicher Selbstidentität als „Selbstbesitz durch Selbstbewußtsein und Selbstbestimmung" begründet, sondern letztlich gerade in der konkreten Individualität der je freien Person, die sich im Wesensvollzug verwirklicht.[212] Auch wenn Schüller diese

---

208 Schüller (4) 93.

209 Ebd. 95.

210 Schüller (5) 52.

211 Ebd.

212 Das, was Schüller selbst als Gehalt der objektiven Würde menschlicher Personalität angibt, die allgemeine Wesensbestimmung menschlicher Würde als „Selbstbesitz durch

Schwierigkeit offenbar erkennt und anerkennt („Diese Überlegungen haben zweifellos etwas Einleuchtendes an sich“[213]), scheint er von der analytisch-logischen Ebene der Bestimmung des sittlichen Phänomens her das Problem nicht zu bewältigen. „Das Problem ist ..., wie Individualität als sittlicher Bestimmungsgrund sich zu den universalen Bestimmungsgründen verhalten soll, wann sie eventuell den Ausschlag zu geben habe. Die Liebe als Wohlwollen will das Wohl eines jeden, und das Wohl eines jeden ist natürlich das individuelle Wohl eines jeden. Ein anderes Wohl gibt es nicht. Aber könnte ihr das Wohl von A wichtiger sein als das Wohl von B aus dem einzigen Grund, weil A eben A und nicht B ist? Wäre das nicht ‚Ansehen der Person‘?... Offensichtlich ist die Ungleichheit unter Menschen, die durch die Individualität eines jeden gegeben ist, weder komparativischer Natur noch von der Art eines kontradiktorischen Gegensatzes. Sie kann darum weder eine Vorrangigkeit unter Pflichten begründen noch den Ausschlag dafür geben, daß eine Handlungsweise geboten oder nicht geboten, zulässig oder unzulässig ist. Sie fällt nicht unter jene Ungleichheiten, von denen die Unparteilichkeitsregel sagt, sie machten eine unterschiedliche Behandlung sittlich notwendig.“[214]

So steht man nach Schüller offenbar vor der Schwierigkeit, um der logischen Konsistenz der Unparteilichkeitsforderung willen die positive Rolle der menschlichen Individualität für die objektive Fundierung des sittlichen Anspruchs aus der Bestimmung der menschlichen Sittlichkeit ausschließen zu müssen. Wird aber die menschliche Individualität aus der objektiven Fundierung der sittlichen Sollenserfahrung ausgeschlossen und bleibt die genetisch-geschichtliche Struktur der sittlichen Beanspruchung des Menschen unberücksichtigt, dann ist die menschliche Sittlichkeit auf eine nicht-individuelle und ungeschichtliche Abstraktheit ausgerichtet, die nicht mehr weit von der Auffassung des sittlichen Phänomens entfernt scheint, wie sie Drewermann Hegel zuschreibt, für den „das Sittliche... das Allgemeine“[215] sei. Und die von Eugen Drewermann aufgezeigte „Tragik des Sittlichen“[216] schiene tatsächlich mit der menschlichen Sittlichkeit innerlich verbunden zu sein. Denn die analytisch-werttheoretische Sicht der menschlichen Sittlichkeit geht weg von der individuellen und existentiell erfahrenen Geschichtlichkeit des Menschen zu übergeschichtlicher Abstraktion. Ist darin aber nicht auch die vorrangige Deutung der menschlichen Sittlichkeit auf das Sittlich-Allgemeine hin eingeschlossen?[217]

Selbstbewußtsein und Selbstbestimmung“, weist somit noch einmal über sich hinaus auf die unwiederholbare Individualität, welche der Vollzug dieses Wesens notwendig konstituiert; und in der Konkretion dieser personalen Wirklichkeit des Menschen liegt der objektive Grund für die objektive Würde des Menschen in sich selbst, die ihm von Gott geschenkt ist.

213 Schüller (4) 95.

214 Ebd. 95f.

215 Drewermann 90.

216 Vgl. ebd. 19–78.

217 Diese Bewegung in der Deutung des sittlichen Sollens wird bei Schüller besonders deutlich in der Bemerkung, mit der er seine Gedanken über die Goldene Regel als

Wenn man die Aporien, wie sie sich in diesen Überlegungen zeigen, ernst nimmt, stellen sich unausweichlich entscheidende Fragen für das Verständnis der menschlichen Sittlichkeit: Muß man nicht um der personalen Würde des Menschen als *existentiell erfahrener Individualität* willen verstehen lernen, daß die logisch-analytische Konsistenz der sittlichen Sollenserfahrung *nicht das Ganze des inneren Wesens* der menschlichen Sittlichkeit zu treffen vermag? Muß die unbedingte Forderung der Unparteilichkeit nicht als nur *ein* Moment der sittlichen Beanspruchung des Menschen verstanden werden, das ihn immer schon über jede individualistische Selbstbeschränkung und egoistische Haltung hinausdrängt? Muß sie nicht als eine *Bewegung* verstanden werden, die die menschliche Freiheit innerlich (mit einem sicherlich objektiven und notwendigen Anspruch) anzutreiben versucht, aber nicht als ein nacktes Naturgesetz, sondern als eine Bewegung, die der Mensch als konkrete geschichtliche Freiheit noch einmal ‚verwalten' muß, indem er ihre logische Notwendigkeit mit den geschichtlich konkreten Erfahrungen und unbegrifflichen, ‚überrationalen' Sinnhorizonten seiner unreduzierbaren Geschichtlichkeit in verantwortender Deutung vermittelt?[218] Ist nicht die (werttheoretisch-analytisch erhobene) Unbedingtheit der sittlichen Sollenserfahrung in die Analogie der Geschichte gestellt, in der sich Unbedingtheit nicht nur äußerlich, sondern konstitutiv mit der

Unparteilichkeitsforderung und das Problem der objektiven Fundierungsrolle menschlicher Individualität abschließt: Schüller (4) 96 folgert daraus, daß die menschliche Individualität „nicht unter jene Ungleichheiten fällt, von denen die Unparteilichkeitsregel spricht": „Folglich besteht in dieser Hinsicht kein Grund, das Unparteilichkeitsprinzip zu modifizieren oder gar zurückzunehmen. Nur universale Sätze können in der ethischen Argumentation als normative Prämisse zugelassen werden." Bedenkt man, daß dabei das Unparteilichkeitsprinzip im Sinne der Goldenen Regel nach Schüller das Sittlich-Gute „definiert" (als notwendige, wenn auch nicht hinreichende Bestimmung), so wird deutlich, daß die innere Mitte der Bestimmung menschlicher Sittlichkeit verschlossen bleibt gegenüber der geschichtlichen Differenziertheit und Konkretion der Wirklichkeit, eben im Sinne der objektiv fundierenden Rolle der geschichtlich unreduzierbaren Individualität des Menschen für das sittliche Sollen. Nimmt man den Ausschluß der genetisch geschichtlichen Struktur sittlicher Sollenserfahrung aus der erkenntnistheoretischen Begründung hinzu, so scheint diese Bewegung ganzheitlich verstärkt. Wie immer man diese Problematik der Denkform Schüllers auch beurteilen mag, aus der psychologischen Sicht Drewermanns wird eine auch nur vorrangig auf eine ungeschichtlich überexistentielle Abstraktivität gerichtete Sicht menschlicher Sittlichkeit der individuellen und existentiellen ‚Intimität' des Menschen nicht gerecht: „Zwar möchte man an sich jedem wünschen, daß er in seinem Leben zu einer gewissen Einheit des Individuellen und des Allgemeinen hinfindet...; oft genug aber ist diese Möglichkeit nicht gegeben, und die wichtigste Hilfe der Psychotherapie besteht dann darin, den Einzelnen zu einer geschlossenen Einheit mit sich selbst *gegen* die Allgemeinheit zu befähigen" (Drewermann 92).

218 Drewermann 92 schreibt ganz allgemein in diesem Sinne: „Es mag ein logisches Ziel der geistigen Bewegung sein, sich zu jener aufgezeigten Harmonie [des Individuellen mit dem Allgemeinen] hinzuentwickeln..." Aber: „Der Bruch besteht zwischen der logischen Notwendigkeit und der faktischen Gegebenheit." Vgl. dagegen die Charakterisierung des Verbindlichkeitscharakters bei Schüller (4) 97 (im Anschluß an Kant) im Sinne der Notwendigkeit „eines Naturgesetzes".

konkreten, geschichtlichen Differenziertheit menschlich sittlicher Sinneinsicht vermittelt? Soll die Unparteilichkeitsforderung und die Unbedingtheit des sittlichen Sollens nicht zu einem abstrakten Selbstzweck werden, der gerade nicht mehr den Selbstwert der menschlichen Subjektivität in ihrer *konkreten* Wirklichkeit im Blick hat, so muß sie offenbar ergänzt werden durch die immer rücklaufende Bindung der Interpretation des sittlichen Sollens an die geschichtliche und konkrete Differenziertheit des Sittlichen, die der existentiellen und individuell unreduzierbaren ,Intimität' des Menschen entspricht, der jede sittliche Universalisierung ja letztlich dienen soll.[219]

Die Deutung des sittlichen Phänomens steht bei Bruno Schüller letztlich in Beziehung zur abstrakten Subjektivität als bloßem rationalem Selbstvollzug. Nicht die Selbstzwecklichkeit des Menschen als konkreten, geschichtlichen Subjekts, sondern eine abstrakte Subjektivität mit den logischen Zusammenhängen ihrer Definition als „Selbstbesitz in Selbstbewußtsein und Selbstbestimmung", als objektiver, subjektiv aufgegebener Selbstzweck, fundiert seine Interpretation des sittlichen Sollens.[220] Erscheint aber nicht auch hier – wie in der traditionellen Moraltheologie[221] – der Anspruch Gottes, wird er im Horizont dieses Denkens, in der primär rationalen Bestimmung des sittlichen Sollens allein oder auch nur vorherrschend ausgelegt, als ein anonymes Gesetz – wenn auch auf einer Ebene, die dem Menschen als Subjektivität sehr viel innerlicher zu sein scheint als der objektivistische ,Rationalismus' der traditionellen Naturrechtsethik? Und muß nicht die Wirklichkeit Gottes doch wieder als die eines Gesetzgebers mißverstanden werden, der das der konkreten persönlichen ,Intimität' des Menschen als geschichtlichen Individuums radikal vorgeordnete, unvermittelte Netz der rational strukturierten Subjektivitäts- und Wirklichkeitsbestimmung gesetzt hat? Wäre dies nicht aber ein vorschneller Griff, der die kategoriale Vermittlung des „göttlichen Willens" von der objektiven Seins- und Wesensordnung her durch die ,Griffigkeit' und Konsistenz der subjektiv-rationalen Strukturen des sittlichen Handelns in einem einseitigen, monistischen Sinn ersetzen will, um so das Geheimnis des „Willens Gottes" gleichsam festlegend aufzuschließen? An ein solches Verständnis stellt sich nochmals die Frage, ob die ethische Interpretation dadurch nicht auch (wie der Objektivismus

---

219 „...das Wohl eines jeden ist natürlich das individuelle Wohl eines jeden. Ein anderes Wohl gibt es nicht" (Schüller [4] 95).

220 Trifft der Vorwurf Schelers an Kant nicht auch auf Schüller in Hinblick auf diese letzte Fundierung zu (obwohl sich Schüller anders als Kant um eine ontologische Fundierung seiner Deutung menschlicher Sittlichkeit in der Deskription menschlicher Person als „Selbstbesitz durch Selbstbewußtsein und Selbstbestimmung" aus der Setzung Gottes und innerhalb der hinnehmend erfahrenen Wertwelt bemüht): „Person ist hier das X irgendwelcher Vernunftbetätigung, die sittliche Person also das X der dem Sittengesetz gemäßen Willensbetätigung; d. h. es wird nicht *zuerst* gezeigt, worin das Wesen der Person und ihrer besonderen Einheit besteht und dann die Vernunftbetätigung als zu ihrem Wesen gehörig *aufgewiesen,* sondern Person *ist* nichts anderes und erschöpft sich darin, der Ausgangspunkt eines gesetzmäßigen Vernunftwillens oder einer Vernunfttätigkeit als praktische zu sein" (Scheler 370f).

221 Vgl. Fuchs 381.

oder der Positivismus) – um es mit Worten von Max Scheler (aus etwas anders gelagerten, aber doch ähnlichen Problemzusammenhängen) zu sagen – „die Person *ent*würdige, und zwar dadurch, daß sie dieselbe unter die Herrschaft eines unpersönlichen *Nomos* stellt, dem gehorchend sich erst ihr Personsein vollziehen soll“[222].

Schüller wehrt sich ausdrücklich gegen einen solchen Vorwurf, in seinem Denken sei der sittliche Anspruch zu wenig personal gefaßt und somit (implizit) auch die Wirklichkeit Gottes nicht wirklich personal vermittelt: „Es mag sein, daß Ausdrücke wie ‚sittliche Güte‘, ‚ordo bonorum‘ und ‚ordo amoris‘ sich auf den ersten Blick wie Bezeichnungen für etwas Apersonales ausnehmen. In Wirklichkeit stehen sie jedoch für etwas zutiefst Personales. Insofern der Mensch sich reflex auf seine eigene sittliche Güte als vorgegebene Möglichkeit bezieht, nimmt er frei Stellung zu seiner eigenen Bestimmung, die ihm nur eigen ist, weil er Person ist.“[223] Aber dieser Einspruch ist nur insofern berechtigt, als die subjektiv vermittelten rationalen Strukturen, die Schüller in seiner werttheoretischen und analytischen Perspektive beschreibt, der personalen Wirklichkeit des Menschen sehr viel innerlicher sind als die objektivistisch rationalen der Tradition; sie stehen ja in Vermittlung zur Subjektivität des Menschen und bringen diese zum Ausdruck.[224] Aber der subjektive Selbstand ist nicht die einzige Bestimmung menschlicher Personalität und Würde. Geschichtlich verfaßte Freiheit und existentiell erfahrene Individualität sind dieser Dimension der menschlichen Personalität beigeordnet und liegen in gewisser Hinsicht den Funktionen des subjektiven Selbstvollzugs zur Verwirklichung der unwiederholbaren und unreduzierbaren personalen Selbstwirklichkeit des Menschen zugrunde. Gegenüber diesen Dimensionen der menschlichen Personalität bleibt aber der Ansatz Schüllers genauso äußerlich wie der Ansatz der Tradition; in dieser bleibenden Distanz zur menschlich personalen Wirklichkeit sind die hier vorgetragenen Bedenken begründet.

Zusammenfassung von Teil II A

Das traditionelle Denken blieb – so wurde in der Einleitung in einem ersten Problemkreis zu zeigen versucht – in zweifacher Hinsicht in unvermittelter Distanz und ‚Äußerlichkeit‘ zur personalen Würde des Menschen als Subjekt: Das naturrechtliche Seins- und Wesensdenken ließ kaum einen Raum für die menschliche Subjektivität als gestaltende Freiheit aufgrund der Deutung des sittlichen Anspruchs von der objektivistisch vorgegebenen Naturordnung her. Und die Begründung von kategorialen Gesetzen und Normen aus dieser objektiven Naturordnung auf den unmittelbar setzenden Willen Gottes übersprang im Horizont des autoritären Extrinsezismus die Gleichursprünglichkeit von Objektivität *und* (zur Selbstbestimmung und freien Gestaltung befähigter) Subjektivität aus der konstituierenden Wirklichkeit Gottes.

Die gegenwärtige Moraltheologie versucht in ihrer personalen Wende diese objektivistische und autoritäre Verengung der traditionellen Moraltheologie zu überwinden, um innerhalb der moraltheologischen Problemkreise das christliche Gottesverständnis in seiner den Menschen befreienden und zu sich selbst bringenden Tiefe zu vermitteln.

---

222 Scheler 370.
223 Schüller (5) 39; vgl. 38f.
224 Vgl. ebd. 39.

Um diese personale Wende zu charakterisieren, wurde im dritten Kapitel die umfassende subjektive Vermittlung der moraltheologischen Reflexion am Ansatz von *Franz Böckle* darzustellen versucht. Böckle setzt sich in der Renaissance des Naturrechtsdenkens innerhalb der katholischen Moraltheologie nach dem zweiten Weltkrieg mit der Rolle der menschlichen Subjektivität in der Konstitution des Naturrechts auseinander. Dabei greift er die thomanische Deutung des Naturrechts als „aliquid per rationem constitutum" auf. Er deutet die konstituierende Rolle der Subjektivität, die bei Thomas als nicht-diskursive (in hinnehmender Seinsoffenheit wurzelnde) Partizipation des Menschen am „ewigen Gesetz Gottes" verstanden ist, auf die aktivere, setzende Funktion in Annäherung an das neuzeitliche Verständnis des Subjekts als transzendentaler Subjektivität hin aus. Gegenüber dem Objektivismus der neuscholastischen Theologie wird damit umfassend der Raum für die gestaltende Subjektivität und Freiheit des Menschen in der theologischen Interpretation des sittlichen Anspruchs geschaffen. Die Wirklichkeit Gottes erscheint dabei als der freisetzende, ermöglichende (transzendentale) Grund dieser menschlichen Freiheit und des menschlichen Subjektvollzugs. Insofern die Wirklichkeit Gottes damit in ein inneres, positives Verhältnis zur Subjektivität des Menschen gebracht ist und als transzendentaler Grund des kategorialen Freiheitsvollzuges, der selbst kategorial nicht objektivierbar ist, nicht mehr als Konkurrent im kategorialen ‚Neben' zum Menschen mißverstanden werden kann, ist ein wichtiger Punkt der Entfremdung zwischen der Denkform der Moraltheologie und ihrer Vermittlung des Gottesverständnisses auf der einen Seite und dem heutigen Selbst- und Wirklichkeitsverständnis des Menschen auf der anderen Seite angesprochen und bewältigt.[225]

Am Ansatz von *Bruno Schüller* wurde im 4. Kapitel ein zweiter Schritt dieser subjektiven Wende moraltheologischer Denkform erschlossen. Im Horizont subjektiv vermittelter, phänomenologisch-werttheoretischer und (sprach)analytischer Denkweise kritisiert Schüller die traditionellen deontologischen Argumentationsformen der Moraltheologie und deckt in ihnen eine autoritäre Vermittlung des Willens Gottes auf. Der erste Problemkreis der moraltheologischen Vermittlung des Gottesverständnisses wird damit endgültig bewältigt.[226] Es wird bewußt, daß auch Gott nicht in bloßer, von außen gestifteter und subjektiv unvermittelter autoritärer Setzung die sittliche Vollendung des Menschen bewirken kann, ist es doch gerade der „Selbstbesitz durch Selbstbewußtsein und Selbstbestimmung", der diese Vollendung des Menschen als freie Person ausmacht.

In der kritischen Perspektive seines Denkens entfaltet Schüller aber – ausgehend von der unmittelbaren (nicht-hypothetischen) Unbedingtheit menschlicher Sollenserfahrung in sich selbst – als Voraussetzung dieser Überwindung des Autoritätsdenkens eine umfassende anthropologische Fundierung des sittlichen Anspruchs: die logische und ontologische, in sich geschlossene Letztfundierung des

[225] Vgl. zum Problem der objektivistisch-kategorialen Vermittlung Gottes S. 15f.
[226] Vgl. zum Problem der voluntaristisch-intervenierenden Vermittlung S. 16–19.

sittlichen Anspruchs in der Selbstaufgegebenheit menschlicher Freiheit. Der Mensch erfährt den kategorischen Anspruch der sittlichen Güte, die, ihrerseits zugleich konstitutiv auf den Freiheitsvollzug bezogen, die menschliche Freiheit sich selbst als objektiven letzten Wert aufgibt: die Verwirklichung der freien Würde der Person als „Selbstbesitz durch Selbstbewußtsein und Selbstbestimmung". Der unbedingte Anspruch differenziert sich dabei nach dem ordo bonorum der objektiv begegnenden Werte. Vom transzendentaltheologischen Schöpfungsbegriff der Ermöglichung des Menschen als radikalen Selbstands her, in dem nach Schüller die in sich logisch unabhängige Erfassung des Begründeten (des menschlichen Selbstands) gegenüber seinem Grund (dem ihn ermöglichenden Gott) eingeschlossen ist, rechtfertigt Schüller diese in sich geschlossene anthropologisch konzentrierte Bestimmung der menschlichen Sittlichkeit theologisch. Und von der traditionellen These her, daß die sittliche Verkündigung Jesu nicht über den Inhalt des natürlichen Sittengesetzes hinausgehe, deutet er seine eigene anthropologische Fundierung des Sittlichen als Erschließung einer unüberholbaren und ursprünglichen „natürlichen" Dimension der menschlichen Sittlichkeit. In ihr steht dem Menschen die Einsicht in die axiologische Grunddifferenz von Gut und Böse offen. In dieser Deutung des Sittlichen vom ontologischen, subjektiven Selbstand und der sittlichen Einsichtskraft des Menschen her sucht Schüller die „innere Beziehung" des sittlichen Anspruchs zum Menschen als Person zu sichern, die er als unbedingte Voraussetzung dafür ansieht, daß der Mensch als sich-selbst-bestimmendes (wenn auch sich selbst vorgegebenes) Subjekt ernst genommen wird und durch keinerlei autoritäre Setzung in seiner Sittlichkeit von außen – weder in einem theonomen noch in einem christonomen Positivismus – überformt und manipuliert werden kann.

In der anthropologischen Konzentration dieses Denkens verengt sich aber der Blickwinkel der Moraltheologie auf den Freiheitsraum des Menschen, der in der subjektiven Vermittlung des Denkens im Gegenüber zur Freiheit Gottes eröffnet worden ist. Das transzendentaltheologische Verständnis der ermöglichenden Transzendenz, die in der heilsgeschichtlichen Selbstmitteilung Gottes die menschliche Freiheit immer tiefer zu sich selbst bringt und im mit Jesus Christus angebrochenen eschatologischen Ereignis vollendet, verfestigt sich zum Verständnis Gottes als des „Urgrunds menschlicher Freiheit". Die Wirklichkeit Gottes erscheint als bloßer, ungeschichtlicher Konstitutionsgrund gleichsam immer nur im Rücken dieser menschlichen Freiheit. Und für das Verständnis des sittlichen Phänomens wird der Freiheitsvollzug des Menschen, der die ontologisch-objektive Naturordnung als primären Deutungshorizont der Sittlichkeit verdrängt hat, immer mehr zum monistischen, in sich geschlossenen Fundierungskreis der Interpretation.

In dieser Verengung des Denkens wird aber offenbar die menschliche Sittlichkeit im Fadenkreuz einer subjektiv vermittelten Rationalität bestimmt, die nicht nur in ungeschichtliche Abstraktion von der ermöglichenden transzendenten Rückbindung des subjektiven Selbstandes des Menschen gerät, sondern auch nicht mehr imstande scheint, die Geschichtlichkeit der menschlichen Freiheit und den unreduzierbaren Selbstwert des *konkret geschichtlichen* Menschen als personaler Individualität in die Wesensbestimmung des Sittlichen einzubringen. Die personale Wende der

Moraltheologie gleitet so in eine Art subjektive Abstraktion ab, in der die Interpretation des sittlichen Phänomens nicht eigentlich zur realen Würde des Menschen als konkret geschichtlich verfaßter Freiheit, die sich aus dem sich heilsgeschichtlich vertiefenden Geheimnis Gottes immer vollkommener empfängt, und zum Menschen als existentiell erfahrener Individualität in eine innere Beziehung gebracht ist; ihr Bezugspunkt ist vielmehr die gleichsam hypostasierte subjektive Rationalität der logischen Zusammenhänge und Grundfunktionen der menschlichen Sittlichkeit, die vom abstrakt gedeuteten Wesen des Menschen als Subjektivität in „Selbstbesitz durch Selbstbewußtsein und Selbstbestimmung“ und als Selbstzweck her entworfen ist.

Abschnitt B

Gott als Zielgrund menschlicher Freiheit

Die Forderung nach einer wirklich „anthropologischen", einer wirklich „menschlichen" und personalen Wende vertieft sich angesichts der Problematik der subjektiv-anthropologischen Konzentration des Denkens und der Radikalisierung des transzendentalen Gottesverständnisses innerhalb der Moraltheologie offenbar noch einmal: Es kann nicht nur darum gehen, das Verständnis des sittlichen Sollens in Beziehung zu einer von den konkreten menschlichen Individuen und ihrer geschichtlich verfaßten Freiheit sozusagen gelösten Subjektivität und personalen Würde zu setzen. Sondern in der personalen Wende des moraltheologischen Denkens muß es um die in den konkreten, geschichtlichen Individuen verwirklichte menschliche Würde gehen, um die unwiederholbare Individualität des Menschen als geschichtlich sich vollziehender Freiheit. Diese unreduzierbare und nicht austauschbare Identität jedes Menschen ist das letzte ontologische Fundament seiner menschlichen Würde, deren Verwirklichung aus der Sicht eines subjektiv gewendeten Verständnisses heraus das Ziel der menschlichen Sittlichkeit ist. Die abstrakte Struktur der Subjektivität des Menschen als „Selbstbesitz durch Selbstbewußtsein und Selbstbestimmung" dient gerade dieser Verwirklichung seiner personalen, geschichtlichen Einmaligkeit.

Somit wird die Notwendigkeit deutlich, daß die Moraltheologie ihr Denken nicht nur subjektiv wenden, d. h. für die Subjektivität menschlicher Personalität öffnen muß. Es ist von ihr zugleich eine geschichtliche Wende des Denkens gefordert, eine Öffnung für die geschichtliche Unverfügbarkeit der Wirklichkeit, in der der freie Selbstvollzug des Menschen, der sich zur einmaligen Person und individuellen Persönlichkeit bestimmt, in den Blick kommen kann.

In dieser Wende zum geschichtlichen Denken wird die rationalistische Verengung der Moraltheologie aufgebrochen. In der geschichtlich-hermeneutischen Auslegung des sittlichen Sollens werden die Ebenen der unreduzierbaren, existentiell erfahrenen Individualität des Menschen und der allgemeingültigen, unbedingten Geltung des sittlichen Anspruchs, die in der traditionellen Moraltheologie unverbunden nebeneinanderstanden, miteinander vermittelt.

In dieser Öffnung der Moraltheologie für die Geschichtlichkeit des Menschen zeigt sich auch das Zueinander von Gott und Mensch noch einmal tiefer. Es wird deutlich, daß die Ermöglichung der menschlichen Freiheit durch Gott nicht nur eine statische Relation der Konstitution des Menschen in ungeschichtlicher Abstraktheit ist. Menschliche Eigenwirklichkeit empfängt sich gerade aus dem sich heilsgeschichtlich vertiefenden Geheimnis Gottes. Sie kommt gerade darin zur geschichtlichen Verwirklichung ihrer unwiederholbaren Einmaligkeit und personalen Würde, daß ihr in der Selbstmitteilung Gottes ein letzter, umfassender Sinn von Gott zugesprochen wird. Die geschichtliche Offenheit ihrer eigenen Sinnentwürfe auf dem Weg ihrer Selbstverwirklichung findet einen letzten Halt in der Sinnstiftung, die Gottes Liebe schenkt. Der Mensch findet seine eigene personale ‚Identität' so in der unmittelbaren dialogischen Begegnung mit Gott: Gott ist Zielgrund menschlicher Freiheit.

5. Kapitel
Klaus Demmer: Menschliche Freiheit in Geschichte

Klaus Demmer versucht, die personale Wende der Moraltheologie über die subjektive Vermittlung hinaus weiterzutreiben, und bemüht sich darum, dem moraltheologischen Denken einen Zugang zur hermeneutischen Rückbindung der Sittlichkeit an die Persontiefe des Menschen zu erschließen, in der die geschichtlich verfaßte Freiheit und die existentiell erfahrene Individualität positiv miteingeschlossen sind.

Demmer betont: „Von objektiver Geltung ohne Bezug zu geschichtlicher Einsicht zu sprechen hat keinen Sinn. ... Einsehen trägt immer die Zeichen des Setzens an sich. Eine sittliche Verpflichtung gründet in einem transzendenzverwiesenen Setzungsakt, der Selbstverpflichtung meint. Genese ist aus diesem Grunde nicht nur manifestativ, sie ist zugleich konstitutiv. Wenn mithin von Objektivität des sittlichen Anspruchs die Rede ist, dann gründet sie in transzendenzverwiesener Subjektivität, welch letztere in einen geschichtlichen Entfaltungsprozeß eingebunden bleibt."[1] Dabei versteht er diese geschichtliche Vermittlung der Moraltheologie als eine erneute Wende des moraltheologischen Denkens zum Subjekt: „Nun zeichnet sich – unverkennbar für den Moraltheologen – eine erneute Wende zum Subjekt ab. ...In zunehmendem Maße wird bewußt..., daß es eine sittliche Rationalität und mithin Plausibilität als solche nicht gibt. Daß es sich bei ihr um eine abstrakte Konstruktion handelt, deren Bedingungen im erkennenden, deutenden und urteilenden Subjekt noch zu prüfen bleiben. Gemeint sind nicht nur weltanschauliche und anthropologische Vorentscheidungen. Es gibt daneben auch so etwas wie einen lebensgeschichtlichen Erkenntnishintergrund, der sich in bedachter Lebenserfahrung niederschlägt und nicht nur eine sittliche Personalität aufbaut, sondern ihr zugleich ein Vorzugsgesetz des Handelns an die Hand gibt."[2] Für die Problemstellung dieser Arbeit darf man dies vielleicht so ausdeuten: Gegenüber dem objektivistischen, aber auch gegenüber dem subjektivistischen ‚Rationalismus' innerhalb der moraltheologischen Entwicklung geht es um eine Vertiefung der Bestrebung des moraltheologischen Denkens, die personale Würde des Menschen ernst zu nehmen, indem die theologische Interpretation des sittlichen Anspruchs (zusammen mit der moraltheologischen Vermittlung des christlichen Gottesverständnisses) in ein inneres Verhältnis zur menschlichen Personalität – über den subjektiven Selbstand hinaus – als existentiell erfahrene, geschichtlich verfaßte Freiheit gebracht wird.

Das sittliche Phänomen wird von Demmer im Horizont der transzendentalontologischen Denkweise beschrieben.[3] Diesem Denken wohnt eine geschichtliche

---

1 Demmer (3) 17.
2 Ebd. 38f.
3 Vgl. Demmer (1).

Dynamik inne[4], von der aus die menschliche Sittlichkeit innerhalb einer umfassenden geschichtlichen Vermittlung von Sein und Subjekt, Objektivität und Subjektivität interpretiert werden muß.[5] Es läßt die sittliche Sollenserfahrung in eine umgreifende geschichtliche Sinnvermittlung gegründet sein, innerhalb deren die menschliche Freiheit und die unbedingte Geltung des sittlichen Anspruchs, die geschichtlich verwirklichte Individualität des Menschen und der universale Sinn des Sittlichen, die existentiell erfahrene Personalität und die rationale Dignität des Sollens in einer polaren Einheit erschlossen werden.

1. *Geschichte als Raum sittlicher Sinnerfahrung*

Nach Demmers Deutung der transzendentalontologischen Metaphysik und Anthropologie[6] zeigt sich die Geschichtlichkeit des Menschen, seiner Freiheit und der Wirklichkeit überhaupt mitten im personalen Selbstvollzug des Menschen, als transzendentalem Selbstvollzug in Seinserschlossenheit, begründet.

Der menschliche Geist erkennt die endlichen Seienden im Horizont des unthematischen Vorgriffs auf das Sein. „... die Möglichkeitsbedingungen für kategoriale Objekterkenntnis liegen im überkategorialen Begreifen des Seins" (19). Der unthematische, überkategoriale Vorgriff erschließt das universale Sein aber als Seinsfülle der endlichen Seienden. Der „ungegenständlichen, bzw. übergegenständlichen Vollzugsevidenz" „eignet [zwar] ein *logisches Voraus* vor der gegenständlichen Objektevidenz. Sie vermag aber, um des eigenen faktischen Vollzugs willen, auf das *zeitliche Voraus* der Objektevidenz nicht zu verzichten" (11). Für Demmer „eröffnet sich" in der damit ausgedrückten Einheit von unthematischem Vorgriff und gegenständlich-thematischem Ausgriff innerhalb des menschlichen Erkennens „Geschichte als ontologisches Erkenntnisgeschehen...; der ontologischen Grunddifferenz von Sein und Seiend entspricht... eine solche von Übergeschichtlichkeit und Geschichtlichkeit". Diese Geschichtlichkeit wird „im... Umsetzungsprozeß vom Begreifen zum Begriff... manifest" (20). Denn indem der Erkenntnisakt den konkreten Begriff eines Seienden im Horizont der Seinsfülle entwirft, wird er sich zugleich schon immer der Endlichkeit dieses Begriffs bewußt: „Die Erschlossenheit zur Über-Allgemeinheit des Seins transzendiert jegliche Kategorie; sie endet darum nicht beim Allgemeinbegriff, der auf der Ebene kategorialer Wirklichkeit gilt, sondern beim Konkreten, das in seiner Konkretheit mehr ist, als der Allgemeinbe-

---

[4] Die Erkenntnismetaphysik fragt nach der Seinsgegründetheit des Erkennens. Nach Demmer (1) 16 enthält aber „die Frage nach der Seinsgegründetheit des Erkennens bereits diejenige nach seiner Geschichtsgegründetheit in sich."

[5] Weil „Seinserschlossenheit im Medium der dynamischen Selbstidentität" des „personalen Erkenntnisvollzugs gegeben" ist, weil nach der transzendentalontologischen Anthropologie „personale Subjektivität" sich „innerhalb der Objektivität des Seins" (Demmer [1] 17f) eröffnet, deshalb steht auch der menschliche Freiheitsvollzug und die menschliche Sittlichkeit im Horizont der Seinsgegründetheit des Menschen und ihrer Geschichtlichkeit.

[6] Im folgenden finden sich die Zitationsbelege aus Demmer (1) im Text.

griff je zu erfassen vermag. Letzterer erweist sich vielmehr, und zwar aufgrund der ontologischen Nachgeordnetheit des Reflexen gegenüber dem Überreflexen, als eine metaphysische Hilfskonstruktion; diese ist nicht in der Lage, die Fülle des Konkreten angemessen auszuschöpfen. ... die Reflexion, welcher der Begriff entspringt, setzt als Bedingung der eigenen Möglichkeit bereits überbegriffliche Evidenz voraus" (14). Obwohl der Begriff in positiver Analogie zur Seinsfülle für das konkrete Erkennen entworfen wird – gleichsam als Antizipation der Seinsfülle in den endlichen Begriff hinein[7] –, trägt er in sich zugleich das ‚Bewußtsein' seiner Endlichkeit und ist durch den unthematischen Vorgriff auf die universale Fülle des Seins, die die uneinholbare Fülle der *konkreten* Wirklichkeit ist, immer schon ‚herausgefordert', sich selbst wieder zu übersteigen: „Insofern ... jegliches kategoriale Urteil, welches sich in Begriffen vollzieht, um seiner Wahrheit willen im Sein gründet, weist es auf ein Begreifen zurück, welches aller Begrifflichkeit als setzend-entlassender Grund vorausliegt." Und so „verläuft" das konkrete endliche Begreifen „in der Form eines intensiven Wachstumsprozesses". „Denn das fortschreitende Begreifen des Seins vermittelt sich in einen Fortschritt der Begriffsbildung." Weil sich das menschliche Erkennen in Begriffen vollzieht, die es immer wieder um der eigenen Seinserschlossenheit willen auf die unthematische (konkrete) Fülle des Seins hin übersteigt und neu entwirft, gründet die „Geschichtlichkeit der Erkenntnis ... im vorgreifenden Begreifen des Seins" (19).

Geschichtlichkeit ist im Sinne dieser transzendentalontologischen Beschreibung des Erkenntnisaktes in der ‚Mitte' der Wirklichkeit angesiedelt als fortlaufende Vermittlung von Erkennen und Sein, Subjektivität und Objektivität im polaren Erkenntnisakt: „Erkennen heißt ... Fortschreiten zu immanenter Vollendungsgestalt; Ausgriff als Fortschritt, und zwar in intensivem Sinne, läßt extensive Erkenntnis aus sich heraus hervorgehen. Letztere legitimiert sich ontologisch durch den Rückbezug auf ihren *Grund als Ziel;* ihr Wahrheitsgehalt steht und fällt mit der Aktuierung dieses Bezugs. Denn Grund und Maß fallen in eins: Rückbezug als Zielbezug ist die formale Übereinkunft mit dem Sein; Erkennen greift nach dem aus, wobei es immer schon ist. Dieser uneigentliche Fortschritt im Sein begründet den eigentlichen Fortschritt des Erkennens von Seiendem" (25).[8]

Diese fortlaufende Vermittlung von Erkennen und Sein, Subjektivität und Objektivität, wie sie vom menschlichen Erkennen her erschlossen wurde, erweist sich nach Demmer auch als Horizont des sittlichen Erkennens und des sittlichen

---

[7] Nach der transzendentalontologischen Anthropologie steht die Einzelerkenntnis (der Begriff) im Horizont der Seinsgegründetheit des menschlichen Geistes. „*Weil* der einzelne Erkenntnisvollzug in seiner Vereinzelung formal schon immer bei seiner Vollendung angelangt ist, wird er in seinem materialen Gehalt begründet. Und indem er seine eigene Vollendung in der Übereinkunft mit dem Sein in ‚actu exercito' immer schon miterkennt, vermag er sie ‚in actu signato' zu explizieren. Alle Einzelerkenntnis ist somit ontologische Entfaltung [„Antizipation"] einer in ihr formal anwesenden Zielerkenntnis. Die wesenseigene Dynamik menschlicher Erkenntnis wird auf diese Weise ... manifest" (Demmer [1] 25).

[8] Vgl. Demmer (1) 25–30: „Wahrheit und Geschichte".

Aktes.[9] In der menschlichen Sittlichkeit vollzieht sich die Seinserschlossenheit des Menschen als unthematischer Vorgriff auf das Sein als das universale Gute. Der Vorgriff vermittelt sich durch den Ausgriff auf endliche Güter, in denen die Fülle des Seins als universales Gutes antizipiert wird. „Das Sein, insofern es gut ist, wird in einem transzendentalen Freiheitsakt erstrebt. Dem ‚excessus mentis‘ auf das Sein als Wahres entspricht ein ‚excessus voluntatis‘ auf das Sein als Gutes. Wie aber der erkennende Vorgriff auf das transzendentale Sein in seiner Apriorität das reale Erreichen des kategorialen Seienden in seiner Aposteriorität ontologisch verbürgt, so gründet gleicherweise die ontologische Möglichkeit des Gelingens der sittlichen Entscheidung, die sich im Akt einer kategorialen Wahlfreiheit expliziert, in der Apriorität einer transzendentalen Freiheitsentscheidung. Letztere vermag auch im Sinne einer Wesensfreiheit, oder besser, eines Grundwollens, interpretiert zu werden. Wesensfreiheit und Wahlfreiheit verhalten sich demnach zueinander wie apriorische Möglichkeitsbedingung und aposteriorisch Bedingtes. Wahlfreiheit ist die kategoriale Auslegungs- und Verwirklichungsform von Wesensfreiheit“ (57f).[10] Auch das sittliche Erkennen zeigt sich dabei in der Spannung der „analogen“ Einheit[11] von unthematischem Vorgriff (auf das Sein als universales Gutes) und kategorialem Ausgriff (auf die endlichen Güter). Das Wesen des Menschen „steht, sich selbst transzendental auslegend, in der analogen Transzendentalität des Seins. Der sittliche Anspruch folgt ontologisch diesem Auslegungsprozeß. Das heißt aber nichts anderes, als daß er einem seinseröffneten Einsichtsprozeß folgt“ (85). Subjektivität und Objektivität sind so auch im sittlichen Akt immer schon in einer geschichtlichen Bewegung vermittelt. „Der sittliche Anspruch steht in der Analogie der Geschichte.“ Er „steht immer schon unter der Sinngebung, die aus dem vorerfaßten Ganzen entspringt. Aber dieses Ganze verwirklicht sich, insofern es in geschichtliche Begrenztheit eingeht, im zeitlichen Nacheinander“ (86f).[12]

---

[9] Vgl. ebd. 57–119.

[10] Vgl. ebd. 57–65: „Seinsgegründetheit der Freiheit“.

[11] In der Ermöglichung des kategorialen Erkennens durch den unthematischen Vorgriff des menschlichen Geistes auf das Sein erscheinen „die einzelnen, kategorialen Erkenntnisvollzüge auf der Ebene von ‚actus secundi‘ als... analoge Explikationen“ des „formalen Ausgriffs auf das Sein“ „als ‚actus primus‘“ (Demmer [1] 13). „Insofern ...‚actus primus‘ und ‚actus secundi‘ *eine* konkret-geschichtliche Einheit bilden, wäre menschliches Erkennen als Einheit von ‚analogatum primarium‘ und ‚secundarium‘ bestimmt“ (14).

[12] Vgl. Demmer (1) 85–104: „Der sittliche Anspruch in der Analogie von Sein und Geschichte“; (2) 51–130: „Rückfrage auf die geschichtlichen Bedingungen ethischer Normen“; (3) 52–58: „Sittliche Wahrheit und Geschichtlichkeit“; 171–195: „Immanente Geschichtlichkeit der Entscheidung“. – Demmer (1) 66 führt an diesem Punkt der Reflexion auch die Dimension der Intersubjektivität in die Deutung des sittlichen Anspruchs ein: „Nun vollzieht sich die sittliche Entscheidung als geschichtlich-objekthaft begrenzte im primären Medium von Intersubjektivität. Hier findet ihre erste, grundlegende wie unmittelbar eindeutige ‚Verobjektivierung‘ statt. Sie erfährt dabei ihre Bedingtheit wie Begrenztheit zuallererst durch den aus der eigenen Freiheit nicht herleitbaren Freiheitsanspruch des Anderen. Das bedeutet: Wenn Freiheit als Identitätsvollzug in subjektiver Vereinzelung sich nicht selbst aufheben will, muß sie sich mit der

Demmer nimmt die Dimension der Geschichtlichkeit für die moraltheologische Fragestellung in einer sehr grundsätzlichen Weise auf. Geschichtlichkeit erscheint hier nicht nur etwa als Eigenschaft sittlicher Normfindung und Normartikulation. Demmer bezieht implizit und explizit eine umfassende Ontologie der Geschichte in die Grundlegung der Moraltheologie ein.[13] Insofern er dabei gerade die geschichtliche Dynamik, die in der transzendentalontologischen Metaphysik und Anthropologie zum Ausdruck kommt, zum Fundament der Interpretation der menschlichen Sittlichkeit macht, tritt aus der Polarität von universalem, unthematischem Seinsvorgriff und seiner endlichen, kategorialen Vermittlung die innere Bezogenheit von menschlicher Freiheit und universalem Sinn, von geschichtlicher Verfaßtheit menschlicher Freiheit und unbedingter Geltung sittlichen Sollens, aber auch von menschlichem Selbstand und transzendentaler Ermöglichung in ihrer geschichtlich-ontologischen Einheit hervor. Die ganze spannungsreiche Fülle der transzendentalontologischen Metaphysik und Anthropologie[14] wird für das Verständnis des sittlichen Phänomens fruchtbar gemacht. Die subjektiv-anthropologische Konzentration des moraltheologischen Denkens wird verlassen.

2. Die Rücknahme der subjektiv-anthropologischen Konzentration

Auch im transzendentalontologisch-geschichtlichen Denken Demmers erscheint die sittliche Sollenserfahrung als eine Erfahrung, die auf den subjektiven Selbstvollzug des Menschen als ‚Ort‘ und Ziel umfassend bezogen ist. Diese subjektiv-anthropologische Deutung des sittlichen Anspruchs stellt sich in der transzendentalontologischen Analyse der Beziehung von setzender Freiheit und „Gesetz“ dar: Die setzende Freiheit und das „Gesetz“, menschliche Subjektivität und sittlicher Sollensanspruch sind in der ursprünglichen Einheit des Seinsgrundes und seiner geschichtlichen Vermittlung im kategorialen Selbstvollzug des Menschen radikal aufeinander bezogen. „Die Anwendung des transzendentalen Denkansatzes erlaubt es, eine entscheidende Konsequenz für das Verständnis des sittlichen Gesetzes zu ziehen. Wenn die transzendentale Methode zu einer kritischen Auslegung des Erkenntnisvollzugs aus seinen eigenen Gründen führen will, das heißt, wenn sie die Realgeltung des Urteils aus der seinsgegründeten Dynamik des Erkenntnisvollzugs herleitet, wobei

---

Freiheit des Anderen auf der Ebene eines Gemeinsamen treffen.“ In der transzendentalontologischen Anthropologie, die den Menschen als transzendentalen Selbstvollzug in Seinserschlossenheit deutet, ist diese Verwiesenheit des einzelnen auf die „Freiheit des Anderen“ aber nicht explizit enthalten. So stellt Demmer fest: „Es ergibt sich als eine Forderung an den transzendentalen Denkansatz, daß er die Dimension des Interpersonalen harmonisch in sein ‚System‘ einbaut“ (66[30]). Vgl. 65–71: „Sittliche Entscheidung als Selbstsetzung in geschichtlicher Intersubjektivität“; Demmer (3) 89f und 195–211: „Die soziale Verstricktheit der Entscheidung“.

13 Demmer (1) 20 spricht von „Geschichte als ontologischem Erkenntnisgeschehen“ gemäß der Spannung der transzendentalontologischen Denkweise als Verbindung von ontologischer und transzendentaler Reflexion (vgl. 27.86f).

14 Vgl. hier S. 69.

die Befähigung zu Erreichung objektiver Wahrheit durch eine unmittelbare Reflexion auf den Erkenntnisvollzug selbst erkannt wird, dann bedeutet dies sinngemäß für die sittliche Entscheidung und ihre Befähigung zur Erreichung des Guten: Das objektiv vorgegebene Gesetz wird realisiert, steht mithin in der grundsätzlichen Möglichkeit seiner Erfüllung, *weil* es sich einem vorgängigen, transzendentalen Setzungsakt der Freiheit verdankt" (105). Die objektive Selbstzwecklichkeit der menschlichen Freiheit, in der diese unmittelbare Bezogenheit von menschlichem (subjektivem) Freiheitsvollzug und sittlichem Sollen (objektivem Anspruch, „Gesetz") ihre Wurzel hat, weil nach dem subjektiv-anthropologischen Denken der Mensch als freies Subjekt selbst objektives Ziel seiner sittlichen Beanspruchung im subjektiven Selbstvollzug ist, begründet sich dadurch, daß die Freiheit ihr eigenes Wesen (als Freiheit des seinserschlossenen menschlichen Geistes) in geschichtlicher Entfaltung einholen muß: „Freiheit steht unmittelbar zu sich selbst in ihrer Seinsgegründetheit. Insoweit diese Unmittelbarkeit sich einer weiteren Hinterfragbarkeit verschließt, kann ohne Gefahr eines Mißverständnisses die anthropologische Konsequenz gezogen werden, daß der Mensch seine eigene Freiheit *ist*. ... Keinesfalls wird nun mit einer solchen Konzeption eine... formal-leere Freiheit unterstellt und somit die Einzelentscheidung der Beliebigkeit ausgeliefert. So wie vielmehr der Akt in der Begrenztheit der Potenz sich auslegt, so die Freiheit in der vollzogenen Vorgegebenheit ihrer Wesenheit. ... Übereinkunft der Freiheit mit sich selbst geschieht also im Medium begrenzender Potenz. Einbindung der Freiheit *in* ihre Potenz bedeutet dann zugleich Bindung *an* diese" (59f). Der sittliche Anspruch bricht somit mitten im menschlichen Selbstvollzug selbst auf: Er erhält seinen objektiven Sinn erst dadurch, daß er aus dem konkreten Vollzug der geschichtlichen Selbstwerdung des Menschen im Selbstvollzug der seinsgegründeten Freiheit entspringt. „Im sittlichen Anspruch steht... menschlicher Freiheit keine heteronome Größe gegenüber; Anspruch und Freiheit gehen vielmehr ineinander über" (60). Denn „die An-Sich-Seins-Gestalt des Menschen wird aus einer apriorischen Identität mit seiner eigenen Freiheit [in der Wesensfreiheit, dem „excessus voluntatis" auf das Sein als Gutes] als dem sittlichen Grundgesetz konzipiert. Letzteres erscheint als die ontologische Möglichkeitsbedingung kategorialer Ausfaltung. Die Folgen für das Verständnis des sittlichen Einzelgesetzes liegen dann auf der Hand: Der Mensch steht ihm niemals als einer Fremdgröße gegenüber, die gleichsam ‚von außen' an ihn herantritt; vielmehr begegnet er in ihm der transzendentalen Setzung seiner eigenen geschichtlich vermittelten Freiheit. Somit aber stellt sich die Entscheidung für das sittliche Gesetz immer als eine Entscheidung des Menschen für sich selbst dar" (61).

In dieser Deutung der subjektiv-anthropologischen Interpretation des Sittlichen werden nicht nur die Linien der transzendentalen oder werttheoretisch analytischen Betrachtungsweise des Sittlichen nachgezogen.[15] Es erweist sich – anders als in der subjektiv-anthropologischen Konzentration der Moraltheologie – die Geschichtlichkeit als inneres Moment der menschlichen Sittlichkeit, gerade in ihrer

15 Vgl. hier S. 130f. 155–159.

anthropologischen Fundierung. Denn der Grund der objektiven Selbstzwecklichkeit der menschlichen Personalität zeigt sich unmittelbar im geschichtlichen Sich-selbst-Aufgegebensein der Freiheit. Die menschliche Freiheit als seinsgegründete Freiheit muß – transzendentalontologisch gesehen – insofern als Selbstzwecklichkeit verstanden werden, als die Wesensfreiheit („‚excessus voluntatis' auf das Sein als Gutes" [57]) die „apriorische Möglichkeitsbedingung" der Wahlfreiheit ist und die Wahlfreiheit „die kategoriale Auslegungs- und Verwirklichungsform von Wesensfreiheit" (58) darstellt. Die Einheit von Wesensfreiheit und Wahlfreiheit als „Auslegungs- und Verwirklichungsgeschehen" schließt aber die Geschichte notwendig ein und macht das Sich-selbst-Aufgegebensein der Freiheit erst sinnvoll (denn warum sollte sich menschliche Freiheit als letzter Wert objektiv aufgegeben sein, wenn sie sich nicht erst in einem geschichtlichen Vollzug einholen müßte!). Der subjektive Selbstvollzug des Menschen ist deshalb nur als geschichtlicher Vollzug verständlich.

In dieser transzendentalontologischen, geschichtlichen Deutung der anthropologischen Fundierung des Sittlichen wird aber – entsprechend der transzendentalontologischen Begründung des subjektiven Selbstands des Menschen aus der Seinserschlossenheit des menschlichen Geistes[16] – die Selbstbindung und Selbstverpflichtung des freien Selbstvollzugs aus der Seinsgegründetheit erschlossen und begründet. Der „excessus voluntatis auf das Sein als Gutes" ist als der ontologische Grund (Wesensfreiheit) der menschlichen Freiheit die grundlegende Ermöglichung des menschlichen Selbstvollzugs als sich selbst in Geschichte aufgegebener Freiheit in der Einheit von Wesensfreiheit und Wahlfreiheit. Diese Fundierung des sittlichen Selbstvollzugs bringt so die Transzendenzverwiesenheit des Menschen, wie sie in der Transzendentaltheologie auf dem philosophischen Hintergrund der transzendentalontologischen Seinsoffenheit des Menschen entfaltet wurde, gegenüber der subjektiv-anthropologischen Konzentration des Denkens in der Moraltheologie in neuer Ursprünglichkeit zur Geltung. Ist die menschliche Freiheit grundlegend seinsgegründet, dann wurzelt die sittliche Verpflichtung nicht nur im subjektiven Selbstvollzug des Menschen in sich, sondern „in einem transzendenzverwiesenen Setzungsakt", auch wenn dieser „Selbstverpflichtung meint"[17].

Die anthropologische Konzentration des Denkens ist damit zurückgenommen. Im Horizont der transzendentalontologisch erfaßten Geschichtlichkeit des Menschen und der Wirklichkeit wird im Denken Demmers das ontologische, gnoseologische und logische Fundament der Deutung der menschlichen Sittlichkeit gerade in die *innere Spannung* der transzendentalontologischen Bezogenheit von unthematischer Seinstranszendenz und (transzendental ermöglichtem) kategorialem Freiheitsvollzug des Menschen, von Transzendenzverwiesenheit und Selbstand in der Selbstbindung und Selbstverpflichtung des subjektiven Selbstvollzugs gelegt.

Auf diese umfassende Fundierung der Deutung der menschlichen Sittlichkeit weist Demmer ganz ausdrücklich hin: „Die sittliche Entscheidung in ihrer entfalteten Unvollendung

---

[16] Vgl. hier S. 31–34.
[17] Demmer (3) 17.

vollzieht sich im dauernden Vorgriff auf ihre noch unentfaltete Vollendung. Als sittlich geboten erweist sich infolgedessen das, was diesem ganzheitlichen Entfaltungsprozeß unerläßlich dient. Um dieser Forderung zu genügen, erscheint es als die primäre Aufgabe der Ethik, ein *umfassendes* anthropologisches Fundament auszuarbeiten. Dessen Letztkriterium kann wiederum nur in einer ganzheitlichen Vollzugserfahrung als Selbsterfahrung bestehen. Es muß in der Lage sein, jedwede Verabsolutierung von Teilaspekten wirksam auszuschließen. Aus der Sicht einer ungegenständlichen Denkweise[18] scheint die Bezeichnung eines so verstandenen Vollzugs-Kriteriums als ‚Hohlform' nicht unbedingt mißverständlich zu sein. Denn aus der Perspektive des ungegenständlichen Freiheitsvollzugs[19] muß seine erste Aufgabe darin bestehen, zu immer umfassenderer wie intensiverer Reflexion des eigenen Vollzugs freizusetzen. ... Dabei vollzieht sich diese Funktion nach der Art eines kontinuierlichen Ausgleichs. Teilaspekte werden aus dem umfassenden Ganzen heraus interpretiert und in dieses hinein integriert. Alle mangelhaften Definitionen von Sittlichkeit sowie alle unangemessenen Erkenntnisse sittlicher Verpflichtung führen sich letztlich auf das Mißlingen dieser Ausgleichsfunktion zurück" (74f). Vor dieser umfassenden Bestimmung des Fundaments für das Verständnis des sittlichen Anspruchs scheint auch die Definition des Sittlich-Guten bei Bruno Schüller noch zu einseitig und daher „mangelhaft" zu sein. In der Spannung zwischen Ganzem und Teilaspekt, universalem Vorgriff und endlichem Ausgriff, zwischen Transzendenzverwiesenheit des Menschen und seinem kategorialen Selbstvollzug wird offenbar ein Teilaspekt, die Logik der Unparteilichkeit auf dem für sich genommenen ontologischen Fundament des menschlichen Selbstandes, verabsolutiert. In dieser Verkürzung des anthropologischen Fundaments gegenüber der umfassenden transzendentalontologischen Struktur liegt aber offensichtlich die Verengung begründet, die Schüllers Bestimmung des Sittlichen nicht offen sein läßt für die Geschichtlichkeit der menschlichen Sittlichkeit, für die Tiefe menschlicher Personalität, die über den subjektiven Selbstvollzug des Menschen und seine formalen Strukturen hinaus in der geschichtlich verfaßten Freiheit des Menschen und seiner existentiell erfahrenen Individualität begründet ist. Denn transzendentalontologisch gesehen wird die in sich geschlossene Struktur der Selbstverpflichtung der menschlichen Freiheit, auf der Schüller seine Deutung in der werttheoretischen und analytischen Beschreibung der in der Selbstzwecklichkeit des menschlichen Freiheitsvollzugs sich zeigenden grundlegenden Relationen der Sittlichkeit und ihrer logischen Funktionen aufbaut, erst dann voll verständlich, wenn sie aus der Seinsgegründetheit der Freiheit interpretiert wird. In der Seinsgegründetheit der Freiheit liegen aber auch die überrationalen, geschichtlich-existentialen Ebenen des Sittlichen begründet.

3. Die Überwindung der rationalen Verengung des moraltheologischen Denkens

Sowohl in der traditionellen Naturrechtsethik als auch im subjektiv gewendeten moraltheologischen Denken blieben die Ebenen des Sittlich-Allgemeinen und des existentiell Individuellen unvermittelt nebeneinander stehen. Das Sittlich-Allgemeine erschien dabei als der letzte Zielpunkt der Deutung der menschlichen Sittlichkeit. Für die objektivistisch ausgerichtete traditionelle Moraltheologie waren es die allgemeinen Seins- oder Wesensstrukturen, für die subjektiv-anthropologische Deutung des Sittlichen die allgemeine Struktur der in sich geschlossenen rationalen Zusammenhänge des subjektiven Selbstvollzugs. In dieser „moralischen Teleologie"[20] auf das Allgemeine wird die Unverfügbarkeit der geschichtlich verfaßten

---

18 Vgl. Demmers Verständnis des Sittlichen von der transzendentalontologischen Analyse der unthematischen „Seinsgegründetheit" der Freiheit her.

19 = Wesensfreiheit, „excessus voluntatis" auf das Sein als Gutes.

20 Drewermann 91.

Freiheit und existentiell erfahrenen Individualität des Menschen unvermittelt übergangen, und die Moraltheologie bleibt in einem rationalistischen Denken stecken. Der sittliche Anspruch begegnet darin aber in einem unbewältigten „Bruch ... zwischen der logischen Notwendigkeit und der faktischen Gegebenheit“[21], der eine ganzheitliche personale Bewältigung unmöglich macht.

In der akzentuierten Reflexion auf die Geschichtlichkeit des Menschen als transzendenzverwiesener Subjektivität bringt Demmer die Fülle des transzendentaltheologischen Denkens nicht nur gegenüber der subjektiv-anthropologischen Konzentration der ontologischen Fundierung des Sittlichen zur Geltung. Weil aufgrund der Erweiterung der ontologischen Fundierung die subjektive und personale Wende im geschichtlichen Denken Demmers nicht bei der bloßen in sich geschlossenen Rationalität der subjektiv-anthropologischen Bezogenheit des Sittlichen endet, sondern in die in Seinsgegründetheit geschichtlich verfaßte Subjektivität weiterführt, kann Demmer auch die rationalistische Verengung der Moraltheologie zurücklassen. Denn in der Hermeneutik der menschlichen Sittlichkeit auf dem Hintergrund der transzendentalontologischen Denkweise mit ihrer Spannung von Transzendenzverwiesenheit des Subjekts und Selbstverpflichtung, von Seinserschlossenheit und kategorialer Verwirklichung „findet Vermittlung zwischen sehr unterschiedlichen ‚Gegensätzen‘ statt: zwischen Ganzem und Teil, Abstraktheit und Konkretheit, Absolutheit und Geschichtlichkeit“[22]. In diese Vermittlung ist aber auch das Verhältnis von existentieller ‚Intimität‘ des Menschen und allgemeingültiger Verbindlichkeit des sittlichen Anspruchs eingeschlossen, das gegenüber der ‚rationalistischen‘ Teleologie der Moraltheologie auf das Sittlich-Allgemeine positiv umgeformt wird in eine ausgewogene Einheit der existentiell-individuellen und der rational-allgemeinen Ebene innerhalb des Sittlichen.

Diese Einheit erschließt sich in der transzendentalontologischen Deutung des Sittlichen von der Seinsgegründetheit der Freiheit des Menschen her. Die Seinsgegründetheit des menschlichen Geistes eröffnet im „excessus mentis auf das Sein als Wahres“ und im „excessus voluntatis auf das Sein als Gutes“ den Grund für den transzendentalen Erkenntnis- und Freiheitsvollzug. Als der umfassende Horizont des geistigen Vollzugs des Menschen erscheint der unthematische Seinsgrund als der Sinnhorizont des ganzheitlichen und umfassenden personalen Selbstvollzugs des Menschen. Von diesem Sinnhorizont her gibt sich dem Menschen in seinem kategorialen Vollzug die Wirklichkeit in der ungeschiedenen Einheit von Sinnverstehen und sittlicher Beanspruchung. Und aus dieser Einheit erfließt die Vermittlung von unbedingter Beanspruchung des Menschen und existentiell erfahrener, geschichtlich verfaßter Freiheit.

Jeder konkrete sittliche Anspruch, jedes „Gesetz“ steht mit seiner bestimmten, auf einen konkreten Wert gehenden Anforderung unter dem umfassenden Horizont des „excessus voluntatis auf das Sein als Gutes“, dem ontologischen Grund der menschlichen Freiheit. Dieser „in der Einzelentscheidung anwesende ontologische

---

[21] Ebd. 92.
[22] Demmer (2) 87.

Grund [ist] zugleich als Ziel anwesend.[23] Ein sinngemäß Gleiches muß dann für jedes sittliche Gebot gelten. In ihm vermitteln sich gleicherweise Grund wie Ziel. Das aber kann nichts anderes bedeuten, als daß durch die formale Anwesenheit von Grund und Ziel das Einzelgebot erst in das ihm eigene Sein und den ihm eigenen Rang eingesetzt wird."[24] Das heißt: der Mensch erfaßt das sittliche Sollen nicht nur als konkreten, thematischen Anspruch. Er entwirft seine (kategoriale, konkrete) sittliche Entscheidung auch auf ein Ziel hin, ein Sinnziel, das der einzelnen Verpflichtung erst ihren eigentümlichen Sinn im umfassenden (unthematisch seinsgegründeten, überbegrifflich zielgerichteten) Freiheitsvollzug des Menschen gibt. Demmer faßt diese Spannung der sittlichen Sollenserfahrung als Einheit von Erfüllungs- und Zielgebot, thematisch begrifflicher Beanspruchung und unthematischem, umfassendem Ziel- und Sinnhorizont des menschlichen Handelns und Verstehens – entsprechend der Spannung im menschlichen Freiheitsvollzug zwischen thematisch kategorialer Wahlfreiheit und unthematisch seinsgegründeter Wesensfreiheit (dem Seinsgrund der menschlichen Freiheit, der Grund und Ziel ist). Das einzelne Gebot darf in seinem (begrifflich thematischen) allgemeinen Anspruch nicht als eine bloße abstrakte Vorschrift an die unvermittelt ihm gegenüberstehende menschliche Freiheit verstanden werden, sondern ist von seinem umfassenden Bezug auf den unthematischen Seinsgrund als Sinn- und Zielhorizont des menschlichen Freiheitsvollzugs erst zu verstehen und in ihm mit der Freiheit des Menschen vermittelt: „Erst insofern das Einzelgebot als Erfüllungsgebot formal Zielgebot ist, vermag es als solches überhaupt mit sittlichem Anspruch hier und jetzt aufzutreten; und nur insofern der Akt der Erfüllung eines solchen Gebotes seine sinngebende Form von einem erkannten Ziel her empfängt, kann er in angemessenem Sinn Erfüllung sein. In letzterer wird das Ziel schon mit-geschaut und antizipativ mitverwirklicht. Die Trennung von Ziel- und Erfüllungsgebot beruht dann auf einer Abstraktion, die dem konkret-geschichtlichen Entscheidungsvollzug nicht voll gerecht wird."[25] In dieser Einheit von Ziel- und Erfüllungsgebot ist die sittliche Sollenserfahrung nicht mehr nur als bloßer, unbedingter Anspruch verstehbar. Das Verständnis des Sittlichen differenziert sich vielmehr zu einer Einheit von Sinnerfahrung, Sinnverstehen des Menschen und sittlicher Verpflichtung zur Verwirklichung. Die Verpflichtung selbst aber zeigt sich abhängig von der umfassenderen Sinneinsicht des Menschen, was dem ontologischen Vorrang der Wesensfreiheit (Seinsgegründetheit der Freiheit) vor der Wahlfreiheit (kategoriale Entfaltung) entspricht: „Wenn es darum in dieser geschichtlichen Wirklichkeit keine reinen Erfüllungsgebote [isolierte thematisch konkrete Beanspruchung] gibt, so gibt es

---

[23] Wie die kategoriale Erkenntnis des Menschen sich „ontologisch durch den Rückbezug auf ihren *Grund als Ziel*" „legitimiert", wie darin „Rückbezug als Zielbezug ... die formale Übereinkunft mit dem Sein" ist und „Erkennen ... nach dem aus[greift], wobei es immer schon ist", so vollzieht sich die menschliche Freiheit aus der gleichen Seinserschlossenheit des menschlichen Geistes in dieser „formalen Übereinkunft mit dem Sein" und in der Einheit von „Rückbezug als Zielbezug" (Demmer [1] 25); vgl. oben Anm. 7).

[24] Demmer (1) 88.

[25] Ebd. 88f.

doch auf der anderen Seite auch keine reinen Zielgebote [isolierte Sinn- und Zielentwürfe der Freiheit]. Vielmehr existiert immer nur die konkrete Übereinkunft beider. Letztere trägt dann den Doppelaspekt von Ziel wie Erfüllung gleichermaßen in sich." Das Erfüllungsgebot fordert „nicht eine Erfüllung [konkrete Pflichterfüllung] schlechthin, sondern eine Erfüllung gemäß der wachsenden Intensität der liebenden Grundentscheidung [= Begreifen des umfassenden Zieles der Freiheit gemäß dem unthematischen Seins- und universalen Sinnbezug]. Auf solche Weise manifestiert sich die innere Korrespondenz von vorgegebenem Anspruch und vollzogener Intensität der Freiheit."[26]

Im Sinne der Einheit von Sinnverstehen und sittlicher Beanspruchung im Sittlichen spricht Demmer in der Beschreibung der Sollenserfahrung nicht von einer bloßen „Präskription": „... nicht Präskription, sondern Einladung [macht] das Wesen des Sittlichen [aus]..."[27] Diese Interpretation des sittlichen Sollens als Einladung löst nicht den unbedingten, nicht-hypothetischen Anspruch der sittlichen Selbstaufgegebenheit des Menschen auf. Aber Demmer entwirft das *Wesen* des sittlichen Anspruchs eben nicht nur von der analytischen Spitze der in sich geschlossenen Struktur der menschlichen Selbstzwecklichkeit und ihrer formalen Unbedingtheit her. Weil die ontologische Fundierung der anthropologischen Deutung des Sittlichen im transzendentalontologischen Ansatz Demmers weitergeführt ist in die Seinsgegründetheit und Geschichtlichkeit der menschlichen Freiheit hinein, die sich als Möglichkeitsbedingungen der Selbstbindung des subjektiven Selbstvollzugs des Menschen erwiesen, darum muß auch die analytisch-logische Ebene des Sittlichen in die umfassendere hermeneutisch-geschichtliche eingeordnet werden. In der Einheit von geschichtlichem Sinnverstehen des Menschen und seiner sittlichen Beanspruchung zeigt sich die Unbedingtheit des sittlichen Sollens mit der geschichtlich verfaßten und existentiell erfahrenen Freiheit des Menschen vermittelt. Denn indem vom unthematischen Seinsgrund her jedes sittliche Sollen in der Einheit von Zielhorizont und Erfüllungsanspruch begegnet, muß das Sollen in seinem Wesen als eine umgreifende *Sinnerfahrung*[28] verstanden werden, in der sich ermöglichende Befähi-

---

26 Ebd. 89.

27 Demmer (3) 46.

28 Demmer betont die Beziehung von menschlicher Sinnerfahrung und menschlicher Sittlichkeit im Sinne seines transzendentalontologisch-geschichtlichen Denkens im Laufe seines Denkens immer mehr. „Der sittliche Anspruch vermittelt sich im vorgreifenden Ausgriff der Freiheit auf das Sein als Gutes" (Demmer [1] 72). „Und alles Erkennen ... führt sich auf einen solcherart setzenden Grund zurück, der in der analogen Überbegrifflichkeit des Seins steht. Wenn aber eine Reduktion auf diese Umfassendheit des Seins erfolgt, dann ist in der kritischen Frage die Sinnfrage bereits notwendig mitgestellt. Das heißt, das erkenntnismetaphysische Problem weitet sich unmittelbar zu einem hermeneutischen aus. Denn die metaphysische Frage nach der Realgeltung des Erkennens vermag gar nicht sinngemäß gestellt zu werden, wenn nicht der Erkenntnisgehalt in seiner Sinnhaftigkeit dem Erkennenden aufleuchtet" (52). Insofern dies auch für den seinsgegründeten Freiheitsvollzug und das sittliche Erkennen gilt, kann Demmer (3) 45 „sittliche Wahrheit" als „Sinnwahrheit" bezeichnen. Denn Sinn beinhaltet „das letzthinnige Worumwillen menschlichen Daseins. Es ist Legitimationsgrund allen Handelns... Geschichte, vordem als fundamental-anthropologische Kategorie anerkannt, nimmt die Strukturen eines freien Einsichts- und Deutungsgeschehens an. Sinn wird fortschreitend eingesehen und aufgeschlüsselt, Ereignisse und Umstände werden gedeutet." Sittlich bedeutsam ist diese geschichtliche Sinnerfahrung, weil die „verantwortliche Instanz" des freien Einsichts- und Deutungsgeschehens „das Gewissen" ist: „In ihm ist der Mensch nicht nur endgültig vor sich selbst, sondern vor seine Geschichte gebracht" (ebd.). „Das geschärfte Bewußtsein von der geschichtlichen Bedingtheit sittlicher Wertvorstellungen

gung, die der Mensch aus dem geschenkten Sinn schöpfen kann, und fordernder Verwirklichungsanspruch, der aus der universalen Geltung des Sinns erfließt, menschlich personale Reife als Sinn- und Grundentscheidung und konkretes Handeln als Erfüllung sittlicher Pflichten miteinander verbinden.

In der Grundentscheidung des Menschen sammelt sich das umfassende Sinnverstehen zur grundlegenden Übernahme der sittlichen Beanspruchung. Die Wesensfreiheit findet darin ihre geschichtlich vermittelte Verwirklichung, die sich als Sinnhorizont ausdrückt, auf den der Mensch seine Wahlfreiheit, sein konkretes sittliches Handeln hin entwirft. Weil die sittliche Verpflichtung aber letztlich auf die Grundentscheidung bezogen ist, weil nach der transzendentalontologischen Deutung diese Grundentscheidung notwendig einer geschichtlichen Vermittlung (der kategorialen Auslegung und Verwirklichung der Wesensfreiheit durch die Wahlfreiheit) unterliegt, kann Demmer zeigen, daß der unbedingte Anspruch des Menschen zur Verwirklichung der eigenen Freiheit (Selbstzwecklichkeit des Menschen) – obwohl er analytisch gesehen unbedingt und kategorisch sein muß[29] – zugleich notwendig geschichtlich differenziert ist. „Wenn vorausgesetzt wird, daß das sittliche Gebot, wie es der Freiheit gegenübertritt, diese zur vollen Identität mit sich selbst vermittelt, insofern es ja vorgängig von ihr transzendental ‚gesetzt' wurde", wenn diese Vermittlung „zur vollen Identität mit sich selbst" in der notwendigen geschichtlichen Verfaßtheit der menschlichen Freiheit geschieht als Wesensfreiheit, die sich durch die kategoriale Auslegung in der Wahlfreiheit zur Grundentscheidung des Menschen entfaltet, dann „korrespondiert der Verpflichtungsgrad mit der jeweilig konkreten Notwendigkeit seiner Vermittlungsfunktion"[30]. Der unbedingte Anspruch zeigt sich damit nicht in übergeschichtlicher ‚Starre'. Sondern entsprechend der geschichtlichen Struktur der menschlichen Freiheit „tritt in die sittliche Verpflichtung eine unumgehbare Perspektivierung ein, die in Richtung der Unmittelbarkeit der Freiheit auf sich selbst"[31], als Ausrichtung der menschlichen Freiheit in ihrer konkreten Entfaltung und gemäß der in ihr notwendigen einzelnen Schritte auf den Zielhorizont der verwirklichten Wesensfreiheit zu interpretieren ist, in der die Grundentscheidung des Menschen ihre letzte Erfüllung findet. Auch hier zeigt sich der Unterschied der geschichtlichen Deutung der anthropologischen Fundierung durch Demmer von der subjektiv-anthropologischen Konzentration des moraltheologischen Denkens. Weil in dieser das Wesen der menschlichen Sittlichkeit bestimmt wird von der analytischen Spitze des unbedingten sittlichen Anspruchs her, der in sich gesehen die übergeschichtlich-apriorische Ebene des Sittlichen ausmacht, bleibt diese Bestimmung ohne Bezug zur geschichtlich verfaßten Freiheit des Menschen. Insofern aber die Seinsgegründetheit der menschlichen Freiheit der apriorischen Ebene der in sich geschlossenen Rationalität menschlicher Sittlichkeit, wie sie von der Selbstbindung und Selbstverpflichtung des subjektiven Selbstvollzugs erschlossen wird, noch vorausliegt, ist die geschichtliche Vermittlung des unbedingten Anspruchs ursprünglicher Grund seiner kategorischen Verbindlichkeit.[32]

---

und Handlungsanweisungen verlangt [aber] eindringlich nach einer hermeneutisch orientierten Moraltheologie" (Demmer [2] 9). Demmer faßt deshalb die Moraltheologie grundlegend als Hermeneutik auf (vgl. Demmer [3] 14–16: „Ethik als Sinnwissenschaft"; [2] 51–65: „Sinn als Ursprungsgrund ethischer Normierung"; hier S. 201f.).

29 Vgl. hier S. 156–158.

30 Demmer (1) 72.

31 Ebd.

32 „Die unthematische Endgültigkeit der Freiheit thematisiert sich zwar in geschichtlicher ‚Endgültigkeit'; letztere aber steht, insofern Geschichte ein kontinuierlicher Entfaltungsprozeß auf diese Endgestalt hin ist, unter dem Gesetz einer freiheitlich intensiven wie extensiven Explikation ihrer eigenen Möglichkeitsbedingungen. Das bedeutet hinwiederum für das Verständnis des sittlichen Gesetzes: Es tritt insoweit mit Verpflichtungscharakter auf, als es in der ontologisch-geschichtlichen Konsequenz seiner endgeschichtlichen Möglichkeitsbedingungen steht" (Demmer [1] 64). „Sobald ein sittliches Gesetz

Der unbedingte Charakter sittlichen Sollens ist damit nicht geleugnet. Denn der Sinn- und Zielhorizont und der kategorial bestimmte Anspruch, in welche die eine Sollenserfahrung sich differenziert, dürfen in ihrem Anspruchscharakter nicht miteinander verwechselt, aber auch nicht voneinander relativiert werden. Die Geschichtlichkeit des menschlichen Freiheitsvollzugs bedeutet, daß – entsprechend der ontologischen Einheit von Wesensfreiheit und Wahlfreiheit, „excessus voluntatis auf das Sein" und dessen kategorialer Entfaltung – sich der Sinn des umfassenden Horizonts vollgültig in den einzelnen, geschichtlichen Schritten vollzieht, entfaltet und herausstellt: „Aufgrund der angezeigten analogen Übereinkunft von Ziel- und Erfüllungsgebot erscheint es darum undenkbar, daß beide in eine unechte Polarität zueinander gebracht werden können. Das will sagen: Wenn durch die formale Anwesenheit des Zielgebotes im Erfüllungsgebot das letztere in sein eigenes Sein eingesetzt wird, dann darf es im Hinblick auf seine Verpflichtungskraft nicht nach Art eines Zielgebotes interpretiert werden. Eine solche Interpretationsweise hätte das Zielgebot stillschweigend als eine höhere Form des Erfüllungsgebotes verstanden. Das Zueinander beider wäre somit auf die Verstehensebene eines hypostasierten Nebeneinander gebracht. Und so könnte zwischen beiden ein echter Relativierungsprozeß in der Form einsetzen, daß der Mensch nicht an die volle Erfüllung des Erfüllungsgebotes gehalten sei, solange ihm dazu die moralischen Möglichkeiten fehlen. Das heißt, es würde stillschweigend vorausgesetzt, daß es eine unüberwindbare Diskrepanz zwischen erkannter Verpflichtung und ihrer Erfüllung geben kann. Diese Voraussetzung sprengt aber die ungeschiedene Vollzugseinheit der erkennenden Freiheit. Das Erfüllungsgebot könnte somit auch schon nicht mehr der Setzung eines transzendentalen Freiheitsaktes entspringen. Es müßte vielmehr notwendig zu einer heteronomen Größe abfallen. ...... im Erfüllungsgebot schafft sich menschliche Freiheit die Voraussetzungen ihrer eigenen Geschichtlichkeit. Eine Durchbrechung dieses Setzungsverhältnisses käme einer Selbstaufhebung der Freiheit gleich. Zumindest wäre dies im Sinne einer geschichtlichen Selbstaufhebung zu verstehen."[33] Beachtet man diese analoge Struktur der Vermittlung des antizipierten universalen Sinngrundes im konkret Geschichtlichen – die jeweilige ‚Integrität' der Vermittlungspole – nicht, so zerstört man die geschichtlich positive Dynamik der Freiheit selbst: „Ja, im Grunde würde dies zu einer Aufhebung der Geschichte selbst führen, insofern diese als ethische Leistung verstanden wird. ... Das Ziel entwertet den Weg zu ihm; eine eindeutig gelungene sittliche Entscheidung ist erst bei der Erreichung des Zieles selbst ermöglicht. Wenn aber Geschichtlichkeit und Verhängnis der Schuld zu einander korrespondierenden Größen werden, muß im Gefolge dessen notgedrungen eine ethische Resignation stehen. Damit würde sich aber gerade die Sinnhaftigkeit des .Zielgebotes von selbst aufheben. Denn ein moralisches Wachsen in ihm erschiene nicht mehr als sinnvoll, wenn dieser Wachs-

---

der so verstandenen Funktion nicht mehr dient, verliert es ‚eo ipso' seine Verpflichtungskraft. Es entsteht mithin die kontinuierliche Aufgabe kritischer Prüfung des kategorialen sittlichen Anspruchs auf diese seine Funktionstüchtigkeit hin ..." (61).

[33] Demmer (1) 89f.

tumsprozeß einer gegenwärtigen moralischen Entwertung unterläge. M. a. W. wenn er mit im Grunde mechanischen Kategorien gemessen würde. Denn sobald der einzelne Schritt zum Ziel entwertet ist, muß ein sinngemäß Gleiches auch für das Ziel selbst gelten. Wenn es nämlich nicht mehr verantwortlich erstrebt wird, vermag es auch schon nicht mehr als forderndes Ziel einer freiheitlichen Entscheidung zu stehen."[34]

Im geschichtlichen Denken Demmers zeigt sich hier die Überwindung der „moralischen Teleologie" auf das Allgemeine an. Auch wenn es eine Ausrichtung des Menschen auf sittlich allgemeine Verpflichtung gibt, vollzieht sich der sittliche Anspruch immer in der untrennbaren Einheit von Zielhorizont und geschichtlicher Entfaltung. Das Ziel erscheint nicht als bloße abstrakt allgemeine Forderung im Gegenüber zur existentiell-geschichtlich verfaßten Freiheit. Als Horizont des sittlichen Sinnverstehens ist es ein existentieller Entwurf der Freiheit des Menschen selbst in seiner Grundentscheidung. Und der universale, objektive Sinn, der sich in diesem Zielhorizont ausdrückt, ist nicht nur bloße Beanspruchung, sondern befreiende Sinnvermittlung, die der Mensch selbst bejaht, in seiner Grundentscheidung existentiell erfaßt und in geschichtlich entfaltenden Schritten vollzieht. Zugleich führt diese Sinnvermittlung den Menschen in einen wirklich objektiven Anspruch hinein. Denn der erfahrene Sinn tritt an den Menschen mit dem Anspruch zur Übernahme und Verwirklichung heran. Gerade die unmittelbare Evidenz der Sinnerfahrung macht die innere Beanspruchung der Freiheit des Menschen aus. Denn der Mensch müßte sich gegenüber seiner eigenen existentialen Tiefe, in der die Sinnerfahrung angesiedelt ist, verschließen, wenn er sich diesem Anspruch verweigert. Dabei relativiert in der untrennbaren Einheit von Wesens- und Wahlfreiheit, Erfüllungs- und Zielgebot weder die immer schon zur Verwirklichung aufrufende (unthematische) Vollendungsgestalt des sittlichen Anspruchs die konkreten Schritte der geschichtlich verfaßten Freiheit des Menschen, noch die geschichtlich gestreckte Entfaltung die Unbedingtheit des vollendenden, die Geschichte immer schon vorantreibenden (tiefsten) Zielgrundes. Der bloße Vorrang des Sittlich-Allgemeinen als unbedingtes Ziel sittlicher Anstrengung ist in dieser Interpretation des Sittlichen aufgehoben. Es wird umfassend deutlich, daß „Geschichte kein mechanisch ablaufender Prozeß" ist. „Sie verdankt sich vielmehr freiheitlicher Setzung"[35].

Sicherlich ist mit einer solchen *formal-systematischen,* geschichtlichen Hermeneutik die psychologische und psychoanalytische Problematik des Einzelschicksals, welche Eugen Drewermann im Auge hat, noch nicht unmittelbar gelöst. In der differenzierten, geschichtlichen Vermittlung von Freiheit und sittlichem Anspruch schafft Demmer aber wohl innerhalb der moraltheologischen Reflexion den Raum dafür, daß in der Überwindung der „stillschweigend mechanistischen Naturrechtskonzeption"[36] und der bloßen „moralischen Teleologie" auf das Allgemeine mit Überspringung des Konkreten die geschichtliche Verfaßtheit des Menschen und seine existentiell erfahrene Individualität das moraltheologische Denken und

---

[34] Ebd. 90.

[35] Ebd. 70.

[36] Ebd. 60.

Deuten mitgestalten. Auch wenn die Reflexion noch auf einer formalen Ebene bleibt, auf der Ebene der systematischen Hermeneutik der geschichtlichen sittlichen Sinnerfahrung, sind in ihr doch die grundlegenden ontologischen und anthropologischen Voraussetzungen für eine Interpretation der menschlichen Sittlichkeit auf die Tiefe der menschlichen Personalität hin bedacht, die man mit den Begriffen der „unreduzierbaren Individualität" und „existentiellen Intimität" beschreiben kann und die sich in der Unaufrechenbarkeit des individuellen Schicksals gegenüber jeglicher Allgemeinheit des Sittlichen ausdrückt.

Darüber hinaus wird außerdem deutlich, daß die Forderung der „Aufhebung der Moral zugunsten des Glaubens"[37], die Drewermann gegenüber der rationalistischen Verengung der Moraltheologie und um der existentiell erfahrenen Individualität des Menschen willen vorbringt, nicht eigentlich der rechte Weg ist, um die Problematik zu bewältigen. Drewermanns Forderung scheint auf die Spaltung der Vollzugseinheit des Freiheitsvollzuges, wie ihn die transzendentalontologische Denkweise darstellt, hinauszulaufen – auch wenn natürlich die psychologische Problematik, von der seine Gedanken ihren Ausgang nehmen, nur sehr indirekt mit der transzendentalontologischen Reflexionsebene (mit ihrem metaphysischen Abstraktionsanspruch) in Beziehung gesetzt werden kann. Drewermann stellt die Moral, die nach ihm ihre „Teleologie" auf das Allgemeine notwendig in sich trägt, dem Raum der seinlassenden Gnade und der Dimension des Menschen als unreduzierbarer Individualität *diametral* gegenüber und erklärt damit implizit die Geschichte des Sittlichen für radikal unfähig, die menschliche Erfahrung des Zugelassenseins zum Sein *in irgendeiner Weise* in sich aufzunehmen und mit zum Ausdruck zu bringen.[38] Ist darin aber nicht vorausgesetzt, daß die Moraltheologie keinen Raum für den wirklich geschichtlichen Eigenwert der – vom Allgemeinen aus nicht entwerfbaren – freien Schritte der menschlichen Geschichte und Selbstfindung in sich trägt, auch wenn sie den Menschen in seiner Grundentscheidung auf einen allgemeinen Sinnhorizont ausrichtet? Ist damit nicht sittliches Ziel und geschichtlicher Schritt in unbedingte Konkurrenz gestellt, sodaß sie sich aneinander relativieren müssen, oder wie Demmer sagt, in ein „hypostasiertes Nebeneinander" geraten, von dem her „zwischen beiden ein echter Relativierungsprozeß einsetzt"[39]?

Man könnte hinter den transzendental vermittelten Formulierungen des Ansatzes von Demmer die gleiche idealistische Welt eines Kant oder Hegel vermuten, in der es die allgemeine Sittlichkeit ist, die „nach einer erfüllten Subjektivität" „verlangt", in der deshalb die Freiheit, die Personalität um dieses Sittlich-Allgemeinen willen „*postuliert*"[40] wird und nicht das Sittlich-Allgemeine der konkreten menschlichen Individualität und existentiell-geschichtlichen Freiheit zur Selbstfindung dient. Man würde dann aber übersehen, daß das transzendentalontologische Denken in der umfassenden moraltheologischen Auswertung

---

37 Drewermann 98.

38 Nach Drewermann 90f (D. wertet hier seine Interpretation der Lehre Hegels als „Lehre von der Notwendigkeit des Bösen im Akt der Bewußtwerdung" [84] aus) „*ist*" „das Sittliche ... das Allgemeine". Wohl „drängt" die „Sittlichkeit selbst ... danach, daß sie *nicht nur an sich ist,* sondern vom Subjekt für sich selbst gesetzt wird. Insofern verlangt die Sittlichkeit nach einer erfüllten Subjektivität, so wie man in der Philosophie Kants die Freiheit, mithin die Personalität im Namen der Sittlichkeit *postulierte*". Das bedeutet aber, „daß die reflektierende Individualität in dem geistigen Akt der Bewußtwerdung im Grunde auf einer höheren Stufe zu den Inhalten der objektiven Vernunft [des Sittlich-Allgemeinen] zurückfinden müsse und diese dann nicht mehr in unreflektierter Selbstgegebenheit, sondern vermittelt durch die eigene Freiheit, also überhaupt erst in eigentlicher Moralität, bejahen und vollziehen könne." Die menschliche Personalität und Individualität erschiene dann aber als bloße Funktion einer „moralischen Teleologie" auf das Allgemeine, in der die geschichtlich verfaßte und existentiell erfahrene Freiheit keinerlei Bedeutung für die Konstitution des Sittlich-Allgemeinen hat.

39 Demmer (1) 89.

40 Drewermann 90.

Demmers ganz deutlich (trotz aller bleibenden Formalität seines Denkens, die auch nur einen begrenzten Teil der Wirklichkeit einholt[41]) die geschichtliche Konkretheit des transzendentalen Vollzugs an der polaren Einheit von unthematischem Vorgriff und kategorialem Ausgriff darzustellen vermag. Demmer versucht in einer vielschichtigen Hermeneutik die Universalität der sittlichen Sinngeschichte mit der unverfügbaren existentiell erfahrenen Freiheit des Menschen zu vermitteln.[42] Er durchbricht damit die Vorstellung, *man könne das Sittlich-Allgemeine überhaupt losgelöst von geschichtlichen und existentiellen Vorgängen erschließen und konstituieren.* Und erst in dieser Eingründung der sittlichen Reflexion in die existentiale Geschichtlichkeit wird das erreichbar, was Drewermann mit seiner Kritik der ‚rationalistischen' Moral offenbar meint: Die Überwindung der Isolation der abstrakten sittlichen Gesetzlichkeit, des sittlichen „Begriffsrealismus wie -rationalismus"[43], der vergißt, daß alle allgemeinen Prinzipien den Menschen vergewaltigen, wenn man es übersieht, „ein begrifflich nicht adäquat ausschöpfbares Plus des Konkreten ... anzunehmen"[44].

In der geschichtlichen Deutung des transzendentalontologischen Denkens kann das „Gesetz" „nicht ... auf die Verstehensebene einer vorgegebenen, anzeigenden Regel eines zu Tuenden oder zu Unterlassenden gebracht werden ... ; denn mit der Weisungsfunktion ist die Erfüllungsfunktion gleicherweise verwirklicht"[45]. Und: „Für die sittliche Wahrheit bedeutet dies: Es gibt eine Einigungskraft der sittlichen Vernunft, die im Ausmessen des Möglichen die sittliche Normierung vor wirklichkeitsfremdem Rigorismus bewahrt. Solcher stellt sich nämlich immer dann ein, wenn die Strukturen geschichtlichen Einsehens übergangen werden ..."[46]

Die Überwindung des bloßen Nebeneinanders der Ebenen des Sittlich-Allgemeinen und des Existentiell-Individuellen und die Aufhebung der „mechanischen" „moralischen Teleologie", des reinen „Begriffsrealismus wie -rationalismus" innerhalb der moraltheologischen Deutung der menschlichen Sittlichkeit zeigen die grundlegende Bewältigung der rationalistischen Verengung der Moraltheologie in der geschichtlichen Vermittlung des Denkens bei Klaus Demmer an. Durch die Entfaltung der geschichtlichen Dynamik, wie sie Demmer von der Mitte des personalen Selbstvollzugs des Menschen als transzendentalen Selbstvollzugs in Seinsoffenheit her erschließt, wird aber die personale Wende der Moraltheologie nicht nur über das Verständnis des Menschen als subjektiven Selbstands hinaus in die geschichtlich-existentiale Tiefe seiner Freiheit geführt. Die akzentuierte ge-

---

41 Demmer (1) 45–56: „Die Grenzen des transzendentalen Denkansatzes".

42 Demmer betont gegenüber Rahner in seiner geschichtlichen Auslegung der transzendentalontologischen Metaphysik und Anthropologie *die dialektische Spannung* zwischen der unthematischen Einheit der Seinserschlossenheit des menschlichen Geistes und der Notwendigkeit der kategorialen Entfaltung dieses Seinsbezugs. Damit ist aber die von Balthasar (1) 378f angesprochene „Bevorzugung der Transzendenzstruktur" der transzendentalontologischen Wirklichkeitsdeutung deutlicher als bei Rahner überwunden – wenn auch immer noch in einem sehr formalen Sinn. Die Kritik des Idealismus, die im Denken Maréchals vom ontologischen Denken her versucht wird, kommt so bei Demmer zum Tragen.

43 Demmer (1) 94.

44 Ebd.

45 Ebd. 64.

46 Demmer (2) 87f.

schichtliche Deutung des transzendentalen Selbstvollzugs des Menschen verändert auch die Bedeutung des transzendentalen Gottesverständnisses.

Bevor dem damit angesprochenen Problemkreis nachgegangen wird, soll hier zunächst ein Exkurs über das Verständnis der Moraltheologie als Hermeneutik und existentiale Logik, wie Klaus Demmer es in Anschluß an seine transzendentalontologische Fundierung entfaltet, stehen. Die rationale Bewältigung des Sittlichen ist in diesem Verständnis Demmers umfassend in die existentielle und personal ganzheitliche Erfahrung des sittlichen Sollens hineingestellt, in die existentiale Logik des Sittlichen, in der der Mensch im Horizont geschichtlicher Sinnerfahrung und in der Tiefe personaler Grundentscheidung vor aller begrifflichen Thematisierung den Sinn und das Ziel seines Handelns und Leidens „begreift".

Exkurs: Moraltheologie als Hermeneutik und existentiale Logik

Klaus Demmer entwirft auf dem Fundament seines transzendentalontologischen Ansatzes eine umfassende Konzeption der Moraltheologie als Hermeneutik und existentiale Logik. Er holt damit die Forderung einer Existentialethik, wie sie Karl Rahner vorgebracht hatte, in geschichtlich-hermeneutischer Systematik ein. Es wird nicht nur eine persönliche, spirituell-existentielle Bewältigung des Sittlichen reflektiert, sondern es geht um eine umfassende geschichtlich-existentiale Hermeneutik, die aufgrund der Seinsgegründetheit der Freiheit die rationale Thematisierung der sittlichen Sollenserfahrung auf der begrifflichen und satzhaft normativen Ebene in den umfassenderen Horizont des „Begreifens" hineinstellt. In der unthematischen Sinnerfahrung ist die personal existentielle Schicht menschlicher Sittlichkeit angesiedelt, wächst die ganzheitliche Grundentscheidung des Menschen, die Voraussetzung für die begriffliche und satzhafte Formulierung sittlicher Normvorstellungen ist.

– Norm und Sinn

Vom hermeneutischen Verständnis der menschlichen Sittlichkeit als geschichtlich vermittelter Sinnerfahrung und Sinnverwirklichung aus muß die „sittliche Norm" als eine abstrakte Erkenntnis des sittlichen Anspruchs durch den Menschen verstanden werden. „Die Wertpräferenzen, die in Handlungsanweisungen und endgültig in konkreten Imperativen wirksam werden, bauen sich ... auf höheren Abstraktionsebenen stufenweise auf. Sie sind eine geschichtliche Leistung des sittlichen Subjekts."[47] „Sinn" muß aber als der umfassende und leitende Horizont dieser Abstraktion interpretiert werden, der die unreduzierbare Fülle der Wirklichkeit selbst erschließt. „Jegliche sittliche Einzelwahrheit empfängt ihren Bedeutungsgehalt von dem umfassenden Intentionalitätszusammenhang, der durch sich lichtende Sinneinsicht aufgebaut wird."[48] Nach der transzendentalontologischen Denkweise ist mit diesen Schichten der moraltheologischen Hermeneutik die Spannung von sittlichem „Begriff" und sittlichem „Begreifen" verbunden: Die Sittlichkeit vollzieht sich wie das Erkennen in der Polarität von Vorgriff auf das Sein und konkretem Ausgriff.[49] Im konkreten Ausgriff bildet sich das sittliche Subjekt einen Begriff von der sittlichen Wirklichkeit, die es in endlicher Bewegung zu ergreifen sucht. Im Begreifen des unthematischen Vorgriffs ist es aber zugleich über jeden Begriff schon hinaus. Das Begreifen ist also umfassender als der Begriff. „Menschliches Verstehen steht niemals ursprünglich Begriffen und ihrer Kombination in Sätzen gegenüber. ... Begriffe und Sätze können analysiert werden, aber das bringt keinen geschichtlichen Fortschritt an Verstehen im eigentlichen Sinn. ... Er [der Vorgang dieser Analyse] geht nämlich auf eine vorgängige schöpferische Synthese zurück, die er nur feststellen, nicht aber nochmals beurteilen kann. ... *Sie* ist die ursprünglich geschichtssetzende Erkenntnisweise, welche in vorbegrifflicher wie vorsatzhafter Unmittelbarkeit zur Sache der Wahrheit selbst steht und in ihr wächst."

---

47 Ebd. 81.

48 Ebd. 57.

49 Vgl. Demmer (1) 57f; hier S. 186–188.

50 Demmer (2) 25f.

Daran wird deutlich, daß jedes explizite Normengefüge bezogen bleibt auf einen weitergefaßten, umfassenden Sinn, der im Begreifen unthematisch dem sittlichen Bewußtsein gegenwärtig ist.[51] Durch die Struktur der menschlichen Freiheit, die in der Differenz von Wesensfreiheit und Wahlfreiheit die Wesensfreiheit kategorial auslegt und geschichtlich verwirklicht, faßt der Mensch diesen Sinnhorizont aber in immer neuen ‚Perspektivierungen' von begrifflichen (kategorialen) Abstraktionen und vollzieht ihn gerade in dieser Brechung. „Die am Ende stehende vollkommene Identität der Freiheit mit sich selbst stellt sich in geschichtlicher Differenz dar; das heißt, in der Mischung von Identität und Differenz. Demgemäß eignet dem geschichtlichen Freiheitsvollzug eine Perspektivität im Hinblick auf seinen Endvollzug."[52] Normen sind im Sinne dieser Abstraktionsfähigkeit, mit der sich der Mensch in seiner Geschichtlichkeit vollzieht, als Kristallisationspunkte der geschichtlichen Bewegung sittlichen Bemühens zu verstehen. „Sie [die Abstraktion] gibt den, wenn auch perspektivierten Blick auf das Ganze der Geschichte frei, um auf diese Weise die rechte Einordnung des Partikularen zu ermöglichen."[53] Dieses Verständnis der Norm eröffnet auch einen neuen Blick auf die Zuordnung von Norm und Situation.

– Norm und Situation[54]

Insofern die Norm etwas begrifflich als „gut" bestimmt, deutet sie endliche Wirklichkeit unter dem Horizont des Seins als des Guten und antizipiert die Vollendung des Guten in einen Begriff hinein, der darin verallgemeinernd abstrakt das sittliche Sollen perspektivisch erfaßt. „Der transzendenzerschlossene Freiheitsvollzug steht in der Über-Allgemeinheit des Seins... ... Die Über-Allgemeinheit des Seins vermittelt sich über die Konkretheit des freiheitlich erkennenden Vollzugs zur thematisierten Allgemeinheit der Norm."[55] Die Norm ist damit ein Instrument der Beherrschung der geschichtlichen ‚Bewegung' in der Sittlichkeit, indem sie die Freiheit in ihr im Voraus zur Einzelsituation auf ein Vorverständnis (Perspektive) festlegt. „Der Mensch denkt schon vorgängig zu konkreten Entscheidungen in angelegten Präferenzen. Und von diesem Angelegtsein geht alle aktive Geschichtsbeherrschung aus."[56] Zugleich scheitert jede abstrakte Systematisierung der Fülle sittlicher Sinnwirklichkeit notwendig immer wieder an ihrer eigenen Perspektivierung. Die größere ‚Weite' der Wirklichkeit drückt sich gegenüber der Norm in der Uneinholbarkeit der konkreten Erfahrungen sittlicher Beanspruchung aus, in der der Mensch seinen eigenen seinsgegründeten Selbstvollzug unmittelbar (in der konkreten Situation) unthematisch (vor aller begrifflichen Thematisierung) erfährt: „Das ontologisch Erste ist die unmittelbare Einsicht in das hier und jetzt konkret zu Tuende; diese bedient sich der allgemeinen Normen, um mit ihrer Hilfe sich selbst so weit wie möglich vermittelnd zu thematisieren. So wenig aber die begriffliche Reflexion in der Lage ist, das Reflektierte, nämlich den personalen Selbstvollzug in Transzendenzerschlossenheit, einzuholen, so wenig vermag sie auch die konkrete Situation begrifflich reflex in ihrem Gehalt auszuschöpfen. Denn diese Situation ist ja keine dem personalen Vollzug vorgeordnete und von diesem wesentlich unabhängige Objektgröße; in ihrem sittlichen Anspruchscharakter offenbart sie sich vielmehr als Befindlichkeit des subjektiven Vollzugs selbst, und zwar im Sinne nicht mehr hinterfragbarer Grundbefindlichkeit."[57]

Konflikte zwischen Norm und Situation stehen daher im Dienst der Ausweitung der perspektivischen Verengung der Normen. „... insofern die Anwendung allgemeiner Normen in einem unmittelbaren Verstehensakt gründet, ist sie an die ... Situation im ursprünglichen

---

51 „Sinn als Ursprungsgrund ethischer Normierung" (ebd. 51).
52 Demmer (1) 63.
53 Demmer (2) 81.
54 Vgl. Demmer (1) 91–96: „Situative Evidenz und allgemeine Norm"; (2) 121–128.80–84.
55 Demmer (1) 91f.
56 Demmer (2) 81.
57 Demmer (1) 92.

Sinn zurückgebunden."[58] Vom transzendentalontologischen Denken Demmers her ist dies so zu verstehen: In der Norm „thematisiert sich der selbstgewisse Vollzug", d. h. der Freiheitsvollzug des Menschen in unthematischer Seinsoffenheit, „in Begrifflichkeit und mithin in gesellschaftliche Verfügbarkeit". Sie entfaltet damit die unthematische Sinnerfahrung des Menschen (im Sinne der Wahlfreiheit als kategorialer Auslegung und Verwirklichung der Wesensfreiheit, des „excessus voluntatis auf das Sein als Gutes"). „Diese Entfaltung ist nun immer eine kritische: das heißt, sie muß sich kontinuierlich an ihrer unmittelbaren Selbstgewißheit verifizieren."[59] Die Entfaltung der Seinsoffenheit menschlicher Freiheit in kategorialer Begrifflichkeit holt die unthematische Sinntiefe nie ein. Sie muß der seinsgegründeten Freiheit verbunden bleiben, die sich in der Konkretheit des situativen Vollzugs ausdrückt. In der Spannung zwischen unthematischem Selbstvollzug der seinsgegründeten Freiheit und kategorialer Entfaltung sind Norm und Situation unbedingt aufeinander bezogen als zwei ‚Seiten' des einen Vollzugs. Aus dieser Bezogenheit kann sich weder die bloße Erfahrung der Situation (Situationsethik) noch die abstrakte Allgemeinheit der Norm (Legalismus) ‚herausstehlen'. „... das ontologisch Nachgeordnete hat sich am ontologisch Vorgeordneten auszurichten. Und insofern das ontologisch Vorgeordnete [= der subjektive Vollzug in unthematischer Seinsoffenheit] in seiner konkreten Fülle vom Nachgeordneten [= begrifflich abstrakte Thematisierung] nicht eingeholt zu werden vermag, gelangt der moralische Erkenntnisprozeß im Hinblick auf die Ausschöpfung der konkreten Situation an kein Ende; sofern jede Situation offen für eine angemessenere Erfassung ist, ist sie damit zugleich für ihre eigene geschichtliche Überholung nicht nur geöffnet, sondern treibt zu ihr aktiv an."[60] Demmer holt hier *systematisch* die Fragestellung Rahners nach einer positiven Bedeutung des Konkreten und Individuellen in der christlichen Sittlichkeit ein. „... in der Form eines latenten Begriffsrealismus wie -rationalismus [wurde] versucht..., die konkrete Situation als den Schnittpunkt allgemeiner Prinzipien zu verstehen, ohne ein begrifflich nicht adäquat ausschöpfbares Plus des Konkreten im bislang angezeigten Sinn anzunehmen. M. a. W. das Konkrete einfachhin als einen Fall des Allgemeinen zu interpretieren, ohne die dauernde Notwendigkeit der angemesseneren Formulierung allgemeiner Prinzipien zu beachten, die nur wiederum aus konkreter Einsicht heraus erfolgen kann. Der Überbewertung des Allgemeinen folgt so konsequenterweise eine Unterbewertung des Konkreten."[61] Demmer grenzt aber seine transzendentalontologisch geschichtliche Interpretation des Sittlichen gegenüber einer reinen Situationsethik (wie auch Karl Rahner und Franz Böckle es tun) ab. In der Bezogenheit von Norm und Situation, wie sie sich innerhalb der transzendentalontologisch erfaßten Einheit des Vollzugs der seinsgegründeten Freiheit darstellt, ist die Konkretion der Situation immer schon von der Überallgemeinheit des unthematischen Seinshorizontes her zu verstehen, der in den kategorialen Thematisierungen allgemein abstrakt ausgelegt wird. „Die Situationsethik geht von einer unangemessenen Verabsolutierung der konkreten Situation aus. Die allgemeine Norm indes erfährt eine metaphysische Entwertung." „Die konkrete Situation ist zwar sich selbst Maß; allerdings in Einheit mit ihren ontologischen Möglichkeitsbedingungen. Insofern diese miterkannt werden, ist ein solcher Satz erst legitim. Ein Verständnis von Situation unter Absehung von den ontologischen Möglichkeitsbedingungen raubt ihm indes jede Berechtigung."[62]

– Teleologie und Deontologie[63]

Auf dem Hintergrund dieser Überlegungen kann auch die Spannung, die sich in der Erfassung des Verpflichtungscharakters des sittlichen Anspruchs zwischen teleologischen und

58 Ebd.
59 Ebd.
60 Ebd. 93.
61 Ebd. 94f.
62 Ebd. 94.
63 Vgl. Demmer (2) 93–98.

deontologischen Deutungen der sittlichen Sollenserfahrung zeigt, tiefer aufgeschlüsselt werden. Vom hermeneutischen Verständnis der Moraltheologie her steht die Deontologie für das Streben der geschichtlichen Bewegung der Sittlichkeit nach allgemeinen Kristallisationspunkten des objektiven Sinns. Dieses Streben kann innerhalb dieser Bewegung in einzelnen begrifflich normativen Fassungen des Sittlichen ein solches Gewicht gewinnen, daß diese tatsächlich im sittlichen Kontext einer Zeit unüberholbar sind (vgl. etwa die Bedeutung der Menschenrechte). „Deontologische Normen sind solche, deren Lichthof die angezielte Wirklichkeit vollendet erfaßt und ausleuchtet. Sie erscheinen als Sedimente einer Wirkungsgeschichte sittlicher Einsicht, die weder hinterfragt noch auch hintergangen werden können, wenn die existentiale Logik ebendieser Geschichte nicht gesprengt werden soll. Mithin drücken sie zugleich eine unbezweifelbar zuhandene Handlungsmöglichkeit aus. ... Deontologische Normen sind geronnene Tradition..."[64] Aber auch solche Objektivationen des sittlichen Anspruchs in einem Höchstmaß an Verbindlichkeit bleiben auf die subjektive Überzeugungskraft bezogen, die sich in diesem Falle unmittelbar und in der Subjektgemeinschaft universal wirksam mit ihnen verbindet. „Deontologische Normen treten mit dem Anspruch auf, aus sich heraus plausibel und annehmbar zu sein; sie interpretieren sich selbst vollendet. Das ist darum möglich, weil der in ihnen festgehaltene Einsichts- und Freiheitsstand den selbstverständlich einsichtigen Verstehenshintergrund liefert: Er wird vom Adressaten der Norm fraglos anerkannt."[65]

Die Teleologie stellt demgegenüber eine Bewegung innerhalb der geschichtlich vermittelten Erfassung des Sittlichen dar: weil der allgemeingültige Anspruch einer Normartikulation auf die subjektive Überzeugungskraft angewiesen ist, verlangt er nach einer detaillierten Rechtfertigung im Blick auf die durch die Handlung bewirkten Folgen. „Der entscheidende Unterschied zu deontologischen Normen liegt darin, daß teleologische Normen ein prospektives Element einbringen. Sie treten nicht mit dem Anspruch auf, eine unwiderrufliche Einsichts- und Freiheitsschwelle direkt und unmittelbar zu erfassen und festzuhalten. Vielmehr verweisen sie auf ihre immanente Unabgeschlossenheit, die sich in der Ausweitung des Lichtkegels auf den gleitenden Kontext kundtut."[66] „Sie beziehen ihre Geltungskraft mittelbar, und zwar aus den anzustrebenden oder zu erwartenden Folgen jener Handlung, auf die sie sich unmittelbar beziehen."[67] Auch sie bleiben dabei natürlich auf einer gewissen Stufe der Verallgemeinerung gegenüber dem Konkreten selbst stehen, denn keine noch so differenzierte Teleologie kann alle Folgen einer Handlung und darin die Fülle der konkreten Wirklichkeit tatsächlich erfassen. „Die konkrete Gestalt einer Entscheidung bleibt dann, und zwar unter dem Aspekt ihrer ‚sachlichen' Richtigkeit, auf diesen umfassenden Kontext, der sich in den Folgen verdichtet, nochmals zu verflüssigen. Darin ist das Zugeständnis eingeschlossen, daß der unmittelbar angezielte Wirklichkeitsbereich möglicherweise nicht vollendet erfaßt ist; es bedarf vielmehr der Vermittlung auf den Kontext, um die hier und jetzt geforderte Handlungsgestalt vollendet festzulegen."[68] Aber die teleologische Norm erwirkt sich die Überzeugungskraft bei den Subjekten durch die Integration verschiedener, vielschichtiger Perspektivierungen der Einsicht durch den Blick auf die Folgen.

Beide Denkformen stehen also auf ihre Weise in der geschichtlichen Vermittlungsbewegung des sittlichen Anspruchs zwischen Subjektivität und Objektivität, in der Vermittlungsbewegung seines Verbindlichkeitscharakters, der auf die freie Einsicht des Menschen wie auf die Unbedingtheit der objektiven Geltung des Anspruchs gleicherweise bezogen ist. „...*jede* sittliche Entscheidung [hat], sofern sie durch ihre raumzeitliche Ausgegliedertheit gezeichnet ist, um ihrer eigenen sachlichen Richtigkeit willen Folgen zu berücksichtigen. Infolgedessen tritt in ihre Normierung unvermeidlich der teleologische Aspekt ein. Aber dieser setzt sich

---

[64] Ebd. 94.
[65] Ebd. 95.
[66] Ebd.
[67] Ebd. 94.
[68] Ebd. 94f.

niemals absolut. Denn Raum-Zeitlichkeit steht in Transzendenzerschlossenheit hinein; und die daraus erfließende Absolutheit wird in der Tradition als ihrem genuinen geschichtlichen Ort zuallererst greifbar. Keine geschichtliche Neuheit ist so neu, daß sie von der Tradition abzusehen vermöchte. Das bedeutet, angewendet auf das Verhältnis von deontologischer und teleologischer Norm: Die deontologischen Normen markieren jene Präferenzschwellen, die ohne Rücksicht auf welche Folgen auch immer durchgesetzt werden müssen, wenn anders die existentiale Logik der bisherigen Einsichtsgeschichte nicht aufgebrochen werden soll. Eine weitere Dynamisierung der Handlungsstrukturen erscheint hier nicht mehr möglich. Die einzige Folge, die man erreichen will, ist, diesen Stand nicht mehr aufzugeben. Und nur weil man bestimmte Präferenzen ohne Rücksicht auf Folgen durchsetzt, kann man weitere Folgen berücksichtigen, also teleologisch argumentieren. Ein prätendierter Ausschließlichkeitsanspruch deontologischer Normen ließe die Geschichte erstarren; ein solcher im Blick auf teleologische Normen hingegen ließe die Geschichte in Konturenlosigkeit zerfließen."[69] Es gibt „keine adäquate Disjunktion zwischen beiden Normierungstypen... Vielmehr durchdringen beide einander in immanenter Bewegtheit, so wie Absolutheit und Geschichtlichkeit es tun. Der eine Normierungstyp ist im anderen jeweils mitenthalten, auch wenn dies in der satzhaften Fassung nicht unbedingt offenkundig wird."[70]

An den Begriffspaaren dieser Darstellung einiger Elemente der hermeneutisch orientierten Moraltheologie wird deutlich, daß Sittlichkeit in Geschichte erst wirksam wird, wenn die rationale (begriffliche) Bewältigung und die existentielle (unthematische) Erfassung des Sittlichen miteinander vermittelt sind. Diese geschichtlich-hermeneutische Gesamtgestalt der moraltheologischen Denkform, die der geschichtlichen Tiefe des Sittlichen entspricht, ergibt für das Verständnis des sittlichen Sollens eine eigene Art der (geschichtlich-hermeneutischen) Widerspruchsfreiheit, welche Demmer mit dem Begriff der „existentialen Logik"[71] zu charakterisieren versucht. Die analytische Vernunft und die formale Logik eruieren eine Widerspruchsfreiheit in einer geschichtlichen „Binnensituation", d. h., sie setzen für das Verstehen schon immer Gleichheit des umfassenden geschichtlichen Verstehenshorizontes voraus und prüfen nach, ob die in einem einheitlichen Sinn verstandenen Begriffe in formallogisch richtiger Weise miteinander verknüpft sind. Zur geschichtlichen Widerspruchsfreiheit gehört aber auch die „Existentiallogik", d. h. der Bezug der einzelnen Begriffe auf die geschichtlichen Sinnhorizonte, die im unthematischen „Begreifen" eröffnet sind. Formale Logik ist „als gleitende Funktion von existentialer Logik anzusehen... Die Widerspruchslosigkeit in der Horizontalen erfließt aus der genannten Tragfähigkeit in der Vertikalen. Ehe von formaler Logik die Rede ist, muß feststehen, was mit den gebrauchten Begriffen gemäß ihrer immanenten Geschichtlichkeit gemeint ist. Und dieses Feststehen bindet sich an einen *Vorgang*, der der Vertikalen zuzuordnen bleibt."[72] Damit charakterisiert Demmer aber grundlegend das ganze Verhältnis von existentieller Erfassung und rationaler Bewältigung des Sittlichen: „Die in ersterer sich aufbauende Kontinuität ist geschichtlich greifbare Übergeschichtlichkeit; sie läßt sich einem gleitenden Lichtkegel vergleichen, der mit graduell zunehmender Helligkeit den Raum freilegt, der zum situationsgerechten Handeln gefordert ist. Die formale Logik teilt dann, auf der Ebene der Horizontalen, diesem Lichthof seine immanenten Strukturen mit und sichert so die Möglichkeit allgemeiner Zustimmung zu ihm ab."[73]

Im folgenden muß nun die Frage aufgenommen werden, wie in diesem geschichtlichen, existentiell offenen Denken der Moraltheologie die Wirklichkeit Gottes vermittelt wird.

---

69 Ebd. 97.

70 Ebd. 93.

71 Vgl. Demmer (2) 29f.30–34.98–102.

72 Ebd. 99.

73 Ebd. 100.

4. Menschliche Freiheit im Geheimnis von Geschichte und Transzendenz

Die transzendentaltheologische Hermeneutik versteht die heilsgeschichtliche Selbstmitteilung des Gott-Geheimnisses als den eigentlichen Ursprung des menschlichen Selbstandes. Die menschliche Subjektivität kommt gerade im Menschen Jesus in ihr tiefstes und gültigstes Eigensein. Die personale Wende der Moraltheologie holt diese heilsgeschichtliche Interpretation durch ihre subjektiv-anthropologische Konzentration zunächst nicht ein. Es geht ihr um den menschlichen Selbstand in sich als das erste Fundament ihrer Deutung der menschlichen Sittlichkeit. Seine transzendente Ermöglichung tritt in den Hintergrund. Vor allem die (heils)geschichtliche Vertiefung dieser Ermöglichung durch Gott wird um des wirklichen Eigenstandes des Menschen willen in der moraltheologischen Interpretation des transzendentaltheologischen Gottesverständnisses ausgeklammert.

Die geschichtliche Ausdeutung der transzendentalontologischen Metaphysik und Anthropologie bei Klaus Demmer nimmt die transzendentaltheologische Hermeneutik in ihrer ganzen heilsgeschichtlichen Entfaltung auf. Das kommt zuerst zum Ausdruck darin, daß sie als das ontologische Fundament ihres geschichtlichen Denkens und ihrer Deutung der menschlichen Sittlichkeit den menschlichen Freiheitsvollzug in der Einheit des unthematischen Vorgriffs und des kategorial thematischen Ausgriffs, die menschliche Personalität als „transzendenzverwiesene Subjektivität" entsprechend der Deutung als transzendentalen Selbstvollzug in Seinserschlossenheit versteht. Sie deutet aber auch das transzendentaltheologische Verständnis der Wirklichkeit Jesu Christi, das die Person Jesu als die vollendete kategoriale Offenbarung der personalen Wirklichkeit Gottes als Geheimnis und zugleich als die Vollendung des menschlichen Selbstvollzugs in Seinserschlossenheit interpretiert, im Kontext der Geschichte der menschlichen Freiheit und Sittlichkeit. Die Verwurzelung der menschlichen Freiheit in der heilsgeschichtlichen Selbstmitteilung Gottes wird hier in ihrer Bedeutung tiefer erschlossen: Die eigentümliche Vermittlung von sittlichem Anspruch und menschlicher Freiheit, wie sie im Denken Demmers von der transzendentalontologischen Anthropologie her deutlich wird, die innere Einheit von Anforderung und Ermöglichung, die sich aus dem Verständnis sittlichen Sollens als Sinnerfahrung ergibt, wird – entsprechend der transzendentaltheologischen Deutung der heilsgeschichtlichen Selbstmitteilung Gottes als Höhepunkt auch des menschlichen Daseins – aus der christlichen Offenbarung erst in ihrer Tiefe erfaßt.[74]

Nach der transzendentaltheologischen Hermeneutik ist Jesus Christus der Höhepunkt der Offenbarung Gottes; in ihm vollendet sich die kategoriale Auslegung des unthematischen Seinshorizonts der menschlichen Geistigkeit. „Gerade hierin besteht ... die ontologische Auszeichnung des Offenbarungsereignisses, daß

---

[74] „Die radikale Vergeschichtlichung des Verstehens, von der bislang die Rede war, erreicht ihren Höhepunkt und ihre eindeutigste Bestätigung in jener einmalig unüberholbaren Begegnung, die am Beginn neutestamentlicher Glaubensgeschichte steht und eine neue Wirkungsgeschichte in Gang setzt" (Demmer [2] 133).

es das in Erschlossenheit schon immer einschlußweise Gewußte auf die Ebene der thematischen Reflexion erhebt...“[75] Das heißt aber: Als der Beginn der eschatologischen Vollendung der Geschichte, verstanden als die endgültige kategoriale Auslegung der unthematischen Seinstranszendenz, ist Christus auch das letzte Woraufhin der Seinserschlossenheit der menschlichen Freiheit, des „excessus voluntatis“ auf das Sein. Den Horizont des Seins als des Woraufhin der Seinserschlossenheit menschlicher Freiheit erfüllend wird die Person Jesu Christi zum „Seins- wie Erkenntnisprinzip christlicher Sittlichkeit“[76].

Klaus Demmer deutet die Person Jesu Christi in diesem Sinne als den letzten Zielgrund und Sinnhorizont der menschlichen Freiheitsgeschichte. Dabei entfaltet er die Bedeutsamkeit der Selbstmitteilung Gottes in Christus für die menschliche Sittlichkeit in Analogie zur formalen Ermöglichungsfunktion des transzendentalen Seinshorizonts. Durch die Erfüllung des seinserschlossenen Freiheitsvollzugs durch die Offenbarung in Jesus Christus geht der „excessus voluntatis“ nicht mehr nur auf das unthematische Sein hin, sondern „die Glaubensentscheidung als freiheitlich moralischer Vollzug [mündet nun] unmittelbar in Gott“[77]. Der sittliche Anspruch, der aus der Offenbarung für den Menschen erfließt, legt sich daher nicht als kategorial objektivierbares Gebot oder Gesetz aus: „Wenn... eine Person, und zwar von ontologischer Einzigartigkeit, als Gesetz bezeichnet wird, dann sind a priori alle Erwartungshaltungen, wie sie gegenüber einem Gesetz im objekthaft eindeutigen Sinne bestehen, aufzugeben.“[78] Sondern wie die Wesensfreiheit gibt er sich „als kontinuierlicher und zugleich sich entwickelnder Anspruch kund“[79]. Das „satzhaft formulierte göttliche Gesetz [ist] die nachherige begriffliche Explikation“ der „unmittelbar gelebten totalen Wirklichkeitserschlossenheit“[80], die die Selbstmitteilung in Jesus Christus als Erfüllung des unthematischen Seinshorizonts bedeutet[81].

---

75 Demmer (1) 131.

76 Ebd. 204.

77 Ebd. 202. – Ebd. 131: „Hier scheint die Parallele zum erkenntnismetaphysischen Ansatz auf: Wie das selbstgewisseste Vollzugswissen [= unthematischer Seinsvorgriff] durch die Gegenständlichkeit des ‚Außen‘ zu sich selbst vermittelt wird [kategoriale Vermittlung], so wird gleicherweise die Unmittelbarkeit des Wissens um Gott durch ein von außen entgegentretendes geschichtliches Ereignis zu sich selbst gebracht. Insofern Gott aber dem Menschen innerlicher ist als dieser sich selbst, muß dem ‚in ordine perfectionis‘ ein unthematisches Vollzugswissen, bzw. eine Vollzugserfahrung entsprechen. Durch das Offenbarungsgeschehen wird dieses Vollzugswissen in personaler Vermittlung thematisch reflex erhoben.“

78 Ebd. 203.

79 Ebd. 204.

80 Ebd. 202.

81 Demmer (1) 203 gibt an, wie dieses „Gesetz Christi“ zu verstehen ist: Hintergrund ist die transzendentalontologische Metaphysik und Anthropologie, in der „Personalität... sich... durch überspezifische Seinserschlossenheit“ konstituiert und „alles Sein... nur als schon personal gedeutetes erkannt“ wird. In diese Struktur trägt sich die Wirklichkeit Christi als geschichts-ontologische Vollendung ein. „Vor diesem Verstehenshorizont bleibt dann der Satz zu bewerten, daß Jesus Christus das Gesetz Gottes ist.“

In diesem „Gesetz Christi“[82] ist der menschliche Freiheitsvollzug selbst unmittelbar in seiner setzenden Rolle als subjektiver Selbstvollzug aufgenommen. Denn die Auslegung des „Gesetzes Christi“ ist der Interpretationsakt der geschichtlich verfaßten Freiheit des Menschen selbst, dessen letzter Horizont aber durch die Offenbarung Gottes in Christus erfüllt ist: „Die Christusbegegnung, die sich im gegenwärtigen Glaubensvollzug aufgrund der bezeichneten ontologischen und somit geschichtlichen Einmaligkeit des Jesusgeschehens je neu wiederholt, setzt sich ... in einen je neuen Interpretationsakt um. Im eröffnenden Horizont dieses Geschehens wird die umgebende Weltwirklichkeit interpretiert; und auf diese Weise bringt sich die Kontinuität der Heilsgeschichte als Interpretations- und somit Verstehensgeschichte zur Geltung. ... In der durch ... [Jesu] Person und die Begegnung mit ihr bewirkten Erschlossenheit zu Gott und im Gefolge dessen zur Selbstunmittelbarkeit des Glaubenden werden die Gehalte des göttlichen Gesetzes ... im Akt einer Vollzugsinterpretation ... ‚erschlossen‘.“[83] Die menschliche Freiheit wird so vom „Gesetz Christi“ nicht überformt. Wie alles sittliche Sollen vermittelt es sich durch den setzenden, geschichtlichen (und nicht mechanischen) Freiheitsvollzug des Menschen hindurch: Die Offenbarung „geht ... in menschliche Wirklichkeit ein, indem sie sich den Strukturgesetzen menschlichen Erkennens und Mitteilens unterwirft. Es gehören ... Interpretation und Interpretiertes zusammen wie Vollzug und Vollzogenes. Und somit bilden Interpretationsakt wie Interpretiertes in ungeschiedener Vollzugseinheit die *eine,* wenn auch in sich analog strukturierte Offenbarungswirklichkeit.“[84]

---

[82] Auch für die Moraltheologie gilt entsprechend diesem Verständnis des sittlichen Sollens, das dem Menschen aus der heilsgeschichtlichen Selbstmitteilung Gottes erfließt, was Demmer (1) 149f für das theologische Erkennen überhaupt sagt: „Wie auf den übergegenständlichen Erkenntnisvollzug in seiner Seinsgegründetheit zurückgefragt wird, und wie in dieser Rückfrage seine gegenständliche Thematisierung ermöglicht wird, so geschieht in der theologischen Frage ein sinngemäß Gleiches in der Rückfrage auf den übergegenständlichen Glaubensvollzug in seiner transgeschichtlichen Relation auf die Person Jesu Christi hin, von der her dieser Vollzug seine thematische Explizierung empfängt. *Übergegenständlichkeit* des transzendentalen, bzw. transgeschichtlichen Vollzugs ist gleichbedeutend mit *Inhaltsfülle.* Diese liegt im Sein, bzw. in der ontologischen Einzigartigkeit der *Person* Jesu Christi beschlossen.“ Mit „transgeschichtlichem Vollzug“ meint Demmer dabei den menschlichen Selbstvollzug unter dem Horizont der kategorial-geschichtlichen Erfüllung des Seinshorizontes durch die Selbstmitteilung Gottes in Jesus Christus. Die unthematische Seinstranszendenz des menschlichen Geistes ist durch die heilsgeschichtliche Offenbarung Gottes erfüllt. Die „Rückfrage auf den übergegenständlichen transzendentalen Seinsgrund“ geht damit in der Theologie in die Rückfrage nach dem „ontologisch-geschichtlichen Grund“ über, der „ein geschichtliches Ereignis, allerdings von ontologischer Einzigartigkeit“ ist, nämlich „das Ereignis schlechthin“ (122). Der *transzendentale* Horizont wird so durch den *transgeschichtlichen* Horizont in der Glaubenserfahrung ‚ersetzt‘.

[83] Demmer (1) 204.

[84] Ebd. 200. Demmer (1) 131 formuliert dies sehr akzentuiert: „... die endgültige Selbsterschließung Gottes kann nur die endgültige Selbsterschlossenheit des Menschen zur Folge haben. Nun setzt sich die passive Empfangshaltung gegenüber der Transzendenz in höchste Aktivität gegenüber der Geschichte um. Somit erscheint Selbsterschlossenheit geschichtlich als aktive Selbsterschließung.“

Aber in der geschichtlichen Entfaltung des transzendentalen Gottesverständnisses innerhalb der Moraltheologie erweist sich das sittliche Sollen umgekehrt endgültig – über die Transzendenzverwiesenheit der menschlichen Freiheit in Seinsgegründetheit noch hinaus – nicht mehr als bloße Selbstverpflichtung und Selbstbindung der menschlichen Freiheit. Durch die Deutung der Wirklichkeit Jesu als erfüllende Vollendung des „excessus voluntatis“ auf das Sein als Gutes zeigt sich, daß der subjektive Selbstvollzug der Freiheit nicht nur in der transzendenten Rückbindung im Sinne einer übergeschichtlichen konstituierenden Ermöglichung und Entlassung in den Eigenstand wurzelt. Ist der den menschlichen Selbstand ermöglichende Seinshorizont durch die Offenbarung Gottes in Jesus Christus im eigentlichen Sinne erfüllt, dann bedeutet das für „die theologische Reflexion der Offenbarung“ und damit verbunden für das christliche Verständnis menschlicher Freiheitsgeschichte in Seinserschlossenheit: „Ihr ontologisch-geschichtlicher Grund, auf den hin sie reduziert wie von dem her sie deduziert, ist ein geschichtliches Ereignis, allerdings von ontologischer Einzigartigkeit. Es ist das Ereignis schlechthin. In ihm wird alle Geschichte und somit alle Wirklichkeit schon mitbedacht. Denn wenn Gott sich dem Menschen mitteilt, dann teilt er dem Menschen auf unüberholbare Weise, die von ihm [dem Menschen] in abstraktiver Vereinzelung nicht geleistet werden kann, sich selbst mit. In diesem Sinn findet alle Selbstreflexion des Menschen in der Offenbarungstat Gottes ihren krönenden wie definitiven, aus sich selbst adäquat nicht herleitbaren, in höchster dialogischer Vermittlungsstufe auftretenden Abschluß.“[85] Dabei kommt auch die anthropologische Einheit von Sinnverstehen und sittlichem Anspruch, die sich im transzendentalontologischen Denkansatz von der Seinsgegründetheit der Freiheit her erschließt, die Einheit von Ermöglichung, die aus dem geschenkten Sinn erfließt, und Beanspruchung, mit der das sittliche Sollen begegnet, in ihre letzte Erfüllung. Das Neue Testament drückt diese Erfüllung aus in der Einheit von Heilsindikativ und Heilsimperativ: Die Sinnerfahrung, die sich dem Menschen aus der unbedingten Nähe Gottes in Jesus Christus schenkt, ermöglicht den Freiheitsvollzug des Menschen, in dem er das sittliche Sollen, das aus dieser Erfahrung zugleich hervortritt, übernehmen und verwirklichen kann.

Bruno Schüller versteht das Verhältnis von Heilsindikativ und Heilsimperativ im Horizont seiner analytischen Bestimmung der menschlichen Sittlichkeit im letzten als bloße Erinnerung der Goldenen Regel, welche das sittlich Gute „definiert“ im Sinne der Unparteilichkeit[86]. Er transponiert sozusagen die Goldene Regel von der zwischenmenschlichen Beziehung auf die Beziehung von Gott und Mensch.

Denn im analytischen Sinn ist zu differenzieren zwischen dem „Evangelium“, das „von sittlicher Güte als einer *Wirklichkeit*“ (7) handelt, „wohingegen das Gesetz noch *zu erfüllende* sittliche Forderung ist“ (8). Schüller folgert daraus, daß die „Maßgeblichkeit des Evangeliums als des Wortes vom Handeln Gottes und vom Handeln Christi zum Heil der Menschen... die Maßgeblichkeit des Vorbildes ist“. Das bedeutet: „Das Vorbild ist... von sich aus selbst norma normata“; und für die Wirklichkeit Gottes heißt das, daß der Mensch – „wenn man...

---

[85] Ebd. 122f.

[86] Vgl. Schüller (5) 6. Die folgenden Zitationsbelege aus Schüller (5) im Text.

die rein noetische Struktur der Einsicht in Gottes Vorbildlichkeit betrachtet" – „sich bereits aufgefordert [erfährt], sittlich gut zu sein" (8), bevor ihn die Botschaft des Evangeliums mit seiner Mahnung zur Verwirklichung des Guten dadurch erreicht, daß sie diese Verwirklichung in Jesus Christus als Gottes vorbildliches Handeln am Menschen vorstellt. Insofern kann aber das Evangelium „nicht Maßstab für die *Bedeutung* ‚sittlichen Gutseins'" sein, denn seine Vorbildhaftigkeit bezieht sich ja nur auf die Verwirklichung des Guten, das als Gutes schon erkannt ist. Das Evangelium als Botschaft von der vorbildlichen Verwirklichung des Guten durch Gott in Jesus Christus ist deshalb Maßstab nur „für die *Verwirklichung* sittlicher Güter" (9). Wenn aber somit die „Vorbildhaftigkeit Gottes und die Vorbildhaftigkeit Christi ... nicht Maßstab für die *Bedeutung* ‚sittlichen Gutseins', sondern für die *Verwirklichung* sittlicher Güter" sind, dann wird „auf sie ... [nur] dann hingewiesen, wo es um die Erfüllung der sittlichen Forderung geht, also im Kontext einer Paränese" (9). Definiert wird das sittliche Gute unabhängig von und vorgängig zu dieser Vorbildlichkeit Jesu Christi zur Verwirklichung des Guten durch die Goldene Regel, welche als Forderung der Unparteilichkeit dem Menschen an sich selbst unmittelbar erkennbar ist. Auf diese *Bedeutung* „sittlichen Gutseins" vermag das Evangelium nur zu verweisen, und in diesem Sinne muß man sagen: „Die Aufforderung: Tu den anderen Gutes, wie Gott dir Gutes getan hat!, heißt im Grunde: Handle so, wie es die Goldene Regel gebietet! ..." (6). So gilt für Schüller: „Als Kunde vom Handeln Jesu Christi und vom Sein der Christen ist das Evangelium *erfüllte* sittliche Forderung, wohingegen das Gesetz noch *zu erfüllende* sittliche Forderung ist. Das läßt wiederum erkennen, daß es im Verhältnis von Evangelium und Gesetz nicht um normative Ethik, nicht um die inhaltliche Bestimmung und Artikulation der sittlichen Forderung gehen kann" (8). Und: „Gnade ist, was Gott aus freier Initiative dem Menschen zuspricht. Sittliche Forderung, was Gott vom Menschen an freiem Gehorsam in Anspruch nimmt. Ein Anspruch kann kein Zuspruch, eine Forderung kein Geschenk sein, weder der Hauptsache nach noch sonstwie. Wer das Gegenteil behauptet, versteht nicht die Bedeutung der Wörter, die er verwendet" (14).

An der Analyse Schüllers mag richtig sein, daß auf der logischen Ebene in der interpersonalen Beziehung von Gott und Mensch – jedenfalls so, wie wir sie begreifen können – die gleichen logischen Funktionen der menschlichen Sittlichkeit wirksam sind wie in der interpersonalen Beziehung von Mensch zu Mensch, insofern diese Funktionen der menschlichen Sittlichkeit unbedingt innewohnen und im Sinne der Kenose Gottes in die Gestalt menschlicher Selbstmitteilung hinein[87] auch in der heilsgeschichtlichen gnadenhaften Selbsteröffnung von Gott als Teil der menschlichen Natur angenommen werden. Problematisch scheint dagegen die Folgerung, daß mit dieser logischen Parallelität die innerste Bedeutung sittlichen Gutseins, d. h. also die Bestimmung des inneren Wesens des Sittlichen, unverändert übernommen sei. Die innerste Bestimmung von Sittlichkeit scheint bei Schüller – aus Angst vor einem theonomen Moralpositivismus – zu eng angesetzt (als auf der logisch-analytischen Konsistenz sittlicher Sollenserfahrung aufbauende Bestimmung); deshalb kann sie die Relevanz der geschichtlichen Selbstmitteilung Gottes für die *Bedeutung* „sittlichen Gutseins" und darin für die Bedeutung der sittlichen Sollenserfahrung nicht erfassen. Die tiefste Bestimmung dieser Bedeutung aus der heilsgeschichtlichen Selbsteröffnung Gottes liegt nicht auf der Ebene formaler Logik, denn von ihr aus allein läßt sich die innerste Mitte des Sittlichen nicht zu Gesicht bekommen. Sie liegt auf der hermeneutischen Ebene umfassender geschichtlich vermittelter Sinnhorizonte[88], auf der Ebene, von der aus die heilsgeschichtliche Selbstmittei-

---

[87] Demmer (1) 200.

[88] „Der Glaubende erkennt, daß bestimmte anthropologische Implikationen im Sinne einer unabdingbaren Voraussetzung seinem Glaubensvollzug gemäß sind, wenn anders ebendieser Vollzug seine geschichtliche Sinnhaftigkeit nicht verlieren will. Es handelt sich hier um eine Wirklichkeitsschicht, die aller Bedingtheit kultureller und sozialer Art ‚in ordine perfectionis' vorausliegt und darum die Gestaltungsfreiheit des Menschen über seine Geschichte ermöglicht" (Demmer [2] 142f). Weil „die endgültige Selbsterschließung Gottes" die „endgültige Selbsterschlossenheit des Menschen" zur Folge hat

lung Gottes in Jesus Christus gerade als die letzte Erfüllung des seinsgegründeten Freiheitsvollzugs erscheint. Weil in dieser Erfüllung des Seinshorizonts durch die Selbstmitteilung Gottes die „dem kategorialen Erkenntnisakt als Möglichkeitsbedingung schon immer vorausliegende Übereinkunft mit dem Sein, die von letzterem gewirkt ist", in die „vorauslaufende Übereinkunft mit der huldvollen Zuwendung Gottes" ‚umgeformt' ist, „zeigt sich hier... [die] alles kategoriale sittliche Bemühen transzendierende und somit ermöglichende Entscheidungs- wie Erfüllungsgewißheit"[89], die in der transzendentalontologischen Einheit von seinsgegründeter Wesensfreiheit und kategorialer Wahlfreiheit, von (unthematischem) Sinnverstehen und (konkreter) sittlicher Beanspruchung anfanghaft aufscheint, in letzter Vollendung. Denn schon in der Darstellung der allgemeinen Struktur der seinsgegründeten Freiheit war deutlich geworden, daß der „ontologische Grund" des menschlichen Freiheitsvollzugs als „Grund und Ziel" in der sittlichen Sollenserfahrung „anwesend" ist. Der einzelne Anspruch wird erst durch seine Hinordnung auf diesen umfassenden Zielgrund des Seins- und Sinnhorizontes der Freiheit des Menschen (entsprechend dem ontologischen Vorrang der Wesensfreiheit vor der Wahlfreiheit) in seinen objektiven Sinn eingesetzt. Die „Definition" des sittlichen Anspruchs (des „Gesetzes"), also die Bestimmung des Sittlichen überhaupt, kommt so immer schon erst von ihrem Ziel, vom Seinsgrund, her in den Blick. Dieses Ziel selbst erhält in Jesus Christus, in der Gnade der Selbstmitteilung Gottes – entsprechend der transzendentaltheologischen Deutung Jesu Christi als kategorialer Erfüllung der Seinsoffenheit und Transzendenzverwiesenheit des menschlichen Geistes – seine unbedingte Fülle. Die „Definition des Gesetzes [erfolgt damit aber letztlich endgültig] vom Akt seiner Erfüllung her"; „denn Gnade, ungeachtet ihres freien Angebotscharakters, existiert geschichtlich immer nur als siegreiche, frei vom Menschen übernommene"[90], d. h. den menschlichen Freiheitsvollzug als letztgültiger, unwiderruflicher Sinnhorizont ganz durchdringende und ermöglichende „Entscheidungs- und Erfüllungsgewißheit", die über jede vorläufige Sinnerfahrung im Horizont der unthematischen Seinsoffenheit hinausführt und diese vollendet. Die Anthropologie selbst ist dabei Vermittlungsebene der unter der Glaubenserfahrung sich entfaltenden innersten Fundierungsschicht der menschlichen Sittlichkeit und darin auch für die (nicht rein formallogische, sondern existentiallogische) Bedeutung des „sittlichen Gutseins". Insofern „Gott selbst als Erfüller des Gesetzes erscheint, und zwar in der Person Jesu Christi", „wird bereits ein geschichtliches Erfüllungsereignis übernommen, in dessen innerem Gefälle dann... [die] Einzelentscheidung als sinnvolle Möglichkeit erst steht. ... Die in der glaubenden Annahme der Offenbarung erfolgende Selbstdeutung des Glaubenden findet dann in der konkreten sittlichen Entscheidung ihre sinngemäß situative Ratifizierung. Anders formuliert: Wenn jede Einzelentscheidung im ontologischen Gefälle der Grundentscheidung (optio fundamentalis) steht, dann zugleich auch der durch das Jesusgeschehen endgültig aufgedeckten Grundsinngebung des eigenen Lebens. Erst in ihrem Horizont erfolgt die Interpretation der vorgegebenen Weltwirklichkeit auf die konkret anstehende moralische Entscheidung hin"[91].

Klaus Demmer liest die neutestamentliche Aussage von der Einheit von Heilsindikativ und Heilsimperativ auf dem Hintergrund des transzendentalontologischen Denkens und seiner geschichtlich-hermeneutischen Interpretation in einem umfassenden ontologischen und gnoseologischen Sinn, der der rein formallogi-

(Demmer [1] 131), ist der „Glaube...‚in nuce' anthropologisch relevant. Mit dem Glaubensverständnis ist ein unaufgebbares Selbstverständnis zuinnerst verbunden" (Demmer [2] 140), das „im dauernden Rückbezug auf das geschichtliche Selbstverständnis Jesu Christi" möglich ist, „in das der Glaubende teilhabend eintritt. Man muß in dieser Begegnung leben, um ihre anthropologischen Implikationen fortschreitend zu entdecken" (143; vgl. 142–146: „Die Bedeutsamkeit christologischer Anthropologie").

89 Demmer (1) 206.

90 Ebd.

91 Ebd. 206f; vgl. Demmer (2) 142–162.

schen Analytik verschlossen bleibt. So gesehen begründet die Zusage des Evangeliums zugleich eine neue Forderung, auch wenn „Zusage" und „Forderung" zunächst rein begrifflich unterschiedliche Dimensionen der heilsgeschichtlichen Selbstmitteilung Gottes bezeichnen, die nur streng differenziert aufeinander bezogen werden dürfen.[92] Denn nach der transzendentalontologischen Auffassung des sittlichen Freiheitsvollzuges begründet die Einheit von Wesensfreiheit und Wahlfreiheit die Einheit von Sinnverstehen und konkreter Beanspruchung. In einem letzten Sinne scheint dann aber jede Sollenserfahrung überhaupt nur unter einem Sinnhorizont ermöglicht, der den Seinsgrund, auf den der menschliche Freiheitsvollzug als Wesensfreiheit ausgreift, eben schließlich selbst erfüllt. Das kategoriale „Auslegungs- und Verwirklichungsgeschehen" der Wesensfreiheit in der Wahlfreiheit gelangt darin in vollendeter kategorialer Vermittlung zu sich selbst und in sein Ziel. Das heißt: Der Sinn, auf den der seinsoffene Geist des Menschen immer schon vorgreift, wird endgültig erschlossen. Entscheidungsgeschichte „kann sinnvollerweise nur unter der unaufgebbaren Grundvoraussetzung vonstatten gehen, daß es eine Grunderfahrung der Sinnhaftigkeit gibt, die hinwiederum unlöslich an die Erfahrung der grundsätzlichen Erfüllungsmöglichkeit des Gesetzten gebunden ist. Hier liegt eigentlich die entscheidende Möglichkeitsbedingung für das Vernehmen eines moralischen Anspruchs schlechthin"[93]. Diese Grunderfahrung gibt sich nach der transzendentaltheologischen Deutung Jesu Christi als der kategorial letztgültigen Auslegung der unthematischen Seinstranszendenz, die sich im erkennenden und freiheitlichen Selbstvollzug des menschlichen Geistes eröffnet, in der heilsgeschichtlichen Selbstmitteilung Gottes konkret geschichtlich als Vollendung der Geschichte in endgültiger, unwiderruflicher und vollkommener Weise. Die Einheit von menschlichem Sinnverstehen und sittlichem Sollen, von Ermöglichung und Beanspruchung, die gesamte anthropologische Hermeneutik des Sittlichen, die Demmer auf dem Hintergrund der transzendentalontologischen Metaphysik erschließt, „erreicht ihren Höhepunkt und ihre eindeutigste Bestätigung in jener einmalig unüberholbaren Begegnung, die am Beginn neutestamentlicher Glaubensgeschichte steht"[94].

In dieser Begründung des sittlichen Anspruchs aus der Heilszusage Gottes geht es nicht darum, „vom Handeln Gottes zum Heil der Menschen logisch ursprünglich auf das sittlich

---

[92] Demmer (3) 91f reflektiert diese Unterscheidung, weist aber zugleich auf die tiefer gelegene Einheit hin, auf die hin er sein Verständnis von Moral „erweitert": „... die begriffliche Unterscheidung von Glaube und Moral, von Heilswahrheit und sittlicher Wahrheit [soll] keineswegs eingeebnet werden. Aber darüber bleibt nicht zu vergessen, daß Glaube und Sittlichkeit, je auf ihre Weise, einen Totalitätsanspruch erheben. Sie belegen den ganzen Menschen, und dies absolut, mit Beschlag. ... Unter dieser Voraussetzung läßt sich das erweiterte Verständnis von Moral eingehender reflektieren. ... Der alles leitende Ansatz liegt im geschichtlich sich entfaltenden Selbstverständnis des Glaubenden, in der Natur der geistbegabten Person unter der Wirkungsgeschichte einer genuin christologisch orientierten Anthropologie ..."

[93] Demmer (1) 206.

[94] Demmer (2) 133.

gesollte Handeln der Menschen füreinander [zu] schließen"[95], denn dies wäre wirklich eine Überforderung, die sich nicht Rechenschaft gäbe über die „Bestimmung von Ähnlichkeit und Unähnlichkeit" zwischen Gottes Handeln und menschlichem Handeln, darüber, „daß wir Menschen keine andere Möglichkeit haben, von Gottes Handeln zu denken und zu sprechen, als die, ursprünglich aus unserer Menschenwelt gewonnene Begriffe und Vorstellungen in Analogie und Gleichnis auf dieses göttliche Handeln anzuwenden"[96]. Das geschichtlich ontologische und hermeneutische Denken Demmers macht vielmehr deutlich, daß die Voraussetzungen in der Anthropologie selbst, in der innersten Bestimmung des Menschen und seiner Wirklichkeit im (heils)geschichtlich sich vertiefenden Geheimnis Gottes entfaltet werden, indem gerade darin der Mensch mit seiner Freiheitsgeschichte *zu sich selbst* kommt. „Insofern nämlich Gott selbst als Erfüller des Gesetzes erscheint, und zwar in der Person Jesu Christi, steht hier schon gar nicht mehr das überkommene ethische Vorstellungsmodell eines innerlich unabhängigen Gegenüber von Forderung und geforderter Freiheit in Frage. Denn ehe eine sittliche Einzelforderung in freier Entscheidung erfüllt wird, wird bereits ein geschichtliches Erfüllungsereignis übernommen, in dessen innerem Gefälle dann diese Einzelentscheidung als sinnvolle Möglichkeit erst steht. Das ist nicht nur bedeutsam für die Sinn*haftigkeit,* rein formal genommen, der moralischen Entscheidung; gleicherweise liegt hier eine Bedeutsamkeit für deren Sinn*gebung* durch den menschlichen Entscheidungsträger selbst vor. Wenn nämlich der Offenbarung Gottes eine umfassende Selbstdeutung des Glaubenden ontologisch folgt, dann fließt letztere als eröffnender Horizont in jeden sittlichen Einzelvollzug ein."[97] Identität der Freiheit des Menschen in der moralischen Beanspruchung durch Gott wird hier nicht gedacht als abstraktes Voraus der menschlichen Sittlichkeit zur konkreten geschichtlichen Selbstmitteilung Gottes und deren sittlicher Relevanz, sondern als die wachsende Ermöglichung des Selbstandes und der Selbstwerdung des Menschen unter dem sich immer tiefer eröffnenden Geheimnis Gottes. Die Bedeutung menschlicher Sittlichkeit erschließt sich in der Heilsgeschichte immer tiefer, aber nicht von außen, sondern in der geschichtlichen Dialektik der Sinnvermittlung mitten durch die Freiheit des Menschen und ihre Sinngeschichte hindurch, im innersten Verhältnis zu ihr, als ihr eschatologisches, geschenktes Ziel, von dem zu abstrahieren (in irgendeiner Weise und auf irgendeiner Ebene der Reflexion) deshalb nicht nur unmöglich, sondern auch eigentlich nicht sinnvoll und unnötig ist. „Insofern... der Glaubensvollzug gemäß der formalen Strukturen allen menschlichen Erkennens an das Offenbarungsgeschehen zurückgebunden bleibt und dessen geschichtliche Entfaltung im zeitlichen Nacheinander vorantreibt, nimmt auch das göttliche Gesetz an dieser Strukturgesetzlichkeit teil. Es entfaltet die sittlichen Implikationen des Jesusgeschehens, indem es genetisch vorgängig in einem geschichtlichen Vermittlungsprozeß gründet."[98] „Die Bestimmung der Heilsgeschichte als vom Glaubenden vorangetriebenes Interpretationsgeschehen tritt so in die Definition des göttlichen Anspruchs ein; und das göttliche Gebot erweist sich so als vermittelnde Interpretationsfunktion der vorausliegenden Selbstmitteilung Gottes."[99] Von einer moralpositivistischen Überfremdung menschlicher Freiheit kann in dieser gegenseitigen Durchdringung keine Rede sein, auch wenn die Selbstmitteilung Gottes die menschliche Freiheit als „Selbstbesitz in Selbstbewußtsein und Selbstbestimmung" gerade erst geschichtlich konstituiert, die menschliche Freiheit erst im geschichtlichen Vollzug zu sich selbst kommt. So stellt Demmer auch im Gegensatz zu Bruno Schüller[100] fest: „Genese ist... nicht nur manifestativ, sie ist zugleich konstitutiv."[101]

---

95 Schüller (5) 9.
96 Ebd.
97 Demmer (1) 206f.
98 Ebd. 208.
99 Ebd. 207.
100 Vgl. hier S. 173–175.
101 Demmer (3) 17.

In dieser geschichtlich-ontologischen Deutung der Einheit von Heilsindikativ und Heilsimperativ ist somit die seinshafte Neubegründung des Menschen in der Heilsgeschichte und seine sittliche Anforderung in ein unmittelbares inneres Verhältnis gebracht; die begnadende Ermöglichung des vollendeten Selbstvollzugs der menschlichen Freiheit und der sittliche Auftrag gerade von dieser Gnade her sind in einer ungezwungenen und umfassenden Bestimmung formal tief verbunden. „Wenn nämlich der Offenbarung Gottes eine umfassende Selbstdeutung des Glaubenden ontologisch folgt, dann fließt letztere als eröffnender Horizont in jeden sittlichen Einzelvollzug ein. Der Sinn besteht darum schon nicht mehr in der Erfüllung einer material vorgegebenen Regel (obzwar dieser Aspekt weder auszuklammern noch zu vergleichgültigen ist) – denn das wäre, auch in der Terminologie der Gnadentheologie, ein insgeheimer Rückfall in Legalismus –, sondern in der übernehmenden Darstellung des Sinnes des Jesusgeschehens."[102] Und die Entfremdung zwischen göttlichem Anspruch und menschlicher Freiheit bzw. dem mit dieser Freiheit tief verbundenen Selbst- und Wirklichkeitsverständnis des heutigen Menschen ist prinzipiell überwunden. „Aufgrund dessen muß es als eine Fehlinterpretation des Gesetzes erscheinen, wenn es als eine Fremdgröße verstanden wird, die sich zwischen Gott und den Menschen schiebt."[103] Erreicht die Moraltheologie damit hier eine Denkform, in der der zweite Problemkreis der moraltheologischen Vermittlung des christlichen Gottesverständnisses, wie er in der Einleitung unter der Aufgabenstellung zu dieser Arbeit formuliert wurde, eine umfassende Antwort erhält: eine Denkform, in der der subjektive Selbstand, die geschichtlich verfaßte und existentiell erfahrene Freiheit und personale Individualität des Menschen, die liebende Bejahung Gottes und seine persönliche Beanspruchung des Menschen, aber auch die rationalen Strukturen der Sachbezogenheit und der Allgemeingültigkeit des sittlichen Sollens in tiefer, ungekünstelter Einheit verstanden sind?

Reflexion 7: Zur Problematik der geschichtlich-ontologischen Deutung des transzendentalen Gottesverständnisses

In der bisherigen Untersuchung der geschichtlichen Ausdeutung des transzendentalontologischen Denkens bei Klaus Demmer wurde deutlich, daß die Spannung des sittlichen Freiheitsvollzugs zwischen der unthematischen Finalität auf den formalen Zielgrund (das Sein) und der geschichtlich konkretisierenden Entfaltung (kategoriale Auslegung) von Demmer für die Moraltheologie von der christologischen Erfüllung der menschlichen Seinstranszendenz her[104] als hermeneutische Span-

---

[102] Demmer (1) 207.

[103] Ebd.

[104] Die Forderung der „christologisch orientierten Anthropologie" (Demmer [3] 92) versucht Demmer näher zu präzisieren: „Die moraltheologische Hermeneutik sieht sich durch die Grundfrage herausgefordert, *wie* sich der Anspruch des Jesusgeschehens angesichts seiner sittlichen Relevanz in praktikable Wertvorstellungen, Handlungsanweisungen und Imperative umsetzen lasse. Dabei geht sie von der prinzipiellen Annahme aus, daß ebendieser Anspruch in einer christologisch gewendeten Anthropologie so greifbar wird, daß die genannte Umsetzung plausibel erfolgen kann. Diese Anthropolo-

nung des „im Glauben aufgebrochenen Sinn- als Intentionalitätszusammenhangs, der alle sittliche Präskription im Glaubenskontext aus sich heraus entläßt“[105], entfaltet wird. Diesen „im Glauben aufgebrochenen“ Sinnhorizont versucht Demmer aber auch in seinem Inhalt näher zu fassen. Was bedeutet die Erfüllung des unthematischen Zielgrundes des seinsgegründeten Freiheitsvollzugs durch die Selbstmitteilung Gottes in Jesus Christus? Welchen Sinn gibt diese Vollendung der Finalität des personalen Selbstvollzugs des Menschen der *sittlichen* Sinngeschichte?

Demmer beschreibt diesen Sinn zunächst von seiner unmittelbarsten existentiellen Bedeutsamkeit her näher, seiner Bedeutsamkeit angesichts der Grenze des Todes. Denn die *sinnstiftende* Tiefe eines Intentionalitätszusammenhangs läßt sich in ihrer Kraft letztlich nur gegenüber dieser (sinn-nichtenden) Grenze der menschlichen Existenz bestimmen – und darin gegenüber der Grenzhaftigkeit des menschlichen Daseins überhaupt. Die sinnstiftende Kraft erweist sich „in der Auseinandersetzung mit jener Grenze, die alle zeitliche Existenz zutiefst durchzieht und sich im Gegenüber zum Tod endgültig aufgipfelt. Sinneinsicht hat sich angesichts dieser äußersten Grenze zu bewähren, wenn sie begrenztes Dasein vor der Bedrohung durch konturenloses Zerfließen bewahren will. Sie muß imstande sein, die Verhältnislosigkeit des Todes umzuschmelzen in jene Verhältnisbestimmungen, die das Wesen sittlicher Einsicht in geschichtlicher Perspektivierung ausmachen.“[106] Von Christus her ist diese äußerste Bewährung des Sinnhorizontes gegeben und die geschichtliche Sinnstiftung gerade gegenüber dieser Grenze gesichert: Denn die Auferstehung Jesu Christi „verbürgt“ für den Christen die eigene Auferstehung.[107]

In der sittlichen Freiheitsgeschichte des Menschen setzt sich aber diese sinnstiftende Gestalt des christlichen Sinnhorizontes in eine eigentümliche Struktur um. Von der Bewältigung der Todesgrenze her ist alle im sittlichen Freiheitsvollzug durch die geschichtliche Verfaßtheit verursachte Erfahrung von Grenze grundlegend überwunden! Denn alle sittliche Geschichte vollzieht sich in der Notwendigkeit perspektivischer Begrenzung unter dem immer weitertreibenden unthematischen Seinshorizont.[108] In der Spannung zwischen dem „excessus voluntatis“ auf das Sein, der alle Begrenzung immer wieder (auf die Einheit des unthematischen Seinshorizonts hin, also einigend) überwindet, und seiner kategorialen perspektivisch begrenzten geschichtlichen Entfaltung gilt: „Jede in Entscheidung einmündende Einsicht verdankt sich der Einigungskraft des menschlichen Geistes, die zugleich die Kraft des Ausschlusses beinhaltet.“[109] In dieser Struktur menschlicher Geschichte ist somit Begrenztheit und dauernder Selbstüberstieg der menschlichen

gie verdankt sich wiederum der unübersteigbaren Intensität einer Gotteserfahrung, wie sie in Wort und Lebenszeugnis Jesu Christi ein für allemal aufgebrochen ist“ (Demmer [2] 163).

105 Ebd. 164.

106 Ebd. 165.

107 Vgl. ebd.

108 Vgl. hier S. 187f.

109 Demmer (2) 165.

Freiheit angelegt. Und in dieser Struktur, in der Grenze und Überwindung zur einen krisenhaften Bewegung gehören, ist die letzte Grenze des Menschen, aber auch ihre Überwindung in einem gewissen Sinn vorweggenommen. In der Geschichte der menschlichen Freiheit „stellt sich jede Entscheidung, insofern sie ein Element des Krisenhaften[110] in sich birgt, als eine positiv gewendete Vorwegnahme *und* Überwindung des eigenen Todes dar“[111]. In der christlichen Glaubenserfahrung aber, die sich aus der besonderen Gotteserfahrung Jesu in Tod und Auferstehung begründet und die den seinsgegründeten Freiheitsvollzug mit seiner Spannung zwischen unthematischer Einigung (Überwindung jeder Grenze) und thematisch begrenzter Entfaltung (Eingebundenheit in Begrenztheit) erfüllt, ist diese Überwindung letztgültig vollendet: „Die Fähigkeit des Glaubenden zu sterben, die im Glauben an die durch Tod und Auferstehung Jesu Christi verbürgte eigene Auferstehung gründet, setzt sich in eine neue Fähigkeit zur Entscheidung um.“[112] Gemeint ist diese im Glauben ermöglichte Erfahrung: Jede sittliche Geschichte, die in der krisenhaften (= transzendentalontologisch in universalen Seinsvorgriff und kategorial begrenzten Ausgriff differenzierten) Selbstdynamik eine unüberschaubare Offenheit und in ihrer notwendigen, je perspektivisch neuen Grenzhaftigkeit eine tiefe Sinnunsicherheit zugleich in sich trägt, erhält durch die Auferstehung Christi für ihren sich immer wieder übersteigenden Vollzug ein Paradigma der Sinnhaftigkeit dieses Selbstüberstiegs in Vollendung. „Krisis ist nicht Selbstverlust, sondern führt durch alle unvermeidliche Erfahrung der Grenze hindurch zu getröstetem Selbstgewinn. Wenn also von Sinneinsicht des Glaubenden die Rede ist, dann liegt hier ihre alles entscheidende Aussagespitze: Die Sinnlosigkeit des Todes wird, ungeachtet des verbleibenden Leidens und Sterbens, als Schein entlarvt. Das befähigt den Glaubenden, eine geschichtliche Konsistenz aufzubauen, die in Sinnkontinuität ihren Grund hat. Jede konkrete Entscheidungssituation kann mit diesem Sinn erfüllt werden; und nur darum erscheint die Rede vom unbedingten sittlichen Anspruch als legitim.“[113]

Demmer versucht, die paradigmatische Sinnstiftung aus dem Ereignis, das Jesus Christus ist, für die sittliche Freiheitsgeschichte noch konkreter zu fassen. Er tut dies, indem er von dem umfassenden Phänomen jesuanischer Grenzüberwindung in Tod und Auferstehung weg[114] auf die speziell sittliche Wirklichkeit „jener

---

110 Gemeint ist die dauernd weitertreibende Bewegung der Geschichte von den kategorialen Perspektiven zum deren Grenzen überwindenden unthematischen Seinshorizont und vom Seinshorizont in neue Perspektiven hinein.

111 Demmer (2) 165. Gedacht ist an die jeweilige Überschreitung jeder begrenzten, kategorial begrenzenden und entfaltenden Perspektive durch den unthematischen Vorgriff auf das Sein als Gutes.

112 Ebd.

113 Ebd. 165f.

114 Diese Bedeutung des Todes und der Auferstehung Jesu betrifft das ganze Dasein des Menschen und damit auch seine sittliche Entscheidung: „Das Ausgehen von der äußersten Grenze ist ein gemeinmenschlicher Vorgang; er bestimmt, in welch unterschiedlicher Bewußtheit auch immer, den ethischen Einsichtsprozeß. ... Der Ausgang liegt in der Grenzsituation des Todes und wendet sich von dort allen übrigen menschlichen

geschichtlichen Neuheit" blickt, „die die Ablösung des alttestamentlichen Ethos bewirkt hat"[115]. Der neue sittliche Sinnhorizont, den die Selbstmitteilung Gottes in Jesus Christus schenkt, ist ja nicht ungeschichtlich zu verstehen, sondern hermeneutisch in die Geschichte eingelassen und zeigt sich konkret so gerade im Zueinander und Kontrast zu seiner (vor allem direkten) Vorgeschichte.[116] Dabei läßt sich gerade in diesem Zueinander von alttestamentlicher und neutestamentlicher Geschichte die (transzendentalontologische) Struktur der sittlichen Geschichte selbst (Eingebundenheit in Grenzhaftigkeit und zugleich dauernder Überstieg der Grenzen) noch einmal erkennen: Es ist die Struktur eines Konfliktes, einer Überholung eines geschichtlich perspektivisch begrenzten Ethos in seiner ungeschichtlichen und sündhaften Verhärtung auf die weitere Sinnfülle des unthematischen Universalhorizontes – im Neuen Testament – hin. Aufgrund der ontologischen Einzigartigkeit der Wirklichkeit Jesu (als Erfüllung aller Geschichte in der vollendeten kategorialen Thematisierung des universalen Horizontes) ist dieser Konflikt am Beginn der christlichen Glaubens- und Freiheitsgeschichte, „der Ursprungskonflikt Jesu mit dem alttestamentlichen Gesetzesdenken mehr... als eine partikulare und kontingente Begebenheit. Wenn vielmehr am geschichtlichen Beginn des neutestamentlichen Ethos ein Konflikt steht, in dessen Verlauf Neuheit aufbricht, dann kann dieser Konflikt nur ein paradigmatischer sein; was dann gleicherweise auch für Neuheit selbst gilt. ... Das heißt, in Konflikt und Neuheit müssen sich alle Zeiten gleicherweise wiedererkennen können; sie müssen sich mithin in jedem, der sich mit der sittlichen Botschaft Jesu auseinandersetzt, wiederholen."[117]

In dieser Transposition der alle ‚Grenzhaftigkeit' überwindenden Sinnstiftung des Todes und der Auferstehung Jesu auf die ethische Sinnebene wird aber die sittliche Sinnstiftung der Wirklichkeit Jesu gleichsam mit der kritischen Funktion der Krisenstruktur sittlicher Sinngeschichte selbst identifiziert. Das heißt: „Der paradigmatische Charakter der Gesetzeskritik Jesu"[118] wird dabei sozusagen auf dem Hintergrund der transzendentalontologischen kritischen Sinn- und Freiheitsgeschichte gedeutet und expliziert: In den „Radikalismen der Verkündigung Jesu" ist der unthematische Seinshorizont als Zielgrund der sittlichen Freiheitsgeschichte des Menschen neu bestimmt: Demmer spricht jetzt nicht mehr vom unthematischen Seinsausgriff des transzendentalen Erkenntnis- und Freiheitsvollzuges als dem „analogatum princeps" in der sittlichen Sinngeschichte, sondern – wohl auf dem blei-

---

Grenzsituationen als deren analoger Antizipation zu. Es ist ja immer die Grenze, die die Wahrheit über den Menschen unverkürzt ans Licht bringt. Sie zwingt zur rückhaltlosen Selbstkonfrontation..." (ebd. 167).

115 Ebd. 168

116 „Die Verkündigung Jesu kann nicht, gleichsam punktualistisch und geschichtsvergessen, von ihrem alttestamentlichen Hintergrund abgelöst werden. Sie ist vielmehr End- und zugleich Wendepunkt einer Vorgeschichte, die als erhellender Hintergrund immer im Auge zu behalten ist, wenn es um geschichtsgerechtes Verstehen der neutestamentlichen Botschaft geht" (Demmer [2] 137).

117 Ebd. 168f.

118 Ebd. 171.

benden Hintergrund der transzendentalontologischen Denkweise – vom „Ursprungskonflikt mit dem alttestamentlichen Ethos als ‚analogatum princeps'", welcher sich „auf die Auseinandersetzung mit all jenen Ethosformen aus[weitet], die ursprünglich außerhalb der expliziten Glaubensgeschichte angesiedelt sind"[119]. Nicht mehr der bloße unthematische, in jeder sittlichen Einzelentscheidung antizipierte Seinshorizont wird jetzt als das treibende Moment der sich selbst immer wieder kritisch übersteigenden geschichtlichen Wirklichkeit verstanden.[120] Er ist selbst erfüllt durch die Verkündigung Jesu Christi. Denn in den Radikalismen der Verkündigung Jesu[121] „wird ein konfliktträchtiger Fluchtpunkt erstellt, auf den fürderhin jegliche sittliche Einsicht zu beziehen bleibt. Und dieser Fluchtpunkt stellt eine radikale, wurzelhafte Umkehr sittlichen Denkens dar..."[122] Entsprechend der transzendentalontologischen Struktur, innerhalb deren der unthematische Seinshorizont die kategorial begrenzte Entfaltung der menschlichen Freiheit zu immer neuem Selbstüberstieg antreibt, ist es jetzt die radikale Verkündigung Jesu, die als neuer „Fluchtpunkt" diesen menschlichen Selbstüberstieg immer neu herausfordert und leitet.

Wie in der Transzendentaltheologie die bleibende unthematische Fülle des Seins zur Interpretationskategorie gerade der tiefsten Nähe, der Offenbarung der personalen Mitte Gottes als Geheimnis unbestimmbarer Freiheit, wurde, so scheint hier die geschichtlich-ontologische „Krisisstruktur", die aus dem unthematischen Seinshorizont die kategorial-perspektivierende sittliche Sinngeschichte immer neu hervortreibt, zum Deutungshorizont der radikalen Erfüllung der sittlichen Freiheit und ihrer Geschichte in Christus zu werden. Die Sinngeschichte der menschlichen Freiheit gelangt zur Erfüllung ihrer geschichtlichen Dynamik in dem Geheimnis der göttlichen Sinnstiftung (im Geheimnis des „göttlichen Willens"), das in der von Jesus vollzogenen radikalen Kritik aller Grenze (und Schuld[123]) der menschlichen Freiheit die sittliche Geschichte des Menschen in einem letztgültigen Sinne öffnet

---

[119] Ebd. 182.

[120] Vgl. Demmer (1) 25; 25–30: „Wahrheit und Geschichte"; 50–52: „Kritische Begriffsbildung".

[121] Demmer (2) 172 weist auf die Radikalismen in der Verkündigung Jesu hin: „Sie [die Gesetzeskritik Jesu] ging von der Voraussetzung unüberholbarer Reinheit religiöser und sittlicher Einsicht aus, die in den Seligpreisungen sowie den Antithesen der Bergpredigt gleichsam klassisch gebündelt und stilisiert zur Verfügung steht. Das gilt gleicherweise für die mannigfaltigen Radikalismen innerhalb der jesuanischen Verkündigung, deren Sprachform der Hyperbolismus des ‚genus litterarium propheticum' ist."

[122] Ebd.

[123] Demmer (2) 175 betont, „daß Grenzsituationen nicht ausschließlich aus der Raum-Zeitlichkeit des sittlichen Subjekts folgen. In ihnen versammeln sich überdies all jene Begrenzungen, die als Folge passiver Schuldverstricktheit auf dem sittlichen Einsichtsprozeß lasten. Eine Grenzsituation gleich welcher Art erweist sich als das unlösbare Ineinander beider Aspekte. Das bedeutet näherhin: Angesichts jener Grenzen, die durch die Raum-Zeitlichkeit gezogen sind, werden am eindeutigsten jene anderen offenkundig, die der menschlichen Schuldgeschichte entstammen und so zuhandene moralische Einsichts- und Tatkraft vermindern. Das geschieht, wie bereits angedeutet, auf exemplarische Weise in der Situation des Todes, pflanzt sich aber in all ihre Antizipationen fort."

und sprengt: „Es wird nun nicht mehr von der resignativen Anerkennung der Grenze her gedacht, sondern von der Erfahrung eines neuen Könnens, die selbst wiederum in neue religiöse Erfahrung eingebettet ist.“[124]

So deutet Demmer im Sinne der transzendentaltheologischen Kehre die sittliche Sinnstiftung der Selbstmitteilung Gottes in Jesus Christus in theologischer Explikation der transzendentalontologischen Anthropologie und der in ihr entfalteten Geschichtsontologie. Die in dieser Geschichtsontologie gelegene transzendierende Spannung der erkennenden und freiheitlichen Geschichte des Menschen wird zum Ansatzpunkt einer Interpretation der sittlichen Sinnstiftung aus dem Christusereignis, in dem das Geheimnis der unbestimmbaren Freiheit Gottes sich in seiner Dynamik, die alle Grenzhaftigkeit und zufriedene, kategorialisierend partikularisierende Selbstgenügsamkeit der menschlichen Freiheit sprengt, als das Woraufhin des menschlichen Freiheitsvollzuges in „Transzendenzverwiesenheit“[125] zeigt: „*Hier* liegt die alles entscheidende Intentionalität christlichen Handelns. Sie ist weder angemessen satzhaft faßbar, noch läßt sie sich verfügbar objektivieren. ... In dieser Eigenschaft zeigt sich ihre Geschichtsmächtigkeit an.“ „Ihr Letztkriterium liegt ... in jener unberechneten Vorgabe seiner selbst, die nicht nur aus einem Mehr-Können stammt, sondern die sich zugleich dem dadurch aufbrechenden Konflikt leidend aussetzt.“[126] Die Einmaligkeit Jesu erweist sich zutiefst darin, daß Jesus die Tradition der Epoche menschlicher Geschichte, in welche er als das „universale concretum“ kenotisch eingeht, radikal öffnet und durchbricht. Jesu Radikalismus wird sichtbar in seinem Gottesverständnis, in seiner ethischen Haltung (Radikalismus der Liebe) und in seiner Hingabe am Kreuz. Demmer hebt gerade diese Öffnung der menschlichen Sinngeschichte und der menschlichen Sittlichkeit hervor, in der die menschliche Geschichte einerseits zwar in ihre Vollendung gelangt, aber anderseits gerade in dieser Vollendung durch die Radikalität der Sinnstiftung Jesu in ihre letzte und tiefste, unausweichlichste Krise kommt – in der Erfahrung ihrer eigenen Grenze und Endlichkeit, die diesen neuen Sinnhorizont in sich aufnehmen soll. Christliche Freiheitsgeschichte gründet so „im Zeugnischarakter eines Daseins, das seinen Bezugspunkt in Kreuz und Auferstehung Jesu Christi besitzt, insofern sie gelebter Höhepunkt neutestamentlicher Anthropologie sind“, „in der Dynamik einer Grundhaltung, die das Gesetz des ‚do ut des‘ und den ihm eigenen ... Teufelskreis aufgebrochen und überwunden hat“[127]. Demmer versteht die Aufnahme und Überschreitung der alttestamentlichen Tradition in der Gesetzeskritik Jesu, im Radikalismus des Gehorsams und der Hingabe Jesu aus seiner ureigensten Nähe zu Gott als Urparadigma für die Aufnahme und Überschreitung jeder menschlich begrenzten Anthropologie, jedes sittlichen Selbstverständnisses und in all dem jedes menschlich begrenzten Gottesverständnisses. Die christliche Hermeneutik muß diese Urkrise für die Sinngeschichte des menschlichen

---

124 Ebd. 172.
125 Demmer (3) 17.
126 Demmer (2) 191.
127 Ebd.

Handelns und Leidens wachhalten. „Zweifellos ist hier der hermeneutische Ort erreicht, an dem sich die Tiefendimension neutestamentlicher Glaubenseinsicht in ihrer Relevanz für das sittliche Handeln voll zu erkennen gibt. Diese Relevanz bricht als radikale Kehre angesichts jener Erfahrung der Grenze auf, wie sie auch das sittliche Bewußtsein des an Jesus Christus Glaubenden bleibend durchzieht. ... In der genannten Kehre tritt der alttestamentlichen These von der resignativen Anerkennung der Grenze die neutestamentliche Antithese von der in Jesus Christus ein für allemal geschehenen radikalen Überwindung ebendieser Grenze gegenüber.“[128]

Wenn auch diese Deutung, welche die letztgültige Sinnstiftung für die menschliche Freiheitsgeschichte als Radikalisierung ihrer geschichtlichen Bewegung auf den vollendeten, alle Begrenzung übersteigenden Horizont der göttlichen Liebe hin versteht, nicht mit einem ethischen Rigorismus verwechselt werden darf[129], so stellt sich doch die Frage, was bei Klaus Demmer von der Sinnstiftung im Ereignis Jesu für die Suche des Menschen nach der leitenden Sinntiefe seines Handelns und

---

128 Ebd. 190.

129 Die transzendentalontologische Denkweise meint nie eine Sinnstiftung, die den menschlichen Freiheitsvollzug von außen treffen würde (vgl. hier S. 189f); so auch nicht in der Vollendung der Freiheitsgeschichte des Menschen im paradigmatischen Radikalismus Jesu Christi. Die immer schon gegebene anthropologische Vermittlung der Sinnstiftung setzt die Radikalisierung der Sinngeschichte gerade im Freiheitsvollzug des Menschen selbst. So erscheint der Radikalismus nicht als Forderung von außen, sondern als Vollzug der Freiheitsgeschichte des Menschen selbst auf seine äußersten (wenn auch letztlich nur als von Gott in seiner heilsgeschichtlichen Selbstmitteilung geschenkt und empfangen verwirklichbaren) Möglichkeiten hin, als Befreiung zu diesen Möglichkeiten. Die Grenzüberwindung „findet ... auf ... [der] Ursprungsebene statt [= der Ausrichtung auf den finalen Sinnhorizont des transzendentalontologischen Freiheitsvollzugs], die den Handlungsnormen ermöglichend vorausliegt. Demgemäß hat sich die moraltheologische Hermeneutik – und dies unter dem Duktus des evangelischen Radikalismus – um eine praktikable Synthese zu mühen“ (Demmer [2] 190). Demmer legt die Ermöglichung der christlichen Freiheitsgeschichte unter dem jesuanischen Radikalismus als neu eröffnete Geschichte dar. Der aus der Selbstmitteilung Gottes gestiftete Sinn, der sich in der sittlichen Verkündigung im jesuanischen Radikalismus ausdrückt, ist der neue Zielhorizont dieser Geschichte. Aber auch diese Geschichte bleibt wirkliche Geschichte im Sinne der transzendentalontologischen Dialektik von Wesensfreiheit und Wahlfreiheit, unthematischer Offenheit und kategorial begrenzter Entfaltung. Das schließt die Brechung des neuen christlichen Sinnhorizonts in die geschichtliche begrenzte Vermittlung (Endlichkeit und Schuld) mit ein. Die bleibende geschichtliche Struktur muß beachtet werden, damit die „geschichtliche Relevanz neutestamentlicher Sittlichkeit“, die „das dem Glauben Mögliche fest[hält]“ (190f), sichergestellt ist (vgl. 185–224: „Neutestamentlicher Radikalismus in geschichtlicher Brechung“). Weil im Sinne dieser Einheit der Offenbarung mit dem menschlichen Freiheitsvollzug, der immer in die Dialektik von kategorialer Begrenzung und unthematischer Offenheit eingespannt bleibt, die „Erfahrung der Grenze“ (= kategoriale Entfaltung in Begrenztheit und Schuld) „Gegenstand jener sittlichen Anstrengung ist, die dem Geschenkcharakter christlichen Daseins entspringt“ (= Erfüllung des unthematischen Sinnhorizonts des menschlichen Freiheitsvollzugs durch Jesus Christus; 181), kann Demmer jeden „naheliegenden rigoristischen Fehlschluß ... vermeiden“ (190).

Leidens bleibt. Ist es die bloße Überschreitung seiner menschlichen Endlichkeit der einseitigen ‚Perspektivierungen‘ und Sinnhorizonte, auf die er sich handelnd und leidend hin vollzieht? Ist die Radikalität Jesu als bloße – wennschon tiefste und letztgültige – Einweisung in diesen Rhythmus der menschlichen Geschichtlichkeit selbst, wie ihn die Analyse Demmers anhand der transzendentalontologischen Denkweise und ihrer Dynamik aufwies, zu verstehen? Wäre dann aber nicht auch hier wie in der Transzendentaltheologie[130] das Christusereignis in einer formalen Hermeneutik als bloße Radikalisierung der menschlichen Offenheit (der Offenheit menschlicher Geschichte in der Geschichte des Seins und seiner kategorialen Auslegung selbst) gedeutet, seine Sinntiefe gerade in dieser Radikalisierung ausgelegt?

Sicherlich gelingt es Klaus Demmer, in der transzendentaltheologischen Entfaltung seiner geschichtlichen Interpretation und ethischen Ausdeutung der transzendentalontologischen Metaphysik und Anthropologie, eine *formale Eingeborgenheit* der sittlichen Freiheitsgeschichte in die sinnstiftende Fülle des Christusereignisses zu zeigen: In der Erfüllung der transzendentalontologischen Dynamik der sittlichen Sinngeschichte des Menschen durch das einmalige Ereignis, das Jesus Christus ist, ist aufgrund dieser Einmaligkeit eine „vorlaufende Gnade“ eröffnet, „die den Sinnhorizont des Glaubenden in seiner anthropologischen Gewendetheit ursprünglich erstellt“[131]. Diese Gnade ist der menschlichen Freiheitsgeschichte so innerlich, daß sie sie mit ihrem übervollen Sinn durchdringt und mit sich nimmt: „Wenn... vom Sinnhorizont des Glaubenden die Rede ist, dann immer als anthropologische Umsetzung des Gottesverständnisses Jesu Christi. Bezeichnend für diesen Sinnhorizont ist, daß die erste Perspektivierung[132], und zwar in ihrer Inhaltlichkeit, als geschichtliche Möglichkeit des Menschen aufscheint.“[133] Demmer kann so Heilsindikativ und Heilsimperativ zutiefst miteinander verknüpfen:

---

130 Vgl. dazu die Untersuchung zum transzendentaltheologischen Ansatz von Karl Rahner in dieser Arbeit (S. 48–63: „Theologische Entfaltung“, bes. 55–61). Auch Rahner dient die transzendentalontologische Transzendenzverwiesenheit des Menschen nicht nur zur Beschreibung des Ausgerichtetseins des Menschen auf die endgültige Selbsterschließung Gottes in Jesus Christus („Hörer des Wortes“), sondern er beschreibt zugleich die innerste Mitte des in der Heilsgeschichte sich eröffnenden Geheimnisses der personalen Wirklichkeit Gottes vom transzendentalontologischen Seinsverständnis aus als Geheimnis einer unbestimmbaren Freiheit. Diese „Kehre“ des Denkens findet sich bei Demmer offenbar wieder. – Die Geheimnishaftigkeit Gottes, wie sie in der Mitte der transzendentaltheologischen Hermeneutik steht, ‚übersetzt‘ sich dabei in die Geheimnishaftigkeit des „göttlichen Willens“: „Der Glaubende steht... in der dauernden Angetriebenheit wie Not, ... [den] Anspruch Gottes reflex zu thematisieren. Denn so wie Gott im eindeutigen Sinne nicht Objekt menschlichen Erkennens ist, so auch nicht sein moralischer Anspruch an den Menschen. Die eindeutige Objektivität des göttlichen Gebotes liegt darum zunächst in seinem akthaften Eröffnungscharakter“ (Demmer [1] 202).

131 Demmer (2) 181.

132 Ebd. 177f ist damit die Stiftung des Sinnhorizonts von der Selbstmitteilung Gottes her in ihrer ursprünglichen Reinheit gemeint. Sie „entspringt dem ursprünglichen Dynamismus der neutestamentlichen Neuheit als Vollendung“ gegenüber einem später folgenden „nüchternen Sicheinpendeln auf die hier und jetzt gegebenen Handlungsmöglichkeiten“.

133 Ebd. 182.

„Hier berühren sich zuinnerst Moral und präsentische Eschatologie: Wenn nämlich Geschichte Zeit des Heils ist, dann sind dessen Inhalte mehr als abstrakte Utopie, sie sind vielmehr reale Möglichkeit. Und unter eben dieser Voraussetzung geht der sittliche Einsichtsprozeß vonstatten."[134]

Aber insofern in dieser transzendentalontologischen Hermeneutik die christologische Sinnstiftung selbst noch einmal als *formaler Vollzug der radikalisierten geschichtlichen Dynamik,* die in der Gesetzeskritik Jesu paradigmatisch deutlich wird, verstanden ist, insofern dieser Vollzug Jesu als Fluchtpunkt einer sprengenden Offenheit, die in alle sittliche Sinngeschichte hineinwirkt, gedacht wird und somit die endgültige Sinnstiftung aus der Selbstmitteilung Gottes noch einmal zuinnerst sich als geschichtliche Bewegung darstellt, scheint die präsentische Dimension dieses Sinnes kaum mehr erkennbar. Christliche Existenz scheint in den Horizont einer radikalen Krisis gestellt, die gerade in der erfahrenen Nähe Gottes vollkommen aufbricht. Nach Demmer lebt ihre Dynamik aus der geweiteten Intentionalität, die den menschlichen Horizont mitreißt (insofern sie immer auf ihn bezogen bleibt und sich von ihm her versteht, das Maß geben läßt) und aufreißt (unter dem Maß der Liebe Gottes). Ist damit aber nicht im Innersten der christologischen Hermeneutik nur die futurische Eschatologie für die sittliche Relevanz der heilsgeschichtlichen Selbstmitteilung Gottes wirklich erfaßt, insofern in der Mitte dieser christologischen Hermeneutik als eschatologischer Sinnstiftung der sittlichen Geschichte des Menschen ein „Letztkriterium" steht, das neben dem „Mehr-Können" noch deutlicher eine dem „aufbrechenden Konflikt leidend" innestehende „Ausgesetztheit"[135] darstellt?

Die bleibende geschichtliche Offenheit der sittlichen Sinnstiftung aus der tiefsten Selbstmitteilung Gottes in Jesus Christus darf nicht die wirklich geschenkte Geborgenheit für den Menschen in dieser Nähe Gottes überformen. Müßte nicht noch deutlicher werden – oder zumindest greifbarer dargestellt werden –, daß noch vor aller radikalisierten christlich ethischen Dynamik und als Grund dieser die liebende Bejahung des Menschen durch Gott am Beginn der christlichen Freiheitsgeschichte steht (auch wenn diese Freiheitsgeschichte eine wirkliche Geschichte bleibt)? – damit von einem christlich gedeuteten sittlichen Anspruch tatsächlich gesagt werden kann: „An seiner Wurzel steht nicht das Bewußtsein, eine Leistung vollbringen zu müssen, sondern die Erfahrung grundlosen Beschenktseins. Das schafft ein Lebensgefühl, das alle sittliche Anspannung in Gefaßtheit gegründet sein läßt. Es überwindet die schleichende Angst, den eroberten Freiheitsraum zu verlieren, sobald die eigene Leistung nachläßt. Ungeachtet der Erfahrung konkupiszenter Verfaßtheit der eigenen Freiheit und Einsicht herrscht die Grundgestimmtheit jenes getrösteten Vertrauens, das in der neutestamentlichen Gotteserfahrung gründet und ein ihr gemäßes Geschichtsverständnis freisetzt. Der Glaubende ist darum frei, zu

[134] Ebd.
[135] Ebd. 191.

erkennen, weil er an den guten Ausgang der Geschichte glaubt."[136] Gott könnte sonst zwar als Gott der Geschichte des Menschen erscheinen, der diese Geschichte als formaler Ziel- und Ursprungsgrund bis in den Fluchtpunkt des jesuanischen Radikalismus treibt und bewegt. Aber daß dieser Gott *in* die Geschichte des Menschen selbst einen Sinn für den Menschen eingestiftet hat, der die Geschichte nicht nur bewegend treibt, sondern haltend, bejahend, einbergend trägt, das bliebe weitaus undeutlicher.[137]

6. Kapitel
Hans Rotter: Der ‚bergende' Gott

In der geschichtlichen Deutung des Sittlichen innerhalb der Moraltheologie wird die seinsgegründete Freiheit des Menschen im letzten auf die Sinnstiftung hin verwiesen, die von der Selbstmitteilung Gottes in Jesus Christus geschenkt wird. Aber es gelingt hier der Moraltheologie kaum, den Sinn, den Gott in Jesus Christus dem Menschen schenkt, in seiner ganzen befreienden und erfüllenden Bestimmung darzustellen, die die geschichtliche Dynamik der menschlichen Freiheit nicht nur formal, sondern positiv vollendet. Hans Rotter sucht die Interpretation der christlichen Freiheitsgeschichte an diesem Punkt deutlicher zu fassen. Er versucht dabei, das Verständnis der menschlichen Sittlichkeit überhaupt schon in ihrem tiefsten Wesen ursprünglicher anzusetzen und von einer dialogischen Basis[138] her zu begreifen, von der her der Selbstvollzug des Menschen und seine Geschichte gar nicht verstanden werden können ohne die ursprüngliche Verankerung des Men-

---

136 Ebd. 181f. Erst dann vollzieht sich das, was Demmer als die anthropologische Umsetzung der transzendental final erhaltenen Sinnerfahrung aus der Selbstmitteilung Gottes in eine geschichtlich aktive Sinngebung des Menschen für seine Sinngeschichte beschreibt (vgl. Demmer [1] 206f).

137 Der „Bevorzugung der Transzendenzstruktur" im transzendentalontologischen Denken wirkt sich hier doch auch bei Demmer in einem gewissen Sinne aus. Die Bedeutung der Wirklichkeit Jesu Christi für die menschliche Freiheitsgeschichte wird ganz vom formalen Zielhorizont, dem unthematischen Seinshorizont des menschlichen Freiheitsvollzugs, aus zu erklären versucht (als letzte Radikalisierung seiner geschichtstreibenden Kraft, mit der jede kategoriale ‚Perspektivierung' menschlichen Erkennens und menschlicher Freiheitsverwirklichung immer neu in Frage gestellt wird). Die formal bleibende Zielfinalität der sittlichen Geschichte im Radikalismus der Verkündigung Jesu (als neuem Fluchtpunkt der christlichen Freiheitsgeschichte) scheint dabei aber das Übergewicht gegenüber der geschichtlich kategorialen Erfüllung der menschlichen Sinngeschichte zu gewinnen, die von Gott selbst in seiner heilsgeschichtlichen Selbstmitteilung geschenkt ist und die doch die transzendentale Finalität eigentlich unerrechenbar überbietet, auch wenn sie dieser eingestiftet ist.

138 „Wir möchten ... versuchen, Anregungen des dialogisch-personalen Denkens aufzunehmen. Eine responsorisch-dialogische Interpretation des sittlichen Handelns empfiehlt sich für die Moraltheologie aus verschiedenen Gründen" (Rotter [1] 5).

schen in der Begegnung mit einem Du: mit dem Du des Mitmenschen, in einem letzten Sinn aber mit dem Du Gottes.[139] Indem Rotter diesen Bestimmungsgrund der menschlichen Sittlichkeit in die Denkform der Moraltheologie einbringt, wird die geschichtliche Spannung der menschlichen Sittlichkeit, die sich im transzendentalontologischen Denken grundlegend als Bewegung der transzendenzverwiesenen Subjektivität auswies, zu einem unmittelbar dialogischen Geschehen, in dem – vermittelt durch die Objektivität der Sachbezüge und die Welthaftigkeit der leiblichen Verfaßtheit des Menschen – die geschichtliche Dynamik nicht aus der dialektischen Einheit von transzendental-formalem Ausgriff der (transzendental-abstrakten) Subjektivität auf das Sein und dessen kategorialer Entfaltung entspringt, sondern aus der dialogischen Kommunikation der geschichtlichen Subjekte. Die Mitteilung der Liebe und ihre eigene Dynamik wird dabei zum innersten Beweggrund der Geschichte. Auf diesem Hintergrund kann Rotter die vollendende Sinnstiftung in der heilsgeschichtlichen Selbsteröffnung Gottes in einer deutlicheren Weise als Klaus Demmer beschreiben. Sie erscheint als die verwirklichte Sinngabe der göttlichen Liebe, welche alle menschliche Kommunikation der Liebe durch ihre Fülle und dialogisch sich mitteilende Kraft umfängt und trägt, auch wenn damit die Geschichtlichkeit der christlichen Freiheitsgeschichte nicht aufgehoben ist.

1. *Die dialogische Struktur des sittlichen Aktes*

Die gegenwärtige Methodendiskussion der Moraltheologie zeigt die moraltheologische Reflexion auf der Suche nach einem Ansatzpunkt, der die vielen relevanten Dimensionen der menschlichen Sittlichkeit zu einen vermag. Er muß einerseits den vielfältigen anthropologischen (subjektiven, objektiven, empirischen, transzendentalen, rationalen, geschichtlichen usw.) Faktoren gerecht werden. Anderseits soll er zugleich eine theologische Hermeneutik ermöglichen, die ungekünstelt die vielseitige Gestalt der sittlichen Wirklichkeit auf eine innere Sinnmitte hin auszulegen vermag, die dem christlichen Glauben als Antwort auf die Frage nach der leitenden Sinntiefe für das Verständnis der menschlichen Sittlichkeit entspricht. So soll die integrative Funktion der Moraltheologie in christlich verantworteter Weise erfüllt werden.[140]

---

[139] Rotter (1) 6 formuliert seinen neugefaßten Ansatz der Deutung des Sittlichen gegenüber der „traditionellen scholastischen Philosophie": „Diese neigt ja immer dazu, ihre Aufmerksamkeit fast ausschließlich dem handelnden Subjekt, oder genauer: dem Ich, zuzuwenden. Auch wenn die Verwiesenheit des Menschen auf Gemeinschaft gesehen wird, besteht doch die Gefahr einer individualistischen Auffassung der Person. Die vielfache Verwobenheit von Ich und Du und die Bedeutung des Partners für jeden menschlichen Akt wird nicht genügend beachtet. Die Liebe wird mehr als ‚Selbstvollzug' denn als Kommunikation mit dem anderen gesehen." Diese letzte Beobachtung trifft auf die transzendentalontologische Denkweise im eigentlichen Sinne zu, insofern erst sie den letztlich transzendentalen Begriff des „Selbstvollzugs" in das scholastische Denken miteingebracht hat.

[140] Vgl. Rotter (1) 5.8–21; (3) 7–14. „... die Frage nach der Methode moraltheologischen

Hans Rotter sucht die Möglichkeit eines solchen Ansatzpunktes darzulegen, indem er den Finger auf eine Seite der thomanischen (aristotelischen) Definition der Liebe legt, die in der Tradition aufgrund der objektiven Ausrichtung des Denkens immer im Hintergrund geblieben ist: auf die personale Bezogenheit des sittlichen Aktes.[141] Lautet die Definition bei Thomas: „Amare est velle alicui bonum" (24), so scheint die Tradition ihre Hauptaufmerksamkeit dem sachlichen Objektbezug (Akkusativobjekt!) als dem konkreten Ausdruck der Liebe in dieser Relation geschenkt zu haben. Über diesem Bemühen um den „Ausdruck der Liebe" wurde aber das Verständnis des Sittlichen schon im Ansatz der moraltheologischen Reflexion auf ein bloßes Subjekt-Objekt-Schema reduziert, in dem sich zudem die Betrachtung vor allem auf die objektive Seite fixierte. Rotter meint „in der traditionellen Moraltheologie ein fast ausschließliches Bemühen um Objektivität... feststellen zu müssen"[142]. Er betont dieser Einseitigkeit gegenüber, von der thomanischen Definition ausgehend, die volle Gestalt des sittlichen Aktes als eine primär personale Beziehung (Dativobjekt!), die sich allerdings – und darin überschreitet sein Ansatz von Anfang an einen rein spiritualistischen Personalismus[143] – immer zugleich und notwendig durch objektive Bezüge vermittelt. „Es handelt sich im Akt der caritas ja nicht einfach um ein Subjekt, das sich in der Handlung auf ein Objekt bezieht, sondern es liegen hier *zwei* Objekte vor: ein Dativ- und ein Akkusativobjekt. Sie stehen allerdings nicht auf einer Ebene, sondern haben im Vollzug der Liebe eine sehr verschiedene Bedeutung. Schon diese Feststellung erlaubt es uns nicht mehr, den sittlichen Akt nach einem einfachen Subjekt-Objekt-Schema zu denken! ... Wenn die Einheit des Aktes gewahrt bleiben soll, dann müssen die beiden Objekte innerlich aufeinander bezogen sein" (24). Die objektive Bezogenheit des sittlichen Aktes soll also durch den primären Ansatz bei der intersubjektiven Relation nicht geleugnet werden. Sie steht aber nach dieser Deutung ganz im Dienst der persona-

---

Denkens [tritt] in die Mitte der heutigen Diskussion." „Es ist genauer zu untersuchen, in welchem Verhältnis die Moraltheologie zu den empirischen Wissenschaften, also zu Psychologie, Soziologie, Ethologie, aber auch zu Ethnologie, Pädagogik und den Rechtswissenschaften steht, und welche Funktion Glaube und Offenbarung für die Sittlichkeit haben. Es geht dabei natürlich nicht bloß um eine pragmatische Abgrenzung der Arbeitsbereiche, sondern um ein tieferes Verständnis des Sittlichen, der Begründung sittlichen Sollens, des Verhältnisses von objektiven empirischen Gegebenheiten zur Subjektivität des Menschen usw." (Rotter [3] 7).

141 Vgl. Rotter (1) 22–36, bes. 22–26. „Jeder sittliche Akt bezieht sich direkt oder indirekt auf eine andere Person, und zwar nicht aus egoistischen Motiven, sondern um der anderen Person selber willen" (22). In der folgenden Analyse zu diesem Ansatz (S. 224–231) finden sich die Zitationsbelege zu Rotter (1) im Text.

142 Rotter (4) 26f.

143 Nach Rotter (1) 6 liegt in der Neigung des personalistischen Denkens zur spiritualisierenden Wirklichkeitsdeutung dessen unterschiedliche Aufnahme in den konfessionellen Theologien begründet: „Die katholische Theologie zeigte sich anfangs gegenüber dem dialogischen Denken recht zurückhaltend. Ein Grund dafür mag gewesen sein, daß sich der Dialogismus in der evangelischen Theologie häufig mit einem Aktualismus verband, der in katholischer Sicht unannehmbar erschien."

len Beziehung und kann im letzten nur von dort her in ihrer Bedeutung für die menschliche Sittlichkeit recht verstanden werden.

Rotter versucht von dieser ganzheitlichen Betrachtung der menschlichen Sittlichkeit aus die Hermeneutik des sittlichen Phänomens umfassend neu zu bestimmen. Dabei denkt er von der thomanisch-aristotelischen Grundbestimmung der Liebe aus auf eine vielschichtige Darstellung hin, in der die anthropologischen und sachlichen Bezüge, aber auch die theologische Sinntiefe der menschlichen Sittlichkeit sich wie von selbst um bzw. in das personale Zentrum der sittlichen Wirklichkeit lagern. Rotter setzt diese Hermeneutik an bei der Bestimmung des dialogischen Zentrums aus der personalen Relation des sittlichen Aktes: In der intersubjektiven Ausrichtung des sittlichen Aktes ist die Liebe selbst, als empfangene und geschenkte, Sinnziel und Entfaltungsweg der menschlichen Sittlichkeit. Im Wachsen der Liebe an sich selbst durch Austausch und Kommunikation der Menschen miteinander, im sittlichen Auftrag des Menschen, durch eigene Liebe im anderen diese Liebe zu wecken („velle alicui caritatem"), bricht die letzte leitende Sinntiefe der menschlichen Sittlichkeit auf: die dialogische ‚Selbststiftung' der Liebe. „Die verschiedenen sittlichen Akte haben... nicht nur einen gemeinsamen Ursprung in der Liebe des Handelnden, sondern sie haben auch ein gemeinsames ‚Formalobjekt', oder besser: ein gemeinsames formales Ziel (‚Formalprojekt'), nämlich die Liebe des Partners" (26). Deshalb definiert Rotter die Liebe und damit das Wesen des sittlichen Aktes und der menschlichen Sittlichkeit überhaupt: „... die Liebe verstehen [wir] als ‚velle alicui caritatem'..." „In unserer Formulierung ist... klar, daß man sich der Person des andern nicht durch eine räumliche Verbindung, sondern nur durch einen beiderseitigen personalen Vollzug schenken kann. Und dieser Akt heißt eben Liebe" (25). Wird die menschliche Sittlichkeit in ihrem Zentrum vom Dativobjekt des sittlichen Aktes her verstanden, gibt sie sich so primär als personale Relation, so wird zur Mitte der menschlichen Sittlichkeit die Liebe selbst: Im sittlichen Akt liebt der Mensch den Mitmenschen, um ihn zur Liebe zu bewegen, und er empfängt Liebe, um selbst zu lieben.

Rotter betont die Fundierung der Liebe gerade in der dialogischen *Beziehung*. Sie (und damit das Wesen der menschlichen Sittlichkeit oder Freiheit selbst) ist nur in Relationalität zu denken: „Wenn es das Ziel der Liebe ist, den Geliebten zur Liebe zu führen, dann muß dieses Ziel auch erreichbar sein. Es muß also tatsächlich möglich sein, etwas dazu zu tun, daß das Du durch die Liebe, die es empfängt, nun auch selber zur Liebe gelangt. Das setzt voraus, daß die menschliche Freiheit weder absolut, noch monadisch in sich geschlossen ist, sondern daß sie von vornherein auf den Mitmenschen bezogen ist" (26). „Die Möglichkeit zu einem solchen personalen Vollzug [= dem ganzheitlichen Akt der Liebe] kann nicht allein von einem Subjekt geschaffen werden. Dazu ist auch das freie Ja des Partners erforderlich..." (27).

2. *Die dialogische Fundierung der menschlichen Sittlichkeit*

Hans Rotter erweitert mit dieser Analyse des sittlichen Aktes das Verständnis des ontologischen und gnoseologischen Fundamentes der menschlichen Sittlichkeit gegenüber den bisher besprochenen Ansätzen und Autoren: Nicht die bloße, aus der transzendental beschriebenen Ermöglichungsbeziehung für sich betrachtete Subjektivität des Menschen als „Selbstbesitz durch Selbstbewußtsein und Selbstbestimmung", nicht die „transzendenzverwiesene Subjektivität in geschichtlicher Entfaltung", sondern die „dialogische Freiheitsbeziehung", in der „Aktivität und Passivität schlechthin identisch sind", weil „in der größten Aktivität einer starken Liebe gleichzeitig die größte Passivität des Beschenkt-Werdens und sich Beschenken-Lassens liegt" (28), ist hier das umfassende Fundament für das Verständnis des Wesens des Sittlichen. In dieser Fundierung kommt aber im Horizont einer umfassenden „Einheit der verschiedenen Dimensionen des sittlichen Aktes (Gottesliebe, Nächstenliebe, Selbstliebe)" (25) die innere Vermittlung von existentiell erfahrener Freiheit, universalem Sinn, menschlicher Selbstwerdung und transzendenter Ermöglichung aufgrund der dialogischen Gleichursprünglichkeit der Relationspartner in einer Weise zum Ausdruck, die noch mehr als die geschichtliche Entfaltung des transzendentalontologischen Denkens bei Klaus Demmer die innere Beziehung von menschlichem Freiheitsvollzug und göttlicher Ermöglichung unmittelbar erschließt.[144]

– Die Dialogik als gemeinschaftlicher Prozeß[145]

Wenn auch die Analyse Hans Rotters immer wieder an der interpersonalen Beziehung von Ich und Du die dialogische Grundstruktur der menschlichen Sittlichkeit originär und paradigmatisch erfaßt, so versteht Rotter diesen Ansatzpunkt als eine Abstraktion, die über sich hinausweist auf die umfassendere Vermittlung der menschlichen Liebe und Sittlichkeit in der Kommunikationsgemeinschaft der menschlichen Gemeinschaft. „Wir haben den sittlichen Akt nur als eine Begegnung zwischen zwei Personen gesehen. Das ist eine Modellvorstellung, die von der Wirklichkeit des sozialen Lebens weitgehend abstrahiert. Die menschliche Person ist nicht nur der Partner eines Mitmenschen, sondern sie steht immer in einem Geflecht zahlreicher sozialer Bezüge, die alle eine Bedeutung für das sittliche Handeln besitzen" (33). Diese ‚Universalisierung' der Dialogik führt Rotter vor allem mit Hilfe empirisch begründeter Anthropologie, mit Hilfe humanwissenschaftlicher, z. B. soziologischer oder psychologischer Forschung[146] in die moraltheologische Reflexion ein. Die empirischen Ergebnisse werden dabei auf die hermeneutisch ‚metaphysische' und anthropologisch fundierende Bedeutung hin reflektiert, d. h. als Ausdruck hermeneutischer Grundstrukturen der pluriformen Gestalt der menschlichen Sittlichkeit, welche die personale und objektivierende Vermittlung der menschlichen Liebe ist, verstanden.[147] Rotter denkt diesen gesell-

---

144 Von diesem Fundament her wird es auch möglich, die Selbstmitteilung Gottes sehr viel deutlicher als positiven, sinnstiftenden Akt (einer gleichsam ‚präsentischen Eschatologie') am Beginn der christlichen Freiheitsgeschichte und als Vollendung menschlich sittlicher Sinngeschichte überhaupt darzustellen.

145 Vgl. Rotter (1) 33–36; (3) 71–74: „Die soziale Vermittlung von Werten".

146 Vgl. bes. Rotter (3) 15–129: „Anthropologie und Hermeneutik des Sittlichen".

147 „Dem heutigen Denken entsprechend [wird]... nicht unmittelbar bei metaphysischen oder dogmatischen Aussagen angesetzt..., sondern bei empirischen Aspekten, die dann erst die metaphysische und theologische Fragestellung eröffnen..." (ebd. 14).

schaftlichen, interpersonalen Gemeinschaftsbezug des menschlichen Selbstvollzuges und der menschlichen Sittlichkeit in der gleichen dialogischen Ursprünglichkeit und unmittelbaren Bedeutung wie die interpersonale Ich-Du-Beziehung selbst.

In dieser Deutung des sittlichen Phänomens wird aber die Abstraktionsebene der transzendentalen Analytik verlassen. Die menschliche Personalität wird nicht vom subjektiven Selbstvollzug her, der der Objektivität transzendental vorgeordnet ist, verstanden, sondern sie wird zunächst von der dialogischen Beziehung der Partner in der menschlichen Gemeinschaft her gedeutet.

Die soziale ‚Kategorie' ist hier also nicht als eine Einebnung der Individualität in die kollektive Verflochtenheit zu verstehen, sondern sie stellt die Rücknahme der transzendentalen Abstraktion des stilisierten subjektiven Selbstvollzugs im Gegenüber zur transzendental gesetzten Objektivität dar. Rotter versucht eine gleichsam phänomenologische Betrachtungsweise aufzunehmen, die die Wirklichkeit des Menschen in seiner ‚Gegebenheit' wahrzunehmen versucht. „... wir [sind] der Überzeugung, daß eine Methode wissenschaftlich nur so weit anwendbar ist, wie sie ihre Eignung immer wieder an der Erfahrung ausweist."[148] Das „Prinzip aber, das die Anwendung einer bestimmten Einzelmethode rechtfertigt, kann nicht wieder nur ein abstraktes Denkmodell sein, sondern es muß die Wirklichkeit sein, wie sie der Mensch erfährt. Diese Wirklichkeit ist der Mensch mit seinen Strukturen, die Welt und Gott, auf die der Mensch bezogen ist"[149]. Diese ‚Gegebenheit' wird auf ihre hermeneutisch unbedingte Relevanz hin befragt. Dabei aber wird die Wirklichkeit des subjektiven Selbstvollzugs der menschlichen Freiheit unmittelbar in die volle Struktur dieser ‚Gegebenheit' gestellt: in die ursprüngliche Gemeinschaftsbezogenheit ihrer selbst, von der her ihr Wesen mitbestimmt wird: „Denkt man die menschliche Person so, daß sie bis in ihr Innerstes hinein in Gemeinschaft verwoben und auf sie verwiesen ist, dann ist der Vollzug dieser Einheit in der Liebe nicht bloß etwas Akzidentelles, sondern der einzige denkbare Fall eines echten Wesensvollzuges überhaupt" (27). „Entscheidend ist dabei, daß man die Liebe nicht bloß als Selbstvollzug des Subjekts versteht. Wie die menschliche Freiheit als Grundvollzug der Person nur in Beziehung zu anderen Personen denkbar ist, so auch die Liebe" (22f).

Im Sinne dieser Aufgabe abstrakter Reflexionsebenen füllt Rotter die verschiedenen Dimensionen der Deutung des sittlichen Phänomens, wie sie von der transzendentalontologischen Metaphysik aus vorgenommen wurde, neu mit einer anthropologisch-empirisch ansetzenden Hermeneutik[150]. Er zeichnet einerseits die Linien der transzendentalontologischen Anthropologie in gewissem Sinne (implizit und explizit) nach: die Wirklichkeit des Menschen als transzendenzverwiesenen Geistes in kategorialer Leiblichkeit. Aber diese Linien werden ganz aus der unmittelbaren Nähe des Denkens zur empirischen Anthropologie erarbeitet und gefüllt. Die Verbindung dieser Hermeneutik mit dem dialogischen Denken in ihrer Mitte läßt dabei die Deutung der menschlichen Personalität als subjektiv und geschichtlich verfaßter Freiheit und die Vermittlung der Wirklichkeit Gottes in einem inneren Verhältnis zu dieser, wie sie in der transzendentalontologisch geschichtli-

---

148 Ebd. 10.

149 Ebd.

150 Nach Rotter (3) 12 knüpft der anthropologisch-hermeneutische Ansatz „mehr an die ‚philosophische Anthropologie'" an, z. B. – laut Anm. 11 – an M. Scheler, H. Pleßner, A. Gehlen, H. E. Hengstenberg, E. Rothacker, „weil hier die Verbindung zu den empirischen Wissenschaften, auf die die Moraltheologie nicht verzichten kann, viel stärker entwickelt ist".

chen Hermeneutik Demmers erschlossen werden, noch einmal neu und vertieft aufscheinen.

– Verleiblichung[151]

Was das transzendentalontologische Denken mit der notwendigen kategorialen Vermittlung des menschlichen Selbst- und Freiheitsvollzugs in der Subjekt-Objekt Metaphysik beschreibt, wird in der dialogischen Perspektive als das Problem der Verleiblichung erkannt.

Rotter deutet die notwendige Doppelseitigkeit des sittlichen Aktes als eines objekt- und persongerichteten Aktes im Sinne einer sprachlichen Ausdrucksvermittlung der personalen Grunddimension der menschlichen Sittlichkeit: als Kommunikation der Liebe über ihre sachliche (objektvermittelte) Eingebundenheit. „Liebe hat nicht das Ziel, bloß das eigene Ich zu vervollkommnen. Sie will auch das Du zur Liebe führen. Das geschieht dadurch, daß man sein Wohlwollen dem andern zu verstehen gibt. Man muß also seine Liebe ausdrücken, so daß sie der Geliebte wahrnehmen und sich von ihr bewegen lassen kann. Erst in einem solchen Ausdruck ist Interkommunikation möglich" (39). So wird deutlich, daß einerseits die sachliche Bezogenheit der menschlichen Sittlichkeit nie übersprungen werden kann, die ihren Strukturen entsprechend dem sittlichen Akt auch ihr Gepräge gibt. „Wie der menschliche Geist sich verleiblichen muß, um sich zu verwirklichen und auszudrücken[152], so muß sich auch die Liebe verleiblichen. Sie muß sich in Zeit und Raum darstellen, d. h. in einer leiblichen Gestalt. Die Ich-Du-Beziehung vermittelt sich also in einer Ich-Es-Beziehung, der eine Es-Du-Beziehung auf seiten des Adressaten entspricht" (39).[153] Die Verleiblichung menschlicher personaler Liebe setzt eine Beachtung dieser leiblichen Verfaßtheit des Menschen (verstanden als die gesamten Sachbezüge der Natur und der Anthropologie in ihren verschiedenen Schichten und Dimensionen) voraus. Hier liegt das berechtigte Anliegen der traditionell objektiven Denkweise, aber auch der rational formalen Analytik im Horizont des subjektiv vermittelten Denkens. Die sittlichen Akte dürfen „nicht rein geistig aufgefaßt werden, sondern sie haben sich je nach Situation im konkreten äußeren Handeln zu verwirklichen. Dabei werden jeweils die verschiedensten Gegebenheiten der leiblichen und sozialen Existenz des Menschen zu beachten sein. Ebenso wird hier das Prinzip der Güterabwägung zur Anwendung kommen."[154] Auf der anderen Seite wird die letzte Tiefe der menschlichen Sittlichkeit, der alle „Sachlichkeit" letztlich dient und auf die rückbezogen diese erst sittlich relevant wird, deutlich: die Intention und Kommunikation der Liebe. In dieser radikalen Bezogenheit und Intentionalität aller Vermittlung und Verleiblichung zeigt sich menschliche Sittlichkeit als ein umfassendes

---

151 Vgl. Rotter (1) 39–42.

152 Vgl. die transzendentalontologische Anthropologie!

153 Vgl. dazu auch die verschiedenen Wertebenen, die als Schichten in den sittlichen Wert mit eingehen: Rotter (3) 43–48.

154 Rotter (4) 25.

– „Sprachgeschehen“ der Liebe[155]

Die menschliche Sittlichkeit ist im Sinne der dialogischen Bestimmung ein Ausdrucksgeschehen, in dem durch eine *äußere Symbolisierung* (in der Verleiblichung durch die „sachlichen“ Objektivationen) eine *innere Mitteilung,* die *Mitteilung der Liebe,* gemacht wird. Menschliche Sittlichkeit zeigt sich so als ein umfassendes „Sprachgeschehen“: „Um die Gesamtstruktur sittlichen Verhaltens zu charakterisieren, scheint es uns vorteilhaft, den Begriff des *Sprachgeschehens* einzuführen. Dieser Begriff empfiehlt sich... deswegen, weil er auf eine Reihe von Aspekten des sittlichen Lebens hinweist...:

a) Die sittliche Handlung geschieht in einem Realsymbol, in dem sich der personale Vollzug verwirklicht und ausdrückt. ...

b) Die sittliche Handlung ist grundsätzlich auf ein menschliches Du bezogen. ...

c) Die Beziehung auf die Gemeinschaft besteht auch dann, wenn man einem einzelnen Menschen begegnet“ (44).

Die Mitteilung der Liebe kann mit Hilfe der äußeren Symbole eröffnet, aber auch verstellt werden, aufgrund der (formalen und materialen) Eigengesetzlichkeit der Symbole gelingen und mißlingen (44).[156] Sie ist als „Sprachgeschehen“ immer schon in die umfassende Kommunikation der Gesellschaft gestellt und mit dieser vermittelt, getragen vom Horizont ihrer Intentionalität. *Dieses „Sprachgeschehen“ dient der ganzheitlichen Kommunikation der Liebe, verstanden als die dialogische „Dynamik“ der Liebe im Sinne des „velle alicui caritatem“.*

Diese Deutung der menschlichen Sittlichkeit als umfassendes Sprachgeschehen der Liebe holt in der dialogisch-anthropologischen Betrachtungsweise die Strukturbeschreibung der ontologischen und gnoseologischen Fundierung des Sittlichen durch die transzendentalontologische Denkweise in ihrer ganzen Reichweite ein. Steht die notwendige Verleiblichung der Kommunikation der Liebe in der dialogisch-anthropologischen Ausdrucksweise für die Notwendigkeit der kategorialen Vermittlung des formalen universalen Ausgriffs des menschlichen Geistes, so ist durch den Intentionalitätshorizont der dialogischen Kommunikation, durch die dialogische „Dynamik“ der Liebe die formale und umfassend sinnstiftende, geschichtliche Dynamik antreibende Finalität des unthematischen Seins aus dem transzendentalontologischen Denken ersetzt.[157]

Sowohl der Intentionalitäts- und Sinnhorizont der Liebe als auch der Sinnhorizont des Seins geben sich jeweils als Horizont einer sittlichen Sinngeschichte[158], in der das Subjekt dieser Geschichte die geschichtlich verfaßte und darin existentiell offene Freiheit des Menschen (einmal als transzendentale Subjektivität gedeutet, ein anderes Mal als dialogisch begründete

[155] Vgl. Rotter (1) 42–45.

[156] Es bleibt, „wie bei jedem Symbol, eine Zweideutigkeit. Man kann auch mit einer konkreten Handlung gegenüber dem Mitmenschen und sich selber ‚lügen‘“ (ebd. 44).

[157] Rotter (1) 26 spricht gerade in diesem Sinn von der Liebe als dem gemeinsamen „Formalprojekt“ der sittlichen Akte: Die Liebe ist nicht nur Ursprung des sittlichen Handelns, sondern auch Ziel – nämlich als Liebe, die in andern geweckt werden soll.

[158] Zum Verständnis der Geschichtlichkeit des Menschen im personal-dialogischen Ansatz von Rotter vgl. unten S. 236–239.

Personalität) und die Freiheit Gottes sind. Der entscheidende Unterschied zwischen den beiden Entwürfen liegt aber in der ontologischen Fundierungsdimension. Die transzendentalontologische Denkweise läßt die sittliche Sinngeschichte in der prinzipiellen Gegenüberstellung von transzendentaler Subjektivität und Sein als ein transzendentales Setzungsgeschehen unter der begründenden Seinsoffenheit erscheinen. Personalität wird hier wesentlich aus der Seinskommunikation begründet.[159] Die heilsgeschichtliche Selbstmitteilung Gottes wird in diese Struktur der Seinskommunikation als ontologischer Höhepunkt der Sinngeschichte eingeschrieben. Die dialogische Denkweise läßt die sittliche Sinngeschichte als ein dialogisches Kommunikationsgeschehen erscheinen. Personalität erschließt sich als dialogisch begründete Freiheit in der gegenseitigen, die Freiheit der dialogisierenden Partner aufbauenden Liebe. Wie sich hier existentiell erfahrene Individualität und universaler Sinn miteinander vermitteln, wie die transzendente Ermöglichung und der subjektive Selbstand des Menschen aufeinander bezogen sind, wie die heilsgeschichtliche Selbstmitteilung Gottes in Jesus Christus sich in diese Struktur einordnet und wie *darin* das dialogische Denken von Hans Rotter die Aussagekraft der transzendentalontologischen Vermittlung vertieft und übersteigt, dies soll im folgenden untersucht werden. Bevor sich die Untersuchung der zweiten und dritten Frage zuwendet, wofür die Beschreibung der Aufnahme des geschichtlichen Denkens in den dialogischen Ansatz bei Rotter eine Brücke sein wird, soll auch hier (wie in der Darstellung des geschichtlichen Denkens von Klaus Demmer) zunächst ein Exkurs stehen. Es geht im Hinblick auf die erste Frage darum darzustellen, wie sich die dialogische Fundierung der Sittlichkeit auf die gesamte Struktur der Moraltheologie auswirkt.

Exkurs: Dialogisch orientierte Moraltheologie

In der dialogischen Fundierung im Sinne des universalen „Sprachgeschehens" erscheint die Liebe als Weg, Mittel und Ziel der Sittlichkeit. Die Liebe wird damit sowohl zum „subjektiven" wie auch zum „objektiven" Prinzip des Sittlichen. Denn der subjektive Vollzug der Liebe ist sich selbst das objektive Ziel – aber hier nicht in transzendental abstrakter Selbstzwecklichkeit, sondern in dialogisch-interpersonaler Kommunikation. Wie in der geschichtlichen Wende der Moraltheologie wird so die bloße Geschlossenheit der subjektiven Fundierung des Sittlichen und ihre formale Rationalität im dialogischen Denken gesprengt. Die Selbstzwecklichkeit der Liebe ist nur verstehbar als ein dialogisches Geschehen, in dem die geschichtliche Kommunikation der dialogischen Partner die subjektive Seite und die objektive Seite des Sittlichen in eins bringt: die verwirklichte und gelebte Liebe ist zugleich geschenkte und empfangene Liebe.

– Die Würde der Gewissensentscheidung[160] und die dialogische (soziale) Vermittlung des sittlichen Sollens

Der Dialog der Liebe, der in der Mitte der menschlichen Sittlichkeit steht, vollzieht sich im einzelnen Subjekt gemäß dessen subjektiver Offenheit für die Liebe. Das drückt sich in der Bedeutung des Gewissensurteils in der dialogischen Interpretation des Sittlichen aus: „Für die Gestalt einer sittlichen Verpflichtung ist letztlich die Sinngebung durch das Gewissensurteil ausschlaggebend."[161] Umgekehrt ist aber in der Liebe das einzelne Subjekt immer schon hineingestellt in den universalen Raum der gemeinschaftlichen Kommunikation der Liebe und beeinflußt von ihm. „In der Liebe zum Du ist immer auch das Ja zur Gemeinschaft eingeschlossen."[162] Darin zeigt sich auch im dialogischen Denken die Vermittlung von subjektivem Selbstand und existentiell erfahrener Freiheit des Menschen auf der einen Seite und Bindung des sittlichen Anspruchs an einen universalen Sinn auf der anderen an.

Aufgrund der leiblichen Gebundenheit des Menschen wird in die Kommunikation der

---

159 Vgl. dazu hier S. 31–34. 190f.

160 Vgl. Rotter (1) 56–58; (4) 75–84.

161 Rotter (1) 56.

162 Ebd. 36.

Liebe die gesamte Disposition des einzelnen immer mit eingebracht. Dabei kann der Mensch die Intention seiner Liebe in der konkreten leiblichen Verfaßtheit (= psychische, soziale Situation usw.) nie völlig adäquat ausdrücken. Trotzdem dient die Leiblichkeit unverzichtbar der Vermittlung der Liebe. Im Sinne der Priorität des Intentionshorizonts gegenüber dem konkreten Ausdruck im Sprachgeschehen nimmt der einzelne aber an der Kommunikation der Liebe in voller Tiefe teil (wenn er sich selbst intentional dafür entscheidet), auch wenn die verleiblichenden Objektivationen den vollendeten Ausdruck dieser Intention nicht wiedergeben können. In dieser Betonung der subjektiven Intentionalität des sittlichen Aktes geht der subjektive Selbstand des Menschen als deutendes Gewissen ganz in die dialogische Interpretation des Sittlichen mit ein: Die subjektive Deutung der sittlichen Situation und ihrer sachlichen Gegebenheiten ist der primäre Fundierungsgrund des Verpflichtungscharakters des sittlichen Sollens: „Es kann z. B. sein, daß man bei einem Unfall vor die Wahl gestellt ist, entweder gleich selber zu helfen oder erst zu einer Telefonzelle zu eilen, um einen Arzt anzurufen. Für beides sprechen gewichtige Gründe. Die letzte Entscheidung darüber, was hier nicht bloß sachlich richtiger, sondern auch sittlich vom einzelnen verlangt ist, liegt bei der *Deutung,* die der Betreffende diesen Alternativen gibt. Es kann sein, daß sich die getroffene Entscheidung später als sachlich falsch herausstellt. Dadurch wird sie aber nicht sittlich falsch. Der Helfer ist seinem Gewissen gefolgt, und dessen Urteil ist letztlich bindend, nicht aber die objektive Notwendigkeit des Sachverhaltes. Die Unfehlbarkeit des Gewissens beruht gerade darauf, daß das eigene Urteil die letzte Norm für das Handeln darstellt.“[163]

Der traditionelle Objektivismus ist damit weit zurückgelassen. „... neben ... objektiven Gesichtspunkten einer menschlichen Entscheidung dürfen ... die Aspekte des Personalen und Subjektiven nicht unterbewertet oder auf Objektivität zurückgeführt werden. Freiheit, Geschichte und Sinnentwurf sind wesentliche Elemente jedes sittlichen Aktes und müssen deshalb auch in ihrer Eigenart genügend bedacht werden.“[164] In der ‚ontologischen‘ und gnoseologischen unbedingten Bindung des sittlichen Anspruchs an die in der Subjektivität und Intersubjektivität gegebene umfassende Intentionalität der Liebe ist dabei mehr ausgesagt, als es das traditionelle Axiom von der Letztverbindlichkeit des Gewissens auszudrücken vermochte. Denn die Tradition band das Gewissen selbst noch einmal an die vorgegebenen objektiven Seins- oder Wesensstrukturen. „Die traditionelle Moral versucht weithin, sittliches Sollen in der Natur, in ihren Dringlichkeiten und Erfordernissen zu begründen. Auch wenn hinter diesem Naturbegriff noch der Gedanke des Schöpfergottes steht, handelt es sich doch um einen vorwiegend objektiven, nicht um einen personalen Ansatz. Das muß auch gegen den Einwand festgehalten werden, daß der sittliche Anspruch erst im Gewissen der menschlichen Person konstituiert wird.“[165] Der Begriff der „Objektivität“ selbst muß im Horizont der dialogischen Deutung des Sittlichen dagegen primär als Vermittlung der Intentionalität des einzelnen Subjektes mit der universalen Intentionalität der menschlichen Kommunikationsgemeinschaft verstanden werden. Im dialogischen Ansatz wird somit das, was Klaus Demmer zwar andeutet, aber im transzendentalontologischen Denken – zumindest – nicht ursprünglich genug einholen kann, unmittelbar deutlich: „Objektivität“ entfaltet sich im dialogischen Denken primär nicht als „Sachlichkeit“, sondern weil sich „die sittliche Entscheidung als geschichtlich-objekthaft begrenzte im primären Medium von Intersubjektivität“ vollzieht, gilt: „Hier [im Medium der Intersubjektivität] findet ihre erste, grundlegende wie unmittelbar eindeutige ‚Verobjektivierung‘ statt.“[166] „Sittliche Einsichts- und Entscheidungsprozesse sind ja wesentlich an interpersonale Begegnung und Kommunikation gebunden. Transzendenzeröffnete Subjektivität entfaltet sich ursprünglich im Gegenüber zu Personen und nicht zu Dingen. ... Das spezifische Objekt sittlicher Erkenntnis erschöpft sich nicht in der Vermittlung von Wertanspruch und umfassender Selbsterfüllung, der Nächste tritt konstitutiv

---

163 Ebd. 56.
164 Rotter (4) 25.
165 Rotter (8) 36.
166 Demmer (1) 66.

in diese Beziehung ein. Übereinstimmung von Objekt und Erkennen als formale Bestimmung der Wahrheit bindet sich immer auch an Konsens, weil sittliche Wahrheit nicht vom Paradigma eines sachhaften Objekts und der ihm eigenen Abstraktheit entworfen werden kann."[167]

Das transzendentalontologische Denken selbst, dem Demmer verpflichtet ist, bindet in seiner Spannung von transzendentalem Selbstvollzug im formalen Ausgriff auf das Sein und kategorial objektivierender Entfaltung „Objektivität" noch nicht primär an interpersonale Begegnung und Kommunikation. Es spricht zunächst davon, daß „sittliche Verpflichtung... in einem transzendenzverwiesenen [wobei die universale Seinsoffenheit das Paradigma dieser Transzendenzverwiesenheit ist] Setzungsakt [gründet], der Selbstverpflichtung meint"[168]. Dies wird erklärt: „Wenn mithin von Objektivität des sittlichen Anspruchs die Rede ist, dann gründet sie in transzendenzverwiesener Subjektivität, welch letztere in einem geschichtlichen [= kategorial objektivierenden] Entfaltungsprozeß eingebunden bleibt."[169] Unmittelbarer als diese Deutung siedelt die dialogische Interpretation „Objektivität" in der interpersonalen Kommunikation des Intentionalitätshorizontes an[170], dem Horizont der Liebe, der alle (sachhafte) Verleiblichung erst dient (wobei diese sachhafte Wirklichkeit gleichwohl in diesem Verständnis von Objektivität im Sinne dieser Verleiblichung und um der Kommunikation der Liebe willen enthalten ist!): „Es geht... in der sittlichen Entscheidung nicht nur um das äußerlich richtige Handeln, sondern auch um eine personale Stellungnahme in verschiedener Hinsicht. ... Er [der Mensch] muß ein bestimmtes Verhältnis zum Mitmenschen und dessen Geschichte finden, d. h. er muß dem Nächsten in Liebe und Vertrauen begegnen und ihm Schuld vergeben können. In all diesen Vollzügen muß der Mensch letztlich ja sagen zum absoluten Du Gottes."[171]

So zeigt sich, daß der menschliche Deutungsakt[172] immer eingebunden bleibt in die leibliche Verfaßtheit und die gesellschaftliche Bezogenheit des Menschen. Diese Eingebundenheit führt den Menschen *immer schon in eine transsubjektive Objektivität* hinaus, der er sich nicht verschließen darf, will er der dialogischen Liebe wirklich dienen. In diesem Verständnis sittlicher Objektivität ist das Maß der Liebe nicht unabhängig von der Intentionalität des (einzelnen dialogischen) Subjekts bestimmt. Aber das einzelne Subjekt nimmt über den Intentionalitätshorizont der Liebe an der universalen Kommunikation der Menschen teil und bindet sich so objektiv. Subjektivität und menschliche Freiheit und universale Sinnvermittlung erweisen sich so als Dimensionen der dialogischen Kommunikation der Liebe, die in der Mitte der moraltheologischen Hermeneutik bei Hans Rotter steht. Von dieser Mitte her empfangen sie ihren Sinn.

Damit ist aber auch jede rationale Teleologie eindeutig durchbrochen. Denn im dialogischen Denken ist die Liebe sowohl das ‚objektivste' wie auch das ‚subjektivste' Prinzip zugleich. Es gibt keine bloße Teleologie auf das Sittlich-Allgemeine, weil in der Liebe als Ziel, Weg und Mittel des Sittlichen sowohl der universale Sinn als auch der innerste Vollzugsgrund der menschlichen Freiheit, ihre geschichtlich konkrete Individualität und unreduzierbare, existentiell erfahrene ‚Intimität' innerhalb der dialogischen Kommunikation umfaßt sind. Die dialogisch begründete Personalität und die dialogische Universalität definieren sich im Vollzug der Dynamik der Liebe. Das wird deutlich an der Gleichursprünglichkeit von Selbstvollzug und transsubjektiver (objektiver, intersubjektiv universaler) Verwiesenheit des Menschen innerhalb der dialogischen Liebe, anders ausgedrückt: in der Identität von Selbst- und Nächstenliebe: „Im Bereich der wohlwollenden Liebe ist die Bejahung des andern an sich

---

167 Demmer (3) 89f.

168 Ebd. 17.

169 Ebd.

170 Vgl. Rotter (6) 9–11.

171 Rotter (4) 25.

172 Über die Grenzen der Deutung, die natürlich dem objektiven Material und den rationalen Notwendigkeiten gegenüber nicht willkürlich sein darf, vgl. Rotter (1) 57 (zum „irrigen Gewissen").

schon die Bejahung des eigenen Ich; echte Nächstenliebe ist als solche bereits die richtige Selbstliebe. Der Mensch kann sich anders als in einem solchen Akt gar nicht wirklich lieben (im sittlich positiven Sinn!). Er kann sich nur zu sich selber verhalten, indem er sich zum andern verhält. Eine Konkurrenz zwischen der Nächstenliebe, insofern sie sich auf die Person des andern richtet, und sittlich guter Selbstliebe ist also gar nicht möglich. Beides ist identisch."[173] Das liegt an der inneren (metaphysischen) Struktur der Dynamik der Liebe: „Er [der Mensch] wird durch die Liebe, die man ihm anbietet, um so mehr bereichert, je mehr er selber liebt, und er bleibt davon um so unberührter, je mehr er sich der Haltung entgegensetzt, mit der man ihm begegnet. So liegt in der größten Aktivität einer starken Liebe gleichzeitig die größte Passivität des Beschenkt-Werdens und sich Beschenken-Lassens. Im Vollzug personaler Gemeinschaft zwischen Ich und Du werden Aktivität und Passivität schlechthin identisch."[174] Weil Objektivität (objektives Ziel) und Subjektivität (subjektiver Vollzug) in der dialogischen Liebe identisch sind (als Liebe in den anderen und in mir selbst), sind im dialogischen Denken der subjektive Selbstand, zusammen mit der existentiell erfahrenen Freiheit, und der universale, objektive – besser intersubjektive – Sinn unbedingt vermittelt.

Die gestaltenden Faktoren der menschlichen Sittlichkeit ordnen sich in diese umfassende Bestimmung der menschlichen Sittlichkeit als „Sprachgeschehen", um das personal-dialogische Zentrum herum, ein als

– Elemente der dialogischen Kommunikation der Liebe

Versteht man die menschliche Sittlichkeit in ihrer leitenden Sinntiefe von der dialogischen „Dynamik" der Liebe aus, so kommen die gestaltenden Faktoren des Sittlichen: Naturrecht, Sitte, Weisung, Autorität usw. als dienende Vermittlung der Sinnstiftung der Liebe in den Blick.[175] In dieser dienenden Funktion verlieren sie einen etwaigen Absolutheitsanspruch. Kein Faktor kann in sich und von sich aus die menschliche Sittlichkeit ganzheitlich ermessen. Alle Faktoren sind damit aber zugleich originär und selbständig in ihrem Dienst an der Kommunikation der Liebe. Auch wenn in den unterschiedlichen sittlichen Entscheidungen einmal die naturrechtliche Begründung, ein andermal die Gewohnheit der Bräuche oder eine ausdrückliche Autorität als Vermittlungsinstanz im Vordergrund stehen mag, ist letztlich keines dieser Elemente der Reduktionsgrund der anderen, von dem aus diese ihre endgültige Legitimation erhielten. Dabei laufen „Naturrecht, Sitte und positive Weisungen... nicht einfach getrennt nebeneinander her. Sie beeinflussen sich in mannigfaltiger Weise. Denn das Naturrecht wird immer in einem geistesgeschichtlichen Horizont interpretiert, der vom ganzen Leben einer Kultur, aber auch von persönlichen Erfahrungen und Erlebnissen geprägt ist."[176]

Die Hermeneutik der menschlichen Sittlichkeit wird in dieser Zuordnung der Elemente der Vielschichtigkeit des sittlichen Phänomens gerecht. Positivismus (Autoritätsdenken) und Rationalismus scheinen so im Verständnis der Sittlichkeit ausgeschlossen zu bleiben. „Weisung und Gehorsam sind komplexe Akte. Aber sie müssen mit allen ihren Faktoren betrachtet werden, wenn man nicht in die Einseitigkeiten des Rechtspositivismus oder eines rationalistischen Naturrechtsdenkens verfallen will. Jede dieser beiden traditionellen Auffassungen hat ein richtiges Anliegen. Aber gerade durch die unerlaubte Vereinfachung des Phänomens hat sowohl die Naturrechtslehre wie auch der Rechtspositivismus immer wieder die jeweils konträre Auffassung hervorgerufen."[177] In der Sinntiefe der Liebe bleiben Rationalität und Autorität begründet und unreduzierbar miteinander verbunden.

---

173 Rotter (1) 32.

174 Ebd. 28.

175 Vgl. Rotter (1) 45–53; (3) 100–109.

176 Rotter (1) 50. Rotter bringt so zum Ausdruck, was Demmer als das Ineinander der existentialen Logik und der formalen Logik gekennzeichnet hat, die Vermittlung jeder begrifflich abstrakten sittlichen Einsicht mit einem geschichtlich vorgeordneten Sinnhorizont (vgl. hier S. 193–196. 201f. 205).

177 Rotter (1) 50.

Die scharfe Abwehr der Interpretationen der menschlichen Sittlichkeit, die der subjektiv-anthropologischen Konzentration des Denkens innerhalb der Moraltheologie verpflichtet sind und das Schwergewicht auf die Bezüge der subjektiv vermittelten Rationalität legen, ist bei Rotter von der Sorge um die ursprüngliche, dialogische Offenheit des moraltheologischen Denkens her zu verstehen. Sie erweckt gelegentlich den Eindruck, Rationalität sei nach seinem Verständnis *wesenhaft* undialogisch, weil auf die bloße individuelle und subjektive Einsicht bezogen. Insofern die metaphysische und transzendentale Analytik der Subjekt- und Objektbeziehung der menschlichen Freiheit aber nie das individuelle historische Subjekt oder Objekt meint, sondern eine allgemeingültige Abstraktion sein will, ist der Vorwurf, „man habe in der Tradition zu individualistisch gedacht"[178], wenn man nur Subjekt und Objekt betrachtete, mißverständlich. Nicht individuelle Züge, sondern gerade die universalen, alle konkreten Individuen und Dinge übergreifenden Strukturen als Ausdruck der universalen Vermittlung des sittlichen Anspruchs sind in der objektiv ontologischen und transzendental subjektiven Analytik gemeint. Das Problem dieser Analytik liegt allerdings darin, daß tatsächlich sekundäre Schichten der Objektivierung der menschlichen Sittlichkeit in den Vordergrund der Deutung des Sittlichen rücken und so die universale ‚rationalistische' (subjektive wie objektive) Teleologie auf ein abstraktes Sittlich-Allgemeines bewirken. In ihr ist die menschliche Personalität als existentiell erfahrene Freiheit und der eigentliche universale Sinn der menschlichen Sittlichkeit, die dialogische Liebe, nicht mehr enthalten bzw. auf sachliche und rationale Strukturen reduziert. Demgegenüber betont Rotter zu Recht: „... die Aspekte des Personalen und Subjektiven [dürfen] nicht unterbewertet oder auf Objektivität [im Sinne der nicht-dialogischen Deutung des sittlichen Aktes, welche die eigentliche, dialogische Objektivität unterbietet] zurückgeführt werden."[179] Den Grund dieser Reduktion drückt man aber wohl besser mit „zu einseitig, zu *eindimensional*" aus als mit „zu individualistisch", weil die ontologische Basis in der Deutung des Sittlichen zu eng angesetzt ist, „zu einseitig" objektiv oder „zu eindimensional" subjektiv, gegenüber der intersubjektiven Struktur des sittlichen Aktes als „Sprachgeschehen" in dialogischer Kommunikation und Verleiblichung. Es fehlt die entscheidende Dimension der Intersubjektivität, der Subjekt-Subjekt-Beziehung gegenüber der bloßen Subjekt-Objekt-Beziehung. Im Horizont dieses umfassenden Fundaments der menschlichen Sittlichkeit muß dann aber die anthropologische Reflexion auf die *personal dialogische Funktion und Relevanz der rationalen Strukturen der Wirklichkeit* die unverzichtbare Rolle der menschlichen Rationalität in der Kommunikation der Liebe integrieren. Die Rationalität ermöglicht die universelle Kommunikation, die Personalisierung der gesellschaftlichen Strukturen durch die notwendige Individualisierung des einzelnen Subjekts kraft seiner sich festigenden eigenen Einsicht in die Wirklichkeit. Es muß die Rationalität der Wirklichkeit, die rationale Transparenz und sachliche Gebundenheit des sittlichen Aktes positiv herausgestellt werden. Die berechtigte Aufgabe der menschlichen Vernunft in der menschlichen Personwerdung darf über die Abwehr ‚rationalistischer' Einseitigkeiten gerade um der Dialogik der Liebe als letzter Sinntiefe der menschlichen Sittlichkeit willen nicht außer acht gelassen werden. Auch die Aspekte des Rationalen der menschlichen Kommunikation und der Wirklichkeit „dürfen nicht unterbewertet werden". Denn man darf ihre Bedeutung gerade für den dia-logos der Liebe, die Mitteilung der Liebe (vgl. etwa die Funktion der Unparteilichkeit) auch nicht unterschätzen, will man nicht innerhalb der umfassenden Hermeneutik des sittlichen Phänomens doch wieder in Nähe eines Positivismus geraten, der über die Reflexion der geschichtlichen Bedingtheit und Vermitteltheit des sittlichen Anspruchs die *geschichtsgestaltende Kraft des Bemühens des Menschen um vernünftige Erkenntnis und Kommunikation sittlichen Sinns* übersieht.

Rotter versteht diese Hermeneutik von der Dialogik der Liebe her als eine Hermeneutik der tiefsten Sinnmitte der menschlichen Sittlichkeit, deren eigene Fülle aber erst in einer weiteren, die menschliche Sittlichkeit umgreifend prägenden Dimension in den Blick kommen

---

178 Vgl. ebd. 58.

179 Rotter (4) 25.

kann, in der Dimension der Geschichte. Innerhalb der Geschichte erfährt sich die menschliche Liebe schließlich ganz ermöglicht und getragen von der Liebe des sich in der Heilsgeschichte dialogisch mitteilenden Gottes.

3. Die Geschichtlichkeit des Menschen

Hans Rotter nutzt die empirische Anthropologie, um die ursprüngliche Gebundenheit des Menschen an das Du, an die Gesellschaft und an sachliche (psychische, soziologische...) Strukturen zu entfalten, den beiden Relationen des Ausgangspunktes von der thomanisch-aristotelischen Definition der Liebe entsprechend. In dieser Hermeneutik zeigt sich aber zugleich – zunächst mehr am Rande, in der fortschreitenden Reflexion aber immer zentraler – die wesentliche Geschichtlichkeit des Menschen und des menschlichen Dialogs der Liebe.[180]

Die Liebe läßt sich in einem einzelnen Akt nicht eindeutig aussagen. Das liegt in der Sprachstruktur der menschlichen Sittlichkeit selbst begründet. Denn der Ausdruck der Liebe bleibt in der Verleiblichung notwendig hinter der Fülle der Intention zurück.[181] Diese Differenz zeigt den Menschen im Dialog der Liebe in einer wesenhaften Geschichtlichkeit. Ist für den anderen die Liebe des Ich aufgrund ihrer gleichzeitigen Verborgenheit in der objektivierenden Enthüllung und Mitteilung nur in der Geschichte ihrer Objektivationen insgesamt letztlich erfahrbar, so ist auch für das Ich die eigene Liebe nur im Vollzug der immer neuen und tieferen Objektivationen verwirklicht. „Wie eine Handlung zu verstehen ist, ergibt sich nur aus dem Gesamtbild eines menschlichen Lebens und einer mitmenschlichen Beziehung." „Denn die Haltung... [des Menschen] ist... innerlich, ontologisch noch nicht definitiv, sondern sie ist im Werden, sie ist offen."[182] Diese geschichtliche Dimension der menschlichen Sittlichkeit zeigt sich auch in der Genese menschlicher Personalität. Für den sich entwickelnden Menschen ist es erst die Fähigkeit, zu den Bedürfnissen und der Befriedigung der eigenen Wünsche in zeitliche Distanz zu treten, die ihm die dem Menschen eigene subjektive Unabhängigkeit von der Objektivität vermittelt. Der Mensch lernt in dieser Distanz zu seiner eigenen Eingebundenheit in die Objektwelt, die objektive Wirklichkeit zu beherrschen und ihre Bedeutung für sich selbst frei zu bestimmen. So ist die Dimension der Zeit das eigentliche ‚Medium' dieser Freiheit und des subjektiven Selbstands. „Während das Tier ... durch seine Anlage und das Ergebnis von Lernprozessen gegenüber der Umwelt in seinem Verhalten weitge-

180 Die Besinnung auf die zeitbezogene Verfaßtheit der menschlichen Sittlichkeit in der Dialogik der Liebe beginnt schon in den grundlegenden Untersuchungen von Rotter (1) 54–56: „Erkenntnis und Zeit". 64–67: „Sittlichkeit und Heilsgeschichte". 67–70: „Sittliche Erkenntnis und Heilsgeschichte". Sie rückt in den empirisch anthropologischen Untersuchungen von Rotter (3) 20–41 immer stärker in den Vordergrund. Die theologische Bedeutung der Geschichtlichkeit des Menschen für das Verständnis seiner Sittlichkeit wird dabei besonders in Rotter (4) 34–40: „Zur geschichtlichen Begründung der Ethik". 57–67: „Der sittliche Akt als eschatologisches Symbol", umfassend und zentral aber in Rotter (7) 99–117 reflektiert (vgl. auch Rotter [8] 40f).

181 Vgl. Rotter (1) 55.

182 Ebd.

hend festgelegt ist, ist das Verhältnis des Menschen zur Wirklichkeit anders strukturiert. Als geschichtliche Existenz ist der Mensch in seinem Handeln nicht nur von der Gegenwart, sondern auch von der Vergangenheit und Zukunft bestimmt. Die Offenheit der Zukunft ist der Grund dafür, daß der Mensch in seinem Handeln nicht auf eine sichere oder gar unmittelbare Erreichung seiner Zielobjekte angewiesen ist. Daraus ergibt sich jene Distanz zur Gegenwart, die gegenüber den Dingen als Sachlichkeit zu bezeichnen ist und die anderen Personen echte Freiheit einräumt. Personalität und Freiheit sind dabei nicht bloß als Gegebenheiten des subjektiven Bewußtseins zu verstehen, sondern als Wirklichkeiten, die sich gerade in der Geschichtsbezogenheit und Umweltdistanz der menschlichen Weltbeziehung ausdrücken."[183] Rotter erschließt von diesem Ansatz aus in seiner empirisch anthropologischen Deutung des Menschen die „Exzentrizität"[184] der menschlichen Subjektivität, welche die eigentliche personale Würde in der dem Menschen eigenen Distanz zur Eingebundenheit in die Wirklichkeit zum Ausdruck bringt. Die Distanz ist ermöglicht durch die innere Offenheit des Menschen, die ihm Vergangenheit und Zukunft als Dimensionen seines Bewußtseins schenkt, in der er der Objektwelt und Gegenwart in Freiheit gegenübersteht. „Der Mensch kann durch das Zeitbewußtsein zu sich selber in Distanz treten. Er erfährt sich nicht bloß als das im Augenblick gegenwärtige Subjekt, sondern er weiß um seine zeitliche Kontinuität. Die Distanz zu seiner Vergangenheit ermöglicht es ihm, frühere Erfahrungen als seine eigenen anzuerkennen und dennoch zu ihnen neu Stellung zu nehmen. Er hat aber auch die Möglichkeit, sich gleichsam geistig in die Vergangenheit hineinzuversetzen und von da aus der Gegenwart kritisch gegenüberzutreten. Er kann von seiner Gegenwart her bereits über seine Zukunft verfügen. Alle diese Möglichkeiten führen zu dem Phänomen, das man als *Exzentrizität* der menschlichen Person bezeichnet hat."[185] Aufgrund der unbegrenzten Offenheit dieser Exzentrizität in der nicht festlegbaren Reichweite der menschlichen Zukunftshoffnung und Zukunftseröffnetheit zeigt sich die personale Mitte des Menschen als im einzelnen Akt nicht festlegbar, durch die eigene Geschichte je neu überholbar und in der unabschließbaren Zukunftsgerichtetheit unbedingt offen auf eine transzendente Sinntiefe hin. „Die Zeit hat im menschlichen Bewußtsein keine Grenze, keinen Horizont. ... Der Mensch erblickt offenbar den Sinn seines Daseins nicht ausschließlich darin, daß er die Ziele seines Handelns tatsächlich im Laufe seines irdischen Lebens erreicht. Er transzendiert geistig von vorneherein die Grenze seines eigenen Todes."[186]

Die Geschichtlichkeit des Menschen reflektiert Rotter schließlich fast in der gleichen Umfassendheit wie Demmer[187], indem er „Geschichte" als neuen sittlich

---

183 Rotter (3) 41; vgl. 20–41.

184 Ebd. 28.

185 Ebd. 28; vgl. 28–30.

186 Ebd. 30.

187 In der anthropologischen Bestimmung der Geschichtlichkeit des Menschen in Rotter (3) kommt der Autor dem transzendentalontologischen Verständnis der menschlichen Personalität überhaupt sehr nahe. Die transzendentalontologischen Analysen sehen die menschliche Personalität in der universalen Kommunikation der Seinsoffenheit des

umgreifend relevanten Grundbegriff der moraltheologischen Hermeneutik, der für den Naturbegriff als leitende Sinntiefe des Denkens stehen soll, zu verstehen sucht. Dabei wird Geschichte gedeutet als Raum der Vermittlung von Subjektivität und Objektivität, als Raum menschlich personaler Freiheitsentscheidungen und dialogischer Kommunikation der Liebe, als Raum der Begegnung mit der Wirklichkeit Gottes.[188] Um diese letzte theologische Bedeutung der Geschichte für das Verständnis der menschlichen Sittlichkeit in den Blick zu bekommen, muß aber die Entfaltung der personal subjektiven „Exzentrizität" des Menschen und der geschichtlichen Offenheit der dialogischen Kommunikation der Liebe auf die menschliche Transzendenzverwiesenheit hin näher reflektiert werden. Sowohl von der dialogischen Mitte der Hermeneutik der menschlichen Sittlichkeit her als auch in der empirisch anthropologischen Entfaltung erreicht Rotter über die Geschichtlichkeit die eigentümliche Transzendenz des Menschen.

Die Offenheit des dialogischen „Sprachgeschehens", in der die Liebe des Ich den Mitmenschen nur in der Geschichte der Objektivationen zugänglich ist, weist auf eine „Eschatologie" der letzten, gelingenden Gemeinschaft in der Mitteilung der Liebe hin. „Der Dialog der Liebe ist... ein Dialog in Hoffnung auf ein immer tieferes gegenseitiges Verstehen in der Zukunft. Die letzte, unüberholbare Gemeinschaft in Erkenntnis und Liebe ist nur als eschatologisches Ereignis denkbar."[189] Die darin implizierte transzendente Offenheit des Menschen zeigt sich auch in der empirisch-anthropologischen Struktur, insofern die Exzentrizität in ihrer unendlichen Offenheit auf Zukunft hin durch nichts, selbst den Tod nicht, begrenzt werden kann.[190] In der Exzentrizität und Offenheit seiner Zukunft vermag der Mensch so in eine letzte Distanz zu seiner leiblich-weltlich verfaßten Wirklichkeit zu treten. Er vermag sich selbst auf ein Sinnziel hin zu entwerfen, das die Dialogik der Liebe in menschlicher Intersubjektivität und welthafter Objektivität noch einmal übersteigt. In diesem Überstieg zeigt sich die letzte Sinntiefe der menschlichen Sittlichkeit, von der her die Freiheit des Menschen und die Kommunikation der Liebe sich selbst verstehen muß.

---

menschlichen Geistes begründet, die den subjektiven Selbstand des Menschen ermöglichte (vgl. hier S. 31–34 und S. 190f). Wie dabei in der transzendentalontologischen Einheit von transzendentalem Ausgriff auf das Sein und kategorialer Vermittlung die Geschichtlichkeit in der Mitte der Personalität des Menschen aufbricht, so zeigt Rotter in der Exzentrizität der menschlichen Personalität die universale Offenheit des menschlichen Geistes auf, die durch die Distanz zur Gegenwart und die Transzendenz in die Zukunft ermöglicht ist. Auch bei Rotter durchdringen sich so die personale und die geschichtliche Verfaßtheit des Menschen unmittelbar: „Die Dimension der Zeit hat für das Verständnis des Personalen eine ganz entscheidende Bedeutung" (Rotter [3] 28). Doch faßt Rotter diese Geschichtlichkeit nicht von der ‚existentialen' Seinskommunikation her, sondern trägt sie in die dialogische Kommunikation der Liebe ein (vgl. 19f.20–22).

188 Vgl. Rotter (7) 101–111: „Vom Begriff der Natur zum Begriff der Geschichte". 111–117: „Der Begriff der Geschichte".

189 Rotter (1) 55.

190 Vgl. Rotter (3) 30; (2).

Mit diesen Gedanken ist das ontologische und gnoseologische Fundament der dialogisch-personalen Interpretation der sittlichen Wirklichkeit in seiner ganzen, geschichtlich transzendierenden Fülle entfaltet. Von hier aus setzt Rotter die tiefste ‚Schicht' seiner Deutung der menschlichen Sittlichkeit an. In der Mitte der moraltheologischen Hermeneutik zeigt sich die Liebe Gottes, die dem Menschen durch ihre Selbstmitteilung in der Geschichte einen letzten Sinn und Halt schenkt.

4. *Menschliche Liebe und Gottes Liebe*

Hans Rotter greift in seinem Denken eine Reihe der transzendentaltheologischen Axiome auf, die Karl Rahner in der Analytik der seinsoffenen Geistigkeit des Menschen und ihrer theologischen Entfaltung erschlossen hat. So übernimmt er die Deutung der notwendigen, von Rahner auf dem Hintergrund der transzendentalontologischen Doppelstruktur des menschlichen Selbstvollzugs als kategorialen Selbstvollzugs in transzendentaler Seinserschlossenheit erhobene Einheit von Nächstenliebe und Gottesliebe[191], die Verbundenheit der menschlichen Geschichte mit der Heilsgeschichte und die darin implizierte untrennbare Relation von Natur und Gnade[192], um seinerseits die Transzendenzverwiesenheit des Menschen in Dialogik und Geschichtlichkeit auf die Selbstmitteilung Gottes zu beziehen. Damit scheint auch hier die Dialektik des transzendentalen (transzendentalontologischen bzw. -theologischen) Verständnishorizonts implizit auf, und der geschichtliche Selbstvollzug in dialogischer Liebe wird mit der transzendentalen Verwiesenheit des Menschen in diesem Vollzug unmittelbar verbunden. So wird aber gerade in dieser Verbundenheit die dialogische Auffassung des Sittlichen auf die Strukturen der transzendentaltheologischen Hermeneutik ‚projiziert'. Und in dieser ‚Projektion' zeigt sich das transzendentale Gottesverständnis dialogisch umgeprägt: Die transzendental ermöglichende Beziehung Gottes zur menschlichen Wirklichkeit wird gefüllt mit der dialogischen Struktur der in der Selbstmitteilung den Menschen zur Liebe bewegenden Liebe Gottes.[193] Ist schon von der Nächstenliebe her die

---

[191] Vgl. Rotter (1) 59–63: Die notwendige Verwiesenheit des Menschen „in seiner Geistigkeit... auf Transzendenz" ist die Voraussetzung dafür, „daß er... erst im Geheimnis Gottes seine Erfüllung und damit sich selber finden kann" (59). Dieser Zusammenhang wird aber von der transzendentalontologischen Beschreibung des menschlichen Geistes als Selbstvollzug in Seinserschlossenheit her erst verständlich, und Rotter stützt sich hier auch ausdrücklich auf die transzendentaltheologische Ausdeutung der transzendentalontologischen Anthropologie bei Rahner: „Der Akt der Nächstenliebe ist also der einzige kategoriale und ursprüngliche Akt, in dem der Mensch die kategorial gegebene ganze Wirklichkeit erreicht, sich ihr gegenüber selbst total richtig vollzieht und *darin* schon immer die transzendentale und gnadenhaft unmittelbare Erfahrung Gottes macht." (Rahner [15] 294; zit. bei Rotter [1] 60[121].)

[192] Vgl. Rotter (1) 64–67; (7) 125–127, bes. 125[34]; (8) 31.32–35, bes. 34.

[193] Rotter (8) 36 betont die dialogische Struktur dieser innersten Mitte des sittlichen Aktes auch unter Berufung auf die Bibel: „Der biblische Gottesbegriff betont die personale Beziehung zum Menschen. Das sittlich Gute und das Böse sind immer nur von dieser Beziehung her zu verstehen. Deshalb ist etwa auch das Prinzip der Selbstverwirklichung,

Liebe als „velle alicui caritatem" in ihrer tiefsten Wirklichkeit verstanden, so wird die – sicherlich der menschlichen Liebe noch einmal transzendental vorausliegende – göttliche Liebe letztlich auch nur verstehbar als das Geheimnis einer Liebe, die die menschliche Liebe in der dialogischen Unmittelbarkeit der heilsgeschichtlichen Begegnung zum Wachsen und zur Vollendung bringt.[194]

Das transzendentaltheologische Denken versteht Jesus Christus als die kategoriale Erfüllung der „transzendentalen Gotteserfahrung". Im dialogischen Denken wird diese einzigartige Bedeutung Jesu Christi zunächst in der ‚Ontologie' der Vollendung der dialogischen Dynamik der Liebe ausgedrückt. Vom dialogischen Kommunikationsgeschehen her erscheint Jesus Christus als Kreuzpunkt der menschlichen Geschichte der Dialogik und der göttlichen Selbstmitteilung. „In einem dialogischen Denken ist nicht nur auf das Verhältnis zwischen Gott und Mensch, sondern ebenso auf die zwischenmenschlichen Beziehungen zu achten. ... erst wenn man diese beiden Relationen in ihrem Zusammenhang begreift, hat man die Voraussetzung für das Verständnis der Heilsgeschichte. Denn diese stellt ja ein Handeln Gottes am Menschen dar, das nicht nur senkrecht von oben in die Welt eingreift, sondern sich auch in einer innerweltlichen, geschichtlichen Kontinuität vermittelt. ... Der Gottmensch ist nicht nur ein einzigartiges Individuum, sondern auch solidarisch mit der Menschheit verbunden."[195] In der Geschichte Jesu Christi gelangt somit die Dialogik der Liebe zu einem alles umfassenden Höhepunkt. In Jesus und in seinen Mitmenschen wird aus der umgreifenden Liebe Gottes die Liebe selbst in einer vollendenden Tiefe erweckt und die gegenseitige Weckung der Liebe in Empfangen und Geben, die ‚dialogische Geschichte' der Menschen selbst, in ihre Erfüllung geführt: „Seine [Jesu] Liebe hat ihre Tiefe auch von seiner Mitwelt empfangen, besonders von seiner Mutter. Freilich wuchs er in der Hingabe für die ganze Menschheit über alle andern hinaus. Sein Leben und Sterben bedeutet nicht nur für ihn selber die innigste Verbundenheit mit dem himmlischen Vater, sondern eben wegen der Solidarität des ganzen Menschenge-

---

jedenfalls wenn man es direkt und undialektisch denkt, der Bibel fremd. Der Mensch vollbringt das sittlich Gute nicht einfach dadurch, daß er sich selber verwirklicht. Im sittlich Guten geht es vielmehr um Liebe, um Hingabe bis zur Selbstpreisgabe. ‚Wenn das Weizenkorn nicht in die Erde fällt und stirbt, dann bleibt es allein!' (Joh. 12,24). Der Mensch findet seine Selbstverwirklichung nur dialektisch, indem er sich dem Mitmenschen öffnet, und letztlich nur im Heil, das Gott ihm schenkt." Rotter stellt hier die dialogisch-transzendente Offenheit der innersten Mitte der menschlichen Sittlichkeit dem psychologischen, monistisch strukturierten Begriff der Selbstverwirklichung gegenüber. Dem entspricht – wenn auch auf einer ganz anderen, nicht psychologischen Ebene, im Blick nicht auf eine individuelle menschliche Monade, sondern auf die allgemeine transzendentale Struktur jedes Menschen als Subjektivität überhaupt – wohl auch die schon angesprochene „Eindimensionalität" des transzendentalen Begriffs des Selbstvollzuges (vgl. Rotter [1] 6.58; [6] 9–16). Dieser Begriff prägt auch die transzendentalontologische Denkweise Rahners und wird von Rotter bei der Aufnahme des Gedankenguts von Rahner von innen her auf die (wirkliche) Dialektik der Dialogik hin überwunden.

194 Vgl. Rotter (6) 81–87.

195 Rotter (1) 64.

schlechtes auch die entscheidende Erlösungstat der Heilsgeschichte."[196] Als dieser Höhepunkt der dialogischen ‚Ontologie' der Liebe, in der alle Geschichte menschlicher Freiheit in und durch den Austausch der Liebe mit Gott in Christus vollendet wird und ihre tiefste Sinnstiftung findet, in der deshalb alle menschliche Personwerdung durch die dialogische Verbundenheit in der Liebe letztlich ihr begründendes Fundament erhält, stiftet Christus der Geschichte des Menschen die Vollendung ein, einen letzten Halt in der sich selbst mitteilenden Liebe Gottes: „In der dialogischen Struktur des Erlösungswerkes Jesu sind... zwei Aspekte zu beachten; die unüberbietbare Verbundenheit mit dem Willen des Vaters, also die volle Gemeinschaft mit dem Vater in der Liebe, und die Solidarität mit dem Menschengeschlecht, durch die das einzigartige Schicksal Jesu in das Schicksal der ganzen Menschheit eingeht. Jesus Christus gibt dadurch der Geschichte der Menschheit eine christologische Struktur."[197]

Die Solidarität des ganzen Menschengeschlechts begründet sich in der dialogischen ‚Ontologie' aus der wurzelhaften Verwiesenheit jedes Menschen in seinem innersten personalen Vollzug auf ein Du, auf die Gemeinschaft mit den anderen Menschen: „Wenn ein Mensch geliebt wird, dann wird dadurch seine eigene Freiheit freigesetzt. Das ist nun aber mehr als bloß eine sittlich indifferente Voraussetzung des eigenen Aktes. Es ist bereits eine echte Hilfe zum Guten. Man kann zur Sünde verführt, aber auch zur Liebe positiv hingeführt werden. Ohne die Solidarität der Menschen im Bereich des Sittlichen wäre Erbsünde ebenso unverständlich wie Erlösung." Das bedeutet aber: „Der Mensch ist also im Gebrauch seiner Freiheit nicht bloß aktiv Schenkender, sondern gleichzeitig Empfangender. Das Annehmen der Liebe geschieht aber nun wieder nicht in reiner Passivität. ... Er [der Mensch] wird durch die Liebe, die man ihm anbietet, um so mehr bereichert, je mehr er selber liebt, und er bleibt davon um so unberührter, je mehr er sich der Haltung entgegensetzt, mit der man ihm begegnet" (28). Dies gilt analog für die Beziehung von Gott zum Menschen, insofern in der von Gott empfangenen Liebe der Mensch in empfangender Liebe ganz engagiert wird: „Dieses Ineinander von Aktivität und Passivität ist nun in analoger Weise auch in der Gotteserkenntnis gegeben. Auch sie hat den Charakter des Empfangens und des freien Glaubens. Dabei gibt die radikale Abhängigkeit der menschlichen Freiheit von Gott der Initiative Gottes eine viel tiefere Bedeutung, als das bei einer zwischenmenschlichen Begegnung dem zu erkennenden Partner zukommt" (67). „Die menschliche Freiheit ist von Gott viel radikaler abhängig als vom Mitmenschen. Es gibt zwar ohne die Liebe der Mitwelt keine Ich-Findung und keine Personwerdung." Doch: „Freiheit ist in ihrem tiefsten Wesen nur durch die Bezogenheit auf Gott zu verstehen" (63).

Bei dieser dialogisch-‚ontologischen' Eingründung aller menschlichen Kommunikation der Liebe in die Liebe Gottes kommt aufgrund der Doppelseitigkeit aller Liebe die menschliche Geschichte *als menschliche Geschichte selbst* unter der tiefsten Selbstmitteilung Gottes in ihr Eigenstes. Weil im „Vollzug personaler Gemeinschaft zwischen Ich und Du... Aktivität und Passivität schlechthin identisch" (28) sind, weil so in Christus die Geschichte menschlicher Liebe in ihrer eigenen „Aktivität" aus der empfangenen Liebe Gottes in ihren Höhepunkt kommt („Seine [Jesu] Liebe hat ihre Tiefe auch von seiner Mitwelt empfangen..." [64]), vermag Rotter im dialogischen Denken ausdrücklich die unmittelbare Einheit von Gottesliebe und Nächstenliebe, wie sie im transzendentalontologischen bzw. transzendentaltheologischen Denken zum Ausdruck kommt, zu integrieren und zu begründen. Weil sich in der dialogischen Dynamik der Liebe auch die personale ‚Intimität' und ‚Integrität' beider Partner

---

[196] Ebd.

[197] Ebd. Die folgende Analyse zu dieser dialogischen Hermeneutik des Christusereignisses geht den Gedankenschritten von Rotter (1) nach (Zitationsbelege im Text).

vollendet, so vollendet sich in der tiefsten Selbstmitteilung göttlicher Liebe (aus der vorgängigen Initiative Gottes!) die ganzheitliche Liebe des Menschen, was bei ihm für die transzendente und mitmenschliche Verwiesenheit gleicherweise gilt (59–62). Dabei erfüllt sich in der heilsgeschichtlichen Nähe Gottes auch der Selbstvollzug der dialogischen Liebe in der Geschichte der Menschen miteinander. In diesem Sinne vermag Rotter in dialogischer Sprechweise die transzendentaltheologische Analytik des Wesens des personalen Aktes einzuholen, welche in der Einheit von transzendentaler Verwiesenheit und kategorialer Entfaltung die Einheit von Gottes- und Nächstenliebe aufweist: „Was für unser Verhältnis zu Gott gilt [= jede Beziehung zu Gott vermittelt sich kategorial, und wir haben Gott immer schon als transzendentalen Grund und Horizont unseres kategorialen Selbstvollzuges; 60f], gilt entsprechend auch von seinem Verhältnis zum Menschen. Wie wir Gott nur lieben können, indem wir uns auf den Nächsten, auf uns selbst und auf die Welt beziehen, so kann uns Gott nur seine Liebe schenken, indem er unser Verhältnis zum Mitmenschen, zum eigenen Ich und zur Leiblichkeit anzielt. Auch die Liebe Gottes zu uns muß das formale Ziel haben, uns zur Liebe zu führen. Denn auch die Liebe Gottes hat den Sinn, ein Einswerden zwischen Mensch und Gott zu bewirken, was eben auch den liebenden Vollzug menschlicher Freiheit voraussetzt. Jeder Vollzug der menschlichen Freiheit betrifft aber auch das Verhältnis zum Mitmenschen" (61).[198]

Zeigt sich so auch in der dialogischen ‚Ontologie' aufgrund der Doppelseitigkeit der Liebe die notwendige Verbundenheit der transzendenten Relation Gott-Mensch mit der kategorialen Relation menschlicher Leiblichkeit, Weltlichkeit und Interpersonalität, so wird verständlich, wie Rotter auch das Axiom Rahners vom „anonymen Christen" übernehmen kann. In der transzendentaltheologischen Hermeneutik ist dieses Axiom von der Einheit des menschlichen Selbstvollzugs in Transzendenzverwiesenheit und der christologischen Vollendung dieses Vollzugs durch die kategoriale Erfüllung der unthematischen Transzendenzverwiesenheit in Jesus Christus her entworfen.[199] Vom dialogischen Denken aus gesehen, kündigt sich in jedem Akt der menschlichen Verwirklichung der Liebe die Vollendung der dialogischen Vollgestalt christologischer Liebe als Erfüllung menschlicher Geschichte und göttlicher Selbstmitteilung implizit („unthematisch") an.[200]

Allerdings: Aus dem Verständnis der menschlichen Sittlichkeit als dialogisch unmittelbarer Kommunikation der Liebe heraus wehrt sich Rotter gegen das transzendentale Gottesverständnis, das die Wirklichkeit Gottes nur in Vermittlung durch den menschlichen Selbstvollzug hindurch geschichtlich greifbar werden läßt. Die unmittelbare Einheit von Gottes- und Nächstenliebe könnte sonst mißverstanden werden. Auch die menschliche Liebe muß sich in der Objektivierung ihren eigenen, verleiblichten Ausdruck suchen, ohne ihre dialogische Unmittelbarkeit der intersubjektiven Kommunikation zu verlieren. Ebenso drückt sich auch in der Dialogik der Liebe Gottes zum Menschen – mag sie sich auch selbst der menschlichen Geschichte (und des menschlichen Selbstvollzugs) zur eigenen Objektivation und Mitteilung bedienen – eine letzte Unmittelbarkeit Gottes aus, in der der Mensch die eigene Liebe und ihre Kommunikation in der tieferen und unbedingten Liebe Gottes geborgen erfährt. „Die unmittelbare Ich-Du-Beziehung aktuiert sich, indem sie sich in der Verleiblichung vermittelt. So aktuiert sich auch die unmittelbare Gott-Mensch-Beziehung, indem sie sich in mensch-

---

198 Rotter (1) 61 fährt fort: „Wäre das nicht der Fall, dann müßte man Gott auch lieben können, wenn man den Nächsten haßt. Das Gebot der Nächstenliebe könnte dann nur noch in einem positiven Dekret Gottes begründet werden, das unabhängig vom Schöpferwillen Gottes wäre. – Wenn zwischen beiden Verhältnissen aber ein Wesenszusammenhang besteht, dann kann Gott den Menschen nur zu einer Liebe bewegen, die sich sowohl auf Gott selber, wie auch auf die Mitmenschen bezieht." Das heißt auch umgekehrt: „Wenn uns Gott liebt und Liebe in uns wecken will, dann schließt das auch ein, daß er uns die Begegnung mit liebenden Menschen schenkt" (62).

199 Vgl. Rahner (16).

200 Vgl. Rotter (1) 69f; (7) 125–127 (bes. Anm. 34); (8) 34.40f.

licher Liebe vermittelt." „Damit wird weder das Verhältnis zwischen Gott und Mensch als bloß mittelbar gedacht, noch wird gesagt, daß die Liebe Gottes nicht mehr sei als bloße Nächstenliebe" (62). Wie schon in der transzendentaltheologischen Dialektik Selbstvollzug und Seinserschlossenheit, menschlicher Freiheitsvollzug und transzendentale Ermöglichung zwar als notwendige ‚Momente' eines Vollzugs angesprochen werden, dadurch aber *nicht* aufeinander reduziert werden dürfen (60)[201], so legt sich diese „vermittelte Unmittelbarkeit"[202] auch im dialogischen Denken aus, wobei die dialogische Dialektik allerdings die Unmöglichkeit einer Reduktion sehr viel deutlicher zum Ausdruck bringt (62)[203].

Die Dialogik der Liebe erreicht in der (unmittelbaren) Eingründung in die Liebe Gottes einen letzten, innersten Kreis, der ihre Wirklichkeit trägt. Die Entfaltung ihrer Strukturen im „Sprachgeschehen" und in der mitmenschlichen Intersubjektivität, in der Verleiblichung, in der empirisch anthropologischen Schichtung der Eingebundenheit des Menschen in seine Umwelt und in seiner Exzentrizität findet in diesem Kreis einen letzten ‚Halt'. Die dialogische Dialektik der letzten Begründung des Sittlichen macht Gott aber nicht mehr nur als Geheimnis einer freilassenden Freiheit, als ermöglichenden Horizont der menschlichen Freiheit und als transzendentalen Grund des subjektiven Selbstvollzuges des Menschen und seiner Geschichte zugänglich. Im dialogischen Denken steht in der Mitte eine begegnende Freiheit, die *in* die Geschichte des Menschen eingegangene Liebe Gottes, aus der sich die menschliche Freiheit empfängt. „Gott ist also nicht bloß das schweigende Geheimnis, das hinter aller Schöpfung steht, sondern er spricht uns beständig an in der Liebe unserer Mitmenschen. Aus diesem Grund kann es nicht ausreichen, wenn man in der Terminologie der Transzendentalphilosophie Gott bloß als den ‚Horizont' unserer geistigen Akte beschreibt. Dieses Bild legt die Vorstellung nahe, als ob es Sache des Menschen wäre, auf den Horizont zuzugehen, als ob also der Aktivität des Menschen eine Passivität Gottes entspräche. Eine solche Vorstellung wäre offensichtlich falsch. Gott ist nicht bloß ein Wesen, das der Mensch im Akt der caritas vorfindet, sondern dieser Akt ist nur möglich, wenn Gott die erste Initiative ergreift und durch die Vermittlung menschlicher Liebe seine eigene Liebe mitteilt. Nur weil Gott auf diese Weise zu uns ja sagt, haben wir die Kraft, das Gute zu wollen und zu tun. Unser sittliches Bemühen ist bis ins Innerste von der Initiative Gottes getragen. Um diese dialogische Verwiesenheit des Menschen auf Gott geht es, wenn man im Rechtfertigungsgeschehen von einem ‚extra nos' spricht."[204] Die Beziehung von Gott und Mensch zeigt sich somit nicht mehr als die „statische Struktur" der transzendental-abstrakten Ermöglichung, sondern als geschichtlich konkreter, immer weitergehender Dialog: „Dem Menschen wird seine Freiheit nicht einfach geschenkt, so daß er dann mit ihr machen könnte, was er wollte. Sie wird auch nicht durch einen Konkurs erhalten, der sie als in sich stehende, undialogisch zu denkende Entscheidungsfähigkeit konstituieren würde. Der Mensch kann vielmehr nur lieben, weil Gott ihm seine Liebe und seine beständige Treue schenkt.

---

201 Vgl. hier S. 69.

202 Vgl. GK 90–92.

203 Vgl. vor allem Rotter (1) 62[125]. Zur Mißverständlichkeit der transzendentaltheologischen Dialektik vgl. hier S. 65–71.

204 Rotter (1) 62.

Die entscheidendste Voraussetzung unseres Heiles liegt also in Gott und nicht in uns selber."[205]

Indem Hans Rotter so das ontologische und gnoseologische Fundament der menschlichen Sittlichkeit in seiner letzten Tiefe auf die dialogische Dialektik der heilsgeschichtlichen Begegnung von Gott und Mensch stellt, vertieft er die transzendentalontologische geschichtliche Vermittlung von existentieller Freiheit und universalem Sinn, von menschlichem Selbstvollzug und göttlicher Ermöglichung. Die letzte Sinnstiftung für die menschliche Freiheitsgeschichte, die sich im geschichtlichen Denken Klaus Demmers als ontologische Erfüllung der transzendentalontologischen Dialektik, als Radikalisierung der Offenheit der sittlichen Sinngeschichte des Menschen in Jesus Christus erwies, wird in ihrer bergenden[206] Vollendung verstehbar.

5. Die Eingeborgenheit der Liebe des Menschen in der Liebe Gottes

Hans Rotter stellt die Geschichte der menschlichen Freiheit als Geschichte des personalen Dialogs Gottes mit dem Menschen dar. Wird die menschliche Sittlichkeit wesenhaft als die dialogische Kommunikation der Liebe aufgefaßt und die heilsgeschichtliche Selbstmitteilung Gottes in Jesus Christus als die Erfüllung und der Höhepunkt dieser Kommunikation gedacht, so muß dieser Höhepunkt in seinem ‚Inhalt' näher beschrieben werden.

Rotter versucht diesen Höhepunkt darzustellen, indem er die heilsgeschichtliche Liebe Gottes in Christus als die Erfüllung der transzendenten Offenheit des Menschen in seiner geschichtlich verfaßten, anthropologischen Struktur deutet. Die menschliche Sittlichkeit zeigte sich als Fähigkeit zur Hoffnung. Der Mensch erfährt sich in der Distanz zur eigenen Eingebundenheit in die Objektwelt bis hin zum Verzicht auf die dialogische mitmenschliche Gegenliebe über seine innerweltlichen Bezüge hinaus auf eine transzendente Zukunft verwiesen. „Der Mensch sucht in der Liebe zum Mitmenschen immer auch eine Verwirklichung seiner eigenen Person. Weil aber diese Person zeitlich nicht eingegrenzt und eingrenzbar ist, sondern jeden Horizont übersteigt, deshalb kann auch die Selbstverwirklichung dieser Person in den Grenzen des irdischen Lebens nicht erfolgen. Die Hoffnung des Menschen zielt nach einer Erfüllung, die innerweltlich prinzipiell nicht möglich ist, weil sie jede Begegnung ausschließt. Deshalb kann der Mensch seine volle Erfüllung in der Beziehung zum Mitmenschen von vorneherein nicht finden. ... Dabei ist klar, daß ein personales Wesen seine Erfüllung nicht von unterpersonalen Gegenständen erhalten kann, denn die ungeschichtliche Seinsweise solcher Objekte schließt die Möglichkeit aus, daß sie den Menschen als geschichtliche Existenz erfüllen. Der Mensch kann sich nur in einem Gegenüber finden, das ihn mit seiner ganzen

---

[205] Ebd. Vgl. zum Verständnis der Wirklichkeit Gottes als dialogisch erfahrenes Du auch Rotter (6) 84–87; (7) 116f; (8) 32–36.

[206] Als *präsentisch*-eschatologische Erfüllung der menschlichen Transzendenzverwiesenheit in Geschichte.

Geschichte annimmt, und das ist eben nur in der Kommunikation mit einem personalen Du möglich. Insofern aber ein menschliches Du mit aller seiner Endlichkeit nicht genügt, insofern die Hoffnung des Menschen über alles Endliche hinausgreift, kann sie ihr Ziel nur in einer personalen Transzendenz finden..."[207] Die heilsgeschichtliche Liebe Gottes gibt sich aber als eine Liebe, welche diese Hoffnung noch einmal zu erfüllen und in sich einzubergen vermag. „... es gehört zum Wesen menschlicher Freiheit, daß eine Person von ihrer Mitwelt nicht restlos determiniert wird, daß also personale Liebe nicht bloß das Echo auf das Verhalten der Mitwelt ist."[208] „Er [der Sinn der menschlichen Existenz] bemißt sich nicht allein daran, wieviel innergeschichtliche Werterfahrung der Mensch unmittelbar aus seinem Handeln gewinnt. Sinnvoll ist ein Handeln auch dann, wenn es dem Mitmenschen in Gegenwart oder Zukunft dient."[209] „Man kann in seiner eigenen personalen Entfaltung über die Liebe hinauswachsen, die einem entgegengebracht wird. ...um es paradox auszudrücken, [man kann] mehr annehmen..., als der andere gibt, weil man den Akt des anderen positiver interpretieren kann, als dieser selber ihn versteht."[210] „Aber dieses Hinauswachsen über den Mitmenschen ist nur möglich, weil Freiheit...nicht nur auf das menschliche Du, sondern radikaler auf Gott bezogen ist. ...vom absoluten Geheimnis Gottes her wird dem Menschen...mehr möglich, als bloß das Maß der Liebe zurückzugeben, das ihm der Mitmensch schenkt."[211] Zusammenfassend ausgedrückt: In der eschatologischen Spannung der menschlichen Liebe mit ihrem Sich-Ausstrecken über alle innerweltliche Erfüllung hinaus und in der bergenden Totalität der Antwort Gottes auf diese sich unbedingt weggebende Hoffnungsgestalt der menschlichen Sittlichkeit in der heilsgeschichtlichen Selbstmitteilung Gottes ereignet sich *das dialogische Geschehen des „velle alicui caritatem"* in der geschichtlichen Beziehung von Gott und Mensch. Denn in der bergenden Aufnahme der Hoffnung des Menschen durch Gott, in der Zusage, daß eine solche Spannung der Liebe nicht umsonst ist, ist dem Menschen der Reichtum eigenen Lieben-Könnens erschlossen: die Kraft zur Weitung seines Horizonts der Hingabe ohne unmittelbare Rückforderung aufgrund der vorausliegenden Eingeborgenheit in die Liebe Gottes.

„Läge... der ganze Sinn des menschlichen Handelns in... zwischenmenschlichen Beziehungen, dann müßte...die Freiheit gegenüber der Zukunft völlig indifferent sein. Die Entscheidung, keinem Mitmenschen einen Vertrauensvorschuß zu leisten, keine Hoffnung auf ihn zu setzen und ihm auch das augenblickliche Wohlwollen zu verweigern, wäre ebenso gerechtfertigt wie die entgegengesetzte Möglichkeit. Das widerspricht nun allerdings der menschlichen Erfahrung. Die Entscheidung, Liebe zu schenken oder zu versagen, ergibt sich nicht einfach aus dem Kalkül der Aussichten auf einen in absehbarer Zeit zu erwartenden Erfolg. Der Mensch findet in der Ablehnung des anderen nie die gleiche innere Sinnerfahrung wie im Vertrauen und in der Liebe. Das Wohlwollen gegenüber dem anderen erscheint ihm sogar dann noch richtig, wenn er nachträglich feststellen muß, daß es enttäuscht wurde. In dieser

[207] Rotter (3) 31, vgl. 25–32; (1) 55; (4) 57–64; (6) 51–58; (7) 107–110.112–116.
[208] Rotter (1) 63.
[209] Rotter (4) 60.
[210] Rotter (1) 63, vgl. 55; (3) 26f.
[211] Rotter (1) 63.

Erfahrung bekundet sich die Transzendenz der menschlichen Person. Es zeigt sich hier, daß der Sinn menschlichen Handelns nicht in der zwischenmenschlichen Beziehung aufgeht, sondern darüber hinaus liegt und deshalb durch ein Scheitern zwischenmenschlicher Beziehungen noch nicht notwendig zerstört ist."[212] Diese Sinnhaftigkeit der Hoffnung, des „Hinauswachsens über den Mitmenschen", wird aber erst in der heilsgeschichtlichen Begegnung mit Gott endgültig offenbar: „... das freie Geschenk der Liebe Gottes an den Menschen läßt sich weder in einer transzendentalen Deduktion als Möglichkeitsbedingung menschlicher Existenz aufweisen, noch läßt sie sich in der Geschichte des einzelnen Menschen allein eindeutig erfahren. Sie bekundet sich vielmehr im Prozeß der Offenbarung, die in der Geschichte der Menschheit ergeht. ... Gerade im Leben und Sterben Jesu Christi wird in unüberbietbarer Weise das freie Geschenk der Liebe Gottes zum Menschen bekundet und damit der Glaube des Menschen an Erlösung, Angenommensein und Heil in Gott begründet. Damit bekommt aber auch die Nächstenliebe eine neue Deutung. Sie kann im Blick auf Jesus Christus als freies Gnadenangebot des Gottesgeistes verstanden werden, als ein Weg, zu dem von Christus geschenkten Heil zu gelangen. Die Beziehung zum Mitmenschen steht nun unter dem Zeichen einer neuen Verheißung, damit aber auch einer neuen Sinnhaftigkeit und eines neuen Anspruchs."[213]

Die personal-dialogische Unmittelbarkeit Gottes in der Beziehung von Gott und Mensch findet ihren Höhepunkt in Jesus Christus, der tiefsten Selbstmitteilung der Liebe Gottes.[214] Diese erfahrene Liebe Gottes wird im dialogischen Denken Rotters als der letzte Grund verstehbar, warum die menschliche Liebe zu einer ‚eschatologischen' Spannung, wie sie in der empirisch-anthropologischen Beschreibung deutlich wurde, fähig ist: *aufgrund der empfangenen Geborgenheit in der Liebe Gottes*. „Weil... der Sinn des Lebens nicht einfach nur in der eigenen Existenz liegt, sondern in der Liebe zum Mitmenschen und zu Gott, deshalb hat auch die Verantwortung für eine innerweltliche Zukunft über den eigenen Tod hinaus einen hohen Wert. Die Sorge für den Mitmenschen und die Zukunft wird zum Symbol für das Ja zum Willen Gottes und die Annahme seiner Gnade."[215] So bezeichnet Rotter den sittlichen Akt in seiner Fundierung auf die Gnade und geschenkte Liebe Gottes in seinem innersten Wesen als „eschatologisches Symbol"[216]. Die eschatologische Spannung in dieser Begründung der menschlichen Sittlichkeit trägt dabei gegenüber der transzendentaltheologischen Hermeneutik Demmers sehr viel deutlicher präsentische Züge, insofern sie sich nicht als Sinnstiftung in Radikalisierung der geschichtlichen Offenheit des Menschen gibt. Es ist die *erfahrene* Liebe Gottes, die in der Erfüllung der menschlichen Hoffnung auf *verwirklichte* Liebe die Dynamik der eigenen menschlichen Freiheitsgeschichte als christlicher Freiheitsgeschichte stiftet. In dieser ‚wirklichen Darstellung' der Eingeborgenheit der menschlichen Liebe in die Liebe Gottes erscheint die eschatologische Spannung nicht als bloße Krise des Menschen und seiner Sittlichkeit, sondern als die Ermöglichung der menschlichen Liebe durch Gottes Liebe selbst, ohne deren sich schenkendes Vorausgegebensein christliche Ethik leicht als übermenschliche Überforderung erscheinen könnte.[217]

---

212 Rotter (3) 27.
213 Rotter (6) 86f.
214 Vgl. ebd. 86; Rotter (1) 68.
215 Rotter (4) 63.
216 Ebd. 57.
217 Vgl. zur Überwindung des Rigorismus durch den dialogischen Ansatz: Rotter (1) 32f.

Reflexion 8: Die Bedeutung des dialogischen Gottesverständnisses für die Moraltheologie

In der subjektiven Wende des moraltheologischen Denkens war die Deutung der menschlichen Sittlichkeit aus einer objektivistisch vorgegebenen Seins- und Wesensordnung um des subjektiven Selbstands des Menschen willen zurückgelassen und die autoritäre Verengung der Moraltheologie aufgehoben. Die Moraltheologie begab sich in der Folge auf die Suche nach der wirklich konsequenten Integration der personalen Würde des Menschen, nicht nur im Verständnis des Menschen als subjektiven Selbstvollzugs und Selbstands, sondern darüber hinaus auch in seiner Deutung als geschichtlich verfaßte und existentiell erfahrene Freiheit. So sehr sich dazu die subjektive Wende und die geschichtliche Umorientierung des Denkens als hilfreich und notwendig erweisen, sie scheinen beide in einer Art Verabsolutierung ihrer selbst die personale Tiefe des Menschen noch einmal in Gefahr zu bringen. Auf dem Hintergrund des dialogischen Denkens erschließt sich aber im Blick auf diese Problematik in einem gewissen Sinn ein Zielpunkt der personalen Wende der Moraltheologie.

Die Verabsolutierung der subjektiven Wende des Denkens scheint sich in einen subjektiv-vermittelten ‚Rationalismus', der analytisch begründeten Teleologie auf das bloße Sittlich-Allgemeine hin zu verlieren. Die Verselbständigung des geschichtlichen Denkens aber mündet gleichsam in eine ‚Existentialisierung' der menschlichen Freiheit, in die Radikalisierung ihrer Geschichtlichkeit. Im Horizont des geschichtlich-dialogischen Denkens gelingt es der Moraltheologie, die Überwindung der objektivistischen Reduktionen aufzunehmen, den raschen Umschlag des moraltheologischen Denkens im Gefolge der subjektiven Wende in eine subjektiv vermittelte rationale Teleologie um der geschichtlich verfaßten und existentiell erfahrenen Freiheit des Menschen willen aber zu vermeiden und doch auch darin den Menschen nicht der bloßen, ‚haltlosen' Offenheit seiner Freiheit und Geschichtlichkeit auszuliefern. Denn in der geschichtlich-dialogischen Unmittelbarkeit der Gottesbeziehung zeigt sich ein konkreter ‚Halt' für die geschichtlich offene Subjektivität und Freiheit des Menschen. So sehr damit noch keine unmittelbare Antwort auf konkrete Fragestellungen der gegenwärtigen speziellen Moraltheologie gegeben sein mag, so ist doch offenbar in dieser geschichtlich-dialogischen Wende die eigentliche Möglichkeit begründet, die tiefe und zentrale Orientierung des moraltheologischen Denkens an der personalen Würde des Menschen als subjektiven Selbstands und existentiell erfahrener Freiheit und Individualität im hermeneutischen Gesamtgefüge der subjektiven und objektiven, personalen und sachlichen, rationalen, geschichtlichen, psychologischen und soziologischen Bezüge in eine letzte Konsequenz zu bringen. Denn liegt in dieser Vermittlung des moraltheologischen Denkens nicht eine christliche Antwort auf die Frage heutiger Menschen nach einem personalen Selbst- und Wirklichkeitsverständnis in dem Sinn, daß es der dialogischen Eingründung der menschlichen Liebe in die Liebe Gottes bedarf, um den ‚Halt' zu finden, in dem der Mensch die Offenheit seines subjektiven Selbstandes und seiner geschichtlich verfaßten Freiheit wirklich zu übernehmen vermag? Dabei ist vorausgesetzt, daß man diese geschichtlich-dialogische Ebene der Beziehung von Gott und Mensch nicht flach psychologisierend versteht. Gibt es hier nicht eine Konvergenz, in der das Verständnis der Wirklichkeit Gottes, der sich in Jesus Christus unwiderruflich mitteilt, im Horizont der anthropologisch personalen Vermittlung des moraltheologischen Denkens wirklich in seiner befreienden Tiefe integriert ist und in der sich auch der Mensch in einer letzten Tiefe geschichtlich-dialogisch auf die Wirklichkeit Gottes begründet erfährt? Die in der personalen Wende der Moraltheologie angezielte Würde des Menschen als subjektiven Selbstands und geschichtlich verfaßter, existentiell erfahrener und individuell-unaustauschbarer Person wird erst in der geschichtlichen Eingeborgenheit des Menschen in die dialogische Liebe Gottes letztlich entfaltet.

Die Öffnung des moraltheologischen Denkens auf die geschichtlich-dialogische Vermittlung der Wirklichkeit Gottes in der heilsgeschichtlichen Selbstmitteilung der göttlichen Liebe hin muß also offenbar als Bedingung der Möglichkeit einer letzten Konsequenz der personalen Wende der moraltheologischen Denkform und der endgültigen Überwindung der Entfremdung zwischen moraltheologischer Vermittlung des christlichen Gottesverständnisses und der Suche heutiger Menschen nach einem personalen Selbst- und Wirklichkeitsverständnis verstanden werden. Es scheint, daß nur das Paradox eines Denkens, das die objektivistische und rationalistische Begrenzung des Denkens in geschichtlicher Offenheit mit einer letzten Konsequenz übersteigt, aber zugleich diese Offenheit in die geschichtliche Selbstmitteilung Gottes als Liebe einbirgt, in der Moraltheologie den Raum eröffnen kann, in dem der subjektive Selbstand des Menschen und seine geschichtliche und existentielle Einmaligkeit ernst genommen sind. Die Aufgabe der Deutung des sittlichen Anspruchs als eine universale Sinnvermittlung[218] ist dabei nicht notwendig. Der Mensch ist in seiner Freiheit, mit der er sich selbst aufgegeben und in die Offenheit seiner Geschichtlichkeit hineingestellt ist, in der universalen Liebe Gottes geborgen. Diese Geborgenheit erlaubt es, die Unableitbarkeit und personale Würde des Menschen in der ethischen und moraltheologischen Reflexion erst tatsächlich zu bewahren.[219]

---

[218] Wie sie E. Drewermann in seiner „Aufhebung der Moral zugunsten des Glaubens" fordert (vgl. hier S. 17 und S. 198–200).

[219] Erst so ist die Forderung Drewermanns aufgenommen, die menschliche Personalität in ihrer existentiellen Verfaßtheit und individuellen Unverfügbarkeit ernst zu nehmen. Denn die Integration der personalen Wirklichkeit des Menschen und ihrer individuell-existentiellen Tiefe ist im dialogischen Denken nicht – wie bei Drewermann selbst – durch eine Rückbindung der Moral an die „Religion" im Sinne der „Aufhebung der Moral" zu leisten versucht, sondern *innerhalb* der Moral und Moraltheologie selbst ermöglicht. Das dialogische Denken erlaubt die Aufnahme der ganzheitlich-personalen Würde des Menschen, ohne den universalen sittlichen Anspruch in irgendeiner Weise künstlich suspendieren zu müssen. Die Begründung allen sittlichen Sollens in den Sinnerfahrungen der menschlichen Dialogik der Liebe und schließlich in der heilsgeschichtlichen Begegnung von Gott und Mensch läßt die Einheit von Sinnerfahrung und sittlicher Beanspruchung, die aus dieser Einheit sich ergebende Dialektik von Ermögli-

Zusammenfassung von Teil II B

Gegenüber der subjektiv-anthropologischen Konzentration des Denkens sollten die Kapitel 5 und 6 die Entfaltung einer Tendenz der Moraltheologie zeigen, die sich um die Aufnahme der heilsgeschichtlichen Zentrierung und eschatologisch-christologischen Ausrichtung der personalen Wende der katholischen Theologie bemüht.

Die moraltheologische Reflexion vollzieht als ersten Schritt innerhalb dieses Entwicklungsstrangs eine radikale geschichtliche Vermittlung des Denkens, die Klaus Demmer vom transzendentalontologischen Denken ausgehend erschließt. In dieser geschichtlichen Perspektive wird jede objektivistische und rationalistische Verengung des Denkens zurückgelassen, insofern der Mensch als Subjekt einer Sinngeschichte erfaßt wird, die sich in seinem seinsgegründeten Freiheitsvollzug vollzieht, und insofern in dieser Auffassung der menschlichen Sittlichkeit als sinngegründeter, geschichtlich gefaßter Selbstvollzug der universale Sinn und die existentielle Konkretion der Freiheit, der unbedingte Anspruch und die ermöglichende Sinnstiftung des Sollens in Einheit gedacht werden. Geschichte ist somit kein „mechanischer Prozeß", sie verdankt sich „freiheitlicher Setzung" in der Einheit von Sinnverstehen und sittlichem Sollen. Die „moralische Teleologie" auf das Sittlich-Allgemeine ist in diesem Verständnis der Geschichte durchbrochen und die personale Wirklichkeit des Menschen als Subjektivität in ihrer unverfügbaren Geschichtlichkeit und konkreten Individualität gewürdigt.

Das Ereignis Jesu Christi wird – entsprechend der transzendentaltheologischen Entfaltung der transzendentalontologischen Metaphysik und Anthropologie – in der geschichtlichen Wende der Moraltheologie zum Zielpunkt des Selbstvollzugs der seinsgegründeten Freiheit. In der heilsgeschichtlichen Selbstmitteilung Gottes kommt so die letzte leitende Sinntiefe des menschlichen Handelns und Leidens, das Ziel der sittlichen Sinngeschichte des Menschen zum Ausdruck. In der formal-hermeneutischen Reflexion Demmers zeigt sich diese letzte Sinntiefe aber gleichsam als Radikalisierung der geschichtlichen Dynamik der menschlichen Sittlichkeit selbst. Der fortschreitende Selbstüberstieg der Freiheit als seinsoffener Wesensvollzug in kategorialer Auslegung und Perspektivierung wird durch die Selbstmitteilung Gottes in Jesus Christus als letzte und tiefste Krisis der sittlichen Sinngeschichte des Menschen im Horizont der unendlichen Liebe Gottes eschatologisch geweitet und erfüllt. In dieser Radikalisierung der Offenheit der menschlichen Freiheitsgeschichte scheint aber der positive Sinn der Selbstmitteilung Gottes für den menschlichen Freiheitsvollzug noch nicht voll erfaßt und ausgedrückt.

Hans Rotter setzt die personale Wende der Moraltheologie im Anschluß an die doppelseitige Struktur des person- und objektgerichteten sittlichen Aktes bei der dialogischen Fundierung der menschlichen Sittlichkeit an. In der Mitte dieses Verständnisses des Sittlichen steht die Mitteilung der Liebe („velle alicui caritatem")

---

chung und Anforderung der menschlichen Liebe, wie sie Demmer aufwies (vgl. hier S. 193–196), vom Geschenk der Liebe Gottes her in einer letzten Tiefe und Unbedingtheit deutlich werden.

entsprechend der interpersonalen Bezogenheit des sittlichen Aktes. Rotter entfaltet die objektgerichtete Seite des sittlichen Aktes dabei als den verleiblichenden Ausdrucksraum dieser Mitteilung der Liebe, dessen Strukturen er im Kontext empirisch-anthropologischen Denkens analysiert.

Gibt sich menschliche Sittlichkeit so von ihrem dialogischen Zentrum her und in der empirisch-anthropologischen Entfaltung als ein universales „Sprachgeschehen", als Kommunikation der Liebe im Medium verleiblichender Objektivationen, so steht der Mensch im Horizont dieser umfassenden dialogischen Vermittlung der Liebe in einer geschichtlichen Spannung. Sie erschließt sich in der wesenhaften Differenz der Intentionalität der Liebe gegenüber den verleiblichenden Objektivationen, aber auch in der unabschließbaren Zukunftsoffenheit der menschlichen Geistigkeit als subjektiver Exzentrizität gegenüber der Objektwelt. In der Transzendenz des menschlichen Geistes aufgrund dieser Zeitlichkeit, die den subjektiven Selbstand des Menschen gegenüber der Umwelt bis hin zu einer Hoffnung ermöglicht, die die immanente Weltwirklichkeit übersteigt, ist die personale Tiefe des Menschen selbst begründet.

Die heilsgeschichtliche Selbstmitteilung der Liebe Gottes erweist sich aber gerade als die ‚Einbergung' der geschichtlich transzendenten Spannung der menschlichen Personalität in ihrer Exzentrizität. Die heilsgeschichtliche Begegnung von Gott und Mensch zeigt sich darin im Sinne des dialogischen Verständnisses menschlicher Sittlichkeit als das unbedingte „velle alicui caritatem" Gottes für den Menschen: In der bergenden heilsgeschichtlichen Liebe Gottes wird die transzendente Spannung der menschlichen Personalität aufgenommen und beantwortet. Darin wird sie in einer letzten Tiefe erst ermöglicht und ‚gerechtfertigt'. Die in dieser Spannung letztlich begründete Fähigkeit des Menschen zur Liebe und zur Hingabe, die dem Menschen als freier Subjektivität durch die Transzendenz über die bloße Eingebundenheit in die innerweltliche Wirklichkeit gegeben ist, wird durch die Liebe Gottes befreit und der Mensch darin „zur Liebe bewegt". Die personale Wende der Moraltheologie erreicht eine letzte Konsequenz: Der Mensch als subjektiver Selbstand und geschichtlich verfaßte, existentiell erfahrene Freiheit findet ‚Geborgenheit' in der Wirklichkeit Gottes, die sich in ihrer personalen Tiefe als geschichtlich-dialogische Liebe erschließt und die Würde des Menschen in seiner unreduzierbaren Wirklichkeit liebend trägt und ermöglicht.

Der zweite Problemkreis der moraltheologischen Vermittlung des christlichen Gottesverständnisses, wie er in der Einleitung unter der Aufgabenstellung dieser Arbeit formuliert wurde, findet damit seine Antwort in der gegenwärtigen Entwicklung der Moraltheologie.

Zusammenfassung des Zweiten Teils

Es ist ein Stück jüngster Theologiegeschichte, das die vorliegende Arbeit untersuchen wollte: die Lösung der katholischen Theologie aus dem Denkhorizont der Neuscholastik mit ihrer objektgebundenen Hermeneutik der Wirklichkeit und den damit verbundenen rationalistischen und autoritären Zügen sowie den Wandel der Vermittlung des christlichen Gottesverständnisses innerhalb dieser Entwicklung vom bloßen Seinsdenken zum anthropologisch vermittelten Wirklichkeitsverständnis hin. Sowohl die Dogmatik wie auch die moraltheologische Reflexion suchen ein Wirklichkeitsverständnis in ihr Denken aufzunehmen, das der personalen Differenziertheit des Menschen als subjektiven Selbstands, geschichtlich verfaßter Freiheit und existentiell erfahrener Individualität gerecht wird. Sie versuchen aber vor allem die Wirklichkeit Gottes in einem inneren Verhältnis zu dieser personalen Würde des Menschen zu vermitteln. Es geht ihnen darum, die befreiende Tiefe des christlichen Gottesverständnisses in einer Wirklichkeitsdeutung zu erschließen, in der der menschlichen Personalität und Freiheit der Freiheitsraum Gottes ermöglichend vorausliegt und als Zielgrund aufgeht, um so das personale Geheimnis des Menschen gerade aus dem personalen Geheimnis Gottes ermöglicht und in ihm geborgen zu finden.

Die dogmatische Theologie legt in diesem Bemühen einen Weg zurück, der von der scholastischen Anthropologie des seinserschlossenen Geistes über die anthropologisch-transzendentale Deutung der Ermöglichung des menschlichen Selbstvollzugs durch die Seinserschlossenheit zu einer dialogischen Unmittelbarkeit des Zueinanders menschlicher und göttlicher Freiheit führte. Die Wirklichkeit Gottes wird als *Geheimnis* unbestimmbarer (transzendental-nichtobjektivierbarer) Freiheit und als *Liebe,* als sich für den Menschen unbedingt bestimmende Freiheit erschlossen. Die menschliche Freiheit zeigt sich als von der heilsgeschichtlichen Mitte der Selbstmitteilung dieses Gott-Geheimnisses und dieser göttlich-freien Liebe ermöglicht, getragen und geborgen. Sie wird von ihrer heilsgeschichtlichen Beziehung zu Gott her als subjektiver Selbstand, der radikal ins Eigensein entlassen ist, bzw. als dialogisch begründete, verdankte Existenz verstehbar.

Ein erster Strang der moraltheologischen Entwicklung vertieft das transzendentale Gottesverständnis zur Deutung der Wirklichkeit Gottes als Urgrund der menschlichen Freiheit. In der grundlegenden subjektiven Wende der Moraltheologie wird die im traditionellen Denken im Vordergrund stehende Interpretation der menschlichen Sittlichkeit von der objektivistisch verstandenen Seins- oder Wesensordnung her zurückgelassen und die kategorial objektivierende Vermittlung des „göttlichen Willens" überstiegen. In dieser Überwindung des objektivistischen Verstehenshorizontes nimmt das moraltheologische Denken das Verständnis für die personale Würde des Menschen als subjektiven Selbstands auf, und die Wirklichkeit Gottes wird in anthropologischer Vermittlung erschlossen als der ermöglichende Urgrund dieses subjektiven Selbstands des Menschen. Die diesem Selbstand entspringende Freiheit des Menschen als Subjekt bringt die Moraltheologie auch gegenüber dem autoritären Zug der traditionellen Moraltheologie zur Geltung. Der erste Problemkreis der moraltheologischen Vermittlung des christlichen Gottesverständnisses, die Frage, ob denn Gott in einem kategorial konkurrierenden ‚Neben' gegenüber dem Menschen steht und in partikulären, unvermittelt voluntativen Interventionen in den Raum der menschlichen Freiheit eingreift, erhält in diesem Entwicklungsstrang der Moraltheologie nach dem Zweiten Vatikanum eine Antwort.

Die Abwehrstellung gegen den traditionellen Objektivismus und das damit verbundene Autoritätsdenken führt aber manche Moraltheologen in eine subjektiv-anthropologische Konzentration des Denkens, die es ihrerseits verhindert, den sittlichen Anspruch in einem inneren, positiven Verhältnis zu den Dimensionen der personalen Würde des Menschen zu sehen, die diesem als existentiellem Dasein und individueller, geschichtlich verfaßter Freiheit zu eigen sind. In dieser Konzentration wird auch die Wirklichkeit Gottes nur in einer gleichsam abstrakten, ungeschichtlichen Beziehung zur Subjektivität des Menschen gesehen, sodaß sich die Ermöglichung der menschlichen Freiheit unter dem (heilsgeschichtlich sich entfaltenden und vertiefenden) Geheimnis Gottes zu einem bloßen Entlassensein des Menschen aus der (konstituierenden) Wirklichkeit Gottes verengt – ohne die christologisch-heilsgeschichtliche und eschatologische Verwiesenheit in dieses Geheimnis. Die rationalistische Tendenz der moraltheologischen Denkform, wie sie schon im traditionellen Naturrechtsdenken gegeben ist, scheint sich dabei auch in der subjektiven Wende des Denkens durchzuhalten: Der sittliche Anspruch wird in einer vorwiegenden Teleologie auf das Sittlich-Allgemeine gedeutet, die unreduzierbare Geschichtlichkeit und existentielle ‚Intimität' des Menschen scheint in diese Teleologie unvermittelt hineingezwungen. Deutlich wird diese Problematik an der Deutung der menschlichen Sittlichkeit im Horizont der subjektiven Rationalität, in der – unter Berufung auf das ontologische Fundament des in der transzendentalen Ermöglichung für sich isoliert betrachteten menschlichen Selbstands – die logische Funktion der Unparteilichkeit in das Zentrum der Interpretation gerückt und die geschichtliche Verfaßtheit des Menschen und seine existentiell erfahrene Individualität per definitionem aus der positiven Bestimmung des *Wesens* des Sittlichen ausgeschlossen wird.

Demgegenüber steht in der Entwicklung der gegenwärtigen Moraltheologie ein zweiter Reflexionsstrang, der die geschichtliche Spannung der anthropologischen Vermittlung des Gottesverständnisses im Sinne der Ermöglichung der menschlichen Freiheit aus dem sich heilsgeschichtlich vertiefenden Geheimnis Gottes in ihrer vollen Reichweite aufzunehmen versucht. Die ungeschichtliche Abstraktion der subjektiven Konzentration der personalen Wende des Denkens wird überwunden und darin die Wirklichkeit Gottes auch in ein inneres Verhältnis zur menschlichen Personalität als geschichtlich verfaßter, existentiell erfahrener Freiheit gebracht. Die Wirklichkeit Gottes erscheint darin als Zielgrund menschlicher Freiheit, der die menschliche Freiheitsgeschichte in die dialogische Mitteilung seiner Liebe ‚einbirgt'; die rationalistische Verengung der moraltheologischen Denkform wird hier zurückgelassen.

Es ist gewiß ein ganzes Bündel von Beweggründen, die den hermeneutischen

Prozeß der katholischen Theologie, der hier für die dogmatische und die moraltheologische Reflexion unter dem Begriff der personalen Wende einzufangen versucht wurde, eingeleitet haben und weitertreiben. Es könnten in diesem Zusammenhang geistesgeschichtliche, kirchenpolitische, innertheologische und andere Gründe genannt werden: etwa die Auseinandersetzung der Theologie mit dem philosophischen Denken der Neuzeit, die ökumenische Öffnung der Kirchen und der konfessionellen Theologien füreinander, die exegetische Erforschung der Heiligen Schrift mit historisch-kritischer Methode und ihr Einfluß auf Dogmatik und Moraltheologie. Im Gang der Untersuchungen dieser Arbeit, die auf die moraltheologische Frage nach der Vermittlung des christlichen Gott-Denkens mit dem heutigen Selbst- und Wirklichkeitsverständnis des Menschen in Entsprechung zur Entwicklung der dogmatischen Theologie zu antworten sucht, zeigt sich aber in einem gewissen Sinn auch ein ‚systematischer', innerer Grund – soweit sich das für geistesgeschichtliche Entwicklungen überhaupt sagen läßt – für den anvisierten Prozeß. Wenigstens in der nachträglichen Reflexion scheint eine Art Konvergenz auf, die sich zwischen den geistesgeschichtlichen Tendenzen der heutigen Suche nach einem personalen Selbst- und Wirklichkeitsverständnis, zwischen dem dogmatischen Ringen um die neue Vermittlung des christlichen Gottesverständnisses im Horizont anthropologischen Denkens, zwischen der Suche der heutigen Moraltheologie nach der leitenden Sinntiefe der menschlichen Sittlichkeit im Kontext der personalen Wirklichkeitssicht zumindest andeutet: Im geschichtlich-dialogischen Denken der Dogmatik und der Moraltheologie erschließt sich eine Tiefe der personalen Würde des Menschen, welche den subjektiven Selbstand und die geschichtlich verfaßte, existentiell erfahrene Freiheit umfaßt und im Gesamt der vielschichtigen (subjektiven und objektiven, personalen und sachlichen, rationalen und psychologischen, sozialen und individuellen ...) Bezüge des Menschen und seiner Wirklichkeit, *wird sie in die heilsgeschichtliche Selbstmitteilung der dialogischen Liebe Gottes eingegründet,* trägt und bewahrt.

In der personalen Wende des moraltheologischen Denkens auf diese Mitte hin scheint jedenfalls die Gefahr einer von der subjektiven und personalen Würde des Menschen unberührten Interpretation des sittlichen Anspruchs in einem letzten Sinn überwindbar zu sein: Sie erschließt die befreiende personale Tiefe des christlichen Gottesverständnisses im Kontext der moraltheologischen Hermeneutik.

Schluß

Noch einmal: Hat es einen Sinn, sich in der gegenwärtigen Situation der Moraltheologie mit dem Problem des Gottesverständnisses auseinanderzusetzen? Gibt es nicht viel dringlichere, brennendere Sorgen – gerade in der speziellen Moral, die heute zu einer neuen, an empirischen und sachlichen Gegebenheiten orientierten, *konkreten* Reflexion über das Verhältnis von Natur und Kultur, Vorgegebenheit und Aufgegebenheit im menschlichen Handeln herausgefordert ist? Bleibt vor solchen Problemen überhaupt Zeit für eine so allgemeine Fragestellung, wie es die Frage nach dem Gottesverständnis in der Moraltheologie ist?

Sicher, das alte Bild der Moraltheologie, das auch heute noch lange nicht verschwunden ist oder zumindest noch Nachwirkungen hat, das Bild einer Theologie, die Gott als eifersüchtigen Herrscher über den Menschen und Richter seiner Taten darzustellen scheint, bleibt auf seine Weise eine Schwierigkeit, die es noch aufzuarbeiten gilt. Und doch scheint die Entwicklung schon einen Schritt weiter zu sein. Konnte die Moraltheologie im Denkhorizont der Neuscholastik den Eindruck einer sicheren, klaren und eindeutigen Vermittlung des Willens Gottes erwecken, so bietet die gegenwärtige Moraltheologie das verwirrende Bild komplexer Vielfalt und widersprüchlicher Pluralität des Denkens. Ihr gegenüber empfinden viele Menschen Unsicherheit. Die Wirklichkeit Gottes scheint ihnen entrückt; sie verlangen viel mehr nach einer konkret bestimmbaren Vermittlung der transzendenten Sinntiefe des sittlichen Anspruchs (des „Willens Gottes"), als daß sie sich von ihr direkt bedrängt fühlten.

Diese Vielschichtigkeit der Entwicklung, die ‚inneren Ungleichzeitigkeiten', die durch die Notwendigkeit entstehen, an verschiedenen und zum Teil gegensätzlichen Problemen der gegenwärtigen geistesgeschichtlichen Situation zugleich zu arbeiten, auch die Komplexität der konkreten, unaufschiebbaren Fragen der speziellen Moraltheologie machen aber das Gewicht einer theologischen Fragestellung, wie sie die Frage nach dem Gottesverständnis der Moraltheologie darstellt, deutlich: Es scheint in der gegenwärtigen Situation nicht nur darum zu gehen, daß die Moraltheologie einzelne neue, konkret praktische und allgemein grundlagentheoretische Orientierungshilfen gibt, sondern auch und vor allem darum, daß sie den Menschen hilft, *die gegenwärtige Erfahrung der Unüberschaubarkeit von Wirklichkeit* für die Frage nach dem richtigen Handeln oder nach dem Sinn des Leidens zu *deuten*.

Die dogmatische Theologie der Gegenwart hat diese Aufgabe, die gegenwärtige Situation des Menschen mit ihrer Erfahrung einer eigentümlichen Ausgesetztheit zu deuten, in den Problemkreisen ihrer Disziplin zu erfüllen versucht. Sie will dabei den Menschen als denjenigen verstehen, der in das Geheimnis Gottes gestellt ist. Gott selbst erscheint darin wesenhaft als Geheimnis, die Unüberschaubarkeit der Wirklichkeit nicht als bloße Undurchdringbarkeit der kosmischen oder objektiven Wirklichkeit, nicht als ein bloßes Noch-nicht-Wissen des Menschen oder als das

Unterwegssein zu einer Selbstverwirklichung, sondern als das Geheimnis des Hineingenommenseins *in die Freiheit Gottes selbst.* Diese Deutung vertieft so die Erfahrung der unverwaltbaren Unreduzierbarkeit der Wirklichkeit, die den Menschen heute bedrängt, und will die Entzogenheit der umfassenden rationalen Bewältigung der Wirklichkeit letztlich positiv verständlich machen: als Ausdruck dafür, daß der Mensch und alle Wirklichkeit in einem letzten Sinn in das Geheimnis Gottes hineingestellt sind. Die Theologie birgt mit dieser Deutung den Menschen, der sich in eine letzte Entzogenheit der Wirklichkeitsbeherrschung ausgesetzt fühlen muß, in eine tiefere Geborgenheit ein: in die Geborgenheit der Anteilnahme am Geheimnis der Liebe Gottes.

Es scheint, daß die Moraltheologie gerade diese Antwort an den heutigen Menschen aufnehmen muß. Sie kann darin einerseits das traditionelle Bild ihres Gottesverständnisses überwinden, indem sie den Verlust einer problemlosen unmittelbaren Kenntnis des göttlichen Willens als theologisch notwendiges und richtiges Hineingestelltsein auch der moraltheologischen Fragen (nach dem richtigen Handeln und dem Sinn des Leidens) in das Geheimnis Gottes verständlich macht. Anderseits fängt sie damit aber auch den gegenwärtigen Eindruck einer gewissen Orientierungslosigkeit auf, indem sie das rätselhafte Ausgesetztsein des Menschen als Geborgenheit im Geheimnis der Liebe Gottes zu bedenken gibt. So verhindert sie, daß allzu schnell wieder eine voreilige Ausdeutung des „Willens Gottes" eine vermeintliche Sicherheit gegenüber der gerade heute sehr komplexen ethischen Situation schaffen will – indem sie Gott selbst als Geheimnis der Liebe erschließt.

Abkürzungen

GK = Grundkurs = Rahner (26)
H = Herrlichkeit = Balthasar (4) – (8)
HdW = Hörer des Wortes = Rahner (17)
TD = Theodramatik = Balthasar (14) – (18)
TL = Theologik I = Balthasar (19)

Literaturverzeichnis

Arntz, J. (1), Naturrecht und Geschichte, in: Conc. 5 (1965) 383–391.
– (2), Die Entwicklung des naturrechtlichen Denkens innerhalb des Thomismus, in: Das Naturrecht im Disput 87–120.
Auer, A. (1), Interiorisierung der Transzendenz. Zum Problem Identität oder Reziprozität von Heilsethos und Weltethos, in: Humanum. Moraltheologie im Dienst des Menschen. Hg. J. Gründel – F. Rauh – V. Eid. Düsseldorf 1972, 47–65.
– (2), Die Autonomie des Sittlichen nach Thomas von Aquin, in: Christlich glauben und handeln. Fragen einer fundamentalen Moraltheologie in der Diskussion. Hg. K. Demmer – B. Schüller. Düsseldorf 1977, 31–54.
Balthasar, H. U. v. (1), Rezension: Karl Rahner, Geist in Welt. Zur Metaphysik der endlichen Erkenntnis bei Thomas von Aquin, in: ZKTh 63 (1939) 375–379.
– (2), Karl Barth. Darstellung und Deutung seiner Theologie. Köln [2]1962.
– (3), Die Gottesfrage des heutigen Menschen. Wien 1956.
– (4), Herrlichkeit. Bd. 1. Schau der Gestalt. Einsiedeln [2]1967.
– (5), Herrlichkeit. Bd. 2. Fächer der Stile. Einsiedeln [2]1969 [in zwei Bänden: Bd. 1. Klerikale Stile; Bd. 2. Laikale Stile].
– (6), Herrlichkeit. Bd. 3/1. Im Raum der Metaphysik. Einsiedeln 1965.
– (7), Herrlichkeit. Bd. 3/2,1. Alter Bund. Einsiedeln 1967.
– (8), Herrlichkeit. Bd. 3/2,2. Neuer Bund. Einsiedeln 1969.
– (9), Glaubhaft ist nur Liebe (Christ heute 5/1). Einsiedeln [2]1963.
– (10), Rechenschaft 1965. Mit einer Bibliographie der Veröffentlichungen Hans Urs von Balthasars zusammengestellt von B. Widmer (Christ heute 5/7). Einsiedeln 1965.
– (11), Cordula oder der Ernstfall (Kriterien 2). Einsiedeln [4]1975.
– (12), Der Zugang zur Wirklichkeit Gottes, in: MySal 2. Einsiedeln 1967, 15–45.
– (13), Klarstellungen. Zur Prüfung der Geister (Kriterien 45). Einsiedeln [4]1978 (Herder-TB 393).
– (14), Theodramatik. Bd. 1. Prolegomena. Einsiedeln 1973.
– (15), Theodramatik. Bd. 2/1. Der Mensch in Gott. Einsiedeln 1976.
– (16), Theodramatik. Bd. 2/2. Die Personen in Christus. Einsiedeln 1978.
– (17), Theodramatik, Bd. 3. Die Handlung. Einsiedeln 1980.
– (18), Theodramatik, Bd. 4. Das Endspiel. Einsiedeln 1983.
– (19), Theologik. Bd. 1. Wahrheit der Welt. Einsiedeln 1985.
Böckle, F. (1), Bestrebungen in der Moraltheologie, in: Fragen der Theologie heute. Hg. J. Feiner – J. Trütsch – F. Böckle. Einsiedeln 1957, 425–446.
– (2), Art. Existentialethik, in: LThK 3, 1301–1304.
– (3), Gesetz und Gewissen. Grundfragen theologischer Ethik in ökumenischer Sicht (Begegnung 9). Luzern 1965.
– (4), Grundbegriffe der Moral. Gewissen und Gewissensbildung (Der Christ in der Welt 8/5a). Aschaffenburg [8]1977.
– (5), Theonome Autonomie. Zur Aufgabenstellung einer fundamentalen Moraltheologie, in: Humanum (s. Auer [1]) 17–46.

– (6), Theonomie und Autonomie der Vernunft, in: Fortschritt wohin? Zum Problem der Normenfindung in der pluralen Gesellschaft. Hg. W. Oelmüller. Düsseldorf 1972, 63–86.
– (7), Natürliches Gesetz als göttliches Gesetz in der Moraltheologie, in: Naturrecht in der Kritik. Hg. F. Böckle – E.-W. Böckenförde. Mainz 1973, 165–188.
– (8), Fundamentalmoral. München 1977.
Craemer-Ruegenberg, I., Moralsprache und Moralität. Zu Thesen der Sprachanalytischen Ethik. Diskussion, Kritik, Gegenmodell (Prakt. Phil. 1). München 1975.
Demmer, K. (1), Sein und Gebot. Die Bedeutsamkeit des transzendentalphilosophischen Denkansatzes in der Scholastik der Gegenwart für den formalen Aufriß der Fundamentalmoral. Paderborn 1971.
– (2), Sittlich handeln aus Verstehen. Strukturen hermeneutisch orientierter Fundamentalmoral. Düsseldorf 1980.
– (3), Deuten und handeln. Grundlagen und Grundfragen der Fundamentalmoral (Studien zur theol. Ethik 15). Freiburg 1985.
Drewermann, E., Psychoanalyse und Moraltheologie. Bd. 1. Angst und Schuld. Mainz 1982.
Eicher, P. (1), Immanenz oder Transzendenz? Gespräch mit Karl Rahner, in: ThPh 15 (1968) 29–62.
– (2), Die anthropologische Wende. Karl Rahners philosophischer Weg vom Wesen des Menschen zur personalen Existenz (Dokimion 1). Freiburg (Schweiz) 1970.
– (3), Wovon spricht die transzendentale Theologie? Zur gegenwärtigen Auseinandersetzung um das Denken von Karl Rahner, in: ThQ 156 (1976) 284–295.
– (4), Offenbarung. Prinzip neuzeitlicher Theologie. München 1977.
Eid, V., Befreiende Rede von Gott in der praktizierten Moraltheologie, in: ThQ 155 (1975) 117–131.
Fischer, K. P., Der Mensch als Geheimnis. Die Anthropologie Karl Rahners (ÖF.S 5). Freiburg 1974.
Fuchs, J., Das Gottesbild und die Moral innerweltlichen Handelns, in: StZ 202 (1984) 363–382.
Furger, F., Gibt es eine Ethik ohne Gott? – Oder: Wie stellt Ethik die Gottesfrage?, in: Theol. Berichte 12. Zürich 1983, 63–93.
Geffré, C., Die neuen Wege der Theologie. Erschließung und Überblick (Theol. Seminar). Freiburg 1973.
Gerken, A., Offenbarung und Transzendenzerfahrung. Kritische Thesen zu einer künftigen dialogischen Theologie (Theol. Perspektiven). Düsseldorf 1969.
Gruber, L., Transzendentalphilosophie und Theologie bei Joh. G. Fichte und K. Rahner (Disputationes Theol. 6). Frankfurt 1978.
Häring, B., Das Gesetz Christi. Bd. 1. München [8]1967.
Heijden, B. van der, Karl Rahner. Darstellung und Kritik seiner Grundpositionen. Einsiedeln 1973.
Heinz, H., Der Gott des Je-mehr. Der christologische Ansatz Hans Urs von Balthasars (Disputationes Theol. 3). Frankfurt 1975.
Juros, H., Die „Objektschwäche" der Moraltheologie, in: Person im Kontext des Sittlichen. Beiträge zur Moraltheologie. Hg. J. Piegsa – H. Zeimentz. Düsseldorf 1979, 13–21.
Kant, I., Kritik der praktischen Vernunft, in: Kant's gesammelte Schriften. Hgg. von der Königlich Preußischen Akademie der Wissenschaften. 1. Abt.: Werke. Bd. 5. Berlin 1913, 1–163.
Kaufmann, F.-X., Wissenssoziologische Überlegungen zu Renaissance und Niedergang des katholischen Naturrechtsdenkens im 19. und 20. Jahrhundert, in: Naturrecht... (s. Böckle [7]) 126–164.
Lochbrunner, M., Analogia Caritatis. Darstellung und Deutung der Theologie Hans Urs von Balthasars (FThSt 120). Freiburg 1981.
Lotz, J. B., (1), Art. Anthropologie, in: Philosophisches Wörterbuch. Hg. W. Brugger. Freiburg [17]1976, 19–21.
(2), Art. Person, in: ebd. 285–287.

Mannermaa, T., Eine falsche Interpretationstradition von Karl Rahners „Hörer des Wörtes"?, in: ZKTh 92 (1970) 204–209.

Merklein, H., Die Gottesherrschaft als Handlungsprinzip. Untersuchung zur Ethik Jesu (Forschung zur Bibel 34). Würzburg 1978.

Metz, J.B. (1), Christliche Anthropozentrik. Über die Denkform des Thomas von Aquin. München 1962.

– (2), Die Zukunft des Glaubens in einer hominisierten Welt, in: Weltverständnis im Glauben (Grünewald-Reihe). Hg. J.B. Metz. Mainz ²1966, 45–62.

– (3), Zur Theologie der Welt. Mainz/München 1968.

Mieth, D. (1), Eine Situationsanalyse aus theologischer Sicht, in: Moral (Grünewald-Materialbücher 4). Hg. A. Hertz. Mainz 1972, 13–33.

– (2), Gotteserfahrung und Weltverantwortung. Über die christliche Spiritualität des Handelns. München 1982.

Mongillo, D., Theonomie als Autonomie des Menschen in Gott, in: Christlich glauben und handeln (s. Auer [2]) 55–77.

Mühlen, H., Die abendländische Seinsfrage als der Tod Gottes und der Aufgang einer neuen Gotteserfahrung. Paderborn 1968.

Das Naturrecht im Disput. Drei Vorträge beim Kongreß der deutschsprachigen Moraltheologen 1965 in Bensberg. Hg. F. Böckle. Düsseldorf 1966.

Rahner, K. (1), Zur scholastischen Begrifflichkeit der ungeschaffenen Gnade, in: Schriften zur Theologie. Bd. 1. Einsiedeln ⁶1962, 347–375.

– (2), Über das Verhältnis von Natur und Gnade, in: ebd. 323–345.

– (3), Probleme der Christologie von heute, in: ebd. 169–222.

– (4), Über die Frage einer formalen Existentialethik, in: Schriften zur Theologie, Bd. 2. Einsiedeln ⁶1962, 227–246.

– (5), Die ewige Bedeutung der Menschheit Jesu für unser Gottesverhältnis, in: Schriften zur Theologie. Bd. 3. Einsiedeln ⁵1962, 47–60.

– (6), Zur Theologie der Menschwerdung, in: Schriften zur Theologie. Bd. 4. Einsiedeln ³1962, 137–155.

– (7), Über den Begriff des Geheimnisses in der katholischen Theologie, in: ebd. 51–99.

– (8), Zur Theologie des Symbols, in: ebd. 275–311.

– (9), Bemerkungen zum dogmatischen Traktat „De Trinitate", in: ebd. 103–133.

– (10), Natur und Gnade, in: ebd. 209–236.

– (11), Dogmatische Erwägungen über das Wissen und Selbstbewußtsein Christi, in: Schriften zur Theologie. Bd. 5. Einsiedeln 1962, 222–245.

– (12), Weltgeschichte und Heilsgeschichte, in: ebd. 115–135.

– (13), Die Christologie innerhalb einer evolutiven Weltanschauung, in: ebd. 183–221.

– (14), Der Mensch von heute und die Religion, in: Schriften zur Theologie. Bd. 6. Einsiedeln 1965, 13–33.

– (15), Über die Einheit von Nächsten- und Gottesliebe, in: ebd. 277–298.

– (16), Die anonymen Christen, in: ebd. 545–554.

– (17), Hörer des Wortes. Zur Grundlegung einer Religionsphilosophie. Neu bearbeitet von J.B. Metz. München 1963.

– (18), Situationsethik und Sündenmystik, in: StZ 145 (1949/50) 333–342.

– (19), Gefahren im heutigen Katholizismus (Christ heute 1/10). Einsiedeln 1950.

– (20), Bemerkungen über das Naturgesetz und seine Erkennbarkeit, in: Orient. 19 (1955) 239–243.

– (21), Das Dynamische in der Kirche (QD 5). Freiburg 1958.

– (22), Art. Jesus Christus. II. Die nachbiblische Christologie. B) Systematik der kirchl. Christologie, in: LThK 5, 953–961.

– (23), Die Hominisation als theologische Frage, in: P. Overhage – K. Rahner, Das Problem der Hominisation. Über den biologischen Ursprung des Menschen (QD 12/13). Freiburg 1961, 13–90.

– (24), Der dreifaltige Gott als transzendenter Urgrund der Heilsgeschichte, in: MySal 2, 317–401.
– (25), Über die künftigen Wege der Theologie, in: Bilanz der Theologie im 20. Jahrhundert. Perspektiven, Strömungen, Motive in der christlichen und nichtchristlichen Welt. Bd. 3. Hg. H. Vorgrimler – R. Vander Gucht. Freiburg 1970, 530–551.
– (26), Grundkurs des Glaubens. Einführung in den Begriff des Christentums. Freiburg 101978.
Rahner, K. – Vorgrimler, H., Art. Hypostatische Union, in: Kleines theologisches Wörterbuch. Freiburg 1961, 176f.
Reiter, J., Modelle christozentrischer Ethik. Eine historische Untersuchung in systematischer Absicht (Moraltheol. Studien. Hist. Abt. 9). Düsseldorf 1984.
Rotter, H. (1), Strukturen sittlichen Handelns. Liebe als Prinzip der Moral (Veröff. der Univ. Innsbruck 32). Innsbruck 1970.
– (2), Die Eigenart der christlichen Ethik, in: StZ 191 (1973) 407–416.
– (3), Grundlagen der Moral. Überlegungen zu einer moraltheologischen Hermeneutik. Einsiedeln 1975.
– (4), Christliches Handeln. Seine Begründung und Eigenart. Graz 1977.
– (5), Wort Gottes und Stimme des Gewissens, in: ZKTh 102 (1980) 1–13.
– (6), Grundgebot Liebe. Mitmenschliche Begegnung als Grundansatz der Moral. Innsbruck 1983.
– (7), Zwölf Thesen zur heilsgeschichtlichen Begründung der Moral, in: Heilsgeschichte und ethische Normen (QD 99). Hg. H. Rotter. Freiburg 1984, 99–127.
– (8), Genügt ein heilsgeschichtlich-personaler Ansatz zur Lösung ethischer Probleme?, in: Moral begründen – Moral verkünden. Hg. G. Virth. Innsbruck 1985, 31–45.
Scheler, M., Der Formalismus in der Ethik und die materiale Wertethik. Neuer Versuch der Grundlegung eines ethischen Personalismus. Bern 51966.
Schüller, B. (1), Die Herrschaft Christi und das weltliche Recht. Die christologische Rechtsbegründung in der neueren protestantischen Theologie (AnGr 128). Rom 1963.
– (2), Gesetz und Freiheit. Eine moraltheologische Untersuchung. Düsseldorf 1966.
– (3), Die Begründung sittlicher Urteile. Typen ethischer Argumentation in der katholischen Moraltheologie. Düsseldorf 11973.
– (4), Die Begründung sittlicher Urteile. Typen ethischer Argumentation in der Moraltheologie. Düsseldorf 21980.
– (5), Der menschliche Mensch. Aufsätze zur Metaethik und zur Sprache der Moral (Moraltheol. Studien. Syst. Abt. 12). Düsseldorf 1982.
Schwager, R., Der Sohn Gottes und die Weltsünde. Zur Erlösungslehre von Hans Urs v. Balthasar, in: ZKTh 108 (1986) 5–44.
Schwartz, W., Analytische Ethik und christliche Theologie. Zur metaethischen Klärung der Grundlagen christlicher Ethik (FSÖTh 46). Göttingen 1984.
Siewerth, G. (1), Das Sein als Gleichnis Gottes (Thomas im Gespräch 2). Heidelberg 1958.
– (2), Das Schicksal der Metaphysik von Thomas zu Heidegger (Horizonte 6). Einsiedeln 1959.
Simons, E., Philosophie der Offenbarung. Auseinandersetzung mit Karl Rahner. Stuttgart 1966.
Styczen, T., Personaler Glaube im Spannungsfeld von religiöser Autorität und Gewissensautonomie, in: Person... (s. Juros) 30–68.
Türk, H. G., Gottesglaube und autonome Vernunft. Fundamentaltheologische Bemerkungen zur Diskussion um die „autonome Moral“, in: ThPh 58 (1983) 395–413.
Urban, C., Nominalismus im Naturrecht. Zur historischen Dialektik des Freiheitsverständnisses in der Theologie (Themen und Thesen der Theol.). Düsseldorf 1979.
Verweyen, H., Ontologische Voraussetzungen des Glaubensaktes. Zur transzendentalen Frage nach der Möglichkeit von Offenbarung (Themen und Thesen der Theol.). Düsseldorf 1969.
Ziegler, J. G., Die Moraltheologie, in: Bilanz... (s. Rahner [25]) 316–360.

Personenregister

Das Personenregister wurde erstellt von Frau E. Corazza.

Sachregister